Thierry Hentsch

RACONTER ET MOURIR

Aux sources narratives
de l'imaginaire occidental

Les Presses de l'Université de Montréal

MODE D'EMPLOI

CE LIVRE est à la fois narration et réflexion. Il se présente comme une série d'essais sur l'imaginaire occidental, à travers la lecture d'un certain nombre de grands récits qui appartiennent à notre tradition. Une introduction situe ces essais dans une perspective commune. Bien qu'elle ordonne le propos, cette perspective ne l'enferme pas dans le carcan d'une démonstration. Chaque chapitre est conçu de manière à pouvoir se lire indépendamment des autres. La lecture de l'introduction ne représente donc pas un préalable indispensable, et il n'est pas nécessaire de suivre l'ordre pour comprendre. L'ordre du livre constitue, avec l'introduction, une simple proposition de lecture.

Incitation à lire, à revenir aux textes, telle est l'ambition première — et ultime — de ce livre. Si j'y ordonne quelques idées, c'est que toute lecture un peu attentive est une sorte de réécriture. Mes interprétations cherchent à garder quelque chose du souffle narratif des textes dont elles s'inspirent.

TABLE DES MATIÈRES

INTRODUCTION

I
LE RÉCIT DE L'OCCIDENT

La mort est la grande affaire de l'homme. Elle est, qu'il le veuille ou non, le révélateur de sa vie, le suprême moment de vérité, l'échéance qui éclaire la vie de son inéluctable avènement. Vie, mort et vérité sont étroitement chevillées les unes aux autres, et la conscience n'échappe à la pensée de cette jonction qu'au prix de sa propre diminution. C'est à cette conscience menacée que ce livre s'adresse. Et cette conscience est « occidentale ».

De quelle diminution l'Occident est-il menacé dans sa conscience de soi ? En quoi consiste l'Occident à ses propres yeux ? De quelles vérités se nourrit-il ? Telles sont justement les questions que ce livre se propose d'éclairer à travers la lecture d'un certain nombre de textes majeurs qui ont marqué notre imaginaire et que nous considérons comme appartenant à notre tradition. Ces textes ponctuent dans notre mémoire collective un itinéraire narratif que j'appelle simplement « le récit de l'Occident ». Le récit de l'Occident n'est pas l'histoire de la civilisation occidentale, même s'il a nécessairement quelque chose à voir avec elle. C'est, dans la chaîne narrative à laquelle nous tenons, à laquelle tient de plus ou moins loin notre vision du monde, ce que nous avons à lire et qui n'est ordinairement pas lu. Le récit de l'Occident, on s'en doute, n'existe pas. Il est à *lire*. Dans les textes.

Pourquoi dans les textes plutôt que dans l'histoire ? Les textes auraient-ils quelque chose à dire que l'histoire ne dit pas ? Non, ils sont eux-mêmes dans l'histoire, qu'ils contribuent à faire. Ma préférence pour les textes est d'ordre pratique : ils sont *lisibles*. Je sais, leur lecture est périlleuse, mais celle de l'histoire l'est encore bien davantage. Et si les textes ne tissent qu'une part de notre imaginaire, du moins sont-ils, malgré la médiation du temps, immédiatement accessibles, presque palpables.

Sans doute, le temps les a triés, puis travaillés, un peu comme les peintures anciennes, dont les siècles ont altéré le vernis, changé les couleurs. Le tri du temps, bien que parfois aléatoire, est généralement significatif : un texte assez fort pour durer et se transmettre échappe aux circonstances de sa naissance. S'il n'avait de sens que replongé dans le bassin de son écriture, nous serions devant un texte mort qui n'aurait pas d'autre portée pour nous qu'historique, au même titre qu'un acte notarié ou une lettre de change. Par définition l'imaginaire collectif ne peut voyager que sur des écrits qui n'ont cessé d'être lus et relus, copiés et recopiés en raison d'une richesse de sens inépuisable qui fait de chaque lecture un nouvel événement, pour ne pas dire une nouvelle écriture.

Ainsi, l'*Épopée de Gilgamesh* nous parle aujourd'hui parce qu'elle ne dit pas seulement l'Antiquité sumérienne ou babylonienne mais la condition humaine. Même si la version qu'on est parvenu à reconstituer assez récemment n'est pas complète, même si le déchiffrage de l'écriture cunéiforme et la traduction du texte en langues modernes ne peuvent combler l'abîme qui nous sépare de sa réception initiale, le simple fait qu'il soit lu aujourd'hui, non pas seulement comme une trace archéologique, mais comme un récit susceptible de nous toucher, de nous procurer peine ou plaisir, cela seul suffit à faire de cette épopée un trésor vivant et justifie la tentative d'en risquer une *lecture*. Peu importe au non-spécialiste qu'une telle lecture aujourd'hui soit « juste », fidèle à un sens originel auquel nous ne saurions prétendre avoir clairement accès, l'essentiel est que ce texte, après une longue éclipse, soit de nouveau lu.

Tout texte, en un sens, même intégralement conservé, nous parvient mutilé. Amputé d'une part de son contexte et, comme le dit joliment Socrate dans le *Phèdre* de Platon, orphelin, privé de la voix et du soutien de son père. De son vivant déjà, le père du texte, qu'il le veuille ou non, doit faire le deuil de son rejeton. Chacun sait qu'une œuvre livrée au public cesse d'appartenir à son auteur et poursuit son chemin indépendamment de lui. Malgré ses lacunes visibles et invisibles, un texte se présente donc à nous (dans l'état où il nous parvient) comme quelque chose qui, sans être complet ni nécessairement achevé, n'en est pas moins fini, délimité. À l'inverse d'une série d'événements ou d'un ensemble de phénomènes, dont on pourra toujours déplacer ou questionner la clôture, où les délimitations font elles-mêmes partie de la problématique, le texte, lui, est précisément borné quoique sujet à infinie interprétation. Parfaitement clos quant à son écriture, parfaitement ouvert quant à sa lecture. Ce n'est pas dire que les lectures se valent toutes — sans même parler de celles que le texte ne permet tout simplement pas de soutenir. Une lecture vaut dans la mesure où elle éclaire le texte de l'intérieur, où elle lui donne vie et relief. La richesse d'un texte tient aux reliefs successifs que le temps permet d'y trouver. Les « grands » textes, les textes qui marquent, sont ceux dont le sens ne s'épuise jamais.

Les textes marquants sont rares, et néanmoins trop nombreux pour être tous lus avec une égale attention. J'ai donc dû me fixer des limites et faire des choix. Ce livre-ci s'arrête au seuil de l'âge classique, moment d'une césure importante qui, comme on le verra, justifie pleinement cette périodisation. Mais ce premier tome sera suivi d'un second qui traitera des grands récits que nous a laissés la fiction occidentale du milieu du xviie au xxe siècle. Au reste, le choix que j'ai fait est *rigoureusement* injustifiable, il ne peut se légitimer qu'à l'usage, par l'intérêt que suscitera, j'espère, la lecture des récits proposés. Ils sont tous d'une manière ou d'une autre représentatifs de notre imaginaire. La plupart mettent en scène des héros dont les noms sont connus du grand public occidental. Cette connaissance se limite en général à quelques hauts faits, à quelques grands traits de caractère. On sait d'Ulysse qu'il veut rentrer chez lui, d'Œdipe qu'il a tué son père et épousé sa mère, de don Quichotte qu'il se bat contre des moulins à vent, mais presque personne, hormis les lettrés et les spécialistes, ne lit Homère, Sophocle, Cervantès. On se doute plus ou moins de la richesse de leurs œuvres, on sait qu'elles n'ont pas survécu en vain et que leur pérennité a quelque chose à voir avec leur force, leur qualité. Et pourtant leur interprétation reste affaire d'érudits.

Ce que ces récits mettent en jeu nous touche pourtant au plus haut point. Chacun d'eux interroge à sa façon l'humain dans ce qu'il a de fondamental : dans son rapport avec la réalité et la mort. Où est, pour nous mortels, la vérité de notre être au monde ? Dans cette vie, dans une autre, nulle part ? À moins qu'elle ne soit, vérité diverse et mouvante, dans cette nécessité tout humaine de se dire, de faire sens en se racontant. À quel point notre vision du monde dépend-elle de ces trésors narratifs accumulés et précieusement négligés ? Voilà ce que notre époque, qui pourtant ne raconte pas moins qu'aucune autre, ne sait plus trop et ne cherche guère à savoir. Voilà ce que je voudrais justement interroger pour tenter de mieux comprendre ce que nous disons ou taisons sur nous-mêmes aujourd'hui.

Parti du désir de mieux nous comprendre, ce livre tente donc d'éclairer quelques moments du parcours spirituel et intellectuel dans lequel notre civilisation croit se reconnaître. L'entreprise n'est pas nouvelle, ce parcours a déjà été emprunté mille fois, et chacun d'entre nous l'a suivi plus ou moins distraitement sur les bancs de l'école, autour de la table familiale, au théâtre, au cinéma, dans le silence tumultueux de ses lectures. Tout un imaginaire familier nous habite auquel nous ne prêtons normalement pas attention. On prend pour acquis que l'Occident existe comme une chaîne d'œuvres et d'événements, plus ou moins fictifs, plus ou moins héroïques, plus ou moins révolutionnaires, qui de l'Antiquité jusqu'à nous font sens, dont nous nous sentons collectivement les héritiers et que nous inscrivons sans y penser dans le sens de l'histoire.

Que l'histoire ait une direction et que nous, Occidentaux, nous sentions porteurs de cette flèche du temps, voilà sans doute le trait le plus puissant et le moins questionné de notre conception du monde. Un questionnement, pourtant, ébranle depuis plus d'un siècle les fondements philosophiques de nos certitudes : la métaphysique est tombée en déshérence, et rien de solide ne s'est reconstruit sur ses ruines. Tandis que la techno-science et le capitalisme poursuivent glorieusement le chemin tout tracé de l'histoire, le relativisme gagne du terrain dans les esprits, la déconstruction hante les lettres et les arts. Nous avons laissé aller toute certitude dans le maelström qui nous emporte presque malgré nous vers un destin que nous ne sommes plus trop certains de vouloir et que nous avons plus ou moins renoncé à comprendre. Le désir de comprendre n'est évidemment pas mort, mais il se réfugie de plus en plus dans cette techno-science qui semble désormais rouler toute seule vers l'imprévisible. Cette inconnue, l'excitation qu'elle entretient suffisent peut-être à nous dédommager des certitudes perdues, bien que le besoin de croire, si fort au cœur de l'homme, ne cesse d'espérer trouver son compte dans les formules, les découvertes et les laboratoires. Nos croyances ont changé d'objet, mais nous vivons toujours dans l'attente. Non pas d'un événement extraordinaire : nous n'espérons plus ni parousie spirituelle ni révolution politique. Nous vivons dans l'expectative inquiète du produit de l'accumulation technologique sur laquelle la finance spécule jour et nuit. Le présent n'est plus tant perçu comme la résultante du passé que comme le tremplin de l'avenir. La flèche du temps ne s'est pas rompue, mais tout se passe comme si nous ne prêtions plus attention à sa provenance, comme si cette provenance allait de soi et que nous savions d'où nous venions.

S'il fallait se fier à l'apparence de ce savoir, je n'hésiterais pas à qualifier mon entreprise d'anachronique. Elle l'est, d'ailleurs, au sens étymologique du terme : il s'agit bien de remonter le temps, d'aller en amont de la mémoire retrouver une part oubliée de ce qui nous constitue. Or c'est peut-être là où nous croyons le mieux connaître nos racines que l'oubli tissé par l'habitude et la paresse étend son voile le plus opaque. Là où nous croyons le mieux nous comprendre que nous voyons le plus mal. Il y a donc un vrai travail de *reconnaissance* à effectuer : repérer dans la littérature les moments charnières auxquels s'articule notre imaginaire collectif et refaire connaissance avec eux. Non pas comme on retrouve de vieux souvenirs dans un grenier poussiéreux mais comme on découvre des propriétés neuves, inconnues ou négligées, aux objets que nous n'avons cessé d'avoir sous les yeux. Nouveauté troublante, non pas des œuvres mêmes mais de leur portée, qui pourrait bien nous révéler comme étranger ce qui nous semblait jusqu'alors le plus familier.

Étrangeté et familiarité ne s'épousent nulle part aussi étroitement que dans la mort. Rien n'est à la fois si près et si loin de nous. Ombre proverbiale à laquelle nous ne pensons pour ainsi dire jamais, elle ne surgit dans la conscience qu'aux moments d'exception, à la lueur de l'extase, du deuil, du danger, de la maladie, pour en être aussitôt refoulée. Qu'elle soit dite ou passée sous silence, la mort, compagne inséparable de la vie, traverse tout récit. C'est même la manière dont elle est racontée, évoquée ou éludée qui fait la principale caractéristique du « grand récit ». La « grandeur » d'un récit tient à sa capacité de marquer durablement l'imaginaire collectif, et cette marque, à son tour, doit sa profondeur à la tension sous-jacente que le texte établit entre la vérité et la mort. La mort fournit ainsi l'horizon dans lequel la lecture des grands textes paraît la plus riche, la plus prometteuse.

C'est particulièrement vrai de l'Occident. Première civilisation à se définir à partir d'un point cardinal, l'Occident, dans une sorte d'intuition géniale, s'est donné — avec le nom du couchant — la mort pour horizon. Mais il ne le sait pas. Il s'est plutôt identifié à la « découverte » du Nouveau Monde, à la course du soleil et à son éternel retour. Tel l'astre solaire, l'Occident, civilisation du changement et des révolutions, est promis à une perpétuelle renaissance. Le continuel retour du même efface le sceau de la mort, et notre désignation inconsciente reste sans écho. Notre civilisation ne veut rien savoir de sa chute. Pourtant l'idée de cette chute nous préoccupe secrètement au plus haut point. En dépit de son occultation, l'horizon de la mort nous habite entièrement.

La mort, ombilic de la vie, banalité et mystère de notre condition, offre à l'analyse une proie à la fois trop évidente et insaisissable. Que le récit s'inscrive dans la mémoire des générations comme une tentative de survivre n'a rien de surprenant. Le désir de durer, par définition, traverse toutes les civilisations, toutes celles, du moins, dont il nous est possible de lire les traces. Se dire, se raconter, laisser des marques, des bornes, des points de repère : dans cette entreprise commune à toutes les civilisations, la civilisation occidentale offre une particularité : la prétention exorbitante qui consiste à faire plus ou moins consciemment de son témoignage, de ses traces propres, une avenue de vérité universelle. Dans la vision occidentale de l'histoire, cette avenue ne témoigne pas simplement d'une expérience particulière, d'un moment de l'humanité, elle fraie une voie qui, bien qu'inachevée, n'en trace pas moins sûrement l'avenir du monde.

Affirmation paradoxale pour une civilisation qui, aujourd'hui plus que jamais, ne cesse de revenir sur les vérités qu'elle a contribué à établir, à commencer par l'idée même de vérité qui a favorisé l'essor des sciences modernes. Mais ce paradoxe trouve aussitôt une explication rassurante : la faculté critique de l'esprit occidental témoigne avec encore plus d'éloquence du caractère universel de la civilisation qui l'exerce. N'est-ce pas là le plus probant de tous les signes, à nos yeux, que la vérité générale de notre expérience occidentale puisse conduire à la destruction du socle idéel sur lequel notre civilisation a établi sa puissance ? Non seulement cette puissance n'en a pas souffert mais elle s'en est trouvée accrue. La capacité critique de notre pensée et les prouesses techniques qui en résultent presque sans interruption depuis deux siècles sont la meilleure preuve que nous, Occidentaux, sommes dans le vrai. C'est bien parce que la vérité métaphysique a cessé d'avoir cours que les vérités scientifiques qui se sont d'abord appuyées sur elle ont pu développer toute leur force pratique. Les sciences tiennent désormais toutes seules, et leur autosuffisance indique mieux que tout la justesse, la nécessité de la voie qui a conduit à leur épanouissement. Ainsi chantent sur tous les tons les sirènes inquiètes de notre devenir.

Doublant le scepticisme constructif, donc, un chant de victoire, et derrière ce chant de victoire, malgré tout, une sourde inquiétude. Une inquiétude que la réussite de la techno-science contribue beaucoup à refouler. Cette réussite indéniable, merveilleuse, révélatrice à tant d'égards de la matière qu'elle travaille, fait paradoxalement écran à ce que pourrait être aujourd'hui une lecture de la question de la vérité. Par ses succès la science semble en quelque sorte mettre ses ingénieurs et ses usagers — nous tous — à l'abri de la critique même dont elle fait sa marque de vérité. La vérité implicite de notre temps, décidément, est qu'il n'y a plus de vérités solides en dehors de la science, qu'il est vain de les chercher ailleurs, qu'il n'y a plus, à terme, de domaine qui échappe à l'investigation scientifique et que les arts, la littérature, la poésie n'ont plus d'autre objet que d'exprimer des états d'âme, des idiosyncrasies résiduelles (qu'elles soient collectives ou individuelles). Bref, l'idée que nous sommes dans le vrai résiste sournoisement à tous les relativismes, du moment que ces relativismes eux-mêmes sont, de cette idée, les témoins les plus fiables. La question de la vérité paraît définitivement liquidée, et cette liquidation même figure au premier rang des idées reçues.

Mais cette « philosophie » nous laisse cois devant la mort. Une mort face à laquelle notre civilisation, du temps où l'on pouvait encore la qualifier de chrétienne, apportait tout de même une réponse. Une réponse forte qui faisait de la mort, du passage dans l'au-delà *le* moment de vérité où s'éclairerait définitivement le sens de notre vie. Que nous le voulions ou non, nous sommes d'une civilisation qui liait étroitement la vérité à la mort. La manière qu'avait — qu'a toujours — le christianisme d'établir cette liaison est profondément malheureuse. Mais le rejet de cette croyance ne suffit pas à nous débarrasser du malheur qu'elle a nourri. Nous sommes encore, malgré le déclin de la religion, beaucoup plus chrétiens que nous ne l'imaginons. Mort et vérité demeurent secrètement jumelées, et leur lien invisible traverse toujours nos préoccupations collectives. Ce n'est que par une opération assez superficielle de la raison moderne que mort et vérité paraissent désormais détachées l'une de l'autre ; ou du moins que le lien susceptible de subsister entre elles est renvoyé à l'ordre du privé. Comme si, là-dessus, notre civilisation n'avait plus rien à dire et avait raison de se taire.

Voilà précisément le mutisme et la raison que je questionne. Ils cachent de grandes obscurités, notamment dans le difficile domaine de notre rapport à l'autre. La civilisation qui expulse la mort du champ de son questionnement ne veut apparemment rien savoir de ce qui la dérange. L'autre, comme la mort, risque d'y devenir l'objet d'une peur et d'une forclusion indicibles. Derrière la jonction de la vérité et de la mort se profile ainsi la double question de l'identité et de notre rapport au monde.

La conviction qui porte ce livre est que les grands textes de notre propre tradition recèlent un meilleur savoir, un meilleur usage de la vie que ceux dont notre civilisation semble aujourd'hui se contenter. Ce contentement vient-il de ce que nous aurions — depuis quand? — cessé de lire? Ou est-ce plutôt que nous ne verrions plus dans les grands textes de notre tradition narrative autre chose que des mythes intéressants mais plus ou moins périmés? Ceux-ci auraient-ils cessé pour nous d'être « vrais »? C'est ici la fonction même du récit qui est en jeu, dans son rapport ambigu avec la vérité.

II
RÉCIT ET VÉRITÉ

Le récit renonce à *la* vérité. La vérité du récit réside dans sa capacité de faire sens. Il s'offre ainsi comme le moyen privilégié, parce que le plus libre, le moins censuré, de notre rapport au monde. Cette liberté l'éloigne en principe des visées de la religion, de la philosophie et de la science, qui, chacune à sa façon, cherchent à s'imposer comme discours de vérité. Rien n'empêche évidemment que ce discours puisse se glisser dans la forme narrative. Il existe aussi des récits de vérité. Bien plus, tout récit demeure susceptible d'être lu comme disant le vrai, mais au risque d'y perdre sa pluralité de sens. Le sens n'est jamais totalement à l'abri de l'impératif de la vérité. Mais il n'y succombe jamais non plus définitivement, sa capacité subversive demeure latente. Le combat que la vérité livre contre la liberté narrative a même heureusement, depuis toujours, été perdu d'avance.

1. Fable, philosophie et science

La philosophie n'aime guère le récit. Elle s'en méfie. Elle se construit en bonne partie contre lui, quand elle ne cherche pas à se le subordonner. Sans grand succès. À prendre au sérieux les remontrances que Platon adresse aux « faiseurs de fables », on pourrait même dire que la philosophie inaugure là ce qui apparaît avec le temps comme son plus retentissant échec. Le désir de raconter, le plaisir du conte, le besoin d'histoire sont plus forts que toute censure.

Au livre X de *la République*, Platon part donc en guerre contre Homère[1]. Une cible de choix. Homère est sans doute le plus aimé, le

---

1. Déjà, aux livres II (377a-379b) et III (389d-394b), où il est question de l'éducation des enfants et des gardiens de la cité, Hésiode et Homère sont évoqués

plus respecté de tous les poètes de la Grèce antique. S'en prendre à l'auteur de *l'Iliade* et de *l'Odyssée*, c'est viser la poésie au cœur. La grandeur de l'adversaire, que Platon aime et admire lui aussi, signale à dessein l'importance de l'enjeu : la philosophie doit établir sa suprématie contre le talent poétique le plus haut qui soit. Platon mène sa charge contre l'art et la poésie au terme d'un long parcours consacré à la justice. Dans son inlassable quête sur la nature de la justice, le dialogue de *la République* est d'un bout à l'autre une réflexion sans concession sur la manière de conduire sa vie. Notre vie mérite d'être menée dans la justice, c'est-à-dire en accord avec nous-mêmes — exigence au regard de laquelle les injustices subies ne sont rien comparées à celles que nous commettons et qui sont toujours, en définitive, des injures à soi-même. Seule l'ignorance peut nous entraîner à préférer des plaisirs éphémères, des avantages mondains à l'équilibre intérieur qui permettra à notre âme de retrouver le monde divin de l'intelligible et, le moment venu, de choisir une vie à sa mesure. L'accord avec soi-même n'est possible qu'au prix du tortueux chemin qui nous rapproche de la vérité, dont la contemplation est aussi difficile que celle du jour au sortir de l'obscurité.

La célèbre allégorie de la caverne, qui ouvre le livre VII de *la République*, révèle la condition misérable où l'humanité stagne de ne pas vouloir emprunter le dur chemin de la vérité. À se contenter des lueurs qui font danser l'ombre des simulacres sur les murs de l'antre où il est enchaîné, à se satisfaire de la pauvreté du monde où le laisse son aveuglement, l'homme vit terriblement en dessous de lui-même. La caverne est notre cerveau. Poètes et imitateurs ne font qu'y accélérer la roue aux illusions ; ils soufflent sur les feux qui les projettent sur l'écran de notre paresse. Seul l'amour de la sagesse peut nous guider hors de la foire aux chimères. Ainsi parle le philosophe.

Mais du coup le voilà en train de peindre, de parler en poète ! Voilà que, par un étrange retour des choses, le contempteur de fables se fait lui-même conteur. Inconséquence, errance momentanée, oubli de ses propres exigences ? Difficile à croire. Le conte est le fidèle compagnon du discours platonicien. Bien plus, il en constitue parfois, voire aux moments les plus cruciaux, l'outil privilégié, l'ultime argument. L'affabulation des grands poètes peut donc se révéler utile, pourvu qu'on s'en

---

comme de dangereux « créateurs d'histoires » ou « faiseurs de fables » (377b), dont il faut trier les bons récits des mauvais pour l'édification de la jeune génération.

serve à bon escient et que leur usage éducatif reste strictement soumis aux objectifs et à la vérité de la philosophie. Celle-ci n'admet le récit qu'après l'avoir passé au crible de sa censure et pour le mettre à son service. Son utilisation n'en reste pas moins problématique. Pour le grand conteur qu'est Platon, le récit est une arme à double tranchant.

L'ambiguïté qui caractérise le rapport entre philosophie et récit chez Platon disparaît totalement chez Aristote, du moins dans les écrits qui nous sont restés de lui. L'Aristote dont nous disposons est plutôt sec, ardu, elliptique et sa lecture passablement rébarbative. Son écriture, à l'inverse de celle de Platon, se situe pour nous à l'opposé du style narratif. On pourrait même dire qu'elle constitue pour les siècles à venir le prototype de la prose philosophique et scientifique.

Malgré l'influence immense de Platon et les efforts de certains de ses émules (parmi lesquels figure Cicéron), le dialogue restera l'exception dans le discours philosophique ; de l'Antiquité jusqu'à nos jours, ce dernier lui préférera l'exposé systématique. Exposé que la présentation dialoguée, le plus souvent, ne fait qu'enrober. Chez Platon lui-même, la mise en scène, cruciale dans certains textes, comme dans *le Banquet*, perd au contraire beaucoup de sa portée dans bon nombre d'écrits, où le « dialogue » n'a plus rien d'un échange, même inégal, et ne sert qu'à mettre en relief la parole du maître en la ponctuant d'exclamations approbatrices ou à relancer l'argument en l'épiçant ici et là d'objections et d'interrogations *pro forma*.

De façon générale, la philosophie que la tradition occidentale fait commencer avec les présocratiques s'érige en rupture des grands récits, en opposition aux mythes fondateurs, aux épopées cosmogoniques. Mythologie et philosophie s'occupent pourtant du même objet, toutes deux offrent ou cherchent une explication de l'univers, tentent d'y situer les hommes et leurs cités. Mais ce que la première accomplit intuitivement par la représentation mythique (*muthos*), la seconde cherche à l'approcher par la raison (*logos*). Deux termes presque équivalents, du temps d'Homère, pour signifier « récit », « histoire », « parole »[2]. Loin d'être originelle, l'opposition entre *muthos* et *logos*, pour distinguer la fable de l'exposé véridique, s'est précisée et accentuée

---

2. Équivalence partielle mais essentielle en ce qui nous concerne ici, puisque, du temps d'Homère, *muthos* et *logos* renvoient tous deux indifféremment aux récits fabuleux et historiques. Cela dit, la polysémie de *logos* semble avoir été d'emblée beaucoup plus grande que celle de son synonyme.

avec le temps, notamment grâce au développement du discours philosophique, au regard duquel le mythe devient peu à peu douteux, voire
mensonger, du seul fait qu'il est « inventé ». Inventé par des hommes.
Le *logos* divin, en effet, tel qu'il s'exprime par exemple par la bouche de
la Pythie delphique, ne perd pas pour autant son caractère de vérité.
Mais il est à la longue inévitable que la parole philosophique, comme en
témoigne le procès de Socrate, finisse peu ou prou, malgré les pieuses
protestations de l'accusé, par diminuer l'importance de la parole divine
et donc par « corrompre la jeunesse ».

Le procès de Socrate n'a pas fini de faire scandale. Mais le scandale
n'est pas tant que la « démocratie » athénienne ait condamné « le plus
sage des hommes » à une mort qu'il appelait pour ainsi dire de ses vœux
en la préférant à l'exil ; le scandale, c'est tout simplement que cette
société, considérée comme « philosophique » entre toutes, se soit mon-
trée si réfractaire à la philosophie. *La philosophie échoue dans son berceau*,
voilà ce qu'aujourd'hui encore nous avons tant de mal à admettre et que
Platon était le premier à déplorer. Ce n'est pas par hasard qu'il s'en
prend à Homère ; il connaît son public, un public qui ne veut rien
entendre de la vérité. Le peuple athénien, qui en cela ne diffère pas des
autres peuples, préfère les fables et les beaux discours. Il adule les poètes,
les rhéteurs, les sophistes, tous marchands d'illusions, et congédie le philosophe. La vérité est qu'on ne veut pas de la vérité. Refus contre lequel
la philosophie ne cesse justement de livrer un vain combat.

L'ambition de la philosophie à s'affirmer comme discours vrai, ou du
moins comme quête du vrai, face à un récit qui n'aurait aucun souci de
vérité, cette ambition de la philosophie ne tient pas, et la philosophie
elle-même le sait bien. Ce qu'elle accorde peut-être moins volontiers,
c'est qu'elle n'échappe pas non plus à la narration. Elle est en partie un
récit qui s'ignore. Un récit qui, certes, *tente* d'établir des règles plus ou
moins strictes en vue de s'approcher des vérités qu'il cherche et qui, de
ce fait, élabore une forme discursive particulière, « logique », distincte
des autres formes de discours, généralement plus populaires (épique,
dramatique, religieuse, mythique, poétique, romanesque), et qui
demeure toujours en deçà de ses aspirations. Que la philosophie échoue
dans ses hautes visées ne lui enlève rien de son intérêt, bien au
contraire. La soif d'absolu maintient en elle une tension propice à
l'inquiétude et à la fertilité de l'esprit. Philosophique par excellence,
cette tension n'en traverse pas moins l'art et la littérature. La philosophie est partout présente là où l'homme s'interroge et n'est peut-être

elle-même, finalement, qu'une forme particulière, et particulièrement exigeante, de la narration du monde.

Il n'empêche que par son souci de vérité la philosophie, ou du moins une certaine conception absolutiste de la philosophie, aura beaucoup contribué à modifier le sentiment religieux. En tant qu'elle prétend souder la vérité à l'idée de l'Un, la philosophie mine la conception polythéiste et polysémique du monde. Le monothéisme (chrétien en particulier) est à bien des égards la forme religieuse de l'idéal philosophique grec[3]. Mais, comme on le verra, ce monothéisme se nourrit aussi par ailleurs d'un récit. Un récit non moins fabuleux que ceux d'Hésiode et d'Homère et qui pourtant a pris et conservé dans notre imaginaire un tout autre statut. C'est une des ambitions de ce livre de montrer comment le christianisme est parvenu à imposer un récit de vérité là où régnaient avant lui, pour rester dans l'univers hellénique, une mythologie foisonnante de sens et des histoires humaines toutes « païennes », c'est-à-dire dépourvues de visée révélatrice unifiante. *Cet usage chrétien de la forme narrative pour soutenir l'idée d'une vérité une et indivisible aura une influence décisive sur ce que j'appelle le récit de l'Occident.* Notre tradition narrative en sera très fortement marquée et mettra des siècles à s'en dégager, si tant est qu'elle y soit complètement parvenue. Car nous verrons également comment le discours de la modernité reprend cette idée à son compte, tout en croyant se défaire de Dieu. On devine donc déjà l'importance de ce qui est plus ou moins consciemment en jeu dans le procès que la philosophie intente à la fable : *rien de moins qu'une vision du monde* ; où l'une et l'autre sont à la fois complémentaires et concurrentes.

Si toute philosophie, de ce qu'elle cherche à dire le monde, contient donc implicitement ou explicitement une part de narration, inversement, tout récit est susceptible d'avoir une portée philosophique. Bien plus, tout grand récit, tout mythe fondateur constitue en quelque sorte une mise en scène de notre rapport au monde, une dramatisation des origines. Sans du tout vouloir ramener philosophie et mythologie l'une à l'autre, il faut insister sur ce qu'elles partagent de fondamental : le désir de faire sens. Certes, la philosophe questionne, mais le plus souvent elle ne peut s'empêcher de répondre. Dans la mesure où elle cherche les réponses à travers une démarche qui se veut systématique et

---

3. Grec et non pas seulement platonicien : le désir de saisir l'Être dans sa mystérieuse unité est très présent chez maint présocratique.

rationnelle, la philosophie s'éloigne évidemment du style narratif. Mais cet effort de rationalisation ne l'empêche pas de raconter, et à l'occasion de raconter à son insu. Elle procède un peu de la même manière que l'astrophysique contemporaine avec la théorie du *big bang* : cette hypothèse scientifique est à bien des égards une histoire des origines, qui emprunte peut-être plus qu'on ne veut l'admettre au récit de la Genèse[4]. Le rapprochement n'est pas gratuit : c'est aux sciences modernes que nous demandons aujourd'hui de faire sens, de nous raconter le monde. Et c'est bien parce que la métaphysique n'y parvient plus, en raison notamment de la perte de crédibilité qu'elle a subie face aux étourdissantes révélations des sciences, que la philosophie contemporaine ne nous « dit » plus grand-chose. Aussi n'est-il pas surprenant qu'elle emprunte l'une ou l'autre des deux voies qui lui restent ouvertes : l'épistémologie et l'herméneutique. Avec la première, elle se penche sur les conditions de la découverte scientifique, avec la seconde, elle se consacre à l'interprétation des textes. Faute de pouvoir raconter, la philosophie procède à de multiples lectures de textes de toute nature (et non seulement de nature philosophique). Sa lecture du monde, aujourd'hui plus que jamais, passe par la littérature ou par la science.

À trop vouloir rationaliser la généralité, la philosophie ne peut s'établir que comme une fausse science, comme une rigueur vide de sens. Extrémité dont s'est approchée en ce siècle la vertigineuse tentative de la phénoménologie husserlienne. Mais le vertige de la raison ne date pas d'aujourd'hui, il est contemporain de la philosophie elle-même. Toute explication rationnelle de l'univers et de la place que nous y tenons est nécessairement réductrice. Sciences expérimentales et technique moderne sont, en cela, filles de la réduction philosophique. Et cette réduction, aussi fructueuse soit-elle par ailleurs, ne va pas sans un certain rétrécissement de notre rapport au monde[5].

La philosophie n'a donc jamais réussi à établir avec la vérité la relation privilégiée, pour ne pas dire exclusive, que Platon revendiquait pour elle. Mais cette ambition, relayée par la puissante machine aristotélicienne, et telle qu'elle s'exprime des siècles plus tard à travers, entre autres, la raison des Lumières et le positivisme du XIXe siècle, continue

---

4. Voir Ilya Prigogine et Isabelle Stengers, *Entre le temps et l'éternité*, Paris, Flammarion, « Champs », 1992, p. 154.
5. Voir sur ce point Henri Atlan, *À tort et à raison. Intercritique de la science et du mythe*, Paris, Seuil, 1986 (collection « Points », 1994).

à produire des effets jusqu'à nous. La littérature, la mythologie n'ont rien gagné aux déconvenues de la philosophie et demeurent, sous le rapport de la vérité, dans une situation précaire ; elles font assez pauvre figure devant les réalisations de la science. La littérature reste évidemment créditée d'un certain pouvoir d'évocation et contribue à sa manière à révéler quelque chose de la vie, mais cette révélation paraît fragile, parce que subjective et aléatoire, au regard d'une science qui prouve sa vérité objective dans sa spectaculaire capacité à transformer le monde. Hormis le plaisir qu'elle procure, voire à proportion de son pouvoir d'enchantement, la fiction demeure frappée d'un certain discrédit : elle n'enseigne rien de solide. Le terme même de « fiction » est antonyme de vérité, réalité, authenticité, justesse.

La fiction ne s'en porte pas plus mal, à en juger par la place du roman et du cinéma dans nos sociétés. Elle inspire même un retour en force de l'herméneutique comme outil de dévoilement dans l'ensemble des sciences humaines. Mais ces dernières sont justement considérées (à l'exception de l'économie et de quelques domaines ouverts à l'expérimentation) comme peu fiables, entachées de subjectivité, vulnérables aux préjugés idéologiques. La vogue herméneutique ne détonne pas dans un champ aussi flou que vaste, celui des sciences humaines, où la plupart des chercheurs ont fait leur deuil des critères de vérité que les sciences expérimentales entendent observer. Sans entrer ici dans le mauvais débat qui revient périodiquement sur la validité respective de ces deux grandes catégories de savoir, retenons-en le préjugé le plus courant : que par leur manque de rigueur et de capacité prédictive les sciences humaines seraient sans conséquences, presque toujours réduites à décrire, à raconter. Bref, malgré leurs prétentions théoriques, ce ne sont jamais que des histoires ! Nous voilà revenus à la critique que Platon adresse aux poètes. À une différence près, et de taille : de nos jours, la fiction paraît inoffensive.

Platon, lui, n'a pas la naïveté de croire que les histoires sont sans effet. Cette naïveté-là est moderne, scientifique. Elle s'énonce à partir d'une position de certitude sur ce qu'est le vrai savoir : celui dont la vérité se rapporte à l'efficace. Bien plus encore que le roman d'aujourd'hui, qui est nettement campé dans le fictif, les cosmogonies antiques font sourire de ce qu'elles prétendent expliquer le monde, mais leurs auteurs sont volontiers pardonnés : ils n'avaient pas, les pauvres ! l'arsenal scientifique dont nous disposons aujourd'hui. Il ne nous vient pas spontanément à l'idée, à nous modernes, que ces récits puissent dire *autre chose* ; nous ne voyons pas que leur « vérité », ou plutôt leur sens, se situe sur un *autre plan*. Dans le même esprit, nous ne sommes guère enclins à penser que nos sciences et nos techniques, en dépit, voire en raison de leur incontestable efficacité, soient à leur tour l'expression concrète d'une vision du monde, qu'elles contribuent à mettre en œuvre toute une conception de la vie, de l'homme, du savoir, du passé, de l'histoire. Or tout atteste qu'elles sont à la fois tributaires et révélatrices d'un vaste système de représentations. Comme la philosophie dont elle dérive, la science aussi participe, plus qu'elle ne le croit, de la narration.

La pérennité du récit sous toutes ses formes (théâtre, conte, chant, roman, film), sa présence dans presque toutes les cultures connues disent combien l'histoire, sacrée ou profane, grande ou petite, « fictive » ou « authentique », est nécessaire à l'homme. Elle constitue le témoignage le moins contraint, le plus vif, le plus répandu, le plus ancien que les textes écrits nous aient gardé de la mémoire humaine. La narration remonte aussi loin que l'écriture; elle remonterait plus haut encore si nous pouvions capter de la bouche des conteurs les paroles qui n'ont pas été gravées. Ni la philosophie, ni la théologie, ni la science (au sens où nous l'entendons aujourd'hui) n'ont toujours été. Le récit est de tous les temps, et la puissance de son attrait ne s'est jamais démentie. Cet attrait tient à ce que la narration n'a aucune prétention *a priori*, qu'elle n'obéit à aucune règle, qu'elle ne dépend d'aucun système. Qu'elle soit le plus souvent sujette aux modes ne lui enlève rien de sa latitude virtuelle, qui est infinie. Le récit se suffit à lui-même. Il n'a d'autres exigences externes à respecter que celles, le cas échéant, de la censure et peut même se mettre en contradiction avec lui-même, pourvu qu'il suscite l'intérêt et donne au lecteur l'envie de le suivre. Sa liberté, nous le savons, a un prix : elle ne lui permet pas de prétendre à une place précise sur l'échelle de la vérité, quelle que puisse être à cet égard la conviction du narrateur. Mais c'est bien là, justement, que réside sa force. Une force redoutable qui pose l'inépuisable question de l'interprétation.

2. Lecture et vérité

L'incertitude qui caractérise le récit ouvre à sa *lecture*. L'incertitude donne à la lecture une liberté qui, sans être absolue, ne souffre aucune restriction de principe. Tout récit est par définition ouvert à un nombre illimité de regards, dont aucun n'est *a priori* plus légitime que l'autre. Y compris celui du narrateur, dont personne n'est tenu d'épouser les intentions — qu'elles soient avouées ou inavouées. Tout récit peut, et doit le cas échéant, être lu indépendamment de ses visées. Cette latitude est particulièrement cruciale et difficile à faire accepter à l'égard des récits qui s'instituent eux-mêmes comme écriture de vérité ou qui reçoivent après coup une consécration canonique. Les Évangiles, par exemple, n'appartiennent à aucune Église ni même au christianisme dans son ensemble. Qu'ils en soient l'indéniable fondement n'oblige pas l'interprétation à se tenir dans les limites de leur fonction ecclésiale ou sacerdotale. Plus ou moins « malgré lui », le récit donne à lire plusieurs vérités concurrentes, voire contradictoires, dont il n'est pas maître. Dont nul ne saurait se rendre maître : pas plus le narrateur lui-même que le scribe, le savant ou le commun des lecteurs[6].

C'est dire que la liberté d'interprétation ne saurait, inversement, s'exercer *contre* le texte ni servir à le tordre abusivement dans le sens de nos convictions ou de nos désirs. C'est pourtant toujours un être désirant qui fait lecture et qui, plus ou moins sciemment, y engage toute une part de sa subjectivité. Les frontières de l'abus sont donc impossibles à tracer d'avance ou d'autorité. La démarcation se fait d'elle-même avec le temps. Toute lecture trouve sa limite dans la capacité du texte à la soutenir et dans l'écoute des autres lecteurs. L'imposture dépérit d'elle-même de ce que personne ne la reprend. J'aurais finalement tendance à dire que l'interprétation vaut par l'ébullition — joie ou inquiétude — qu'elle déclenche, par le pouvoir de révélation qu'elle exerce ou par l'émoi qu'elle jette chez autrui : quelque chose s'éclaire qui jusqu'alors était dans l'ombre ; quelque chose s'assombrit ou se nuance de ce qui paraissait sans nuage. Rien de moins, rien de plus[7].

Si la vérité du récit demeure constamment ouverte, ouverte à une lecture toujours susceptible de le recréer, toute interprétation, si riche et judicieuse soit-elle, peut faire effet de fermeture. Une fermeture par principe provisoire, mais qui se maintiendra parfois des siècles, tant qu'aucune autre lecture ne viendra la défaire. Le temps n'est donc pas forcément source de révélation, il agit aussi comme facteur de rétrécissement. D'une lecture à l'autre, le récit risque de se figer, de s'appauvrir.

---

6. Sur cette question de la lecture et du rapport de l'auteur et du lecteur au texte voir Paul RICŒUR, *le Temps raconté. Temps et récit*, tome III, Paris, Seuil, 1985, partie II, chapitre 4, « Monde du texte et monde du lecteur », p. 228-263.

7. Voir sur cette question la préface du très beau livre de Marc-Alain OUAKNIN, *Lire aux éclats. Éloge de la caresse*, 3e édition, Paris, Quai Voltaire, 1992 (Seuil, « Points »).

Le risque augmente lorsqu'une civilisation s'approprie les éléments d'une autre culture : le récit de l'autre est digéré en fonction des impératifs identitaires de la civilisation qui l'interprète, soit pour le rejeter dans l'altérité manifeste, soit pour le faire sien en l'acclimatant, en lui enlevant ses aspérités et ses dissonances. Une acclimatation semblable se produit aussi à la longue au sein d'une « même » culture, au sein d'une culture, du moins, qui se considère en continuité avec celles dont elle revendique l'héritage, comme c'est le cas de la nôtre vis-à-vis de la Grèce antique.

Chaque culture dispose ainsi de ce qu'on pourrait appeler un *legs narratif* — que Ricœur nomme *identité narrative*[8], expression plus riche de signification. Ce legs ne transmet pas seulement un contenu : à moins d'être profondément remis en question, il reconduit aussi la suppression des éléments qui ne peuvent s'accorder avec l'idée que la culture d'accueil se fait d'elle-même et du monde. Dans l'appropriation des récits que le temps ou l'espace éloignent beaucoup de nous, l'interprétation est menacée du même travers que la philosophie, du moment où elle vise, plus ou moins consciemment, à ramener toute différence, toute discordance, à l'unité tyrannique du même. Unité à la fois introuvable et indispensable. La civilisation vit dans l'utopie de sa continuité et de sa cohérence. Les divers matériaux qu'elle emploie à se raconter subissent un peu le sort des tissus utilisés pour la fabrication d'une courtepointe : ils sont taillés en fonction de l'ensemble. À force de voir l'ensemble, à force de le considérer comme un tout cohérent, on oublie qu'il est fait de bric et de broc. L'« interprétation » qui se conforme à la vision unitaire que la civilisation a d'elle-même ne mérite pas son nom. Elle n'ouvre à rien, ne révèle rien : elle est adaptation, confirmation au service de la répétition du même. Bref, à l'opposé de la lecture que je propose.

La lecture que je propose n'est rien moins que facile. Idéalement, elle implique une capacité de recul, un saut qui nous mette en position d'analyser notre propre culture « du dehors ». Il va sans dire qu'une telle position n'existe pas. Une prise de distance interne demeure néanmoins possible à certaines conditions ; la première et la plus importante d'entre elles étant la reconnaissance des difficultés propres à tout effort de distanciation.

---

8. Paul Ricœur, *le Temps raconté*, *op. cit.*, p. 355 et suiv.

Voyons ce que ces difficultés offrent de particulier pour nous en Occident. Berceau imaginaire de la modernité, la civilisation occidentale, plus qu'aucune autre, se vit et se perçoit à la fois comme rupture et comme continuité. Elle cherche ses racines très loin de chez elle, dans le temps comme dans l'espace, de manière à pouvoir se confirmer comme aboutissement et comme universalité. Mais cet accomplissement est en même temps le produit d'une série de ruptures sans lesquelles il ne pourrait être question de modernité. La modernité est mouvement. Mouvement « hors de l'histoire » ! Arrachement aux pesanteurs du passé, libération des entraves arbitraires qui maintenaient l'homme dans une sorte de minorité intellectuelle et morale [9]. À l'extrême limite, l'émancipation chère aux Lumières vise à abolir l'histoire, et avec elle l'identité narrative, dont l'Occident ne peut par ailleurs se passer pour assurer les fondements de sa « majorité ». Il faut en effet que la rupture de la modernité se prépare quelque part dans l'histoire. Mais cette histoire est aussi celle dont l'homme moderne, « majeur », est appelé à se délester. Source à la fois d'enseignement et d'aliénation, l'histoire ne peut être entièrement négligée. Bien au contraire, il devient nécessaire de s'en préoccuper plus sérieusement que jamais, d'y faire un tri, de manière à y repérer les signes avant-coureurs de cette majorité dont Kant dit qu'elle est « naturelle » à l'homme. Si l'émancipation humaine est inscrite dans la nature, en effet, il doit être possible de la voir, même imparfaitement, même obscurément, à l'œuvre dans le passé. Mais la modernité ne peut se réconcilier avec lui qu'au prix d'une épuration : forme moderne d'une réduction culturelle dont nous avons déjà évoqué les effets.

Ainsi, avec les Lumières, se dessine tout « naturellement », dans l'interprétation occidentale de l'histoire, dans la lecture des événements et des textes du passé, une ligne de partage qui permet de ranger d'un côté ce qui appartient au mouvement, au progrès, et qui annonce l'avènement de la raison émancipatrice, et de l'autre côté ce qui demeure prisonnier de l'arbitraire, de la coutume, de la stagnation, et qui tire sa force retardataire des peurs, des superstitions de toutes sortes. Du moment que ce tri éclairé devait lui-même contribuer à l'émancipation

---

9. C'est le sens du fameux texte de Kant « Qu'est-ce que les Lumières ? » : un appel à l'usage de la raison pour que l'humanité sorte de l'enfance et conquière enfin sa majorité. Voir sur ce point le livre très éclairant de Robert LEGROS, *l'Idée d'humanité*, Paris, Grasset & Fasquelle, 1990.

de l'humanité, il ne pouvait d'aucune façon passer pour « réducteur » aux yeux de ceux qui l'opéraient plus ou moins consciemment.

Comme chacun sait, l'histoire des deux derniers siècles, en Occident, jette de sérieux doutes sur la vertu émancipatrice de la raison. La rationalité instrumentale reste aujourd'hui ce qu'il y a de plus effectif du projet des Lumières. Et loin de nous avoir permis d'atteindre la majorité morale et politique à laquelle aspirait le philosophe de Kœnigsberg, l'instrumentalisation participe d'une dynamique qui nous échappe largement. Bien que le progrès technique ne ralentisse pas, nous n'avons donc plus les mêmes raisons d'évaluer le passé en fonction de la ligne de partage que nous venons d'évoquer entre ce qui serait « progressiste » et ce qui ne le serait pas. Pourtant, à l'instar du développement économique et technique, notre conception du monde et notre vision de l'histoire n'ont guère changé, elles continuent bon an mal an d'endosser le partage inauguré par les Lumières. Ce tri, qu'aucune certitude émancipatrice ne justifie plus, il n'est pas trop fort de dire que nous le subissons comme une sorte de censure inconsciente. La mémoire sélective de la raison moderne est devenue un appareil réducteur que nous gardons appliqué par habitude, ou par besoin de sécurité, à notre propre regard sur le monde.

Ce filtre invisible à travers lequel nous regardons le passé, voilà ce qu'une lecture « fraîche » des textes qui façonnent notre identité narrative voudrait rendre visible et écarter autant que possible du champ de notre imaginaire collectif. À vrai dire, ce champ n'est pas si simple qu'on puisse l'« épurer » : les filtres y sont nombreux, il en restera toujours, il en viendra de nouveaux à la place des anciens. La lentille à travers laquelle nous voyons maintenant le monde et son histoire n'est pas celle qu'on avait du temps de la guerre froide, qui elle-même inspirait une perspective radicalement différente de l'optique des années trente. Nous ne sommes d'ailleurs que trop enclins à suivre la vitesse avec laquelle les choses changent. La frénésie du nouveau couvre de son chatoiement la persistance du même. Notre vision du monde se modifie avec lui mais les soubassements de notre imaginaire demeurent et nous travaillent à notre insu. Leur méconnaissance nous laisse sans points de repère fiables dans les vagues de transformations qui ne cessent de nous ballotter. Les signes qui nous restent ne nous permettent plus de nous orienter, soit que nous les jugions nous-mêmes dépassés (d'où la fréquence du préfixe *post* pour caractériser l'époque où nous sommes), soit que nous ne sachions plus les lire.

Nombreux les gens qui savent où ils vont et où va le monde avec eux. Ce livre ne s'adresse pas à eux : ils savent lire les signes. Moins nombreux ceux qui les questionnent. Leur influence ne s'en fait pas moins sentir auprès des intellectuels. On assiste même aujourd'hui à une véritable foire aux « relectures ». C'est à qui relira (tel auteur, tel livre, telle époque, etc.) de la façon la plus inventive, la plus profonde, la plus neuve, la plus radicale. Tout bien considéré, notre civilisation, dès ses débuts, n'a cessé de relire. Sur le plan des arts et des lettres, la Renaissance se veut une imitation des Anciens ; la Réforme, une relecture de la Bible ; le siècle de Louis XIV réinterprète les classiques grecs et romains ; le XIXe siècle réhabilite le Moyen Âge. Sous nos yeux, les courants postmodernes et déconstructivistes remettent en cause à peu près tout ; il n'y a presque aucun aspect de la modernité qui échappe à leur scalpel.

À cet égard, mon propre livre s'inscrit inévitablement dans la mode : il est typique de son lieu et de son temps. Plus largement, il participe de cet entrecroisement incessant de ruptures et de continuité qui caractérise si fort la civilisation occidentale. Mais alors à quoi bon retourner dans le passé, fût-ce par le truchement des grands récits, si c'est justement ce que notre civilisation n'a cessé de faire ? En d'autres termes, ce retour peut-il réellement se faire autrement, *dans un style différent* ?

Mon pari est qu'il le peut. La différence de style, ici, tient principalement à la manière d'aborder le temps et le rapport que nous avons avec lui. À ce rapport les courants postmodernes ne changent rien d'essentiel : ils persistent à se situer dans la linéarité temporelle chère à notre civilisation. Nonobstant la théorie de la relativité et la réversibilité quantique, nous sommes toujours tous (postmodernes ou non) à califourchon sur *la* flèche du temps, qui file en ligne droite du passé vers l'avenir. Sur cette droite, l'avenir apparaît comme le temps le plus important : il la dirige. Seul compte ce que nous allons vivre. Seul compte ce qui n'est pas encore. Or l'avenir est pure projection, il n'a aucune réalité ; il n'est possible que par extrapolation, par anticipation ; il n'existe, dans nos têtes, qu'en vertu du passé ; l'avenir est toujours dans l'après. Et c'est à lui que nous sacrifions. Comme le dit Pascal, « le présent n'est jamais notre fin : le passé et le présent sont nos moyens ; le seul avenir est notre fin. Ainsi nous ne vivons jamais, mais nous espérons de vivre » [10]. Le plaisir d'écrire ce livre, par exemple, est constamment menacé par la hantise de l'achever, de le réussir, de lui

---

10. PASCAL, *Pensées*, n° 172 de l'édition Hachette [manuscrit p. 21].

trouver un éditeur, des lecteurs, du succès. Si le présent nous paraît insaisissable, c'est que le souci de l'avenir s'emploie sans cesse à le détruire.

À rebours de la logique qui régit le développement de la technique, je dirais que l'avenir n'offre aucun intérêt. L'inépuisable intérêt du passé, au contraire, réside en ce qu'il constitue notre seule réalité. Plus encore : notre seul guide possible. Le passé est à l'intellect ce que l'argile est au céramiste : la seule matière que nous puissions travailler, *la seule matière à laquelle il nous soit possible de donner sens.* Si le passé n'avait pas cette importance, la passion de l'histoire serait incompréhensible et le passé lui-même informe. Mais la signification de cette passion, étrangement, reste obscurcie par l'obsession de l'avenir. Nous nous imaginons braqués vers le futur, sans voir qu'il nous est impossible d'y marcher autrement qu'à reculons. Cette marche arrière est l'exacte inversion de la position dans laquelle se voit l'homme moderne, au regard duquel le sens ne peut être que devant lui sur le chemin qu'éclaire sa raison. Les grands récits dont je propose la lecture nous permettront, j'espère, de mieux comprendre pourquoi, malgré sa trivialité, la fascination de l'avenir est si difficile à abandonner.

Abandonner cette fascination, en se reconnaissant face au passé, c'est renoncer à chercher le sens de notre présence au monde là où, rigoureusement, il ne saurait être, dans le non-lieu du futur. Il se peut que le sens ne soit nulle part. Il y a même de très fortes chances pour que le monde, la vie n'aient aucun sens. Mais cette hypothèse, *humainement,* ne présente aucun intérêt. Toute l'histoire indique de mille et une manières que le sens est la dernière chose à laquelle l'être humain puisse renoncer. Même dans la misère physique la plus extrême, la quête du sens est ce qui tient en vie. Là plus que jamais : le plus insupportable dans une telle extrémité (guerre, famine, torture, maladie) est le non-sens. Si je n'étais pas certain de cette constante, je ne pourrais pas écrire — ni lire, ni enseigner, ni aimer, ni recevoir, ni donner… Il ne s'agit nullement ici d'une certitude métaphysique, mais d'une nécessité tout humaine. D'autant plus humaine que sur ce point la métaphysique reste sans réponse et ne vaut que comme question. Parce que la question de l'être demeure fondamentale et insoluble, l'homme ne peut que remettre la question du sens à plus tard, au-delà de la mort, ou la chercher en lui, l'homme. La chercher en lui, c'est-à-dire dans sa propre histoire, dans ce qu'il a déjà raconté et qu'il continue de raconter sur le monde et sur lui-même dans le monde.

3. L'identité narrative

Le sens dont il est question ici, le sens que l'homme cherche dans son passé — dans ce que le passé a fait de lui et dans ce qu'il a fait à son tour de ces multiples passés accumulés dont il est fait —, ce sens n'est évidemment pas là tout cuit, donné une fois pour toutes, mais toujours à refaire, à retrouver.

Cet effort ne va pas de soi. Loin de modifier notre conception du monde, notre travail de déchiffrage tend plutôt à s'y conformer et à la confirmer. Malgré l'intérêt presque forcené que notre civilisation a montré pour l'histoire, l'obsession de l'avenir a fait de l'interprétation du passé une sorte d'outil de conquête et du passé lui-même une annexe à nos ambitions, une possession à garder comme un capital — le cas échéant contre les autres humanités. Cette lecture dévorante, conquérante, faite en fonction d'un sens donné d'avance ou qu'il appartiendrait à l'avenir de révéler, cette exploitation du passé, qui n'est pas sans rappeler l'exploitation du monde, nous laisse aujourd'hui devant une histoire à la fois très riche et désertée, immense et rabougrie.

Seule une lecture d'un autre style, moins arrogante, plus humble, plus incertaine, peut nous redonner accès à une part de cette richesse perdue et, avec elle, de nouvelles possibilités de sens à notre humaine présence au monde. Et ce n'est qu'en racontant, je crois, qu'on a des chances d'y accéder. La quête du sens ne s'explique pas, elle se raconte. C'est ce récit que j'entame ici en essayant de lire aussi naïvement que possible ce que l'humanité s'est déjà raconté et ce que la civilisation occidentale a fait de cette histoire.

Nul ne peut naïvement se prévaloir de la naïveté. Il n'y a pas de pensée vierge. Pas de chemin non plus sur lequel le voyageur puisse se dispenser de regarder où il met les pieds de ce qu'il ignore sa destination. Le voyage qui commence ici a pour moteur la conviction qu'une civilisation, comme la vie d'un individu, est un récit qui ne vaut, qui ne parle que d'être réfléchi, d'être constamment relu.

Cette conviction s'est d'abord ancrée en moi, il y a longtemps, à la lecture de Proust. Disons simplement ici que la lecture et la relecture du fameux passage où, dans *le Temps retrouvé*, le narrateur, sentant son pied vaciller sur un pavé, subit le déséquilibre infime qui va le propulser vers la reconquête du temps perdu provoque toujours en moi une sorte de séisme intérieur à la faveur duquel monte une sensation de vérité presque douloureuse. « La vraie vie », dit plus loin le narrateur, « la vie enfin découverte et éclaircie, la seule vie par conséquent réellement vécue, c'est la littérature ». Isolée du long cheminement qui la précède, cette exclamation risque de retentir dans le vide, comme une simple provocation littéraire. Il faut avoir parcouru l'œuvre entière, avoir vécu avec le narrateur ces instants où le sens émerge confusément, palpite un instant et se perd aussitôt comme une source dans le sable, pour découvrir avec lui « la grandeur de l'art véritable », qui est « de retrouver, de ressaisir, de nous faire connaître cette réalité loin de laquelle nous vivons, de laquelle nous nous écartons de plus en plus au fur et à mesure que prend plus d'épaisseur et d'imperméabilité la connaissance conventionnelle que nous lui substituons, cette réalité que nous risquerions fort de mourir sans avoir connue, et qui est tout simplement notre vie »[11].

Ce risque, le risque de passer à côté de notre vie, ne menace pas seulement les individus. Il guette aussi les communautés, les cultures, les civilisations. La nôtre en particulier. « Nous autres, civilisations », disait Valéry après la Première Guerre mondiale, « nous savons maintenant que nous sommes mortelles. » À force d'être galvaudé, cet aphorisme masque plus qu'il ne montre le risque dont il est ici question. Le risque n'est évidemment pas de mourir : à la mort, individus et communautés, nous sommes tous promis. Le risque, c'est de n'avoir pas vécu, de s'être manqué, de mourir sans avoir la moindre idée et de ce qui nous a fait et de ce que nous en avons fait, de mourir sans s'être raconté. Nombreux sont ceux qui, en ce siècle, ont annoncé le déclin ou la fin de l'Occident. Décadence ou chute dont nous avons vu qu'elle est *étymologiquement annoncée* : nulle civilisation ne peut mieux « tomber » en restant fidèle à son nom. Choir est notre destin, et notre civilisation a eu le génie inconscient de s'inscrire sous le signe de sa chute. Cédons à ce magnifique lapsus et cessons de craindre l'inévitable. Préparons-nous plutôt à ce que nous cherchons vainement à fuir, à oublier, à aseptiser de mille manières. Loin d'éviter la mort, c'est donc bien d'avoir vécu qu'il s'agit. Avoir vécu dans la plus grande connaissance possible de soi-même, comme nous y invite aussi Socrate.

C'est au regard de cette connaissance, individuelle et collective, que la notion d'identité collective se révèle la plus féconde. Pour la communauté comme pour l'individu, « le soi de la connaissance de soi est le fruit d'une vie examinée, une vie épurée, clarifiée, par les effets cathartiques

---

11. Marcel Proust, *À la recherche du temps perdu*, tome III, Paris, Gallimard, 1954, première édition de la Pléiade, p. 895.

des récits tant historiques que fictifs véhiculés par notre culture »[12]. Mais cette épuration elle-même s'expose au danger qu'il s'agit justement d'éviter : le danger d'éliminer les dissonances au profit d'une cohérence narrative acceptable. C'est en partie pour s'accepter, pour se réconcilier avec soi-même, qu'on se raconte. Inévitablement. Et ce désir — qui motive sans doute plus que je ne le voudrais ma propre entreprise — se fait le plus sentir là où le manque est le plus cuisant. C'est dire à quel point il est nécessaire *et* de le prendre en compte *et* d'y résister. Là encore, la psyché occidentale offre un exemple particulièrement saisissant : l'Occident ne cherche pas seulement à se réconcilier avec lui-même mais avec le monde entier, qu'il voudrait comprendre, embrasser de son étreinte fraternelle, universaliste et intégrative. Or cette étreinte reste parfaitement chimérique et négative tant qu'elle se fait au prix du rejet hors de la conscience occidentale de tout ce qui la dérange, y compris hors du passé dont cette conscience se réclame. Se donner la réconciliation pour tâche, ce serait se condamner à ne jamais quitter la voie royale évoquée plus haut, ce serait se laisser aller à la pente d'un imaginaire médiocrement satisfait de lui-même.

S'il est donc vrai, selon la célèbre expression de Hegel, que « l'esprit n'acquiert sa vérité qu'en se trouvant lui-même dans la déchirure absolue », encore faut-il accepter que cette blessure demeure ouverte et qu'elle puisse ne jamais se fermer. Il n'y a pas nécessairement de réconciliation à l'horizon. Si « la pratique du récit consiste en une expérience de pensée par laquelle nous nous exerçons à habiter des mondes étrangers à nous-mêmes »[13], encore faut-il accepter que leur étrangeté nous dérange et que leur habitation soit inconfortable. À ces conditions l'expérience mérite d'être tentée, elle est la raison d'être de ce livre. S'ouvrir à l'étranger, à sa présence *en l'autre comme en nous-mêmes*, est sans doute l'une des plus difficiles et nécessaires exigences éthiques de ce temps pour notre civilisation. C'est ce que j'entreprends ici avec la conscience que l'échec est toujours possible. Et avec la certitude qu'un bel échec, un échec qui sait se reconnaître, laisse toujours quelque chose à méditer derrière lui.

---

12. Ricœur, *le Temps raconté, op. cit.*, p. 357.
13. *Ibid.*, p. 358.

PREMIÈRE PARTIE

L'IMMORTALITÉ
ET LA VIE

L'Iliade et *l'Odyssée* chantent toutes deux l'immortalité et la vie. Mais leurs accents diffèrent. Achille choisit la première, Ulysse privilégie la seconde. Ce contraste traverse déjà, plusieurs siècles auparavant, l'épopée babylonienne de *Gilgamesh*. Au-delà de leurs différences, ces trois poèmes ont quelque chose en commun : ils disent l'héroïsme, la renommée et la vie dans leur splendide gratuité. Des siècles plus tard, à l'aube d'une ère qui ne se sait pas encore chrétienne, Virgile, s'inspirant de la geste homérique, forge un héros qu'il met au service de l'État. L'épopée devient politique, religieuse. *L'Énéide* amorce une transformation que les récits évangéliques ne vont pas tarder à radicaliser.

Très tôt dans la mythologie de la Méditerranée orientale, l'immortalité, normalement interdite à l'homme, apparaît comme un bien rare accessible à une race d'exception, la race des héros. Le commun des mortels se console tant bien que mal de sa disparition à l'idée d'être biologiquement prolongé par sa descendance. Le héros, lui, ne se contente pas de cette obscure continuité, il ne supporte pas de disparaître sous l'effacement du temps, contre lequel il met toute son énergie à lutter. L'anonymat, l'oubli lui sont plus odieux que la mort. Si l'homme ne peut vivre dans l'éternité réservée aux dieux immortels, qu'il lui soit au moins permis, à supposer qu'il en ait le choix, de survivre éternellement dans le récit de ses hauts faits. Loin de fuir la mort, le héros s'y expose. Le héros est celui qui risque la mort, qui met délibérément sa vie en jeu pour gagner l'immortalité de la renommée. Et qui a un chantre pour le raconter.

Rester immortel au souvenir des générations à venir, tel est le souhait de la plupart des guerriers de *l'Iliade*, dont Achille est l'incarnation la plus puissante, la plus extrême. Achille plus qu'aucun autre, parce qu'il est le seul à pouvoir choisir de ne pas mourir. Son invulnérabilité virtuelle met en quelque sorte l'immortalité physique à sa portée. S'il n'en veut pas, c'est qu'elle le confinerait dans l'oubli, et qu'il n'est pas prêt à payer la vie éternelle du prix de sa gloire. Plutôt vivre le bref éclat qui éternise son nom dans la mémoire des hommes que durer indéfiniment dans l'obscurité de la vie quotidienne.

L'héroïsme d'Ulysse est moins flamboyant mais plus ingénieux. Il combine la renommée et la jouissance des biens terrestres. Ce sont les tribulations qui s'amoncellent sur la voie du retour à la vie normale et la persévérance avisée dont il fait preuve pour retrouver l'usage paisible de son royaume qui assurent son immortalité — ce que devient le roi d'Ithaque une fois qu'il a vaincu les prétendants et reconquis son trône n'intéresse personne. L'héroïsme d'Ulysse, à l'inverse de celui d'Achille, paraît partiellement involontaire, et ses exploits n'accomplissent finalement rien d'autre qu'une ambition domestique. Si Ulysse accomplit quelque chose qui dépasse cette ambition, c'est, pendant le siège de Troie, avec le fameux stratagème du cheval. Mais ce n'est pas pour cet épisode que *l'Odyssée* a traversé le temps, même si cette ruse un peu grosse illustre déjà son inventeur comme celui qui résout les problèmes concrets, qui dénoue les situations les plus difficiles.

Mais est-il exact que le héros choisisse ? Achille ne survivrait pas à la honte de n'avoir pas vengé la mémoire de Patrocle. S'il choisissait la vie contre la gloire, Achille ne serait plus lui-même, et nous ne saurions pas son nom. L'épopée exige de ses principaux personnages une continuité et une cohérence sans lesquelles elle n'aurait tout simplement pas lieu. *L'Iliade* ne peut être le récit de la lâcheté ni *l'Odyssée* celui de l'abandon. Mais la nécessité de la cohérence interne, l'unité de propos que le héros assure en accomplissant son destin avec l'aide, décisive, des dieux, rien de tout cela n'empêche que chacune des deux narrations homériques ait sa tonalité propre. Derrière l'apparente continuité qui coule de *l'Iliade* à *l'Odyssée*, un radical renversement dans l'échelle des valeurs. À bien des égards, la seconde offre un puissant démenti à la première.

Ce qu'Homère raconte en deux poèmes distincts se trouve, de façon surprenante, uni dans l'épopée de *Gilgamesh*, qui condense dans sa trame globale une charge signifiante inégalée. En amont des récits homériques, donc, une geste riche de sens éclaire de très loin la tension qui oppose l'immortalité à la vie. Le problème du choix s'y pose avec plus d'acuité.

En aval, et comme en écho contradictoire à *l'Odyssée*, le mythe pseudo-historique de *l'Énéide* tisse la trame d'une immortalité collective. Obligé de fuir sa patrie dévastée grâce à la ruse d'Ulysse, Énée accomplit dans le sillage de l'ennemi un périple d'une toute autre portée, un parcours fondateur. Son héroïsme est grevé d'un sens qui le dépasse, qui surplombe de très haut ses ambitions personnelles, même si le héros ne se montre évidemment pas insensible à sa propre gloire. Étrangère à l'esprit des récits homériques, *l'Énéide* raconte une mission sacrée, elle répond à des préoccupations civiques, pour ne pas dire à l'auguste raison d'État de la Rome impériale. On s'approche déjà, non sans ambiguïté, du récit de vérité qui fera l'objet — après la tragédie de la connaissance — de la troisième partie de ce livre.

J'aborde ici ces trois moments, Homère, Virgile, *Gilgamesh*, dans un ordre qui peut surprendre. Je commence par le plus « familier ». Je poursuis par ce qui apparaît comme une distorsion, virgilienne, du récit homérique. Pour revenir à ce qu'on peut considérer comme une origine, en ce qu'elle nous ramène devant l'inéluctable.

I

ULYSSE OU LE BONHEUR MORTEL

L'Odyssée fait souvent référence aux événements de *l'Iliade*. Mais il est une scène où les destins de leurs héros se croisent avec une intensité dramatique particulière, lorsque, dans sa brève visite aux Enfers, Ulysse rencontre l'ombre de la gloire d'Achille. Épisode crucial à travers lequel les deux récits homériques[14] s'éclairent réciproquement. Que devient l'éternité de la renommée au royaume d'Hadès ? Que pèse-t-elle au regard de la vie ? Devant les fantômes de ses anciens compagnons d'armes, Ulysse reçoit la confirmation bouleversante de ce qu'il savait de longue date. Rien ne vaut la terre et sa lumière.

L'Iliade ne raconte pas la guerre de Troie ni *l'Odyssée* le voyage d'Ulysse. « Chante, déesse, la colère d'Achille », « Conte-moi, Muse, l'homme des mille détours », ainsi commencent-elles. Le récit homérique est centré sur le héros. Il ne se contente pas de raconter le héros dans ses exploits et ses tribulations, il montre aussi le gouffre que laisse son absence. Absence d'Achille du champ de bataille. Absence d'Ulysse de sa maison.

La colère d'Apollon s'abat sur le camp des Achéens à la prière de son prêtre Chrisès, auquel Agamemnon a refusé en termes offensants, et au mépris de sa propre assemblée, de rendre contre généreuse rançon sa fille Chriséis, qu'il tient comme butin de guerre. Devant la calamité qui décime les rangs achéens, Achille se fait l'interprète de tous en demandant au commandant en chef de se rendre à l'évidence : les traits d'Apollon ne cesseront que lorsque la fille sera restituée et l'offense réparée. Blessé dans son orgueil et frustré de sa jouissance,

---

14. Peu importe ici l'interminable débat sur la paternité des textes. L'essentiel, ici, est que les traditions grecque, romaine puis occidentale les ont toujours associés.

Agamemnon se dédommage de cette restitution et se venge d'Achille en lui enlevant sa part à lui, Briséis aux belles joues. Devant cet affront public, Achille se retire avec ses hommes et supplie sa mère, la déesse Thétis, d'intervenir auprès de Zeus, qu'elle a jadis sauvé d'une situation périlleuse, pour qu'il fasse pencher la balance en faveur des Troyens et accule les Achéens au désastre ; de manière « que le tout-puissant Agamemnon, fils d'Atrée, connaisse bien l'erreur qu'il commit en traitant sans égard aucun le meilleur des Achéens » (I, v. 410-412)[15]. Le maître de l'Olympe acquiesce, en dépit des ennuis que cette décision ne manquera de lui attirer de la part de sa coléreuse épouse, Héra. Le ressort de l'action est désormais tendu. Après moult flux et reflux, la bataille transforme les assiégeants en assiégés. Conduits par l'intrépide Hector, les Troyens parviennent à portée des nefs achéennes et menacent de les incendier. Malgré le péril et bien qu'Agamemnon, revenu de son égarement, fasse amende plus qu'honorable et s'engage à réparer sa faute, Achille ne décolère pas. Envoyés en ambassade auprès de lui, ses meilleurs camarades, dont Ulysse, ne parviennent pas à le fléchir. Il faudra la mort de Patrocle, l'inséparable ami, auquel il a fini par consentir à prêter ses armes, pour que, fou de douleur, il s'engage dans la bataille, repousse les Troyens et tue Hector. Le poème se clôt sur les funérailles de Patrocle et d'Hector dont Achille, sous la pression de Zeus, consent à restituer le cadavre au vieux Priam, son père.

Rien dans le récit ne vise à surprendre le lecteur par la tournure des événements, que le poème prend bien soin d'annoncer. À l'instar des dieux, qui décident du cours des choses, nous savons qu'Achille reprendra sa place au combat et que les Achéens en sortiront victorieux, nous savons que Patrocle et Hector mourront. Nous savons également ce qui se passe en amont et en aval du récit, qui n'occupe qu'un temps infime — moins de deux mois — de la décennie que dure le siège : nous apprenons au passage la cause de la guerre, l'enlèvement d'Hélène, la chute de Troie, la mort d'Achille. Ce savoir, loin d'être réservé aux auditeurs, est le plus souvent partagé par les héros eux-mêmes. Achille le tout premier *sait* qu'il va mourir : c'est le prix qu'il accepte de payer pour la gloire. Il pourrait retourner chez lui et y couler une longue vie

---

15. Sauf indication contraire, nous citons la traduction française de Louis BARDOLLET publiée dans : HOMÈRE, *l'Iliade*, *l'Odyssée*, Paris, Laffont, « Bouquins », 1995. Les renvois aux vers sont approximatifs mais suffisamment précis pour permettre au lecteur de repérer les passages incriminés dans n'importe quelle édition.

paisible, ignoré de tous, mais il *choisit* l'immortalité en allant sous les remparts d'Ilion à une mort dont il n'ignore que l'instant. Sans doute ignore-t-il aussi la dérision de cette gloire posthume, qu'il ne découvrira qu'au royaume des ombres. *L'Iliade* elle-même, tout à la gloire du héros vivant, s'abstient de lever le voile sur ce désenchantement. Et pourtant quelque chose, dans *l'Iliade* déjà, indique que cette gloire n'est pas sans mélange.

Si le héros connaît son destin, il n'en maîtrise pas le parcours. Que dis-je! il ne se maîtrise pas lui-même. Ne parlons pas d'Agamemnon, figure de l'enflure, qui, pour toute excuse à son outrance et à ses indignités, invoque l'« égarement sauvage » où Zeus l'a plongé (XIX, v. 85-87). En quoi le grand guerrier rejoint le commun des mortels : la plupart des humains manquent rarement d'attribuer aux dieux les maux qu'ils s'attirent par leur propre aveuglement. Achille lui-même, héros entre tous, cultive sa colère au-delà de toute raison : justifié à l'origine, son courroux se transforme en une pénible bouderie dès lors qu'une ample réparation s'offre à lui. Le but est atteint, l'orgueilleux fils d'Atrée s'humilie devant l'illustre offensé. Rien n'y fait, pas même l'amicale sagacité d'Ulysse. Non, il faut que le héros aille au-delà de la vengeance qu'il a réclamée des dieux. Pris dans l'engrenage de sa propre obstination, il se punit lui-même par la mort de Patrocle — préfiguration de la sienne. Seule la souffrance de cette perte le ramène à la réalité. Sans doute est-il réellement nécessaire que l'ami meure pour que le héros se prête à son tour aux exploits qui l'immortaliseront et le tueront. Le destin a ses exigences auquel nul, fût-il immortel, ne peut se soustraire — Zeus lui-même, tout puissant soit-il sur les hommes et sur les dieux, ne peut sauver de la mort l'un des plus chers de ses fils, Sarpédon, sans saper les bases de l'ordre auquel il préside (XVI, v. 430-460). Il n'empêche que Patrocle aurait pu mourir autrement, par exemple en combattant aux côtés de son ami.

Entre l'implacable nécessité du destin et la manière de l'accomplir, le héros dispose d'une marge de manœuvre à la fois indubitable et incertaine. À l'image du monde dans lequel il se meut, le héros navigue à mi-chemin entre les hommes et les dieux. Fils d'une déesse engrossée par un mortel, Achille incarne au plus près cette ambivalence qui lui permet de troquer la perspective d'un bonheur tranquille contre la renommée qu'il est fatalement amené à choisir. Fatalement, en effet : un demi-dieu ne peut se satisfaire du médiocre plaisir de vivre. Le héros homérique ne connaît pas le bonheur, il court sans cesse les difficultés, l'infortune, les mille périls de l'aventure et ne craint pas de s'exposer à la violence d'un trépas prématuré. Mais, s'il lui arrive de se risquer au mépris de sa vie, jamais il ne méprise la vie. Comme si le risque même de la perdre, toujours suspendu sur sa tête, lui en rendait chaque instant plus précieux. Comme s'il fallait accumuler duretés et souffrances pour goûter pleinement les rares moments d'amour, d'amitié et de repos. Qu'à l'instar du poète ses héros chérissent la vie ne fait pas le moindre doute. Homère déploie pour les scènes du quotidien une verve trop exacte, trop subtile, à la fois trop forte et trop douce, pour qu'on puisse s'y méprendre.

L'amour du détail, dans la cruauté comme dans la jouissance, est probablement ce qu'il y a de plus émouvant dans la poésie homérique. Il y a là trop de vérité pour qu'on puisse se croire dans un autre monde, nous sommes bien au pays des humains. Mais le héros y occupe, en surplomb sur le monde, une sorte de plan intermédiaire auquel le commun des mortels n'a pas accès et qui lui donne des ailes. Il vole au-dessus de la mêlée, y plonge avec la fougue et la supériorité de l'aigle. Un peu, toute proportion gardée, comme le font les dieux, qui passent sans transition des cimes olympiennes aux affaires terrestres. Zeus en tête. Non pas, en ce qui le concerne, pour participer activement aux combats, comme le font volontiers Apollon, Arès et Athéna — Zeus reste toujours au-dessus de la mêlée —, mais plutôt pour goûter aux jouissances humaines : en dépit des somptueuses déesses qui peuplent l'Olympe, le fils de Cronos ne dédaigne pas une nuit d'amour auprès d'une tendre mortelle. À croire que les dieux eux-mêmes languissent parfois des beautés terrestres, que leur fragilité rend plus précieuses.

La mort seule distingue sérieusement les dieux des héros. Au reste, les uns et les autres ont les mêmes passions, les mêmes fureurs, les mêmes jalousies, ils tissent les mêmes intrigues. Les héros appellent souvent les dieux à l'aide, leur demandent un signe susceptible de les éclairer, et les dieux volent souvent de leur propre initiative au secours de leurs protégés pour les conseiller ou les soustraire au danger.

Certes, les dieux en savent un peu plus, ils prennent de la hauteur, d'où ils se jouent des hommes, les trompent, les guident. Homère lui-même joue à fond de l'anthropomorphisme qui fait des divinités — Zeus excepté — une sorte de doublure aérienne de ses héros. Elles sont ce que nous appellerions leur bonne — ou mauvaise — étoile, plus rarement leur conscience, leur voix intérieure, auxquelles la panoplie mythologique permet de donner des visages familiers, humains. Car ici les dieux sont à la fois des forces de la nature, qui se combattent et s'équilibrent sous l'arbitrage de Zeus, et l'extériorisation des rêves que les hommes, fussent-ils des héros, ne peuvent atteindre autrement qu'en visant l'immortalité de substitution qu'ils espèrent gagner par leurs hauts faits dans la mémoire de leurs semblables. C'est le continuel entrecroisement des forces supérieures, du souffle intérieur et des tribulations terrestres qui font de l'univers homérique un monde d'une humanité éblouissante.

Éblouissement de ce monde où la lutte est à la fois magnifiée, nimbée des reflets de la gloire, et sans merci. L'humanité est présente de son inlassable sauvagerie, elle trempe littéralement dans le carnage. Mais cette humanité apparaît plus vraie encore de son insigne faiblesse. La bravoure, la peur, l'arrogance, la fureur, la ruse se déploient d'autant plus humainement qu'elles ne changent rien au long cours des choses. Tout se décide ailleurs, tout est joué d'avance : la défaite, la victoire, les honneurs, la honte. Chacun n'en porte pas moins le poids de ses actes. L'action est essentielle, l'action d'éclat d'autant plus, que s'y lancer corps et âme est encore la meilleure façon d'oublier le destin auquel le héros est soumis. À peine Hector vient-il d'avouer à Andromaque, sa femme : « J'ai cette parfaite connaissance, dans le fond de mon esprit et de mon cœur, qu'un jour sera où la sainte Ilion aura enfin péri [...] » (VI, v. 440-442) qu'il exhorte son frère Pâris à marcher au combat et à remettre à plus tard le soin de sa réputation, « quand nous aurons expulsé de la Troade les Achéens porteurs de bonnes jambières » (VI, v. 518-529).

L'action, la manière dont l'homme se comporte devant la nécessité importent au plus haut point. C'est là qu'il décide de sa grandeur ou de sa petitesse. Encore que le héros ait la noblesse inscrite d'avance dans sa destinée. Mais cette stature que lui donne d'emblée la place privilégiée qu'il occupe dans le récit ne le met pas à l'abri de la bassesse, de la stupidité, de la mesquinerie. Achille lui-même, on l'a vu, se comporte comme un enfant gâté et pleure dans les jupes de sa mère. Hector fanfaronne au-delà de ce que sa vaillance lui permet et, à l'heure de vérité, détale devant Achille comme un lapin. Les défauts et les exagérations des héros sont en proportion de leur taille. Cette taille, néanmoins, qui les élève au-dessus de la masse, est indispensable à leur visibilité. Il faut que le héros émerge, qu'il soit toujours visible de toutes parts, jusque dans son absence, pour que le lecteur ou l'auditeur puisse s'identifier à lui.

Cette identification ne vise ici aucune espèce d'édification. Même les dieux chez Homère, comme Platon le lui reproche assez, ne sont guère édifiants et vont parfois jusqu'à se montrer parfaitement ridicules, comme dans ce passage savoureux où Arès, dieu de la guerre, va pleurnicher chez son père d'avoir été blessé dans la bataille et se plaint de ce que lui, Zeus, ne s'indigne pas à la vue de « ces œuvres de violence » (V, v. 871-886)! L'identification au héros est néanmoins nécessaire, comme chacun sait, pour soutenir l'intérêt de l'auditoire, pour que tout un chacun puisse vivre un instant, en toute sécurité, le rêve de la grandeur. Et, qui sait? pour savourer, sous ce rêve, ce quotidien que le poète sait si bien mettre en relief et que, dans l'obscurité de notre petitesse, nous ne savons plus voir.

L'épopée homérique est, dans tous les sens du terme, un rêve. Le rêve éveillé qu'il nous arrive à tous de répéter inlassablement lorsque nous nous imaginons surmonter l'insurmontable ou réaliser l'improbable. Mais elle ressemble aussi aux histoires à la fois très réelles, très vivaces et parfaitement invraisemblables que nous traversons dans le sommeil, avec ce que ces tribulations peuvent avoir de merveilleux, de trivial et de cauchemardesque. Le héros est un peu dans la position du dormeur : il vit une aventure dont il ignore être le démiurge. Et pour cause : il sait, quand il le veut bien, que tout se machine au-dessus de lui; il en tire même prétexte à se dédouaner. Loin d'être une école de responsabilité, le monde homérique apparaît foncièrement amoral : il semble donner pleine licence au déchaînement des passions les plus extrêmes; du moment qu'il se couvre de gloire, le héros est sans scrupules. Mais cette licence s'accompagne d'une évidence capitale : le héros est le premier à pâtir de ses excès. Il peut bien en blâmer Zeus et l'Olympe tout entier, cette fuite ne fait qu'ajouter à son malheur. L'ignorance aggrave les maux qu'elle couvre de son voile. Finalement Achille est un grand guerrier, qui doit sa force exceptionnelle à sa naissance semi-divine, mais il n'a pas, ou trop tard ou insuffisamment, l'intelligence de ce qu'il fait. Sa gloire brille d'un éclat légèrement suspect. Seuls les pleurs qu'il verse en compagnie de Priam près des corps de Patrocle et d'Hector fugitivement réunis lui donnent, en fin de poème, cet instant de vérité qui le rapproche des hommes. Mais ces pleurs indiquent peut-être aussi combien il en coûte à l'homme de diviniser sa mémoire, de mettre sa renommée au-dessus de tout. En tout état de cause, cet instant de compassion ne suffit sûrement pas à faire d'Achille un « modèle ».

Il en va tout autrement d'Ulysse, qu'Homère présente dès *l'Iliade* comme le plus avisé des chefs achéens. Diomède se réjouit de l'avoir pour compagnon, « car il sait voir les choses comme nul autre » (X, v. 249). Le fait est qu'il les voit très différemment d'Achille, qu'il tente de soustraire au ressentiment en lui rappelant les recommandations que lui faisait Pélée, son père, au moment du départ :

> « La maîtrise, mon enfant, Athènè et Héra te la donneront, si elles le veulent. Mais c'est à toi de contenir ton cœur orgueilleux dans ta poitrine. Les pensers d'amitié sont préférables. Mets fin à la querelle qui machine le malheur pour que, parmi les Argiens, jeunes et vieux fassent croître l'estime qu'ils te portent. »　　　IX, v. 255-257

Contrairement à Achille, Ulysse n'a pas à se prendre pour le fils d'une déesse, il distingue la part des dieux et la part des hommes. Ce savoir ne le met pas nécessairement à l'abri de l'erreur, mais il fait de lui un personnage auquel il est plus facile de s'identifier. Hormis la force et la bravoure, tout sépare les deux héros : l'un s'emporte et s'obstine, l'autre réfléchit et se plie à la nécessité ; l'un troque la pérennité de la renommée contre la soudaineté de la mort, l'autre choisit la vie, le retour chez soi contre l'immortel amour d'une déesse. L'un se crispe dans la démesure, l'autre est intelligence en actes, il sait agir et sait attendre. Les deux poèmes homériques, nous le savons, sont centrés sur l'attente, mais le caractère de leur héros imprègne chacun d'une teinte complètement différente : *l'Iliade*, suspendue aux humeurs d'Achille, est l'histoire d'une attente destructrice ; *l'Odyssée*, suspendue au retour d'Ulysse, raconte une attente non moins exaspérante mais fructueuse.

La scène de *l'Odyssée* n'est pas « la mer vineuse », si présente soit-elle de toutes les incertitudes qu'elle porte, c'est la « claire Ithaque », où tout le monde attend. Pénélope et Télémaque attendent l'improbable retour d'Ulysse ou la confirmation de sa mort. Les prétendants, installés au palais, attendent que Pénélope se décide et mangent son patrimoine. Ulysse lui-même, physiquement au loin mais en pensée dans sa patrie, attend que les dieux relâchent le filet de sa prison dorée, dont la gardienne a depuis longtemps pour lui perdu son charme.

Tandis que Télémaque, dans une sorte de mimétisme filial qui est aussi passage à la maturité, part à la recherche des traces de son père, l'assemblée olympienne ordonne la libération d'Ulysse. Poséidon, toujours fâché contre lui de ce qu'il a éborgné son Cyclope de fils, le jette dans une ultime tempête, au terme de laquelle le héros échoue sur l'île bénie des Phéaciens. Ceux-ci sont aussi bienveillants que bienheureux. Ils régalent Ulysse, écoutent l'histoire de ses tribulations, le comblent de cadeaux et l'escortent sans encombre jusque chez lui, en prenant soin, néanmoins, de le débarquer tout endormi, lui et son trésor, dans une crique éloignée de la ville, à l'abri des regards. Cette précaution montre bien que le retour ne va pas de soi, comme Athéna s'empresse d'en informer son protégé, avec lequel elle élabore tout un plan de reconquête. Lequel se déroule comme prévu. Avec la complicité de Télémaque, revenu de son expédition peu après le retour de son père, Ulysse s'introduit dans son propre palais sous l'aspect méconnaissable d'un vieux mendiant, que seul son vieux chien mourant ignoré de tous sur un tas de fumier reconnaît en agitant faiblement sa queue. Suivent divers épisodes (rebuffades des prétendants, contact avec les serviteurs et servantes, scène de la cicatrice qui trahit l'identité d'Ulysse sous les doigts de sa vieille nourrice, conversation avec Pénélope) au cours desquels le maître disparu se fait une meilleure idée de l'état des lieux et des esprits. L'insolence des prétendants grandit sous ses yeux jusqu'à l'apothéose de la scène de l'arc; arc qu'il est seul à pouvoir bander et dont il tourne les flèches meurtrières contre les prétendants, dont pas un ne survivra. Mais il vient ainsi de tuer la fleur de la noblesse de son pays, et ce dernier menace de se retourner contre lui. Le père d'un des tués résume en quelques phrases dévastatrices le sentiment des opposants et le sens qu'ils donnent à l'aventure d'Ulysse depuis son départ pour Troie :

> « Oui, amis, cet individu a imaginé contre les Achéens un acte énorme ! Il a emmené avec ses nefs des hommes nombreux et braves ! Il a perdu les nefs creuses, il a fait périr ses gens ! Puis il est revenu pour en tuer d'autres, sans comparaison l'élite des Céphalléniens ! »
>
> XXIV, v. 427-430

Le conflit s'amorce et s'éteint aussitôt sous les auspices d'Athéna, dont l'intervention décisive confirme après coup l'opinion des partisans d'Ulysse, selon lesquels ce dernier n'a pas pu faire ce qu'on lui reproche « contre la volonté des dieux », tandis que les pères qui se lamentent et s'indignent aujourd'hui n'ont rien tenté pour mettre fin à la folie de leurs fils (XXIV, v. 443-456). Ulysse n'en est pas pour autant complètement blanchi ni parvenu au bout de ses peines : comme le lui a déjà prédit Tirésias lors de sa visite aux Enfers, il devra accomplir « une grande besogne, pénible et sans mesure », sorte de voyage expiatoire, avant de goûter pleinement les joies domestiques (XXIII, 248-252). Le récit se termine donc sur un retour provisoire, suspendu à la réussite d'une autre expédition lointaine, comme si le héros ne devait jamais complètement en finir avec l'errance dont il paie son erreur.

En dépit de l'heureux dénouement, donc, ce violent retour critique sur toute l'action d'Ulysse, à un moment aussi dramatique, a quelque chose de stupéfiant : toute la portée de l'épopée vacille, et, avec elle, la stature même du héros. Soudain, Ulysse n'est plus qu'un aventurier sans scrupules qui, sur un coup de tête, a tout sacrifié, sa femme, ses compagnons, le repos et la jeunesse de son pays pour satisfaire de vaines ambitions. Maints épisodes prennent à la lumière de ce retournement une allure moins reluisante. Le lecteur se souvient qu'à plusieurs reprises les compagnons d'Ulysse ont durement pâti de son imprudence. Par exemple chez Polyphème : non seulement sa curiosité (aller voir à quoi ressemble un Cyclope) coûte la vie à une partie de l'équipe qui l'accompagne dans la caverne, mais il assaisonne sa fuite d'une fanfaronnade lourde de conséquences.

Plutôt que de laisser Polyphème continuer à croire et à dire qu'il a été aveuglé par Personne, Ulysse, en dépit des objurgations de ses compagnons, excite le monstre du haut de sa nef en se vantant de son exploit et en lui dévoilant fièrement sa véritable identité. Au mot d'Ulysse, Polyphème se souvient que l'événement lui a été prédit et invite ses hôtes à se réconcilier avec lui sous l'égide de Poséidon, son père, qui leur fournira une escorte et guérira son œil. Ulysse redouble d'insultes et lui annonce que son œil « ne sera pas guéri, pas même par l'Ébranleur du sol ! » Et le Cyclope de tendre les mains vers le ciel et de s'adresser au dieu de la mer :

> « Poséidon aux sombres cheveux bleus, qui secoue la terre, écoute-moi ! Si véritablement je suis tien, si tu es mon père et l'affirmes, accorde-moi qu'Ulysse, saccageur de cités, ne parvienne pas en son pays, le fils de Laërte, ayant son logis en Ithaque ! Mais si c'est son lot de voir les siens et d'arriver à sa maison bien bâtie, dans sa patrie, puisse-t-il y venir misérablement, et après un long temps, ayant perdu tous ses compagnons, sur la nef d'un autre, et, dans sa maison, trouver l'épreuve ! »
>
> IX, v. 529-534

Cet épisode est la bonde par où se déverse toute l'infortune odysséenne. Il intervient dans les deux premières semaines du voyage de retour et déclenche le flot des malheurs subséquents. On ne se moque pas impunément de Poséidon, fils de Cronos, situé[16] juste après Zeus dans la hiérarchie olympienne. Mais cette provocation est en quelque sorte nécessaire, ne serait-ce que du point de vue de l'intrigue : il faut bien que quelque chose se produise qui emporte Ulysse loin de sa trajectoire et le prive de ses compagnons ! La colère divine est à proprement parler un *deus ex machina*. En même temps, la folle raillerie d'Ulysse, encore sous le coup de la dévorante hospitalité du monstre, est parfaitement compréhensible. Le héros, dont l'habileté est souvent comparée à celle de Zeus, perd le contrôle de lui-même, perd un instant sa qualité principale, le discernement, et, avec elle, sa qualité de héros. Le divin Ulysse cesse momentanément d'être divin, il se montre pleinement homme, homme avec excès même. Et il suffit de ce moment de démesure pour que tout bascule. La portée de ce faux pas peut paraître elle-même démesurée, et on serait tenté de la rapporter purement et simplement à la nécessité narrative dont il vient d'être question. C'est oublier que par la bouche du narrateur s'expriment aussi la Nécessité tout court et l'impuissance dans laquelle nous sommes tous devant elle. La défaillance d'Ulysse *et* sa portée témoignent de la vulnérabilité humaine : une minute d'égarement suffit à bouleverser toute une vie, et le héros trébuche, parce qu'il est homme. Si Ulysse était toujours divin, toujours avisé, bref, infaillible, il n'y aurait plus moyen de s'identifier à lui, et plus d'*Odyssée*.

Quoique plus fascinant, plus complet et complexe qu'Achille, Ulysse n'est pas seulement faillible, il est très loin d'offrir un modèle d'humanité. Ce « saccageur de cités » se révèle à l'occasion d'une cruauté et d'une cupidité parfaitement révoltantes. Non seulement il n'épargne aucun des prétendants, quand bien même ces derniers lui offrent reddition, soumission et compensation sitôt abattu le premier et le plus arrogant d'entre eux, mais il fait exécuter les servantes qui ont eu la faiblesse de céder à leurs avances.

C'est le même homme qui, peu auparavant, se réjouit de voir sa femme se vendre au plus offrant : il « devint radieux, parce que la rusée tirait d'eux des cadeaux » (XVIII, v. 278-280). En admettant qu'ici Ulysse apprécie avant tout la ruse, on ne peut manquer d'être frappé de l'importance que le héros attache par ailleurs à la richesse matérielle. Il ne paraît nullement troublé de ce que la montagne de cadeaux que le roi

---

16. À égalité avec Hadès.

des Phéaciens lui destine s'amasse en fin de compte sur le dos du peuple :
« Nous collecterons, de notre côté, parmi le peuple, de quoi nous
indemniser [dit le roi] ; car il est terriblement affligeant d'être seul à faire
aux gens le plaisir d'un cadeau » (XIII, v. 13-15). Non seulement le béné-
ficiaire n'élève pas la moindre protestation, mais de ce moment l'acheminement de son trésor à bon port et sa sauvegarde deviennent ses principales préoccupations. À peine se réveille-t-il de son débarquement
clandestin, sans même savoir où il se trouve, qu'il lui faut voir et compter ses richesses : « Je crains qu'en partant ils [les Phéaciens !] ne m'en
aient emmené, au creux de leur nef » (XIII, 215-217). Et à l'inconnu sous
le déguisement duquel Athéna vient à lui il prend les genoux et supplie :
« Sauve ces richesses, sauve-moi ! » (v. 27-29). Dans l'ordre. Sans ce
butin, son retour n'aurait aucun prix. Il redoute davantage de revenir
privé de biens que sans ses compagnons.

Sa légendaire prudence, en effet, ne l'a pas empêché d'exposer la vie
des autres. Lorsque son escadre aborde au pays des Lestrygons, Ulysse
la laisse mouiller dans le port, à l'exception de son seul navire, qu'il
retient au-dehors. Il envoie une escouade en exploration et se poste à
bonne distance pour observer la tournure des événements, qui se révèle
désastreuse. Les Lestrygons attaquent à coups de rochers :

> « Un fracas de malheur s'éleva tout d'un coup d'un bout à l'autre des
> nefs : c'étaient les nefs qui se brisaient, en même temps que péris-
> saient les hommes. Les Lestrygons les transperçaient comme des pois-
> sons et les emportaient pour un triste festin.
>
> « Tandis qu'ils les tuaient à l'intérieur du port très profond, tirant
> mon épée pointue au long de ma cuisse, je m'en servis pour couper
> les câbles de ma nef à la sombre proue bleue, et sur le champ, pres-
> sant mes compagnons, je leur ordonnai de se jeter sur le manche des
> rames pour nous soustraire par la fuite au malheur. Pris par la peur de
> périr, ils firent tous jaillir l'eau salée. En fuyant vers le large, loin des
> rochers en surplomb, ma nef nous mit en joie. Les autres, elles
> avaient péri sur les lieux mêmes, toutes ensemble.
>
> « De là, nous voguâmes de l'avant, le cœur affligé, contents
> d'échapper à la mort, après la perte de nos compagnons. Nous par-
> vînmes à l'île d'Aïaïé, où habitait Circé aux belles tresses [...]. »

X, v. 121-135

Le récit ne manque pas de sel : images crues, retournement sarcas-
tique de la séquence de l'épée, juxtaposition de la mort et de la joie, de

l'affliction et de la satisfaction. Pas un instant Ulysse, qui en d'autres circonstances ne se prive pas de souligner les erreurs de ses comparses, ne fait mine de questionner sa manière d'agir. Même ton, même détachement dans le récit de ses démêlés avec le Cyclope. Car, dans les deux cas, c'est Ulysse qui raconte. Sans la moindre pudeur, sans l'ombre d'un regret. Et la bienveillance de ses hôtes phéaciens n'en paraît nullement offusquée. Ils en redemanderaient plutôt, à l'image du lecteur, et comblent le narrateur de bienfaits. De toute évidence, ils ne portent, eux aussi, aucun jugement sur la matière du récit, ils se contentent d'y prendre plaisir.

Ulysse, à vrai dire, n'a qu'un regret, qui revient sans cesse à ses lèvres dans le récit qu'il fait de ses aventures à la cour d'Alcinoos : l'éloignement de sa patrie, l'incessant report de son retour. Il en est alors à la fin de la dixième année de ses errances, et il n'a pas quitté Calypso pour recommencer à bourlinguer. Dix ans de siège, pourtant, n'avaient pas suffi à aiguiser son impatience. Au départ du rivage troyen, la célérité du retour ne semble pas vraiment prioritaire. Le héros songe plutôt à saccager par surprise la cité des Cicones, où il perd déjà inutilement une partie de ses hommes. Puis il festoie « tout un mois » chez Éole. Il ne se fera pas trop prier non plus pour passer une année entière dans la couche de l'envoûtante Circé. La fidèle et patiente Pénélope n'occupe sérieusement ses pensées qu'avec l'usure de son désir pour Calypso. Sept ans seul avec la même, c'est assez pour passer de la volupté à l'ennui. Coucher tous les soirs avec elle devient une corvée d'autant plus fastidieuse que le reste du temps il se morfond dans l'inaction, terreau fertile du mal du pays. C'est ce mal d'ailleurs, plus que le manque de son épouse, qui le ronge.

Mais le départ d'Ulysse est enfin fixé. Sous la ferme pression des dieux, la nymphe y consent et se dit prête à l'aider. Le soir tombe. Et le poète a ce trait magnifique : « Ils allèrent tous deux dans le fond de la caverne creuse et, restant l'un près de l'autre, ils se rassasièrent d'amour » (V, v. 25-27). L'imminence de la séparation suffit à ranimer la braise du désir.

On comprend donc qu'Ulysse choisisse de rentrer chez lui plutôt que de se consumer d'immortel ennui, fût-ce auprès de la plus belle femme du monde. Mais ce retour, cette promesse d'une longue soirée tranquille au terme de sa vie n'a d'attrait que d'être précédée d'une existence mouvementée où le héros a eu amplement l'occasion de goûter aux joies et aux souffrances de l'aventure. Tout, dans la trajectoire de cet homme est conduit, avec l'aide des dieux, par un égoïsme foncier, qui, à l'instar de la vie, échappe à tout jugement moral. « Heureux qui, comme Ulysse, a fait un beau voyage », disait déjà Du Bellay, dont la célèbre formule résume d'un trait la force du rêve. Bien plus encore que *l'Iliade*, *l'Odyssée* est un rêve, le rêve par excellence que, peu ou prou, nous avons tous rêvé. « Pourquoi veux-tu t'en aller voir le vaste monde [...] ? », s'exclame naïvement la nourrice de Télémaque (II, v. 11-12). S'informer du père n'est qu'un prétexte, il s'agit bien plus de suivre son exemple, de briser le lien du foyer, de se détacher de la matrice de l'enfance pour revenir, plus averti, plus exercé, plus riche. Le trésor qu'Ulysse craint tant de se faire voler pourrait symboliser cette richesse, mais la métaphore est inadéquate : ce que le voyage permet de récolter n'est rien de tangible, rien qu'on puisse perdre ou se faire prendre. Tel est du moins le rêve de la jeunesse, que l'aventure plonge dans la vie. Ulysse, lui, n'a que trop bourlingué, il a amplement moissonné les peines et les émotions de par « le vaste monde ». Le rêve est accompli, il a même failli tourner au cauchemar, le héros ne songe plus désormais qu'à jouir en paix des biens de ce monde.

Du rêve, *l'Odyssée*, ici aussi à la différence de *l'Iliade*, comporte au même degré la familiarité et l'étrangeté. *L'Iliade* baigne presque entièrement dans la sur-réalité de la geste guerrière, avec il est vrai des clins d'œil à la vie civile. *L'Odyssée* chevauche constamment, et toujours du même souffle, le réel et l'irréel. À peu près rien de ce qui s'y passe n'est possible dans le monde éveillé et tout s'y produit comme dans la vie quotidienne, à l'image exacte du songe endormi. L'ordinaire et le fantastique se juxtaposent et s'entrelacent sur un même plan, sans se mélanger, avec une force de persuasion égale et dans une complémentarité absolument nécessaire, comme les couleurs sur une toile de Matisse. Il n'y a rien à aller chercher ailleurs que sur la toile, ni derrière ni à côté, tout est là, parfaitement placé. La perfection, ici, renvoie à un effet d'ensemble ; elle n'est pas nécessairement absence de maladresses ou beauté sans faille de chaque vers [17]. Est sans faille, là aussi comme on le dirait d'un peintre, la manière. Le monde d'Ulysse est à deux dimensions, il n'offre aucune espèce de perspective et n'a pour ainsi dire pas d'ombre, encore moins de face cachée. Ulysse n'a pas d'âme : son personnage, si attachant, si humain soit-il, est amoral, sans mystère, sans

---

17. Selon maint spécialiste, le texte du poème homérique laisse voir des ruptures de style qui indiquent qu'il n'est pas nécessairement écrit par un seul et même auteur.

secret. À l'instar de ce que le héros lui-même éprouve, nos émotions de lecteur se succèdent à l'état pur, sans filtre, sans distance critique. Cette immédiateté donne à la jouissance du récit sa lumineuse intensité et rend son interprétation presque impossible.

Les interprétations, pourtant, ne manquent pas. Peu de récits ont été autant commentés, copiés, augmentés, transposés que l'*Odyssée*. Tour à tour Virgile, Dante, Ronsard, Rabelais, Cervantès, Fénelon, Swift, Voltaire, Sade et, plus près de nous, Joyce, Kazantzakis, Hergé, Moravia, Kubrick, pour ne nommer qu'eux, s'en sont tous plus ou moins directement inspirés. On peut dire sans exagération que l'*Odyssée* s'est imposée à travers les siècles comme le prototype du roman d'aventures, au point de devenir le nom commun du voyage à rebondissements et de la vie mouvementée. Ulysse, personnage le plus célèbre de toute l'Antiquité gréco-latine, demeure aujourd'hui une des figures les plus connues et les plus sympathiques de l'imaginaire occidental. Il n'est pas nécessaire d'avoir lu une ligne d'Homère pour le connaître : robuste, courageux, malin comme pas deux, il est la personnification de la ruse, de l'aventure et de la débrouillardise; il est celui qui s'en sort toujours. Sans être fausse, cette image n'a plus grand-chose à voir avec le héros homérique, pour la simple raison qu'elle a survécu en se reconstituant hors lecture.

La fausse familiarité d'Ulysse vient de ce que l'univers homérique nous est devenu étranger. Hors de cet univers, Ulysse ne se distingue plus de l'aventurier moderne que par l'ancienneté de ses origines, que par sa parure antique. Comme lui, nos héros du grand et du petit écran finissent tous par « s'en sortir », par triompher de toutes les embûches, par retourner en leur faveur les situations les plus désespérées : de Barnabooth à Indiana Jones, en passant par Bloom, Tintin, James Bond et tous les héros du Far West. À la différence que ces héros, pour la plupart, ne doivent rien aux dieux et tout à eux-mêmes. Là où Ulysse, en dépit de sa bravoure et de ses astuces, est une coquille de noix ballottée par la mer, un fétu de paille livré à des forces dont l'immensité le dépasse, nos champions modernes ignorent toute Nécessité et n'ont jamais qu'à vaincre la méchanceté des individus malfaisants qui tentent vainement de leur barrer la route.

S'il est une « leçon » — concept déjà passablement incongru s'agissant de l'œuvre homérique — qu'Ulysse retient de ses tribulations, elle apparaît on ne peut plus clairement au moment où, sous ses haillons de pseudo-mendiant, il s'adresse au plus modéré des prétendants, qui vient de compatir à sa misère : « De tout ce qui respire et se meut sur le sol, la terre ne nourrit rien de plus chétif que l'être humain » (XVII, v. 129-130). L'aventurier moderne, lui, n'a pas à réfléchir à sa fragilité, il ne fait pas d'erreurs ou finit toujours par réparer celles qu'il commet, sa faiblesse n'est jamais que passagère ; foncièrement, il domine la situation, maîtrise le monde et triomphe du mal. Il est *moral*. Ces notions sont étrangères au monde d'Homère, bien que la confusion soit facile à qui s'imagine le connaître : Ulysse n'a pas affaire au mal mais au malheur, il ne cherche pas à dominer le monde mais s'efforce à la maîtrise de soi-même. Au reste son sort ne dépend pas de lui, et sans la protection d'Athéna il ne pourrait rien.

La mort est constamment à l'œuvre autour du héros homérique, non pas seulement comme quelque chose qui arrive aux autres mais comme une compagne indéfectible qui ne manque pas une occasion de rappeler sa présence. Compagne n'est pas trop dire. Sans la perspective de sa fin, l'existence n'aurait pas le même prix : la mort, si noire soit-elle, est l'épice de la vie. Mais son irruption prématurée ne permet pas de vivre tout son saoul. Le choix d'Achille, la mort contre la gloire, apparaît après coup comme un choix inconsidéré, dû à l'emportement de la jeunesse, même s'il est aussi et surtout guidé par le désir de venger l'ami mort au combat.

La rencontre d'Ulysse avec l'âme d'Achille constitue à cet égard ce moment capital de *l'Odyssée* que j'évoquais en début de chapitre. Obligé de descendre aux Enfers pour consulter l'âme du devin Tirésias sur son destin, Ulysse rencontre aussi celles de ses anciens compagnons d'armes. Tous se plaignent d'une façon ou d'une autre d'avoir quitté la vie trop tôt ou ignominieusement. Survient l'âme d'Achille, qui, elle, pense Ulysse, n'a pas lieu de se plaindre au regard surtout des tribulations terrestres qui sont les siennes. Résumant ses souffrances, le visiteur enchaîne :

> « Mais plus heureux que toi, Achille, il n'y eut personne avant, il n'y aura personne après. Auparavant, quand tu vivais, nous t'honorions, nous les Argiens, à l'égal des dieux, et, maintenant que tu es ici, tu es grand et puissant parmi les défunts. Achille, ne t'afflige donc point d'être mort ! »
>
> Telles furent mes paroles, et lui aussitôt en réponse me dit :
> « Ne cherche pas des biais quand tu parles de la mort, illustre Ulysse. Je voudrais être un mercenaire attaché à la glèbe chez un

autre, chez un homme sans bien, qui n'aurait guère de quoi vivre, plutôt que d'être le roi de tous les morts dans leur néant !... »

XI, v. 483-492

L'aveu d'Achille est écrasant. Le plus illustre des héros de *l'Iliade* regrette amèrement le sacrifice qu'il a fait de sa vie à la vanité de la gloire. Au royaume des ombres, la gloire ne vaut pas une minute de la vie la plus humble, la plus obscure. Loin de se laisser prendre aux louanges d'Ulysse, Achille sait fort bien que son ancien compagnon n'est pas dupe de ses propres paroles. Ulysse, mieux que tout autre, connaît le prix de la vie, et son passage chez Hadès ne peut que le conforter dans son désir de retrouver la douceur du quotidien. Vue de chez les morts, la vie rayonne comme le seul bien de l'homme. Il n'y a rien pour nous en dehors d'elle, aucun au-delà qui vaille. Et d'être périssable, ce moment de lumière n'en est que plus précieux. Pourtant *l'Odyssée* montre avec profusion ce que ce « moment » peut avoir de terrible, *elle est elle-même la vie dans son cours tumultueux*, avec tous les obstacles qui s'y accumulent et nous séparent du repos grâce auquel on peut pleinement y goûter. Qu'importe. Dans la balance du poète, notre bref séjour terrestre, malgré ses peines infinies, pèse plus lourd que l'éternité de la renommée.

Le héros de nos aventures modernes ne sait évidemment rien du séjour des morts, où il se contente d'expédier les autres *(live and let die)* et dont, en dépit de tous les dangers, il n'approche jamais. Dans tous les sens du terme, il ne connaît pas la mort. Ni la vieillesse. Ni, par conséquent, la vie. Il représente l'éternel triomphe de la juste cause. Ulysse n'est ni juste ni injuste. Sa sagesse l'incite à la mesure, mais la vie en lui bouillonne parfois si fort qu'il en oublie toute prudence et se comporte comme un enfant. Il ne vise rien de précis hormis la jouissance de survivre et les plaisirs éphémères que cette rallonge lui procure. Ulysse est la vie à l'état brut, dans sa spontanéité et sa fragilité, la vie sans prix à l'ombre de la mort. Très loin, décidément, de l'aventurier moderne, avec lequel il n'a qu'une fausse parenté.

À l'opposé de la lecture superficielle et irréfléchie qui fait d'Ulysse un héros moderne, on peut évidemment se lancer dans des interprétations d'une toute autre venue, complexes et subtiles. Les Anciens eux-mêmes ne s'en sont pas privés. Très vite, dès la fin du vie siècle av. J.-C., l'interprétation de l'œuvre homérique ne se contente plus du simple plaisir littéraire que procure la narration d'une aventure humaine. On y cherche tour à tour un sens cosmologique, physique, politique, psychologique : grâce à son art, Homère « dissimulait sciemment sous le voile de l'allégorie »[18] une grande science de la nature que les philosophes n'ont fait que reprendre dans un langage plus prosaïque. Les réserves de Platon n'y changeront rien : ceux-là mêmes qu'il inspire le plus, les néo-platoniciens, Plotin en tête, divinisent Homère et font de lui « un visionnaire, un contemplateur direct de la Beauté intelligible ». « De ce poète, le plus humain et l'un des moins mystiques qui soient, ils ont tiré des trésors de mysticisme, avec une tranquille assurance et une virtuosité de prestidigitateurs »[19]. On ne s'étonnera donc pas qu'avec le triomphe du christianisme les Pères de l'Église eux-mêmes n'échappent pas à cette lecture spiritualiste d'Homère.

Comme tout grand texte, à vrai dire, les poèmes homériques sont une sorte d'auberge espagnole, où l'on trouve ce qu'on y apporte. La diversité et la richesse des lectures qu'ils nourrissent sont nécessairement infinies, et il est tentant d'en multiplier les dimensions. Je serais pour ma part sujet, comme bien d'autres, à voir dans *l'Odyssée* une sorte de voyage intérieur, non pas du tout au sens mystique, cette fois, mais d'un point de vue psychanalytique : Ulysse chemine à la découverte de sa psyché — et nous savons aujourd'hui combien ce chemin peut être long, ardu, hasardeux. Depuis près d'un siècle, la psychanalyse hante la mythologie, la littérature et, plus encore, la critique littéraire. Non sans raison. Si Freud s'est saisi d'Œdipe au point de réussir pour ainsi dire à supplanter Sophocle, que ne pourrions-nous faire d'Ulysse : le héros précoce et d'abord inconscient de la découverte du Je (le *Ich* freudien) aux prises avec le ça et le surmoi ! Si légitime et intéressante que puisse être une lecture qui s'engage sur cette piste, il faut songer à ce qu'elle risque de sacrifier.

Tous les trésors ne peuvent s'entasser au même endroit. Il faut choisir ou du moins privilégier une lecture sur d'autres, en gardant à l'esprit que toute interprétation se fait au prix d'une perte. Ce n'est pas parce que Freud a trouvé dans la tragédie d'Œdipe une puissante parabole du cheminement inconscient de la sexualité que la psychanalyse situe nécessairement le drame de Sophocle dans sa « vraie » lumière ni,

18. Louis BARDOLLET, « Justifications et opinions », dans HOMÈRE, *l'Iliade*, *l'Odyssée*, *op. cit.*, p. 710, qui se dit redevable de Félix BUFFIÈRE, *les Mythes d'Homère*, Paris, Les Belles Lettres, 1973.

19. *Ibid.*, p. 709 et 711 (BUFFIÈRE cité par BARDOLLET).

a fortiori, que l'interprétation psychanalytique fournit la clé qui par excellence ouvre à la compréhension profonde des grands récits mythologiques. Que des correspondances s'établissent, néanmoins, que la psychanalyse explicite, avec plus ou moins de bonheur, un contenu latent dans la mythologie la plus reculée ou, en d'autres termes, que celle-ci dise déjà à sa manière ce que nous redécouvrons et redéployons des siècles plus tard dans un autre langage, je suis le premier à y souscrire. C'est même pour une bonne part la certitude de ces correspondances qui m'encourage à écrire ce livre. Mythes et psychanalyse s'éclairent mutuellement, sans jamais toutefois se recouvrir. Il est même des cas où la correspondance paraît faible. Et, à mon propre étonnement, c'est le cas de *l'Odyssée*.

Lire *l'Odyssée* comme une odyssée de la psyché ou de l'esprit est bien entendu possible, mais une telle lecture ne peut qu'affaiblir la vivacité du récit et atténuer l'effet d'étrangeté qu'il produit aujourd'hui à l'entendre au premier degré, c'est-à-dire comme une allégorie de la vie même dans ce qu'elle a de plus immédiatement humain, au pire et au meilleur sens du terme. Il n'y a rien à aller chercher au-dehors, ni au-dessus ni au-delà ni dans la postérité, comme l'a compris — trop tard — l'âme d'Achille. Tout se joue dans l'ici et maintenant de la vie. Et c'est parce qu'Ulysse, instinctivement, comprend cela et que, malgré certains moments d'égarement, il agit autant que possible en conséquence, qu'il est aventurier de la vie plutôt que héros tragique. Sans doute, le destin, la mort, la nécessité et la vulnérabilité tissent en arrière-plan la toile de la tragédie humaine, mais le héros lui-même n'est pas tragique, non seulement parce qu'il finit par retrouver son royaume mais surtout parce qu'il accepte son destin et mord dans la vie à pleines dents. Ce n'est pas vrai au même degré de tous les héros homériques mais c'est manifestement le cas, avec un exceptionnel bonheur, avec un rare mélange d'insolence, de prudence et d'innocence, d'Ulysse aux mille détours. Posture qui fait de lui et de son histoire un personnage et un chant poétique aux antipodes du récit et des figures bibliques.

Ulysse n'est pas le personnage que nous croyons. Sans le moindre doute les Grecs se sont reconnus en lui. Du point de vue de l'identité hellénique, on peut voir son voyage comme une exploration des limites du monde connu, civilisé et comme un long retour au même. Ulysse n'apprend rien de l'autre. Pire, son seul mouvement de curiosité gratuite, chez les Cyclopes (Ulysse et ses compagnons ont tout le bétail qu'ils désirent sous la main et n'ont pas besoin d'eux), aboutit à un désastre dont on sait qu'il déclenche l'errance. Et lorsque au terme de son exil chez Calypso il échoue auprès des Phéaciens, Ulysse est déjà chez lui : non seulement ces gens l'accueillent, l'écoutent, le comblent de présents et le ramènent dans sa patrie mais ils festoient, sacrifient, et jouent exactement comme les Achéens. À ces semblables, il peut se raconter. Auprès d'eux il commence à se retrouver, avec d'autant plus d'aisance que, contrairement à ce qui l'attend en Ithaque, il n'a pas là de lutte à mener pour se faire reconnaître. Il lui suffit de parler.

Dans la mesure où la culture occidentale se réclame de la Grèce ancienne, où elle la considère comme faisant partie de son patrimoine, nous nous identifions assez spontanément aux héros, réels et fictifs, qu'elle a produits, parmi lesquels Ulysse reste probablement le plus célèbre, le plus aimé. Mais son appropriation moderne, nous l'avons vu, est lourde de malentendus, en grande partie parce que nous ne connaissons pas son monde. À l'image de la Grèce elle-même, l'Ulysse de notre imaginaire est empreint d'une fausse familiarité. Si nous le voyions dans la crudité où Homère l'a campé, nous cesserions de nous identifier à lui. Plus exactement nous verrions que cette identification ne peut être que partielle, pour la simple raison que les racines de notre imaginaire ne sont elles-mêmes que très partiellement grecques. À vrai dire, l'héritage, essentiellement intellectuel et esthétique, que nous revendiquons des Grecs entre en conflit radical avec une morale et une vision du monde fondamentalement tributaires de l'interprétation chrétienne de la Bible, et nous verrons plus loin que le christianisme est, à bien des égards, l'impossible synthèse de l'hellénisme et du judaïsme. Cette impossibilité et plus encore son refus, l'idée, en d'autres termes, que ces deux écheveaux de notre tradition se marient harmonieusement, nous privent de la meilleure part de l'univers poétique odysséen, cette part qui fait de l'*Odyssée*, sous l'égide de la mort, une des plus belles odes qui soient à la fragile et puissante beauté de la vie.

II

LE BOUCLIER D'ÉNÉE

Un gouffre sépare *l'Odyssée* de ce qui peut superficiellement apparaître, huit siècles plus tard, comme sa copie romaine, *l'Énéide*.

Un gouffre qui n'est pas simplement l'œuvre du temps. De Homère à
Virgile, les conditions matérielles de la vie méditerranéenne n'ont pas
fondamentalement changé. Les distances se franchissent à peu près à la
même vitesse et dans les mêmes conditions. Les Romains, grands bâtis-
seurs, augmentent le confort de la vie urbaine, améliorent les voies de
communication terrestres, mais les moyens de navigation n'ont guère
évolué. Sur le plan politique, en revanche, Rome unifie le monde méditerranéen autour d'elle, et *l'Énéide* n'est pas étrangère à cette visée « universelle ». À l'opposé d'Ulysse, Énée est porteur d'un projet politique.
Sa trajectoire n'a pas pour aboutissement la jouissance domestique du
quotidien mais la fondation d'un État. Il ne s'agit plus simplement pour
Virgile de faire un hymne à la beauté fragile du vivant mais de donner à
tout un empire des racines mythiques capables de lui assurer la longévité.

Parvenu au terme d'un périple odysséen dans le pays qui lui est destiné, non loin de la future Rome, Énée, héros rescapé de la guerre de
Troie, rencontre parmi les Latins des résistances qui l'obligent à mener
la guerre. À l'instar de ce qu'a fait Thétis pour Achille, Vénus prie
Vulcain de forger pour Énée, son fils, des armes invincibles. Au moment
d'en prendre livraison, le héros contemple longuement le vaste bouclier, dont Virgile dit qu'on ne saurait le décrire. Et la description
commence :

> C'était l'histoire de l'Italie et les triomphes des Romains ; instruit des
> prophéties, pénétrant les âges futurs, le maître du feu les avait gravés
> là, et aussi toute la race de ceux qui sortiraient d'Ascagne [*nom du fils*

d'Énée, appelé aussi Iule], et dans leur ordre les guerres et leurs combats. Il montrait aussi dans l'antre vert de Mars la louve couchée à terre ; elle venait de mettre bas ; à ses mamelles deux enfants suspendus jouaient, tétaient leur mère sans effroi ; elle, tournant vers eux son cou arrondi, les caressait tour à tour et façonnait leurs corps de sa langue. Non loin de là, il avait placé Rome, les Sabines enlevées d'insolite manière, sur les gradins de l'amphithéâtre, au cours de grands jeux dans le cirque, et soudain c'était une guerre d'un nouveau genre qui s'élevait pour les Romulides, pour le vieux Tatius et l'austère cité de Cures. [...]

En haut, Manlius, gardien de la citadelle tarpéienne, était debout devant le temple, il tenait solidement le sommet du Capitole ; la *Regia* toute neuve se hérissait d'un chaume romuléen. Et ici, voletant sous les portiques d'or, une oie d'argent annonçait la présence des Gaulois sur le seuil ; les Gaulois étaient là dans les buissons et serraient la citadelle, défendus par les ténèbres et la faveur d'une nuit sombre. [...]

Au centre de ces figures se déployait à perte de vue l'image d'une mer agitée toute d'or, mais sa teinte sombre se rehaussait de crêtes blanche et tout autour, en cercle, de clairs dauphins d'argent balayaient la mer de leurs queues et fendaient la houle. Au milieu on pouvait voir des flottes de bronze, la guerre d'Actium, Leucate tout entier bouillonnant sous l'appareil de Mars et les flots resplendir des reflets d'or. D'un côté, Auguste César conduisant au combat les Italiens avec les Pères [*le Sénat*] et le peuple, les Pénates et les Grands Dieux, debout sur la haute poupe ; deux flammes jaillissent de ses tempes radieuses, l'astre paternel apparaît au-dessus de sa tête. Non loin, avec l'appui des vents et des dieux, Agrippa, fièrement, conduit le corps de bataille ; il porte l'insigne de la valeur guerrière, la couronne navale brille sur son front hérissé des rostres. De l'autre côté, avec une profusion barbare et des armes bigarrées, Antoine, ramenant ses victoires depuis les peuples de l'Aurore et les rivages Rouges, traîne avec soi l'Égypte, les forces de l'Orient, Bactres tirée du fonds de l'univers ; misère ! une épouse égyptienne le suit. Tous se ruent à la fois, l'onde se couvre d'écume, tout entière, retournée par l'effort des rames et les rostres à trois dents. [...] Entre les combattants, Mars déploie sa rage, il est ciselé en fer, et les sinistres Furies venues de l'éther ; joyeuse, la Discorde va et vient, sa robe déchirée, Bellone la suit, avec son fouet sanglant.

À cette vue l'Apollon d'Actium tendait son arc, d'en haut ; tous alors, épouvantés, l'Égypte, les Indiens, les Arabes tous ensemble, tous les Sabéens s'enfuyaient. La reine elle-même appelant les vents semblait mettre à la voile et déjà de plus en plus lâcher les cordages. Au milieu de tant de cadavres, pâle de la mort qui l'attend, le maître du feu l'avait fait passer, emportée par les ondes et par l'Iapyx; et en face, le Nil, son grand corps abattu de douleur, déployant les plis de sa robe et appelant dans son giron azuré, dans les cachettes de ses canaux, les vaincus.

Mais César en un triple triomphe entrant dans les murs de Rome consacrait aux dieux italiens, impérissable offrande, trois cents grands temples par toute la ville. Les rues frémissaient de joie, de jeux, d'applaudissements; en chaque temple un chœur des mères; en chacun, des autels; devant les autels, des taureaux immolés étendus sur le sol. Lui-même, assis sur le seuil blanc comme neige de l'éblouissant Phébus, reconnaît les dons de ses peuples et les fixe aux piliers magnifiques; les nations vaincues s'avancent en un long cortège, diverses par leur langue mais tout autant par leurs armes et leurs costumes. Ici Mulciber avait figuré le peuple des Nomades, les Africains à la robe flottante, là les Lélèges, les Cariens, les Gélons porteurs de flèches; l'Euphrate radouci faisait couler ses eaux; puis les Morins nés aux confins du monde, le Rhin à deux cornes, les Dahes indomptés, l'Araxe irrité du pont qui l'insulte.

Sur le bouclier de Vulcain, sur ce présent d'une mère, voilà ce qu'il admire et, sans connaître la réalité, il se plaît à voir l'image, chargeant sur son épaule la gloire et les destins de ses neveux.

VIII, 625-731 [20]

Énée prend sur ses épaules une destinée qu'il admire et qu'il ignore. Il n'est pas nécessaire de connaître la grandeur de Rome pour la préparer. Le héros ne travaille pas pour lui, il est l'instrument d'une gloire qui lui est annoncée, une gloire qui le dépasse, qu'il ne verra pas mais à laquelle il participe d'avance — à laquelle, plus exactement, le poète, muni par l'histoire de la prescience des dieux, le fait participer par anticipation. Tout le sens de *l'Énéide* est là, gravé sur le bouclier, symbole du grand-œuvre que Virgile lui-même poursuit en écrivant son épopée. Ensemble, le divin forgeron, le héros et le poète accomplissent de

---

20. VIRGILE, *l'Énéide*, traduction de Jacques PERRET, Paris, Les Belles Lettres, 1981; Gallimard, 1991.

grandes choses, ils lient la grandeur des origines à la grandeur présente : le règne d'Auguste triomphant.

On ne s'étonnera pas que le présent ait besoin du passé. Mais Rome, à cet égard, ne paraissait pas en manque : elle avait une légende, une histoire, dont le bouclier de Vulcain reflète justement la splendeur. On se demande alors pourquoi Virgile ne se contente pas de la légende fondatrice qui semble avoir suffi jusqu'alors, pourquoi il éprouve le besoin de l'enrichir d'une autre ascendance. Bien qu'il ne soit pas lui-même l'inventeur de la généalogie troyenne, il déploie tout son art pour lui donner une importance, une signification tout à fait nouvelles. En quoi il se montre, du même coup, fidèle à une tradition bien ancrée : Rome est à notre connaissance la première cité de l'Antiquité méditerranéenne à se doter d'une *date* de naissance, d'un an zéro (−753 dans le comptage chrétien), à partir duquel s'établit le calendrier. *Ab Urbe condita*, depuis la fondation de la Ville, ainsi compte-t-on les années à Rome.

Pourquoi donc, tout d'un coup, Romulus, Rémus et la louve ne suffisent-ils pas ? Peut-être parce que l'acte fondateur entraîne tout de même le meurtre du frère. Après les longues années de guerre civile qui précèdent la *pax Augusta*, le mythe roméen symbolise malencontreusement l'origine fratricide du pouvoir et, avec elle, les luttes intestines auxquelles tant de Romains souhaitent justement que le nouveau principat ait définitivement mis fin. Simple hypothèse. Toujours est-il que Virgile et le pouvoir qu'il illustre jugent nécessaire de marquer ce nouveau départ. Même si Auguste rétablit le Sénat dans ses prérogatives, chacun sait bien que la République a vécu. Peu avant sa mort, Cicéron, ardent et malheureux défenseur de l'ordre républicain, écrivait *les Devoirs*, traité d'éthique et de politique à l'intention du futur prince… L'expansion que Rome a prise sous la République exige, en même temps qu'une autre hiérarchie, une nouvelle vision du monde.

En forgeant le bouclier d'Achille, dans *l'Iliade*, Héphaïstos y sculpte le monde dans sa foisonnante diversité, la paix, la guerre, la ville, les travaux des champs, sans autre intention que de ciseler la beauté des choses. Mettre le monde en parure sur le bouclier le plus magnifique, le plus inimaginable qui soit. Les prouesses de l'artisan sont à l'image des exploits du guerrier auquel il destine son ouvrage. Virgile ne se contente pas de reprendre l'idée, il calque la scène, *mutatis mutandis*, sur celle d'Homère. Le prodige de Vulcain n'est pas moindre que celui d'Héphaïstos, la valeur d'Énée égale celle d'Achille. Le parallélisme est soigneusement établi. C'est en raison de la renommée du bouclier d'Achille, morceau parmi les plus fameux de *l'Iliade*, que Virgile dote son héros des mêmes armes prestigieuses. Mais le parallélisme s'arrête là. Si les deux boucliers portent le monde, ce sont deux mondes totalement différents. Le monde d'Homère n'a ni temps ni lieux définissables, il est le flot de la vie. Celui de Virgile est un empire bien précis élevé à la dignité *du* monde, un monde historique auquel la référence homérique donne un prestige supplémentaire qui contribue à le hisser à la hauteur de l'universel.

Homère est partout présent de manière explicite dans l'œuvre majeure du plus admiré des poètes latins. Et pour commencer, dans son ambition, dans sa structure globale. En racontant le périple d'Énée puis sa guerre latine, Virgile, très manifestement, réunit *l'Odyssée* et *l'Iliade* en une seule épopée — à ceci près que l'ordre est inversé. Du moment qu'il prenait pour héros un personnage de la guerre de Troie, la référence homérique était évidemment inévitable. Mais cette obligation ne forçait pas le poète à lancer son héros dans le sillage de *l'Odyssée* ni à lui remettre une copie des armes d'Achille. Si Énée aborde au rivage des Cyclopes et qu'il y rencontre un compagnon qu'Ulysse a « oublié » trois mois auparavant dans l'antre de Polyphème, c'est bien là l'effet d'une intention dramatique calculée et non d'une nécessité liée à l'origine troyenne du héros. Bien plus, l'ajout virgilien modifie ici le récit homérique, de manière à montrer la magnanimité d'Énée envers l'ennemi qui naguère incendiait sa ville : les Troyens recueillent et réconfortent le malheureux rescapé, inventé pour la circonstance. Bref, les emprunts, les clins d'œil à Homère abondent, et l'ensemble de l'entreprise virgilienne se présente à bien des égards, pour utiliser le jargon du cinéma américain, comme un *remake*.

En dépit de sa couleur anachronique, l'expression est ici pertinente : bien souvent le *remake*, tout en restant plus ou moins fidèle au scénario original, en change radicalement l'esprit. C'est le cas de *l'Énéide*. La différence qui sépare les boucliers d'Achille et d'Énée est l'expression condensée de cet écart. Et cet écart se manifeste encore aujourd'hui dans l'écho que chacune des deux œuvres (pour prendre ici l'épopée homérique comme un tout) rencontre auprès des lecteurs modernes. En dépit des obstacles de la traduction, on cueille auprès d'Homère un plaisir qu'on cherche en vain chez Virgile. Ce déficit ne doit rien à l'art poétique : il y a dans *l'Énéide*, qui plus est en latin, des moments d'une grande beauté, qui suscitent même ici et là une émotion plus poignante que chez Homère. Je pense à cet instant de tristesse paternelle qu'Énée éprouve devant la jeunesse de l'adversaire qu'il vient d'abattre (X, 825-830), aux accès de révolte qui le prennent devant la guerre : « Vous me demandez la paix pour les morts frappés dans les hasards de Mars », dit-il aux ambassadeurs ennemis ; « comme je voudrais aussi l'accorder aux vivants ! » (XI, 108-110). Tout à l'heure plus terrible qu'Achille, le héros virgilien cède par moments à des sentiments inconnus du Péléide (qui ne fléchit qu'une fois, et sous la pression de Zeus, lorsque Priam vient lui demander le corps de son fils). Cette ambiguïté, chez Énée, illustre bien la double mission que lui confie le poète : devenir l'ami et l'allié de ceux qu'il combat. Entre la guerre et la paix, d'ailleurs, Virgile ne laisse pas de doute quant à ses préférences : autant le côté achillien de son héros sonne faux, frise le grotesque, autant son humanité touche. C'est dans la compassion que le poète se montre le plus vrai.

Malgré ses indéniables beautés, donc, l'Énéide manque globalement de la puissance de conviction de son modèle homérique. En dépit de sa réputation, elle n'est guère lue de nos jours. On ignore son contenu, exception faite, peut-être, des amours malheureuses d'Énée et Didon, qui doivent leur relatif pesant de célébrité à l'opéra de Purcell (Dido and Aeneas, 1689). Outre Énée lui-même et son infortunée compagne d'occasion, les héros de l'Énéide n'ont pas laissé de trace dans la mémoire collective. Hélène, Ménélas, Agamemnon, Priam, Hector, Patrocle, Andromaque, Ajax, Nestor, Pénélope, Télémaque, Mentor, autant de noms évocateurs que le chant homérique laisse à la postérité même si l'on ne sait pas toujours très bien où les situer ni ce qu'ils ont fait. En revanche, sauf pour les spécialistes, les noms de Turnus et d'Ascagne n'évoquent aujourd'hui plus rien. L'un et l'autre sont pourtant à Énée ce qu'Hector est à Achille et ce que Télémaque est à Ulysse. Du moment que ces personnages ont si peu pris racine dans notre imaginaire, nous pouvons tranquillement les renvoyer dans l'oubli et fermer le livre de leurs aventures. Celles-ci n'ajoutent rien à celles que nous connaissons et qui nous enchantent davantage.

Disons-le carrément, l'Énéide n'est pas un récit d'aventures. Il y a bien, de prime abord, fuite, voyages, périls, tempêtes, amours, combats, mais la plupart de ces événements sentent le fabriqué. La saveur même de l'aventure, si piquante dans l'Odyssée, n'y est pas. C'est que le personnage principal n'a pas lui-même l'âme d'un aventurier. Énée ennuie et s'ennuie de ses propres péripéties — raison pour laquelle, sans doute, il n'émeut que dans ses occasionnelles tristesses. Il n'a pas pour première qualité l'invention d'Ulysse ni la fougue combative d'Achille ; son principal attribut est la piété, même si elle flanche par instants. Et cette piété, comme le suggère le bouclier de Vulcain, est au service d'une cause. Si, malgré l'effacement qu'a subi son contenu, *l'Énéide* nous parle encore aujourd'hui, c'est qu'elle transmet quelque chose d'autre que l'aventure. Celle-ci n'est qu'un support, réductible à sa plus simple expression : il suffit de savoir qu'Énée fuit Troie dévastée et qu'après une succession de rebondissements il débarque au Latium, où sa descendance formera une des deux branches principales de la nation romaine. Les événements ne servent qu'à confirmer ce qui apparaît très vite comme une mission, et cette idée de mission historique est devenue pour nous passablement banale. Énée fonde... La belle affaire ! Et c'est là pourtant, dans cette banalité même, que réside, à l'époque, toute l'originalité de l'œuvre.

L'Énéide est remarquable de ce qu'elle constitue probablement, dans l'Antiquité méditerranéenne, la première histoire des origines à se donner ouvertement comme récit fondateur d'une nouvelle légitimité politique. Elle est aussi, du même coup, la première source où l'Occident moderne puisse trouver *sans ambiguïté* une image de lui-même. Narcisse est ici pleinement à l'œuvre. Le miroir bombé du bouclier reflète la grandeur de l'Italie, du Sénat, du peuple (le fameux SPQR, *senatus populusque Romanus*, des enseignes de bataille), dont la *profusion barbare* et les *armes bigarrées* de l'adversaire, par contraste, soulignent l'ordre et l'unité. Cet ordre est appelé à fondre la bigarrure des peuples méditerranéens comme le bronze au creuset de Vulcain. Tout lecteur occidental, ici, se situe spontanément du côté de Rome. Rome est indiscutablement le *même* devant les forces disparates de l'*autre*. Et cette opposition prend ici une connotation supplémentaire par rapport à la différence que faisaient les Grecs entre eux et les Barbares (expression qui désignait à l'origine ceux dont on ne comprenait pas la langue mais qui ne disait rien sur leur niveau de civilisation) et par rapport à celle qui séparait les Juifs des Gentils (ceux qui ne sont pas dans l'Alliance, qui ne suivent pas la Loi).

Malgré l'importance considérable que nous attachons presque inconsciemment aux héritages grec et judaïque, il leur manque en effet quelque chose de fondamental que seul Rome peut fournir : l'universalité. Le Grec, comme en témoigne Aristote lui-même, n'est universel — dans la mesure où il l'est — qu'en esprit, par la science. Et même : c'est en vertu d'une qualité qu'il croit éminemment « grecque », la maîtrise du *logos*, du discours raisonné, que le Grec accède à l'humain, dont il se perçoit probablement comme l'exemple le plus achevé. Mais cette universalité n'a aucune conséquence politique concrète — mis à part l'éphémère empire d'Alexandre, à qui ses compatriotes reprochaient d'encourager le métissage et de dissoudre l'esprit grec dans l'immensité de l'Asie. Quant au Juif, tout en mettant, *nolens volens*, son expérience à la disposition de tous les peuples, il est le comble du particulier ; l'universel n'est dans la Torah qu'en germe, annoncée à travers Abraham, père des peuples, mais cette paternité se noie dans l'exode et la conquête territoriale, qui, dans les faits, prime longtemps sur la conquête de soi — même si la Torah elle-même montre justement ce que ces entreprises politico-militaires ont de dérisoire. Il y a donc bien, chez les Grecs, prétention à l'universalité de l'esprit et, chez les Juifs, possibilité d'une universalité de la loi divine, mais c'est avec l'Empire romain que l'universel prend la forme d'une ambition politique. C'est de cette ambition que Virgile se fait sciemment l'idéologue. Or celle-ci implique toute une conception de l'histoire.

En tant qu'elle réunit sans césure la légende à l'histoire, *l'Énéide* apparaît dans la pensée pré-occidentale et occidentale comme le *proto-type*, au sens premier, du mythe idéologique. C'est bien une idée directrice, aidée de la flèche du temps, que le récit doit servir. Idée de Rome, idée du monde, idée de l'histoire, voilà ce que l'itinéraire d'Énée rassemble et coud du même fil. Et ce n'est que dans cette *perspective* que les péripéties prennent de l'importance. Énée quitte Troie en flammes, construit une flotte et met à la voile sans connaître sa destination, mais habité par le sentiment d'avoir à fonder une nouvelle Ilion ailleurs, dans une *Hespérie* lointaine dont il ignore l'emplacement — vers l'ouest, à ce qu'il semble, c'est tout ce qu'il sait. Chacun des havres où il accoste en chemin, même accueillant, même peuplé d'autres rescapés troyens, ne lui offre qu'un repos provisoire, qui ne doit pas le détourner de son but. Un instant ce but semble désigné par l'oracle de Délos comme étant la Crète, d'où Teucrus, un des ancêtres des Troyens, est venu s'installer sur les côtes de Phrygie. Mais l'oracle reste obscur et fait l'objet d'une mauvaise interprétation. Les dieux rendent le séjour crétois intenable, et les Pénates phrygiens qu'Énée a emportés de Troie lui font savoir en songe que l'Hespérie à laquelle il est promis porte maintenant le nom d'Italie. « Là sont nos propres demeures, de là est issu Dardanus et le grand Iasius, ancêtre[s] de notre race » (III, 166-169). La révélation de cette origine constitue la charnière et le *leitmotiv* du récit, le pivot et l'aiguillon de l'itinéraire énéen. Le héros sait désormais où il va. Il aura beau s'attarder chez Didon, sa mission est désormais fixée, et il suffira d'un rappel à l'ordre de Mercure pour l'arracher aux bras de sa mal-aimée.

Virgile n'est pas le premier à désigner Dardanus comme le fondateur de la race troyenne, mais le coup de génie consiste à lui donner des origines italiennes (plutôt que péloponnésiennes, comme dans la mythologie grecque) : Énée, en définitive, revient aux sources et ferme ainsi la boucle de l'identité romaine. La légende troyenne et le parcours énéen concourent tous deux à faire de la souche romaine le produit d'un vaste métissage méditerranéen qui retrouve son centre de gravité — Rome — au lieu même de son point de départ. En s'alliant par ailleurs aux peuples italiens (aux Étrusques peu après son arrivée et aux Latins suite à sa victoire contre eux), Énée rassemble les diverses composantes ethniques et territoriales qui, au cœur de l'espace méditerranéen, c'est-à-dire, du point de vue romain, au centre du monde, sont appelées à former le noyau du futur empire. De cet empire, Énée, en vertu de sa double origine, symbolise à la fois le centre et la périphérie ; et à ce titre il incarne une figure universelle que Romulus, trop « local », ne peut assumer.

Énée n'est donc pas du tout, comme on le suggère parfois, un nouvel Ulysse. Ulysse ne se préoccupe que de lui-même et de son foyer, mû par un appétit de vivre qui, la plupart du temps, efface complètement la présence du narrateur. Le pieux Énée, au contraire, constamment soucieux d'accomplir le dessein de son chantre, plante des jalons pour la postérité. Tout ce qui lui arrive est fonction de la mission que lui confie le poète. S'il perd sa femme dans les ruines fumantes de Troie, c'est qu'il doit pouvoir épouser plus tard Lavinia, unique enfant du roi des Latins. S'il prend pied sur le sol crétois en croyant toucher au but, c'est qu'une part de l'ascendance troyenne vient du prestigieux royaume de Cnossos. S'il débarque à Actium et y organise des joutes, c'est pour célébrer d'avance la bataille qui consacre la suprématie d'Auguste et pour anticiper les jeux quinquennaux que ce dernier y instituera lui-même en commémoration de sa victoire. S'il blesse l'amour et l'orgueil de la reine de Carthage, c'est pour charger de sens les futures guerres puniques : de même qu'Énée doit sacrifier Didon à sa mission, ainsi Rome en détruisant Carthage la sacrifiera à ses ambitions hégémoniques. Si l'excellent pilote du navire énéen meurt d'un stupide accident peu avant d'accoster en Italie, c'est que la flotte troyenne est enfin parvenue à destination : Énée n'a plus besoin de timonier et il lui appartient désormais de prendre lui-même la barre.

Comme Ulysse, Énée doit évidemment faire un tour aux Enfers. Mais là encore la ressemblance est superficielle. Ulysse aborde aux demeures d'Hadès pour apprendre des fantômes de ceux qu'il a connus sur terre ce qu'il soupçonne déjà : que nulle part ailleurs il ne retrouvera le sel de la vie. Le vertueux Énée y descend pour recevoir la consécration de sa mission et entendre les ultimes conseils de son père Anchise. Il devient à cette occasion témoin des expiations éternelles qu'y subissent les impies. Teintés de platonisme, les Enfers virgiliens sont sélectifs, ils constituent un lieu de rétribution et de purification. Certaines âmes attendent leur jugement, d'autres, pour le meilleur ou pour le pire, ont gagné leur demeure définitive ; d'autres encore se préparent pour une nouvelle vie. Anchise montre à son fils celles qui, parmi ces dernières, feront l'histoire de Rome. Comme le confirme, plus loin dans le récit, le panorama historique du bouclier de Vulcain, c'est dans l'avenir de sa race que le héros voit se dessiner le sens de sa vie. À cet avenir qui n'est pas même le sien, Énée aura dû sacrifier sa femme, ses amours, sa tranquillité, sa vie. Il y a là une ombre tragique qui plane sur *l'Énéide* et qui lui donne de la profondeur. La tragédie ne tient pas seulement à la chaîne de ces sacrifices successifs. À eux seuls, ces sacrifices ne feraient qu'illustrer un altruisme héroïque dont la répétition serait lassante. L'ennui, en effet, ne manquerait pas de s'installer, si les quatre derniers livres ne laissaient pas suinter le dégoût de la guerre.

Ce dégoût, nous le savons, a son utilité politique : le pieux Énée ne peut prendre plaisir à massacrer ceux avec lesquels il est appelé à s'unir sous le toit d'une même nation. Mais, là aussi, réduits à cet usage idéologique, les remords d'Énée n'auraient aucune espèce d'authenticité. Nous ne quitterions pas le terrain de la justification. Or Énée n'est nullement réhabilité par l'expression finale d'un noble repentir. Tout au contraire, Virgile, à la toute fin du dernier livre, donne à la folie guerrière de son héros un ton plus grave et laisse poindre un doute profond sur le sens de l'épopée qui s'achève : que le poison de la guerre pourrait ne jamais cesser de se répandre, que la réconciliation des adversaires, tout comme la paix d'Auguste, ne soit que la suspension provisoire et fragile d'une interminable guerre civile. *L'Énéide* se rompt brutalement (plus qu'elle ne se termine) sur un geste terrible. Énée, au terme d'un suprême combat singulier qui doit décider du sort de la guerre, vient de jeter à terre son rival, Turnus, chef de la coalition latine et prétendant de la princesse Lavinia. À Énée, Turnus accorde la victoire, Lavinia, le royaume, et lui demande grâce : « Dépose désormais ta haine », dit magnifiquement l'homme terrassé. Ému, le vainqueur retient son bras. Il écoute, il va se laisser fléchir, quand, *par malheur* (précise le texte), il reconnaît sur son adversaire le harnais d'un jeune compagnon que Turnus a tué dans un combat antérieur. Le rappel de cette douleur cruelle ravive brusquement sa fureur. Énée n'écoute plus, lance à son adversaire des invectives vengeresses : comment a-t-il osé se parer de la dépouille d'un des siens !

> À ces mots, il lui enfonce son épée droit dans la poitrine, bouillant de rage ; le corps se glace et se dénoue, la vie dans un gémissement s'enfuit indignée sous les ombres.
>
> XII, 950-952

Ici s'achève *l'Énéide* : dans l'ombre qui recouvre la vie en fuite, indignée du mépris que les hommes lui témoignent. Le héros avec lequel Virgile laisse son lecteur n'est ni magnanime ni triomphant. Pas d'apothéose, pas d'apaisement. Mais le spectacle d'un guerrier aveuglé par la vengeance qui noie sa rage dans le sang. Rage au souvenir de l'ami tombé sous les coups de l'ennemi, certes, mais, bien au-delà, rage de la guerre elle-même. Déception, crainte furieuse d'avoir sacrifié la vie — la sienne comme celle des autres — en vain. Le bouclier de Vulcain ne porte, après tout, que de fausses promesses. Ou exige plutôt un second regard : comment ne pas voir maintenant, au centre du tableau, Mars déployer sa fureur et, à côté du triomphe d'Auguste, la Discorde agiter son fouet sanglant ?

Un doute subsiste, il est vrai, sur les intentions de Virgile. Il est décédé avant d'avoir mis la dernière main à son œuvre et a demandé sur son lit de mort qu'on la détruise. On ne peut toutefois déduire de ces circonstances qu'il voulait qu'elle se *termine autrement*. De toute évidence, l'épopée devait avoir douze livres et le douzième, loin d'être écourté, est le plus long de tous (avec ses 952 vers, il dépasse la moyenne, qui se situe autour de 800). La volonté destructrice du poète, si tant est qu'on puisse en deviner les motifs, peut s'interpréter de diverses manières — nous y reviendrons. Toujours est-il qu'Auguste n'a pas craint d'enfreindre les dernières volontés de Virgile en s'opposant à la destruction du poème.

Et pour cause. Virgile tente de donner à Rome un récit qui, tissant la légende à l'histoire, fournisse une justification mythique à son expansion impériale. En ce sens, *l'Énéide* marque la naissance de l'idéologie politique. Le récit des origines, chez le poète latin, n'a pas pour fonction de représenter le monde, de donner un visage aux éléments qui le constituent ni d'y situer l'homme. Il ne vise pas non plus, comme la mythologie égyptienne, à souder la hiérarchie étatique à l'ordre cosmique ou à fournir au pouvoir une nouvelle légitimité transcendantale. L'État romain n'en a pas besoin : il a ses temples, ses dieux, ses Pénates. Mais, plus encore, sa légitimité tient à sa tradition et à ses institutions républicaines. Or ce sont ces dernières que la guerre civile a ébranlées. Et si la République s'est lézardée, c'est que sa constitution ne répond plus à la situation nouvelle qui résulte des guerres d'expansion. Celles-ci donnent aux légions et aux chefs qui les conduisent un pouvoir que le Sénat et les consuls ne parviennent plus à contrôler. C'est ce que César, père adoptif d'Octave (le futur Auguste), comprend et exploite mieux que personne.

César ne fait pas la guerre en Gaule pour protéger les Gaulois de la menace helvétique ni pour les mettre à l'abri des incursions germaniques, comme il le laisse un peu trop abondamment entendre. Son entreprise n'est pas non plus absolument nécessaire à la sécurité et à la paix de Rome. Tout en contribuant bien sûr à élargir l'*imperium romanum*, ses conquêtes servent surtout à accroître le prestige et l'influence de l'homme qui les conduit. Ce n'est pas pour rien que César prend la peine de les écrire. Le récit lui-même est aussi efficace que les campagnes qu'il relate. Sobre, direct, précis, César ne se vante jamais, souligne plutôt le travail infatigable de ses subordonnés, le dévouement sans bornes de ses troupes, voire la vaillance de l'adversaire. En donnant l'impression de s'en tenir strictement aux faits, l'écrivain parvient quasiment à faire oublier le général en chef, tout en témoignant que le soldat sait à l'occasion payer de sa personne en s'engageant au plus fort de la mêlée. Au reste, le récit évoque en passant le sage, l'arbitre, le géographe, l'ingénieur et, plus que tout, le politique. Dans l'écriture même comme dans ce que cette écriture rapporte dominent la concision, la mesure, la sûreté. César voit juste, il voit loin, il décide calmement et agit sans délai. « Le style, c'est l'homme », il y a peu d'exemples où l'adage s'applique aussi complètement.

César inaugure un genre nouveau, le genre « mémoires de guerre », et cette « première » demeure probablement jusqu'à nos jours sans égale. Xénophon, il est vrai, avait déjà relaté dans *l'Anabase* la retraite des Dix Mille, exploit humain autant que militaire ; mais l'événement, en soi, est sans grande conséquence historique et le style de la narration ne force pas l'admiration. D'un tout autre calibre, en revanche, *la Guerre du Péloponnèse* de Thucydide, qui apparaît aujourd'hui encore comme un modèle de rigueur historique. Mais, justement, le mérite de Thucydide a fait l'objet d'une reconnaissance relativement récente, et nous avons de la peine à comprendre que son œuvre n'ait pas reçu en son temps, et de façon générale dans l'Antiquité gréco-romaine, l'appréciation qu'elle mérite à nos yeux. Ni Platon ni Aristote n'en parlent. Plus tard, Cicéron trouvera Thucydide compliqué et confus. Le même Cicéron, en revanche, exprime la plus vive admiration pour le *De Bello Gallico*. Sa méfiance envers l'homme politique ne l'empêche pas de reconnaître la grandeur de l'écrivain. Thucydide et César ont néanmoins quelque chose en commun : ils contribuent l'un et l'autre à désacraliser, à démythifier l'histoire. Même si chacun admet que les événements comportent toujours une part de hasard — César insiste même à mainte reprise sur le rôle imprévisible de la Fortune —, il s'agit toujours de rendre compte des affaires humaines, de les rendre intelligibles d'un point de vue strictement humain.

Cette brève incursion dans le récit historique nous permet de mieux saisir la portée de l'ouvrage que Virgile compose pour marquer, semble-t-il, l'importance des changements politiques auxquels les Romains ont conscience d'assister. Un ouvrage dont il retient pourtant la parution et qui ne sera publié, contre ses vœux, qu'après sa mort. Scrupules poétiques, désenchantement politique, incertitudes personnelles, on ne sait trop. Toujours est-il que sa publication posthume étonne plusieurs de ses contemporains dans le monde des lettres : les longues épopées, disent-ils, ne se font plus. Mais cet archaïsme, chez un écrivain de la trempe de Virgile, ne semble pas pouvoir être involontaire. Il ne peut ignorer que la mode poétique est plutôt à la brièveté, que le genre épique est dépassé. Il a lu César (et sans doute aussi Thucydide), il connaît Tite-Live. Il est vrai que ce dernier ne craint pas de mêler la légende à l'histoire…

Mais voilà justement que Virgile fait *le contraire* : il *loge* délibérément l'histoire *dans* le mythe. La légende, chez lui, n'est pas un ornement, et sa présence moins encore le fruit d'une erreur d'appréciation quant à ce qui serait respectivement « historique » et « légendaire » (distinction que, dans notre moderne naïveté, nous croyons encore bien souvent pouvoir établir rigoureusement). Non, dans *l'Énéide*, la légende contient l'histoire, elle en est grosse — à l'instar du bouclier qui la porte. Ce bouclier est lui-même le fruit d'une sorte d'accouchement, il doit sa naissance à l'amour que Vulcain éprouve pour Vénus — à ceci près que les rôles sont ici inversés : il revient à l'épouse de féconder (par sa commande) et au mari d'accomplir le travail. Il est évidemment toujours difficile de savoir dans quelle mesure l'auteur a conscience de la portée de ses métaphores, mais cette connaissance n'est pas indispensable à notre lecture, il suffit que celle-ci soit possible, qu'elle se tienne, qu'elle fasse sens. Même si ce sens peut surprendre. Car il y a là, dans l'*Énéide*, quelque chose de très inattendu, à savoir que son « archaïsme » ouvre une perspective tout à fait moderne !

Que dit Virgile, finalement, sinon que l'histoire loge à l'enseigne de la mythologie ; que *toute* histoire est précédée, imprégnée d'une mythologie qui la colore. Une mythologie non pas divine, non pas cosmologique mais pleinement humaine, faite par les hommes pour les hommes, et chargée d'éclairer ce qu'ils font. Qu'est-ce donc que la légende sinon l'allégorie, la fiction que les hommes se racontent pour mieux comprendre à quoi ils jouent, pour donner sens au présent et orienter l'action collective en fonction de leur désir. « Voyez, Romains, semble dire Virgile, l'usage que nous pouvons faire d'Énée : cessons de nous déchirer, soyons à la hauteur de notre tâche ; à l'image de notre ancêtre légendaire, travaillons à la réconciliation des peuples et à l'unité du monde [méditerranéen] ». Ce souhait frémit un peu naïvement tout au long de l'*Énéide*... Pour être brutalement sabré par le dernier geste d'Énée, comme si Virgile s'en voulait finalement d'avoir formé un vœu — et un héros — si pieux. L'oubli dans lequel le poète voudrait jeter son grand-œuvre prendrait alors une signification radicale. Il irait jusqu'à remettre en question cette conception de l'histoire, à la fois moderne et archaïque, qui se dégage de l'*Énéide*.

En faisant accoucher la légende de l'histoire, en créant ce qu'on pourrait appeler le « mythe historique », Virgile introduisait en effet dans l'histoire une nouvelle dimension du temps. Nouvelle, cette dimension ne l'était peut-être pas autant qu'on pourrait le croire pour un peuple habitué à compter *ab Urbe condita*. L'*Énéide* n'en donne pas moins à cette dimension temporelle une force supplémentaire en assignant à l'histoire un projet. Le fil qui va du mythe à l'histoire a un sens, il indique une progression vers quelque chose à accomplir. Rome, à l'instar d'Énée, a une mission, le temps une direction et l'humanité une finalité susceptible de la rassembler. Or voilà peut-être que Virgile doute : cette finalité est une chimère, les hommes ne parviendront pas à se hisser à la piété qu'elle exige, ils tournent dans l'incessante répétition du même; les guerres ne mènent qu'à d'autres guerres et le temps n'a plus de sens. Il n'y a plus de grande histoire à accoucher. Inutiles, les mythes. Vains, les sacrifices d'Énée.

Comme toute œuvre durable, celle de Virgile chemine indépendamment de son créateur. Quels qu'aient pu être les doutes du poète, *l'Énéide* aura contribué à donner des ailerons à la flèche du temps. Sa longévité est difficile à comprendre autrement, du moment, on l'a vu, qu'elle a depuis longtemps cessé d'être lue : du récit de l'itinéraire oublié d'Énée ne survit décidément que l'idée directrice, l'idée maîtresse de finalité historique. Et c'est en quoi l'œuvre se révèle paradoxalement « moderne ». Sinon dans son intention, du moins dans ses effets. Même si les tribulations sanglantes de l'empire, l'inlassable répétition des jeux de pouvoir et de guerre paraissent plutôt confirmer le non-sens de l'histoire, les protagonistes de cette histoire, le pouvoir impérial d'abord, les dirigeants de la chrétienté ensuite et, plus encore, les grandes puissances de l'Occident moderne ne cesseront d'invoquer la finalité historique à l'appui de leurs entreprises. César, si préoccupé soit-il de son ascension personnelle, laisse entendre, comme quelque chose qui va de soi, que ses campagnes de Gaule s'inscrivent dans la marche du progrès de la civilisation sur la barbarie. Les mœurs, les institutions, le comportement, la technique de l'adversaire sont jugés à l'aune des réalisations romaines. Il ne lui viendrait pas à l'esprit que l'autre puisse surpasser le Romain en quelque domaine que ce soit — sauf peut-être par sa taille physique.

Ce sentiment de supériorité n'est évidemment pas exclusif aux Romains mais il se combine chez eux à la conviction d'avoir une mission « mondiale » (méditerranéenne) à accomplir, sentiment dont on sait qu'il ne se rencontre ni chez les Grecs ni chez les Juifs. Les premiers sont trop pris par leurs querelles internes et les seconds trop occupés à leur survie pour songer à se charger d'une quelconque responsabilité politique envers le monde. La *pax romana*, au contraire, s'édifie en tant qu'instrument de la civilisation universelle qui doit faire de l'ensemble méditerranéen, *mare nostrum*, un seul monde, qu'il convient d'élargir autant que possible vers l'intérieur des terres. L'empressement avec lequel la plupart des peuples « pacifiés » par l'empire accepteront la citoyenneté romaine ne peut qu'accréditer cette idée. Si bien que lorsque Hegel dit qu'avec César c'est l'Histoire elle-même qui franchit les Alpes, il n'exprime pas seulement la *Weltanschauung* de son temps, il traduit aussi un sentiment que les

Romains, à leur échelle, avaient déjà et qu'on trouve chez César lui-même.

L'idée principale que charrie *l'Énéide*, l'idée d'un monde à unifier et à pacifier et qu'incarne en Méditerranée la loi romaine, survivra donc au dépérissement de l'empire, dans la conscience chrétienne puis occidentale. Elle se manifeste jusqu'aujourd'hui dans la vision universaliste que les Américains se font du monde. Le rapprochement qu'on fait volontiers entre les deux empires, romain et américain, loin d'être dénué de sens ou simplement superficiel, a des racines idéologiques dont on ne soupçonne généralement pas la profondeur. L'universalisme a donc fait son chemin, et *l'Énéide* y est sans doute pour quelque chose, ne serait-ce qu'en raison de ce genre inédit qu'elle introduit, que nous avons appelé « mythe historique ».

La contribution de Virgile à l'idée d'universalité n'est évidemment pas mesurable. Mais, quelle qu'en soit l'importance, elle contient une mise en garde ou s'accompagne à tout le moins d'une réserve qui se sont perdues dans le cours de sa transmission. Au terme de l'itinéraire d'Énée, rappelons-nous, le poète laisse planer un doute terrible sur le sens de son œuvre. Ce goût de sang avec lequel il nous laisse dit qu'il n'y a peut-être, dans ce monde, que la brutalité insensée du rapport de force et l'aveuglement haineux auquel il conduit. L'humanité ne peut advenir comme conscience qu'au prix d'une piété intellectuelle et morale trop élevée pour l'homme. Tout se passe chez Virgile comme s'il redoutait soudain la puissance d'occultation de son propre mythe, comme s'il se méfiait de l'usage politique qu'on pourrait en faire. Si le mythe historique, plutôt que d'encourager les peuples à se dépasser, ne fait qu'attiser leur ambition hégémonique, alors mieux vaut montrer la conquête et la guerre pour ce qu'elles sont : des entreprises de destruction et d'asservissement brutales qu'aucune mythologie ne justifie. L'universalité qui croit pouvoir se construire sur le rapport de force qu'elle contribue à masquer, qu'il s'agisse de la force des armes, de la technique ou de l'économie, est vouée à l'échec ; elle ne sera jamais que l'instrument idéologique des dominants. La gloire qui orne le bouclier d'Énée jette des reflets trompeurs. Et la flèche du temps est meurtrière.

Dans *l'Énéide*, l'amour du monde s'exprime beaucoup à travers la haine de la guerre et de la raison d'État qui la justifie. Si, contrairement à Homère, Virgile honnit la violence, c'est que sa fureur est trop destructrice pour appartenir à la vie. L'empire ne vaut pas tout ce sang versé. Il y a dans *l'Énéide* comme une hésitation de dernière heure sur le bien-fondé de cette glorification impériale. La célébration virgilienne de la vie s'en ressent : elle sait ne pas pouvoir rivaliser avec son modèle. La récupération de la geste homérique au service d'une idéologie politique précise prive le récit de sa gratuité et, du coup, d'une part de sa vitalité. D'être chargée d'un sens prédéterminé, *l'Énéide* s'appauvrit de maint autre sens possible. En elle affleure déjà une sorte de messianisme qui, plus tard, marquera ouvertement la littérature d'inspiration chrétienne. Avec Virgile, le récit s'éloigne déjà du pur plaisir de conter, il ne répond plus à la simple nécessité de dire la condition humaine.

Cette nécessité, comme on va le voir, s'exprime de la manière la plus intense dans un des tout premiers grands récits dont nous avons gardé la trace, *l'Épopée de Gilgamesh*.

III

GILGAMESH OU LA CONDITION HUMAINE

L'Épopée de Gilgamesh est le plus ancien des grands récits que nous rattachons à notre patrimoine. La revendiquer comme nôtre est une manière d'étendre « notre » passé à « l'aube de la civilisation » et de nous donner accès à l'immuable au cœur de l'homme : l'amitié et la mort[21]. Au cœur de *l'homme* : ni cosmogonie ni théogonie, mais bien poème de la condition humaine, magnifiée par l'ampleur des personnages et de leurs exploits. Sept siècles avant Homère, les aventures de Gilgamesh condensent celles d'Achille et d'Ulysse. Aucun récit de l'Antiquité méditerranéenne[22] ne conte avec à la fois autant de brutalité et de finesse l'inexorable finitude devant laquelle échoue la quête de l'immortalité.

De ces quelque trois mille vers écrits en Babylonie voici plus de trente-cinq siècles, un peu moins des deux tiers a été retrouvé. Jusqu'au 1er siècle de notre ère, l'œuvre semble s'être assez bien transmise sous diverses transcriptions et traductions avant de tomber dans l'oubli en

---

21. Voir *l'Épopée de Gilgameš, le Grand Homme qui ne voulait pas mourir*, traduit de l'akkadien et présenté par Jean BOTTÉRO, Paris, Gallimard (« L'aube des peuples »), 1992. Dans une brève réflexion qui tient lieu de postface, Bottéro dit de l'épopée : « La lire, certes, c'est "entrer", quasi "matériellement", grâce à un document d'une exceptionnelle opulence et authenticité, dans la vie, la pensée, l'âme et la culture de ces plus vieux de tous nos parents repérables, à l'horizon brumeux de notre passé. Mais, plus encore qu'un pareil avantage sur le plan de l'histoire, c'est aussi retrouver, dans un esprit et un cœur dont les sources profondes ne peuvent guère avoir changé depuis, les mêmes enrichissements de l'amitié : de la vie partagée, et les mêmes révoltes devant cette loi, qui nous égalise tous, à la fin, de la mort inexorable » (p. 294-295).

22. Nous incluons ici la Mésopotamie dans le monde méditerranéen.

même temps que la civilisation babylonienne elle-même. Ce n'est qu'au siècle dernier, grâce à des fouilles archéologiques de plus en plus nombreuses, que des tablettes de terre cuite, parfois entières, le plus souvent mutilées, ont été exhumées, certaines très récemment.

La patience avec laquelle les érudits ont rassemblé les débris de tablettes, l'acharnement qui leur a permis de décrypter les caractères cunéiformes, d'ordonner les éléments et de restituer le fil du récit, tout ce travail constitue en soi une épopée savante comparable par son ampleur à la légende qu'elle tire de l'oubli. L'exploit est à l'image même des prouesses qu'il fait revivre : combat contre la mort. Au combat fraternel qui unit Gilgamesh à son double (Enkidu) répond, des millénaires plus tard, le souci d'une fraternité atemporelle. Les pêcheurs de signes lancent une ligne vers le passé et en ramènent un fragment d'immortalité humaine gravée sur des morceaux d'argile. Sans doute est-ce en bonne partie au hasard que nous devons de pouvoir accompagner Gilgamesh dans ses aventures et ses tourments. Mais il est difficile de ne pas voir dans la persistance avec laquelle ce hasard est sollicité un indice de la force qui nous attache et au passé et au désir — comme chez Gilgamesh lui-même — de ne pas mourir. Sauver de l'oubli nos frères anciens, hantés par le même destin que nous, c'est vouloir plus ou moins confusément assurer pour l'avenir la pérennité de notre propre mémoire.

La répartition des fragments déterrés, les correspondances établies entre les diverses versions parvenues à notre connaissance permettent, malgré les lacunes qui subsistent, d'avoir une bonne idée de l'ensemble du récit et de ses principales articulations[23]. Le nom de Gilgamesh est bien connu, son histoire beaucoup moins. Il faut donc commencer par en poser les jalons.

Roi d'Uruk, justement admiré pour son courage, sa sagacité, sa magnificence, Gilgamesh, homme sans mesure, abuse de son pouvoir : « buffle arrogant », il « ne laisse pas un fils à son père […]. Il ne laisse pas une fille à sa mère »[24]. Devant le concert de plaintes qui monte à

---

23. Pour plus de détail, voir l'introduction de Jean Bottéro dans *l'Épopée…*, *op. cit.*, p. 17-59, auquel je suis redevable des informations que je transmets ici. Parmi les nombreuses tablettes retrouvées et provenant de diverses origines, émergent jusqu'aujourd'hui deux versions principales toutes deux écrites en akkadien dans la graphie cunéiforme : la version dite « ancienne », très fragmentaire, et la version « ninivite », sans doute réécrite d'après l'ancienne, dont on a pu restituer près de deux mille vers, sur les trois mille qu'elle devait comporter.

24. *L'Épopée…*, *op. cit.*, p. 68-69.

leurs oreilles, les dieux demandent à la déesse-mère Aruru de modeler un être comparable en force et en stature à Gilgamesh de manière à ce qu'il s'empoigne avec lui et que la cité retrouve son calme. Ainsi naît dans la solitude du désert, formé d'un lopin d'argile, Enkidu le Preux. « Ne connaissant ni concitoyen ni pays », il broute et se désaltère avec les bêtes sauvages. Avisé par un chasseur de la présence de ce redoutable vagabond, Gilgamesh, dont les songes l'avertissent qu'il y a peut-être là pour lui un frère[25], enjoint le chasseur de se rendre avec la Courtisane Lajoyeuse au point d'eau où Enkidu a coutume de venir s'abreuver avec sa harde. La courtisane a pour mission d'inciter le sauvage à faire l'amour avec elle. En l'arrachant ainsi à sa harde, elle pourra le convaincre de la suivre et de l'accompagner jusque dans la ville d'Uruk. Séduit par sa nouvelle compagne, Enkidu entre à Uruk au moment où, en pleine célébration nuptiale, Gilgamesh s'apprête à exercer son droit de cuissage sur la personne de la future épouse. Fâché de cet outrageux privilège, Enkidu barre la route au roi. Un formidable combat s'engage sur la grand-place devant le peuple attroupé. Gilgamesh en sort subjugué. Les lutteurs s'enlacent et concluent un pacte d'amitié dont le roi prend sa propre mère à témoin. Le plan de la déesse Aruru a parfaitement réussi.

Mais, peut-être un peu trop soudainement plongé dans la civilisation, Enkidu est pris d'un vague à l'âme dont Gilgamesh veut le tirer en l'emmenant au loin avec lui à la conquête de la Forêt des Cèdres, que garde un monstre invincible, Humbaba le Féroce. Malgré les craintes de son entourage et les réticences d'Enkidu lui-même, les deux braves s'en vont affronter le monstre en quête d'un renom éternel. Au terme d'un long voyage scandé de rêves à la fois terrifiants et encourageants, ils finissent par se rendre maîtres d'Humbaba qui les supplie de l'épargner, en échange de quoi il se mettra à leur service et leur permettra de couper et d'emporter tous les cèdres qu'ils voudront. Gilgamesh est prêt à se laisser fléchir, mais, impitoyable, son compagnon le presse de tuer l'ennemi avant que le chef des dieux, Enlil, ne vole à son secours. Les deux amis reviennent triomphalement à Uruk avec une cargaison de cèdres (signe de richesse) et la tête d'Humbaba.

À cette première offense contre l'ordre divin (le meurtre d'Humbaba) s'en ajoute bientôt une seconde. Éclatant de gloire et de beauté,

---

25. Le mot « frère » n'est pas trop fort, puisque c'est la mère de Gilgamesh qui interprète pour son fils les songes en question.

Gilgamesh attire sur lui le regard de la déesse Ishtar, favorite d'Anu, dieu tutélaire d'Uruk. Gilgamesh dédaigne les avances d'Ishtar et lui reproche la longue liste de ses amants maltraités. Humiliée, la déesse convainc Anu de lui fournir un Taureau géant qu'elle enverra dévaster Uruk. Nos deux héros parviennent à tuer la bête, au désespoir d'Ishtar, qui vient se lamenter sur les remparts de la ville. Comble d'humiliation, Gilgamesh arrache une patte du Taureau céleste et la lui lance au visage. La vengeance ne se fait pas attendre : pour avoir refusé d'épargner Humbaba et participé au meurtre du Taureau, les dieux condamnent Enkidu à dépérir lentement sous les yeux de son ami. Ni les prières ni les imprécations ne peuvent arrêter le mal qui ronge Enkidu. Tour à tour, chacun des deux amis en vient à maudire le cours des événements : Gilgamesh invective la porte géante qu'il a fait construire pour le temple d'Enlil avec le bois ramené de la Forêt des Cèdres; Enkidu jette sa malédiction sur la Courtisane Lajoyeuse pour être à l'origine de son malheur — puis la retire, suite aux remontrances d'une déesse qui lui fait honte de son ingratitude.

Le décès d'Enkidu plonge Gilgamesh dans un tourment sans fin. Désespoir d'avoir perdu sa moitié, bien sûr, mais, plus encore, d'avoir été brutalement témoin de la mort, visible sur le corps même de son ami, qu'il a tenu dans ses bras jusqu'à ce que « les vers lui tombent du nez ». Gilgamesh ne se soucie plus de la gloire, pourvoyeuse d'une piètre immortalité. Incapable de se faire à l'idée de mourir à son tour, il part en quête, cette fois, de la vie-sans-fin. Il va au bout du monde, franchit les montagnes les plus inaccessibles, traverse toutes les mers, passe à grands risques l'eau-mortelle, avec l'aide du nautonier UrShanabi, pour aller trouver Utanapishti le Lointain, héros, qui, grâce à la complicité du dieu Enki, a autrefois survécu au Déluge[26] et acquis l'immortalité. Mais l'immortalité est intransmissible, et nulle clé ne permet de s'en emparer. Utanapishti exhorte son visiteur épuisé d'accepter sa condition de mortel, de revenir à la vie quotidienne, d'accomplir son devoir de roi et de s'occuper de ses sujets. Prise de pitié, la femme d'Utanapishti invite son mari à récompenser Gilgamesh de ses vains exploits en lui donnant le secret de la vie-prolongée, une

---

26. Utanapishti raconte en détail le Déluge et la manière dont il s'en est tiré, lui, sa maisonnée et sa cargaison d'animaux dans son immense embarcation construite sur les conseils du dieu Enki, épisode qui ressemble en bien des points à celui de Noé dans la Genèse.

plante de jouvence qu'il devra aller chercher, au prix de nouveaux efforts surhumains, au fond de la mer.

Cet ultime exploit s'avère à son tour inutile. Au cours du voyage de retour, un serpent profite d'une baignade de Gilgamesh dans un trou d'eau fraîche pour lui dérober la plante de jouvence. Perte irréparable : il ne l'avait pas encore utilisée, voulant d'abord éprouver son effet auprès d'un vieillard de son pays. Gilgamesh n'a plus la force de redescendre si profond dans la mer. De toutes façons, il a perdu les points de repère nécessaires pour retrouver l'endroit où plonger. Le héros rentre chez lui les mains vides. Mais il lui reste sa ville, dont il désigne les remparts, les fondations et l'étendue à l'admiration d'UrShanabi, le nautonier qui lui a fait traverser l'eau-mortelle et qui, depuis, l'accompagne dans ses pérégrinations. Ainsi se boucle le récit : sur une description d'Uruk en quelques vers repris du premier tableau du poème[27].

Le résumé qui précède ne permet pas de saisir toute la richesse symbolique du poème. Celle-ci ne se limite pas aux thèmes, très évidents, de l'amitié et de la mort. Il s'agit bien davantage d'une leçon de vie. Une leçon difficile et complexe.

Enkidu n'est pas seulement l'ami, il est le double du héros. Les mêmes termes servent à les décrire l'un et l'autre, chacun d'eux est beau, intelligent, courageux, chacun dispose d'une musculature aussi puissante qu'un « bloc venu du ciel ». Avec une différence cruciale : le premier est civilisé, le second sauvage. Une sorte de sauvagerie habite pourtant le civilisé, qui profite de son pouvoir pour donner libre cours à ses désirs sexuels au détriment de l'équilibre de la cité (et par extrapolation de son âme). Et c'est de la sauvagerie d'Enkidu, attendri et affaibli au contact charnel de la femme, que surgit la force qui dompte les pulsions effrénées de Gilgamesh. En faisant l'amour avec Lajoyeuse, Enkidu s'aliène la harde de bêtes sauvages avec laquelle il a vécu

---

27. Comme le signale Jean BOTTÉRO dans son introduction, *l'Épopée..., op. cit.*, p. 53. La version ninivite comprend une douzième tablette rédigée postérieurement et donnant une autre version de la mort d'Enkidu. Celui-ci descend en Enfer pour récupérer des talismans perdus chers à Gilgamesh. Mais comme il ne prend pas soin de respecter les règles qui lui sont prescrites, Enkidu est condamné à rester en Enfer. Il sera autorisé, suite aux supplications de Gilgamesh, à revenir brièvement en esprit auprès de son ami pour lui raconter ce qui se passe chez les morts ; récit peu encourageant qui effraie Gilgamesh. Comme le remarque justement Bottéro, cet ajout rompt le cercle de l'épopée, qui s'achève de toute évidence avec la onzième tablette. Nous nous abstenons donc ici de le considérer comme faisant partie du récit.

jusqu'alors. C'est elle encore, la courtisane, qui le détourne de téter les gazelles et de brouter l'herbe de la steppe en lui apprenant à manger le pain ; elle qui le débarrasse de sa toison velue en le frottant d'un onguent miraculeux ; bref, elle qui l'introduit à la civilisation.

Ainsi l'amour s'oppose au déchaînement illimité et perturbateur du désir. Pour y réussir, il lui faut une force, une sauvagerie *équivalentes* mais touchées par la tendresse. Le combat où s'affrontent Gilgamesh et son *alter ego* est le combat de l'âme divisée, qui, sous l'effet du féminin, parvient à se réconcilier avec elle-même. La mère et la prostituée travaillent toutes deux à cet affrontement initiatique, et la nature guerrière de la rencontre reflète la dimension combative du difficile apprentissage qui consiste pour l'homme à trouver sa place dans le monde. Et l'apprentissage ne fait que commencer : cette lutte fraternelle est le combat initial où l'âme se trempe en prévision des dangers qui la guettent. Sa fêlure ne sera d'ailleurs jamais entièrement résorbée. Lorsque, prêt à diriger son énergie ailleurs que sur les adolescents et les vierges du pays, Gilgamesh part à la conquête de la richesse et de la gloire, Enkidu, qui joue ici le rôle de voix intérieure, tente vainement de l'en dissuader. Une fois dans l'action, en revanche, cette même voix lui enjoint, contre la raison divine, d'aller jusqu'au bout.

Tuer l'autre, pourtant, ne sert à rien. Exploit illusoire et nocif. En refusant d'apprivoiser le monstre et en rapportant plutôt sa tête en trophée, le couple Gilgamesh-Enkidu sacrifie la richesse véritable aux vanités de la renommée. Le mal qu'il brandit et dont il s'imagine avoir triomphé est au-dedans, invisible à soi-même. Cet aveuglement (symbolisé par une victoire extérieure contraire à la volonté divine) déclenche la série de défis et de malheurs qui conduisent à la mort d'Enkidu, autant dire : qui séparent Gilgamesh d'une part de lui-même. De ce moment, le héros ne voit plus, au-delà de sa solitude, que la malédiction de la mort. Avant même de mourir, Enkidu a perdu le pouvoir de se faire entendre : « Mon ami m'a donc rejeté », dit-il dans un dernier sursaut. Sans doute les funérailles sont-elles somptueuses et déchirantes. Mais la déchirure la plus durable, et qui motivera désormais tous les agissements du héros, ce n'est pas tant la perte de l'ami que d'être irrémédiablement, et seul, impuissant, devant la mort.

Il faudra encore bien des errements à Gilgamesh pour faire son deuil de cette impuissance. Il ne court pas seulement au bout du monde. Encore doit-il terroriser le nautonier pour pouvoir passer l'eau-mortelle au-delà de laquelle réside le secret qu'il cherche. Secret d'une terrible simplicité : accepter de retourner chez lui — en lui. La recherche de la plante de jouvence l'illustre ironiquement : ce n'est pas vraiment la promesse de la vie-prolongée que Gilgamesh descend chercher dans les profondeurs, puisque un moment de plaisir et d'inattention suffit à la lui enlever, mais la confirmation qu'aucun faux-fuyant ne lui évitera le seul voyage qui lui reste à faire, le seul qui compte : le retour à soi-même.

Cette lecture simplifie encore beaucoup trop les choses. Elle pourrait donner à penser que l'« introspection » est la voie de l'accomplissement de soi. Or le récit de Gilgamesh n'est pas simplement la métaphore d'un voyage intérieur, il raconte aussi les difficultés du monde et les aléas de la vie, soumise aux caprices du ciel. Il ne trace, non plus, aucune voie à aucune espèce d'accomplissement, il montre un apprentissage infini, contradictoire, qui se « termine » exactement là où il a commencé, avec, *peut-être*, un petit supplément de sagesse (représenté par le compagnonnage discret du nautonier, tout à l'opposé du flamboyant Enkidu). Dans cette indétermination réside probablement l'écho que ce texte rencontre auprès de nous. Nous dirions qu'il est, de ce point de vue, « moderne », voire « post-moderne » : *l'Épopée de Gilgamesh* ne donne aucune leçon, ne débouche sur aucune autre certitude que le bref moment de cette vie terrestre que symbolisent la ville d'Uruk et ses remparts, au-delà desquels tout est illusion. L'homme est seul, et les dieux ne peuvent rien, ne veulent rien pour lui ; ils interviennent parfois pour le ramener à la mesure mais aussi pour le provoquer et le faire trébucher. La seule « morale » de l'histoire, si morale il y a, serait de nous rappeler à nos modestes dimensions. À quoi pouvons-nous prétendre là où les géants eux-mêmes, grands non seulement par la taille mais plus encore par le courage, la sagacité et la beauté, échouent ?

Mais, là encore, le simplisme guette : *Gilgamesh* ne prêche pas la résignation ni ne se laisse réduire à la mise en scène du désespoir. Tout au long de l'aventure qui nous est contée jaillit la beauté : beauté de l'homme, beauté de la femme, beauté du monde, beauté de l'amitié. Toutes beautés qui ont leur piège, dont le moindre n'est pas le regard amoureux qu'elles suscitent. Presque aucun élément, presque aucun incident ne peut être ramené à une signification univoque. Ainsi, la femme : c'est par la fille de joie, au sens le plus littéral du terme, que les héros se rencontrent, que l'âme trouve son unité ; c'est par la déesse Ishtar, hétaïre du dieu du Ciel, père fondateur de la dynastie régnante[28],

---

28. Introduction à *l'Épopée...*, *op. cit.*, p. 22.

qu'Enkidu est arraché à Gilgamesh, que l'âme trouve la solitude. Mais, justement, l'amitié elle-même n'est pas exempte d'ambiguïté : si elle redonne à la cité sa paix, c'est aussi l'assurance nouvelle qu'elle procure qui pousse Gilgamesh sur le chemin de la gloire et de l'excès. Au point que la mort de l'ami devient en quelque sorte « nécessaire ».

Aucun geste, aucune rencontre ne déploie immédiatement sa signification. UrShanabi le nautonier, qui transporte Gilgamesh par-dessus la mort vers l'inaccessible secret de l'immortalité, est aussi celui qui le raccompagne chez lui. Mais encore faut-il que le héros se déprenne de la peur de mourir qui l'a poussé aux extrêmes et dont le serpent le délivre en lui dérobant la plante de la vie-prolongée. Trop habitués que nous sommes à y voir le porteur du maléfice, nous oublions que le serpent est aussi symbole de sagesse : il enseigne ici la vertu d'un certain renoncement. Après avoir abandonné sa vaine quête d'immortalité, Gilgamesh doit encore renoncer à s'assurer le prolongement d'une vie qu'il commence à peine de vivre et dont il ne saisit les limites et la richesse qu'à la fin, sur les remparts d'Uruk, en montrant son royaume à son nouveau compagnon.

Cette sagesse demeure toutefois incertaine. La fin du récit laisse tout en suspens, elle ne dit pas ce que Gilgamesh fera de ce qui lui reste à vivre. Sans doute, la contemplation d'Uruk les Clos (ou d'Uruk les Enclos) laisse entendre que c'est là, dans ce lieu nettement cerné, que Gilgamesh peut couvrir de son regard, qu'il doit accomplir son destin : s'occuper de son pays, mettre son expérience au service de ses proches. Revenue de ses aspirations démesurées, l'âme peut désormais tirer parti de l'amitié (Enkidu étant dans une certaine mesure remplacé par UrShanabi), non plus en vue d'un surcroît de renommée, mais pour vivre plus justement. L'équilibre de l'âme rejoint enfin celui de la cité dont Gilgamesh a la charge. Cette charge n'est ni facile ni médiocre, et les aventures qui précèdent le retour aux choses du quotidien n'ont pas été vaines, finalement : elles ont permis au roi de tremper son âme et, espère-t-on, de mieux gouverner. Les folles aventures, la démesure ont donc elles aussi leur « utilité ». Il faut être allé au bout de soi-même, aux limites de ses capacités, avoir franchi les bornes de l'ambition, avoir connu les extrêmes de la passion et du désespoir, pour tenter d'accomplir le plus difficile : la vie de tous les jours dans sa simplicité, dans sa beauté secrète. Cette beauté était là dès le début, comme l'indique la description initiale d'Uruk, reprise mot pour mot à la fin, mais l'âme du héros ne la voyait pas.

L'Épopée de Gilgamesh, au-delà des multiples thèmes qu'elle traverse, est bel et bien un voyage initiatique. Ce n'est pas trop en forcer le sens, je crois, de dire que ce voyage est l'apprentissage de la justice, au sens que Platon donne à ce concept cardinal : l'accord avec soi-même. Ce « soi-même » n'est évidemment pas celui de l'individu ni de l'introspection moderne. Il est, comme chez Socrate, générique : c'est l'homme, aux sens général et élevé du terme. Gilgamesh, après tout, n'est pas n'importe qui, il est roi et, à ce titre, symbolise la cité qu'il gouverne. Le destin de cette dernière est entièrement liée au destin de son âme. L'homme Gilgamesh ne fait sens que par rapport à son royaume, il ne pourra s'accomplir que dans ses murs.

Ici le lecteur moderne risque de fausser la portée symbolique de l'épopée en voyant en Gilgamesh le précurseur de l'inquiétude pascalienne ou du désespoir kierkegardien, voire le porteur de l'inconscient freudien. Qu'à travers Gilgamesh le désespoir s'exprime et que ce désespoir nous touche en ce qu'il représente une des composantes fondamentales de la condition humaine, que le récit illustre à maints égards le travail de l'inconscient du moment que la signification de la geste, toujours incertaine, on l'a vu, se déploie à l'insu du héros qui l'accomplit, voilà qui paraît indéniable. Ce désespoir, pourtant, cet inconscient ne sont pas les nôtres, ils n'appartiennent pas à ce que nous appelons la personne (ou l'individu) mais à l'humanité — à cet archaïsme préhistorique, peut-être, auquel Freud ne craint pas de référer dans ce que d'aucuns considèrent comme la part maudite de son œuvre[29]. Non pas, donc, à l'humanité dont nous, modernes, croyons avoir fondé l'universalité, mais à cette collectivité humaine que le roi peut embrasser du regard : son destin est indissociable de cette humanité comprise dans Uruk les Clos, la bien nommée, et la justice n'a de sens que *dans* la cité. Tant qu'il est seul, avec ou sans son double, à vagabonder aux confins du monde, il n'est question que de désirs, de rêves impossibles, d'épreuves à surmonter — pas de justice.

Le thème de la justice est pourtant là dès le début avec l'iniquité du droit de cuissage et les désordres qu'il entraîne. Réparer l'injustice qui menace la ville est ce qui met toute l'histoire en branle, même si les héros ne tardent pas à perdre de vue le point de départ de leur rencontre. Et c'est encore à la vue d'Uruk que la justice, personnifiée,

---

29. Je renvoie ici à *Totem et Tabou* et à *l'Homme Moïse et la Religion monothéiste*.

peut-être, par le nautonier[30], retrouve son domaine : la communauté. C'est là, en elle, que l'homme — le roi — peut éventuellement se mettre en accord avec lui-même.

La vie, la vie de l'homme dans sa cité, a donc un sens, mais ce sens n'est pas donné, il est à faire, il est à construire avec le même soin que les soubassements et les murailles de briques qui entourent la ville. Leur évocation, on l'a vu, reprend les vers de la première tablette, *mais, cette fois, ce n'est plus le narrateur qui parle, c'est le héros en personne, qui rend son compagnon attentif à la beauté et à la solidité de leur construction.* En les mettant dans la bouche de Gilgamesh, le narrateur indique que le roi a pris conscience d'une valeur dont le lecteur a d'emblée été averti, mais dont, à l'instar du héros, il ne saisit la pleine portée qu'en fin de parcours. Héritage du passé, la ville et ses murs et ses clos — la vie — ne valent qu'à condition d'être *reconnus* par celui à qui il appartient désormais de les continuer. Dans l'œuvre collective à poursuivre gît le sens. En ce que le sens n'est pas donné d'en haut, en ce qu'il est à faire, à inventer ici et maintenant, *Gilgamesh* serait « moderne ». En ce que le sens ne peut se faire, s'inventer qu'à partir du passé, à partir de l'héritage qui soude les hommes, à l'image des briques de la ville, *Gilgamesh* serait « archaïque ». En nous attachant au sort de l'individu Gilgamesh, nous ferions un gigantesque contresens : le mythe moderne de la « réussite individuelle » (l'image du *self made man*) laisse entendre qu'il appartient à chacun de « percer » ; or, nous dit l'épopée, nul sens n'est possible à partir de rien, et rien de solide ne se construit à partir de zéro. Faire table rase est impensable. S'imaginer faire table rase, à considérer qu'on puisse prendre une telle prétention au sérieux, c'est se condamner au non-sens.

Sans doute, à remonter à l'origine de l'espèce humaine, le sens finit par se perdre dans un passé inaccessible. « Au commencement était le non-sens », dit en quelque sorte la Genèse avec ses ténèbres initiales, et il faut un dieu pour les dissiper de sa lumière. Dieu ou pas, le sens est inscrit dans ce que nous appelons les Écritures : pas de sens à l'homme et à son passé, décidément, avant que nous n'en ayons la trace, la marque : peinture rupestre, bas-relief, tablettes d'argile, peau de mouton

---

30. *L'Épopée...*, *op. cit.*, p. 170, note 2. Jean BOTTÉRO explique que le nocher, par son nom, UrShanabi, « signifie : "Créature/Serviteur de Deux-tiers", à savoir de "Quarante" [...] qu'on avait donné au dieu Enki/Ea », le dieu grâce auquel Utanapishti a survécu au Déluge et acquis la vie-sans-fin (p. 184, note 1).

ou papier. *Gilgamesh* nous vient d'un espace-temps que nous considé-rons comme appartenant à une des plus anciennes civilisations du monde. Cette civilisation suméro-akkadienne a ses théogonies, ses cos-mogonies; un ordre supérieur à celui des humains régit l'univers. Cet ordre divin intervient même, un peu comme les astres en astrologie, dans l'ordre humain. Et pourtant, comme nous le raconte *Gilgamesh*, les dieux ne sont pas pour nous, humains, pourvoyeurs de sens. Tout au plus leur arrive-t-il de provoquer des événements qui contraignent les hommes à se mettre plus ou moins malgré eux en quête de sens : c'est à travers une longue succession d'élans et d'impasses auxquels l'action divine n'est pas étrangère que Gilgamesh, physiquement amoindri et intérieurement grandi par la défaite, revient au seul lieu où du sens soit possible. Et ce lieu est humain, il est entièrement de ce monde : dès que nous y faisons notre marque, du sens devient possible. Il suffit que d'autres l'aient fait avant nous. La civilisation naît avec l'empreinte.

Voilà finalement à quoi tient la radicalité du grand récit akkadien : l'homme est à la fois impuissant et responsable. Impuissant dans sa soli-tude cosmique, soumis aux dieux et aux astres; responsable de ce dont il hérite et de ce qu'il laisse, artisan du sens. Le sens de la vie est dans cette chaîne qui lie les hommes dans l'espace et le temps — les hommes, du moins, d'un même espace à travers le temps. Si *Gilgamesh* « enseigne » quelque chose, c'est qu'il n'y a rien à attendre d'un ailleurs, même si cet ailleurs existe. Rien à attendre des dieux. Devant ce récit de courage et d'humilité, la quête de l'absolu, le recours à la transcendance apparaissent comme une régression, comme l'histoire d'un égaré qui n'arrêterait jamais de courir après l'immortalité de la gloire ou de la vie-sans-fin, comme la répétition d'une épopée intermi-nable de ce que ses protagonistes n'en comprennent pas la portée et ne cessent d'en chercher le sens en dehors de l'humain.

La lecture de *Gilgamesh* fait ressortir un trait marquant de l'épopée homérique que le passage par Virgile pourrait nous avoir fait oublier. Dans leur rapport avec la vie et la mort, les héros grecs occupent une situation presque tragique. Gilgamesh *renonce* à l'héroïsme et revient les mains vides pour accomplir ce que, depuis toujours, la cité attend de lui. Si ses exploits ont été les jalons d'un nécessaire cheminement, ils n'en prennent pas moins après coup leur juste place : le renoncement lucide auquel consent finalement le héros babylonien désigne le quotidien comme le lieu où toute vie, y compris celle du prince, doit se réaliser; le soin de la terre natale l'emporte sur l'aventure. Il n'en va pas de même du héros homérique. Sans doute Ulysse n'a-t-il pas de plus cher désir que de revoir sa patrie. Il est même probable que ce désir, au contraire de Gilgamesh, ne l'ait jamais quitté du jour où il appareilla pour Troie ; mais, dès lors qu'on se met en route, il n'est pas question de revenir bredouille[31]. Le retour, pour Ulysse, loin d'être un renoncement comme chez Gilgamesh, ne peut s'envisager que triomphal, raison pour laquelle le trésor qu'il reçoit des Phéaciens revêt l'importance que nous savons. Raison aussi de sa nécessaire victoire contre les prétendants.

Ainsi l'exploit héroïque donne sens à la vie. Mais en même temps, comme le regrette amèrement l'ombre d'Achille, la vie est le seul bien imparti aux mortels. Maintenant qu'il est dans le royaume d'Hadès, Achille serait prêt à se faire presque esclave pour retrouver la lumière de la vie. Cette vie qu'il n'a pas craint de sacrifier à la gloire, il la prendrait aujourd'hui dans sa condition la plus humble. Or le héros est justement celui qui n'hésite pas à mettre en jeu son bien le plus cher, le seul qu'il ait, cette vie terrestre, parce que le prix de la vie est à ce risque. La vie ne vaut que d'être risquée, et celui qui n'est pas prêt à affronter la mort pour lui donner tout son prix ne mérite pas de vivre, il mène une vie indigne. Jamais Achille, revenu sur terre, n'accepterait de servir chez un pauvre bouvier, et s'il se déclare prêt à le faire pour retrouver la lumière du jour, c'est que cette lumière pour lui, il le sait, est à jamais perdue. Le héros homérique risque sa vie sans jamais se résigner à l'idée de sa perte. Il la risque pour la garder et pour lui garder toute sa valeur, il la risque pour lui donner jour après jour son éphémère et irremplaçable beauté.

Le héros homérique et Gilgamesh se rejoignent sur un point fondamental : rien ne sert de fuir la mort. La fuite de la mort nous prive du plaisir de savourer tout le fruit de la vie. La différence se situe au niveau des valeurs : pour le premier le goût de la vie est indissociable de la dignité, pour le second il est affaire de sagesse. Dans cette perspective, le héros virgilien effectue un vaste déplacement de sens : il est au service d'une cause. Le génie de Virgile consiste à nous laisser finalement entrevoir qu'Énée en est profondément malheureux.

---

31. Ulysse s'en explique très clairement dès le début de *l'Iliade*, lorsque les Achéens, cédant au découragement, font mine de vouloir abandonner le siège et qu'il prend la parole pour les en dissuader (II, v. 276-321).

DEUXIÈME PARTIE

L'ÉPREUVE
DE LA CONNAISSANCE

Très tôt dans l'histoire de la littérature, les mythes cherchent une explication des origines et interrogent chez l'homme la présence du désir de connaître. Cet intérêt pour la naissance du monde et pour les sources de la connaissance est peut-être même ce qui distingue en théorie le mythe de l'épopée. En pratique, la plupart des grands récits sont évidemment un mélange des deux, où les événements construisent le mythe et aboutissent à une représentation du monde. Ainsi *la Théogonie* d'Hésiode donne une explication de l'ordre cosmique, de la place qu'y occupent les humains (notamment de la manière dont, grâce à Prométhée, ils ont reçu le feu) en racontant l'épopée titanesque qui préside à la naissance des dieux olympiens : la narration est explicative.

La narration homérique, rappelons-nous, est essentiellement événementielle. Elle ne s'intéresse ni au cosmos ni aux origines, elle met en scène des événements qui, pour être en partie fabuleux, ne s'en déroulent pas moins chez les hommes. *L'Odyssée* ne cherche ni à comprendre ni à expliquer, elle se contente de raconter. Sans doute, en racontant, dit-elle le monde à sa manière, tel qu'il se présente au regard du poète, qui n'échappe pas à la nécessité de donner ici et là des explications, d'obéir à certains canons. Indiscutablement, le narrateur lui-même est mû par des croyances, marqué par sa culture, bref, sujet plus ou moins conscient d'une connaissance. À l'inverse, nous savons aussi que tout discours, y compris le moins narratif dans son apparence et ses intentions, narre plus qu'il ne l'admet, raconte en partie ce qu'il ne voudrait peut-être qu'expliquer ou démontrer. Nulle forme rhétorique n'existe à l'état pur, tout est ici question de degré. Sur l'échelle de la narration, l'épopée homérique occupe, avec celle de *Gilgamesh*, la place la plus haute, et du coup peut-être aussi la plus ambiguë, de ce qu'elle n'a pas d'autre objectif avoué que de charmer. Elle enseigne pourtant. Mais cet enseignement est laissé à l'auditeur, au lecteur. Que *l'Odyssée* ne garde pour ainsi dire rien dans l'ombre, n'empêche pas la multiplicité de ses lectures, tout au contraire. Elle est, nous le savons, rien moins qu'univoque. Et si, par contraste, *l'Énéide* n'offre pas la même ouverture, la même polyvalence, c'est que, malgré les réticences de son auteur, elle est au service d'une cause, voire d'une politique.

Avec le thème et les textes de cette deuxième partie, récits bibliques, théogonie, tragédies et dialogues philosophiques, nous entrons donc dans un ordre narratif très nettement différent, plus complexe dans son propos et ses intentions. Comme chez Virgile, il y a dans la Torah de l'histoire mythique, de l'histoire nationale. Sans vouloir l'ignorer, ma lecture ne lui donnera pas la première place. Les textes rassemblés ici m'intéressent principalement dans ce qui fait leur unité thématique : l'épreuve de la connaissance. Épreuve manifeste dans le récit de la Genèse, dans le mythe de Prométhée, et dans les tragédies de Sophocle. Épreuve que Platon, sans éluder ses difficultés, envisage pour sa part dans le souffle bouleversant d'Éros.

IV

NAISSANCE DU MONDE
ET GENÈSE DE LA CONNAISSANCE

Aborder dans le même chapitre *la Théogonie* d'Hésiode et la Genèse peut paraître étonnant. Difficile d'imaginer deux récits des origines plus différents, deux univers plus étrangers l'un à l'autre. La futilité du monde olympien offre un violent contraste avec le sérieux de la Torah, qui a mieux vieilli. Ce sont pourtant des Grecs et des Juifs que nous nous réclamons le plus volontiers en Occident. Mais, bien souvent, sans trop savoir ce que nous retenons au juste de ces deux héritages contradictoires. À vrai dire, leur mariage n'est possible qu'à la condition d'écarter chez chacun d'eux ce qui dérange ce bel assemblage. Des Grecs, nous ne gardons que la poésie, l'art, la philosophie ; leur mythologie nous fait sourire et, hormis chez les hellénistes, nous la jugeons même indigne de leur civilisation. Du judaïsme, en revanche, nous croyons naïvement garder l'essentiel, le monothéisme, sans voir combien profondément le christianisme en a altéré la substance. Nous y reviendrons en temps et lieu. Essayons simplement ici d'aborder ces deux textes, Genèse et *Théogonie*, avec le moins de préjugés possible, c'est-à-dire comme deux récits d'égale valeur mais pourvus chacun de leur logique et de leur signification propres, sans exclure non plus qu'ils aient certaines préoccupations en commun.

1. Difficultés de la lecture biblique

Lire la Bible n'est pas chose aisée. Son usage nous place devant une formidable série de paradoxes. Aucun livre, dans notre imaginaire occidental, n'est à la fois aussi ancien, aussi répandu et aussi méconnu, aussi accessible et aussi difficile, aussi prolixe et aussi concis. Uni dans son principe — Dieu —, le Livre est un vaste recueil de textes extrêmement disparates dans leur forme, dans leur propos, dans leur ton et leur provenance. Toute une vie ne suffirait pas à faire l'inventaire des difficultés que rencontre leur lecture. La seule question des textes, de leur établissement, nourrit une littérature inépuisable. Sous quelque angle qu'on les envisage (religieux, historique, poétique, philosophique, linguistique, etc.), les Écritures interpellent au plus haut degré possible l'art de l'interprétation savante et moins savante.

Rappelons d'abord que la tradition chrétienne, en réunissant sous un même toit ce qu'elle appelle Ancien et Nouveau Testament, transforme substantiellement la tradition judaïque, qui ne reconnaît évidemment que le premier, qu'elle nomme pour sa part Tanakh, terme construit à partir de la dénomination des trois grands ensemble qu'il chapeaute, à savoir : Torah (la Loi, désignée dans les versions chrétiennes sous le nom grec de Pentateuque), Nevi'im (les Prophètes) et Kethuvim ou Ktoubim (les Écrits). De plus, ni l'ordre ni le contenu de l'Ancien Testament ne correspondent tout à fait à ceux du Tanakh. Le canon catholique de l'Ancien Testament admet l'ensemble des textes retenus dans la traduction grecque réalisée au IIIᵉ siècle av. J.-C. à Alexandrie par des savants juifs dont la légende fixe le nombre à 72 (version dite des Septante), reflet d'un texte bien antérieur aux manuscrits hébraïques complets dont nous disposons. Certains des textes de la version des Septante, certains livres tels que Esther, Judith, Tobit, Maccabées I et II, ne figurent pas dans les versions protestantes de la Bible, qui suivent en cela le canon juif tel qu'il s'est fixé à Iamnia[32] vers la fin du Iᵉʳ siècle de notre ère.

Les différences canoniques que nous venons d'évoquer n'ont pas d'incidence directe sur notre lecture, qui se limite à la Torah[33] et, plus spécifiquement encore, à son premier livre, la Genèse, en hébreu *beresît*, selon son *incipit* : « Au commencement ». Mais cette limitation laisse entiers les problèmes fondamentaux, du moment que la chronologie des événements relatés ne correspond pas à celle de leur fixation dans l'écriture, telle qu'elle nous est parvenue dans ses diverses versions. Il faut donc donner un aperçu général sur la nature des écrits rassemblés dans la Torah.

---

32. Iamnia en grec ou Yabnéel en hébreu (transformé en Yabneh, puis Yamneh) : ville de la plaine côtière de la Palestine devenue le centre spirituel du judaïsme palestinien après la destruction du Temple de Jérusalem par Titus en 70 de notre ère.

33. Entendu ici en son sens limité : recueil des cinq premiers livres des Écritures. Il arrive aussi que le mot « Torah » renvoie au Tanakh dans son ensemble.

La Torah est le fruit d'une compilation narrative vraisemblablement effectuée entre le vi^e et le ive siècle av. J.-C., suite au retour à Jérusalem vers −520 d'une partie des élites politico-religieuses déportées du royaume de Juda par Nabuchodonosor de −597 à − 581. L'exil à Babylone sera crucial pour l'avenir de ce qui avait été jusqu'alors le peuple et la religion israélites. À bien des égards, le judaïsme et le peuple juif naissent de l'exil et se constituent en partie dans ce qu'on appellera plus tard la diaspora. Malgré la restauration par les Perses de l'État judéen, la déportation babylonienne va laisser des traces indélébiles dans la conscience collective et la diaspora prendre une importance croissante dans l'histoire juive. L'exil, la série de catastrophes politico-militaires dont il est l'aboutissement vont entraîner une relecture de la tradition religieuse et un approfondissement spirituel de son message : seule la Loi (Torah) apparaît désormais susceptible de survivre à la destruction et à la dispersion. Elle va devenir la garante la plus solide de la durée, l'assise indestructible de la judaïcité.

Recomposition mythico-historique des origines du monde et du peuple de Moïse, le récit de la Torah puise à quatre auteurs différents que la critique savante reconnaît et désigne, dans l'ordre d'ancienneté, comme : le Yahviste et l'Élohiste, tous deux plutôt conteurs, le Deutéronomiste et le Sacerdotal, plutôt législateurs. La Genèse, pour sa part, apparaît comme le remaniement par l'auteur sacerdotal d'un récit essentiellement yahviste et secondairement élohiste. On y trouve ainsi deux narrations successives de la création, dont la plus récente (l'élohiste) vient en premier et la plus ancienne (la yahviste) en second. On voit sans peine, à partir de ce seul exemple, à quels sommets de virtuosité exégétique peut se livrer l'érudition. Devant elle, le lecteur ordinaire se sent bien démuni et hésite à se lancer.

Il le doit pourtant. Une lecture naïve, non savante, des récits bibliques n'est pas seulement possible, elle est souhaitable. S'il y a des écrits qui devraient appartenir à tout le monde, malgré les efforts déployés jadis par l'Église pour en décourager l'usage auprès des profanes, ce sont bien ceux-là. L'examen scientifique des textes permet de mieux connaître l'évolution de la religion hébraïque mais il ne saurait imposer une lecture de la Torah ni entraver son interprétation. L'érudition ne donne à cet égard aucun privilège. Ici plus que partout ailleurs, c'est le récit, tel qu'il nous est parvenu, avec ses contradictions et ses ambiguïtés, qui prime, le récit et toutes les significations potentielles qu'il contient.

Au risque d'essuyer les foudres des croyants juifs et chrétiens, on ne doit pas craindre non plus d'affirmer que ni les uns ni les autres n'ont de monopole sur la portée et la signification de ce qu'ils considèrent comme leurs écritures. Le profane que je suis doit néanmoins reconnaître au croyant le droit de penser qu'en dépit des déconstructions de la critique moderne le texte ne puisse réellement parler de toute sa force qu'à celle ou celui qui est profondément pénétré de la volonté de croire[34]. Mais il est diverses manières de croire, et la foi, qu'elle soit juive, chrétienne ou musulmane, n'a pas qu'un point de vue, elle ne règle pas la question de l'interprétation. Il est légitime de se demander à quelle fidélité les croyants pensent obéir. La fidélité au texte ne passe pas nécessairement par une lecture qui le prend au pied de la lettre. Cette lettre, nous le savons, n'existe pas et son défaut, ici plus que partout ailleurs, exclut rigoureusement toute idée de fidélité littérale.

Mais nous savons aussi que la liberté de lire ne saurait être prétexte à dire n'importe quoi. Libre à chacun de lire la Bible comme un roman — et d'y prendre un immense plaisir. À la réserve près qu'une lecture purement romanesque (si cela veut dire quelque chose) n'aurait ici pas grand intérêt. La Bible n'est pas pour nous n'importe quel livre, elle est, que nous la fréquentions ou non, *Le* livre. Celui qui très probablement a le plus contribué à façonner notre vision du monde. Aucune lecture des textes bibliques ne peut ignorer l'exceptionnelle charge imaginaire qu'ils gardent pour nous jusqu'aujourd'hui en vertu de la continuité que lui assure la tradition religieuse. Si je choisis donc de lire la Genèse comme un mythe, comme un mythe que j'aborderais pour la première fois, je ne peux oublier que cette histoire nous travaille depuis des siècles. Ouverture à la nouveauté et attention à la mémoire, telle serait, ici plus que partout ailleurs, l'attitude idéale.

2. Lire la Torah

De quoi la Torah est-elle le récit? Dit-elle la colère de Dieu? Sa toute-puissance? L'infinie patience de son amour? Ce dieu est-il partout le même? Est-il le dieu des hommes ou le seigneur du peuple particulier

---

34. Notons ici l'espèce de schizophrénie qui frappe les Églises elles-mêmes : leurs théologiens ne cessent de déconstruire les textes sous le microscope de la critique littéraire moderne sans du tout remettre en cause ni leur nature divine ni la Révélation dont ils sont porteurs.

à l'usage duquel cette histoire est écrite ? Apporte-t-il le salut ? Et à qui ? Aux Juifs ? Au monde ? Autant de questions qui engagent la fidélité du lecteur et qui ne peuvent recevoir aucune réponse en dehors d'elle.

De quoi la Torah est-elle le récit ? Telle est bien pourtant la question par laquelle il faut commencer, malgré l'impossibilité où nous sommes de lui donner une réponse susceptible de subsumer les diverses allégeances qu'elle suscite. Cette impossibilité constitue notre seul point d'appui : le sens de la Torah est nécessairement pluriel, contradictoire *pour les croyants eux-mêmes.* Ne serait-ce qu'en raison de la diversité de son propos : récit de la création du monde, histoire d'un peuple, énoncé d'une loi, illustration du prophétisme à travers l'œuvre de Moïse.

Même au croyant, la Torah peut apparaître, ne serait-ce que par moments, comme une histoire de fous. S'il nous était possible d'aborder ce récit sans préjugés, si, en particulier, nous ne savions rien de son pesant d'imaginaire, nous pourrions lire ce livre un peu, *mutatis mutandis,* comme *les Liaisons dangereuses* de Laclos, comme les aventures d'un auteur qui se plaît à mettre ses créatures dans des situations scabreuses. Mais lorsque nous songeons à la portée de cette interminable succession de heurts et de malheurs, si nous tenons compte de ce que ce livre a soulevé et soulève encore de passions, d'engouements, de foi, alors nous sommes devant un gouffre sans fond. Le conte pervers devient une histoire d'horreurs abyssales. Un dieu jaloux poursuit son peuple de son zèle sourcilleux et dévastateur. Il lui propose un but inatteignable, exige de sa part une adoration sans faille et use de sa toute-puissante omniscience pour le faire trébucher sur les obstacles infranchissables qu'il veille à placer sur sa route. Il pousse le raffinement jusqu'à se faire lui-même le héraut des errements et des infidélités qu'il se promet de châtier. Sade, par comparaison, est une lecture pour jeunes filles de bonne famille. Bref, Dieu lui-même, Dieu le tout premier, apparaît foncièrement inique et son élection ressemble le plus souvent à une malédiction. Dieu est un poids insupportable sur les épaules de son peuple.

Mais le croyant ne peut vivre, à l'image du peuple élu, avec constamment sur son cou le souffle brûlant de ce dieu possessif et vengeur. Il faut donc que Dieu soit bon et ses desseins insondables. Peu importe que les Hébreux se montrent collectivement rétifs ou inaptes à l'effort d'élévation que cette bonté demande d'eux, du moment que le fidèle peut, lui, y adhérer en connaissance de cause. Là où le peuple, par veulerie ou par ignorance, manque aux devoirs de son élection, le lecteur a la possibilité de faire acte de foi. Si la bonté que Dieu manifeste à son peuple apparaît d'avance hypothéquée de la faute à venir et des menaces dont elle entraîne l'exécution (je vais te faire triompher, dit le Seigneur, mais ton triomphe te perdra, t'éloignera de moi, et je te livrerai à tes ennemis), le lecteur est libre de croire que son destin personnel n'est pas lié à celui du peuple dont il suit les tribulations — *a fortiori* s'il n'est pas juif —, du moment qu'il lit cette histoire pour son édification à lui, lecteur. Et même si, à l'instar de Job, sa foi n'est elle-même payée que d'avanies, il sait, mieux encore que Job lui-même, qu'elle finira par être récompensée. L'impénétrable bonté de Dieu est le postulat qui permet au croyant de lire un récit où tout incite par ailleurs à se détourner et de Dieu et des hommes.

La Torah n'est lisible, supportable, que de ce qu'elle implique le salut pour celui qui la comprend ou, plus exactement, pour celui qui s'y fie en acceptant de ne pas tout comprendre. Mais cette lecture éclairée par la perspective du salut individuel me semble plus évangélique que juive — même s'il est possible qu'avec le temps le judaïsme ait été malgré lui contaminé par l'eschatologie chrétienne. L'idée d'une récompense pour les justes dans l'au-delà n'est pas complètement absente du Tanakh, mais elle apparaît plutôt tardivement, avec les prophètes, notamment chez Ézéchiel (Ez., XXXVII, 1-14), où on peut la lire comme une métaphore de la renaissance d'Israël, puis plus nettement chez Daniel (Dan., XII, 2-3), où la félicité semble promise à ceux qui l'auront mérité[35]. Nulle trace, en revanche, d'une telle promesse dans la Torah. Le *Chéol*, soubassement du monde des vivants qui sert de séjour aux morts, est un lieu de silence et de poussière peuplé d'ombres sans force et sans souvenirs, dont on ne peut rien savoir.

Toute interprétation du Tanakh tend naturellement à s'insérer dans une vision globale aussi cohérente que possible de son message. S'il va de soi que les chrétiens lisent l'Ancien Testament à la lumière du Nouveau, on ne s'étonnera pas que les Juifs eux-mêmes, aux diverses étapes qui ont marqué la facture et la sélection des récits qui constituent leur mythologie, procèdent dans ce long travail de collection et de transmission à une interprétation des faits et des textes anciens qui ne correspond pas nécessairement aux préoccupations de leur lointains prédécesseurs. L'exil babylonien, on l'a vu, avive la nécessité de préserver la mémoire collective et offre l'occasion d'une réflexion douloureuse

---

35. Voir sous l'entrée « Chéol » (nom du séjour des morts) dans le *Dictionnaire de la Bible* d'André-Marie GERARD, Paris, Laffont (« Bouquins »), 1989, p. 207.

sur l'histoire d'Israël. Cette histoire, comme toute histoire, est une relecture du passé à la lueur, triste en l'occurrence, du présent.

La longue saga qui va du premier homme aux Hébreux et aux Israélites et des Israélites de Judée aux Juifs apparaît comme une incessante migration interrompue par une période relativement brève de stabilité et d'unité qui atteint son apogée sous David et Salomon (de 1010, environ, à 931 av. J.-C.). Dès la mort de Salomon, le royaume se divise ; l'histoire du pouvoir royal se solde finalement par un échec dont les prophètes ne cessent de méditer et de dire la leçon. Tout pouvoir, toute entité politique sont évidemment destinés à périr, mais de cette inévitable chute, le judaïsme semble justement tirer un enseignement particulier, sur lequel nous aurons l'occasion de revenir, une fois que nous aurons interrogé le sens de cette interminable pérégrination qui mène du paradis perdu au désert, du désert en Égypte, de l'Égypte au désert, du désert en Canaan, devenu Israël et Juda, de Juda à Babylone, de Babylone à Juda et à la diaspora.

Pour commencer, ce long voyage doit être envisagé en dehors de toute idée de rédemption ou de punition, un peu comme nous avons tenté de comprendre l'épopée de *Gilgamesh*. À la différence qu'il s'agit en l'occurrence de l'errance de tout un peuple. Bien plus, la migration même est constitutive du peuple en question. C'est par déplacements successifs que se produisent les réductions ou embranchements à travers lesquels les fils de Noé (pour ne pas partir d'Adam mais du recommencement qu'ouvre le Déluge) deviennent fils de Sem puis d'Abraham, les fils d'Abraham fils d'Isaac, les fils d'Isaac, fils de Jacob et, par là, d'Israël. À chaque génération le récit laisse plus ou moins brusquement tomber dans l'ombre ici les descendants de Cham et de Japhet, là ceux d'Ismaël, là ceux d'Ésaü, peuples toujours innombrables à certains éléments desquels il sera parfois fait allusion par la suite, pour suggérer que les multitudes qui échappent à l'élection divine ne sont pas complètement oubliées. Comme s'il fallait concentrer sur un petit peuple, qui plus est réduit à la servitude en Égypte, une expérience susceptible d'intéresser l'humanité entière ou l'humain quel qu'il soit.

Mais le processus de sélection ne s'arrête ni à la sortie d'Égypte, réellement fondatrice du peuple israélite en tant qu'entité politique, ni à sa fixation géographique dans le pays depuis longtemps promis aux ancêtres. Après Salomon, et en quelque sorte par sa « faute » (en raison des concessions qu'il a faites aux cultes idolâtres de ses concubines), dix des douze tribus abandonnent graduellement le champ de l'élection et du récit biblique. Israël se réduit à Juda, lui-même bientôt réduit à l'exil et à un retour précaire. L'histoire de ce peuple ne cesse de passer par des goulets d'étranglement dont le dernier est l'impitoyable poigne militaire de Rome. De cet ultime étouffement, le peuple juif ne peut que rejaillir dans la dispersion et essaimer dans le monde entier — rejoindre le reste de l'humanité, au fond. Mais cela, le récit biblique, qui s'arrête à la reconstruction du temple sous Esdras et Néhémie, ne le dit pas. À l'image de l'histoire même du peuple qu'il contribue à constituer, le récit demeure inachevé. Il n'a, à proprement parler, pas de fin : ni terme ni finalité clairement indiquée, en dépit des visions que certains prophètes peuvent avoir d'un Israël à venir, à renaître (par exemple dans Ez., XXXVII, 1-14, déjà évoqué, et dans Ps., XVI, 10, et XLIX, 16). Ni Esdras ni Néhémie ni les Chroniques ne présentent la reconstruction du Temple comme une apothéose mais plutôt comme une difficile et fragile tentative de recommencement. Sans la Loi, le Temple n'est rien.

L'absence de fin n'évacue pas la question du sens — des sens possibles. Elle la pose au contraire avec une insistance accrue. Si d'emblée l'annonce d'une fin dernière, disons la vie éternelle sous le regard de Dieu, surplombe le récit, celui-ci, quoi qu'il dise, sera illuminé de cette promesse. Mais, nous l'avons vu, le Tanakh et, moins encore, la Torah ne promettent rien de tel. Aucun sens ne saurait donc être cherché hors des textes eux-mêmes — à moins d'y ajouter d'autres écrits comme s'y emploie le christianisme. Une promesse divine, pourtant, anime les protagonistes du récit biblique et contribue en quelque sorte à façonner le peuple qu'il raconte : celle de la Terre, désignée à juste titre comme « promise ». Mais à prendre la réalisation de cette promesse au pied de la lettre, elle se réduirait à une conquête illusoire, du moment que l'assise territoriale n'ancre nulle garantie de loyauté au cœur du peuple qui la reçoit, bien plus, puisqu'il est même d'avance annoncé que la possession du pays ne l'empêchera pas de s'écarter de Dieu et de la Loi (Deut., XXXI, 14-29). Ce qui laisse entendre que la seule finalité proposée par la Torah est bien la Loi elle-même et sa révélation progressive.

La Torah serait donc à elle-même sa propre fin. Or le mot « Torah » ne signifie pas seulement « loi » mais aussi « doctrine », « enseignement » : autre manière de suggérer que le récit de la Torah n'a d'autre fin que son enseignement, que sa fin est d'enseigner.

Mais alors, enseigner quoi ? Que Dieu est vicieux et son peuple médiocre ? La leçon est un peu courte. Lire la Bible comme une série noire, on l'a vu, est un divertissement comme un autre mais pauvre de sens. De toute évidence, la Torah ne peut dévoiler la richesse de son enseignement qu'à la condition d'être lue et relue à plusieurs niveaux. Le récit des tribulations du peuple d'Israël ne fait sens que s'il est à la fois poème épique, mémoire collective, mythe fondateur et allégorie. Il serait tentant — et facile — de ne retenir que ce dernier niveau de lecture : tout dans la Torah serait allégorie. Mais on l'affadirait aussitôt, on lui enlèverait la plus grande partie de sa saveur et de sa portée. La puissance du récit biblique, en dépit de ce qu'il a ici ou là de miraculeux, c'est de nous plonger jusqu'à l'os dans les affaires humaines, avec leurs passions, leurs désirs, leurs appétits, leurs espérances, leurs fourberies, leurs cruautés, leur magnanimité. Fidélité, trahison, repentir, amours, haines, courage, lâcheté, dévouement, faims, soifs, adultères, guerres, paix, tout y est.

Voici donc un peuple contraint de chercher sa loi et sa liberté contre vents et marées. Tout semble se décider hors de lui. Pas plus qu'il n'a choisi son esclavage il n'a réellement voulu sa libération. Pour le mettre sur le pénible chemin de l'Exode, il lui faut l'inspiration divine et la trempe de Moïse relayées par l'éloquence d'Aaron. Judicieux partage des tâches, soit dit en passant, et leçon de politique : non seulement la parole ne suffit pas à faire le chef mais elle risque de tourner la tête de celui qui se contente de la manier adroitement. On ne voit que trop bien à quel point Aaron perd le nord lorsque son frère lui confie la garde du peuple pour pouvoir converser seul à seul avec Dieu. Comme quoi le chef ne peut pas non plus sans inconvénient s'absenter trop longtemps dans les nuages des sommets. Vient toujours le moment où il faut redescendre sur terre, reprendre contact avec le plancher des vaches. Le veau d'or n'est pas simplement signe d'égarement, d'inconstance et d'infidélité, il témoigne de ce qui arrive lorsqu'on néglige la puissance des choses terrestres et des appétits matériels. Le rappel de cet épisode archiconnu nous renvoie à la question centrale du monothéisme biblique : au statut de Dieu — qui n'est « évident » que de n'être jamais interrogé.

Et pour cause : comme chacun sait, Yahvé, plus exactement YHWH (ou YHVH), est strictement imprononçable, proprement innommable. Manière de suggérer que ce nom doit être tu, doit rester, sauf en des circonstances tout à fait exceptionnelles, imprononcé. À le galvauder, à laisser entendre qu'on pourrait ainsi désigner YHVH comme n'importe quel autre être ou mêler son nom à nos bavardages quotidiens, on lui enlèverait toute sa force. Mais comme il faut bien nommer ce en vertu de quoi toutes les idoles méritent d'être laissées, comme le prophète et le peuple éprouvent aussi le besoin de s'adresser à lui, on lui donnera d'autres noms : *Adonaï* (Seigneur) ou *El-Chaddaï* (Dieu des montagnes?). On prend donc malgré tout l'habitude de penser que Dieu est nommable, représentable, en même temps que s'impose l'idée que l'abus du nom constitue un sacrilège. S'emparer (du nom) de Dieu est interdit mais cette marque de respect n'empêche pas de le banaliser. Or si Dieu est « Quelqu'un », aucune majuscule ne l'empêchera de s'anthropomorphiser (si on me passe ce barbarisme) : si immatériel soit-il, il est ce surhomme immortel, éternel et omnipotent qui veille jalousement à nos destinées et jauge notre foi en lui. Nous voilà retombés dans le cercle vicieux du roman noir, l'histoire d'horreur recommence...

À vrai dire, ce que la lecture de la Torah exige de plus radical, pour faire sens, c'est d'effacer de notre esprit toute conception, toute image, tout nom, tout attribut de l'innommable, de faire, en d'autres termes, ce que le texte lui-même ne peut accomplir à moins de cesser de raconter. Dieu, l'Éternel, le Seigneur, *God*, *the Lord*, etc., tous ces noms par trop connotés, lestés de vingt siècles de christianisme, sont devenus inutilisables. « Dieu » mille fois répété occulte de son nom monumental toute lecture éveillée de la Torah.

La Torah est l'histoire emblématique des hommes; son écriture, sa lecture, un formidable sursaut de conscience. Qu'arrive-t-il donc aux hommes? Il arrive que s'ils se débarrassent de leurs croyances habituelles, s'il cessent de se vouer aux astres et aux idoles, s'ils reconnaissent leur foncière nudité devant l'univers, il leur reste encore quelque chose d'indéfinissable, de plus fort qu'eux (et c'est déjà trop dire) qui les pousse, dans le sang et la sueur, à ne pas se contenter de survivre. Il s'agit bien pourtant d'assurer une certaine continuité, préoccupation qui donne tout son sens à l'élection : seul un groupe défini par sa trajectoire et ses traditions peut se penser dans la durée, peut se raconter. Et le récit fait sens, sens incertain et périlleux, il est vrai, de ce qu'il permet à ceux qui se l'approprient et le continuent, de vivre la vérité de l'absence. Manière de faire face et de faire place au silence de la mort : tout est à accomplir ici dans la continuité de ce qui a été et de ce qui sera.

Mais comment comprendre, alors, les injonctions et les interventions incessantes de ce dieu bavard et exclusif? C'est qu'en effet l'homme ne se suffit pas, le peuple n'a ni la force ni la constance, il n'est pas mûr pour le silence, il ne supporte pas l'absence et ne peut cheminer sans guide. Il faut donc que le silence et l'absence se trahissent et prennent la voix d'*Adonaï* pour fouetter le peuple de son verbe vers l'impitoyable liberté contre laquelle il renâcle si fort. Si YHVH est, selon la belle formule d'Edmond Jabès, « la métaphore du vide », c'est que le vide lui-même reste insoutenable. Il faut à tout prix le remplir de quelque chose, fût-ce ces consonnes imprononçables, auxquelles le récit ne peut faire autrement que de mettre les voyelles qui les rendent audibles. En même temps, si puissante soit-elle, la métaphore ne peut agir en lieu et place du peuple qu'elle galvanise. Il est même à prévoir que son effet faiblisse et varie au gré des circonstances. Le rêve — la Terre promise — s'épuise et se défait d'apparaître accompli, tandis que la chute, l'échec ravivent son pouvoir d'évocation. En dépit de leur faiblesse, les hommes, les peuples sont seuls à pouvoir se faire, aucun dieu ne peut vouloir pour eux.

Mais la faiblesse humaine ne suffit pas à expliquer l'exclusivité que l'Innommable exige. Pourquoi le verbe divin devrait-il imposer au peuple l'unicité rigoureuse de sa Loi ? L'interdiction des idoles procède apparemment, pour le sens commun, de l'incompatibilité entre « monothéisme » et « polythéisme ». La lecture d'Hésiode nous montrera que cette opposition n'a peut-être pas l'irréductibilité qu'on a pris l'habitude de lui prêter. Si l'on s'en tient pour le moment à la Torah, il n'est pas difficile de comprendre, après ce que nous venons de voir, que la « jalousie » de YHVH est une métaphore de l'exigence que représente la renonciation aux faux-semblants et à l'adoration des signes. On ne peut tenter de faire face à l'absence ni se donner sa propre loi aussi longtemps qu'on s'attache à la sécurité — illusoire — du visible, du palpable et de ses multiples objets.

Lire la Torah attentivement, sans céder à nos préjugés, c'est décidément se débarrasser encore et encore des images rassurantes, des représentations réconfortantes qui nous permettent de biaiser avec l'essentiel. Tant que le peuple est dans l'esquive de ses responsabilités et de sa terrifiante liberté, pas de loi qui tienne, pas de règles qu'il puisse se donner et léguer aux générations suivantes. Il restera ballotté au gré de ses peurs et de ses humeurs, et rien de solide ne sera jamais transmis. Et c'est bien parce que l'essentiel se dérobe à toute définition, à toute nomination, c'est parce qu'il nous replace toujours devant le manque que le culte du visible et du tangible conserve tout son attrait. Contre cet attrait, le vide, le manque ne sont pas, en quelque sorte, à armes égales ; il leur faut donc une force capable de se manifester, au risque, on l'a vu, de se trahir. Et c'est bien parce que l'Innommable se trahit nécessairement de devoir se manifester qu'il faut que cette force reste une, sans pareille, sans rivale. D'autant plus qu'elle dicte la loi destinée à régir concrètement les rapports sociaux de la communauté. Et il n'y a pas deux lois pour un même peuple.

La lecture que je propose est, bien entendu, discutable. Surtout, elle ne prétend pas dire comment les contemporains de Moïse, de David ou d'Ézéchiel concevaient YHVH et leur rapport avec lui. Il n'y a aucun moyen de l'établir. Tout au plus pourrait-on parier qu'ils n'échappaient pas au désir (au besoin) que YHVH eût, même abstraitement, figure humaine : le dieu de la Genèse ne crée-t-il pas l'homme à son image ? On ne passe pas sans transition ni traumatismes des idoles à l'abstraction. La Torah elle-même, nous venons de le voir, illustre puissamment toute la difficulté de ce passage jamais accompli, toujours à reprendre. Mais ce n'est pas forcer le sens du récit biblique, je crois, de dire qu'il ouvre la voie à une conception abstraite de ce qu'on a pris l'habitude de désigner du nom de Dieu, de suggérer qu'il met en scène, sous le *même* vocable (ou « invocable »), *présence* ET *absence*, bref, qu'il tente l'impossible : dire l'indicible. Biffons l'indicible du dire, et toute l'histoire d'Israël, comme toute histoire, devient une bouffonnerie pathétique et « Dieu » un dramaturge exécrable. En visant l'indicible la Torah inaugure rien de moins que la littérature, si l'on entend par là tout récit qui résiste à sa première lecture et que n'épuisent pas ses relectures. En ce qu'elle demeure irréductible à toute interprétation définitive, l'écriture sauve : le livre du peuple-qui-s'écrit (plutôt que du « peuple élu »), et avec lui le livre de l'humanité, reste ouvert, il n'appartient à personne. Tel est l'esprit dans lequel nous pouvons maintenant aborder la Genèse.

3. La Genèse ou la fin de l'innocence

Le premier des cinq livres de la Torah parcourt succinctement une période immense qui va de la création du monde à la mort de Joseph. Ce récit constitue une sorte de prélude à l'émergence des Israélites en tant que peuple. Israël tient déjà son nom du combat de Jacob avec l'ange dès avant son installation en Égypte, mais il ne reçoit sa loi qu'avec l'Exode sous la direction et l'inspiration de Moïse, fondateur légendaire du peuple israélite. Il n'y a pas de peuple là où il n'y a pas de loi. La Genèse, comme on va le voir, pose déjà les premiers éléments d'une loi non écrite mais surtout elle établit les fondements du rapport de l'homme avec Dieu, sans lesquels la sortie d'Égypte, la lutte pour la liberté et l'autonomie n'ont pas de sens.

Ce qui frappe dans la Genèse, par rapport à *la Théogonie* d'Hésiode mais aussi en regard des cosmogonies suméro-akkadiennes et égyptiennes, c'est l'économie des moyens : la création du monde, dans ses deux versions, est expédiée en quelques versets. L'extrême concision de cette entrée en matière tient évidemment à ce que Dieu est apparemment cause de tout. Inutile, donc, de chercher dans l'histoire des origines la part du bien et du mal, du malheur et du bonheur, pourtant si manifestes dans les affaires humaines. L'économie de la Création rend la déchéance humaine d'autant plus difficile à expliquer : s'il n'y a pas d'antagonismes dans le cosmos, pourquoi alors chez l'homme ? Rien ne suggère en effet que la nuit du commencement symbolise le mal. « Au commencement », ou :

> Lorsque Dieu commença la création du ciel et de la terre, la terre était déserte et vide, et la ténèbre à la surface de l'abîme ; un vent violent[36] planait à la surface des eaux, et Dieu dit : « Que la lumière soit ! » Et la lumière fut.
>
> Gen., i, 1-3

À l'instar de ce premier acte, tous les éléments se prêtent docilement à la volonté du créateur, on ne discerne aucune rébellion à l'horizon. La « désobéissance » ou la « faute » surgit *avec l'homme*, par la femme, à la suggestion du serpent, présenté comme « la plus astucieuse de toutes les bêtes des champs que le Seigneur Dieu avait faites » (Gen., iii, 1). L'interprétation chrétienne la plus répandue en fait l'incarnation du mal, l'instrument du péché, le truchement de Satan. Le serpent symbolise effectivement l'astuce par laquelle le genre humain perd son innocence, mais rien ne dit expressément que le reptile agisse dans l'intention de nuire. La malignité qu'on lui attribue communément se déduit de la malédiction divine qui le condamne désormais à ramper et à subir l'hostilité de la femme (Gen., iii, 14-15).

Astucieux comme il est, le serpent doit savoir ce qu'il fait et déclenche le drame en connaissance de cause. Mais Dieu ne saurait

---

36. « Un vent violent » est plus fréquemment traduit par « le souffle de Dieu » ou encore par « l'Esprit de Dieu ». Quant à l'« abîme », il désigne une sorte d'Océan primordial qui ne se confond pas nécessairement avec l'eau salée de la mer mais qui désignerait une immense masse d'eau douce située sous la terre.

ignorer ce dont sa créature est capable. N'est-il pas, après tout, le metteur en scène de tout ce qui se trame sous son regard ? Le moins qu'on puisse dire est qu'aucune résistance ne surgit d'une force contraire à ses desseins. Simplement, la docilité des éléments ne permet pas de conclure à la toute-puissance et à l'omniscience du créateur. De toute évidence quelque chose, dans sa propre création, lui échappe, sans quoi l'idée de faute, d'infraction ne tient pas, et la théorie du péché originel s'effondre.

Cette théorie, en tout état de cause, est inutilement réductrice. Sans avoir à extrapoler à ce stade sur la nature (infaillible ou non) de Dieu, nature dont le texte ne dit mot, on peut simplement supposer que le Créateur laisse librement aller ce qu'il a mis en marche. Son plaisir serait de voir ce qui arrive. Mais cette interprétation voyeuriste nous fait entrer dans la série noire évoquée plus haut. Dès qu'on centre l'attention sur Dieu, à vrai dire, les contradictions apparaissent insolubles. Peut-être Dieu n'a-t-il tout simplement aucune intention précise. Il préside à la Création, sans doute, mais la chose faite, ce n'est plus du Créateur qu'il s'agit mais de son œuvre. La Genèse ne raconte pas Dieu, elle raconte l'homme. Comme toute cosmogonie, elle cherche à expliquer l'origine de ce qui est, mais plutôt que de le faire à travers le récit des dieux, elle cherche à le comprendre à travers le récit de l'homme.

L'idée de « péché originel » semble tout de même se justifier de la chute à laquelle l'homme est condamné en se faisant chasser du jardin d'Éden, bien que le mot « péché » ne figure nulle part dans l'épisode qui mène à cette expulsion. Le courroux de Dieu, tant envers l'homme qu'envers le serpent, s'exerce dans les deux cas contre des éléments de sa propre création. La transgression de ses créatures est d'ailleurs presque annoncée comme étant dans l'ordre du possible :

> Le Seigneur Dieu prescrivit à l'homme : « Tu pourras manger de tout arbre du jardin, mais tu ne mangeras pas de l'arbre de la connaissance du bonheur et du malheur car, du jour où tu en mangeras, tu devras mourir. »
>
> Gen., ii, 16-17

La connaissance du bonheur et du malheur, plutôt que celle, longtemps exclusive, du bien et du mal. Les deux traductions sont possibles, mais la première est préférée dans les versions les plus récentes, notamment dans la Traduction œcuménique de la Bible (TOB), signe que l'interprétation « pécheresque » perd du terrain même parmi les érudits chrétiens. Il y a donc bien prescription divine, mais cet ordre est un avertissement de ce qui ne manquera pas d'arriver si…, et cette possibilité, que la tradition chrétienne s'acharne à nommer le péché, n'est autre que l'inévitable curiosité de l'homme, dont Aristote dira justement, au début de sa *Métaphysique*, qu'il « a naturellement la passion de connaître » (980 a). De cette passion, le serpent n'est ici que l'aiguillon. Il se fait rassurant : « vous n'en mourrez pas », dit-il en substance, précisant :

> « […] Dieu sait que le jour où vous en mangerez, vos yeux s'ouvriront et vous serez comme des dieux possédant la connaissance du bonheur et du malheur. »
>
> Gen., III, 3-5

Ambiguïté, plutôt que mensonge. Le serpent ne promet aucune espèce d'immortalité. Le poison du fruit dont il invite à manger n'est pas mortel. On n'en meurt pas, mais on y voit plus clair d'y avoir goûté. C'est la drogue de la connaissance. « Leurs yeux à tous deux s'ouvrirent et ils surent qu'ils étaient nus » (Gen., III, 7). Le fruit a beau être « précieux pour agir avec clairvoyance » ou, selon une autre traduction possible, « précieux pour ouvrir l'intelligence » (Gen., III, 6), cette clé, en ouvrant la porte du savoir, verrouille celle du paradis. Science et innocence sont incompatibles. Et l'homme a choisi la science. Et la première chose que cette science lui donne à savoir, c'est qu'il est nu, vulnérable, mortel. Le serpent n'a pas tout dit car si l'homme avait vraiment *su* avant de savoir, il aurait peut-être choisi l'innocence. Mais de toute évidence il a opté pour la curiosité. Bien plus, il l'a fait librement.

On pourrait même dire « sciemment », au risque de se contredire. En le disant, en effet, on suppose que le savoir en question était déjà le sien. Or ce n'est encore que le savoir de l'autre : Dieu d'une part, le serpent d'autre part. L'homme est, à proprement parler, *averti*, nous l'avons vu, mais il ne peut comprendre la portée de cet avertissement avant d'avoir lui-même accès à la connaissance dont le serpent fait miroiter l'attrait. On a ici l'expression magnifique de la richesse et de la complexité du rapport entre savoir et liberté. L'homme est séduit par le fruit de la connaissance en raison même de son innocence : de ce qu'il n'y a pas encore goûté. C'est en toute candeur, en toute naïveté que l'homme « choisit » — ou qu'il se risque. Comment jamais savoir d'avance ce qui résultera de la passion de connaître ? Tel est le dilemme de l'humain depuis toujours, voilà même ce qui le fait humain. Einstein ne savait pas, ne pouvait savoir, en 1916, la portée de ses travaux sur la relativité. L'homme d'Éden est une bête heureuse privilégiée par Dieu. Dans ce privilège, il y a la tentation de découvrir et le risque qui l'accompagne. La liberté de l'homme est réelle mais elle ignore tout de l'effet de son exercice. On ne comprend jamais qu'après coup et, en un sens, toujours « trop tard » : une fois engagé sur la voie de la connaissance, l'homme ne peut rebrousser chemin. Une liberté lui reste néanmoins : celle de réfléchir à l'usage qu'il fait de son savoir.

« Au début », sans expérience, l'homme ne sait rien du monde. Du monde de l'Éden lui viennent seulement deux messages contradictoires ; l'un, celui de Dieu : « crois en mon expérience » ; l'autre, celui du reptile : « vois par toi-même ». « *Sapere aude !* Aie le courage de te servir de ton propre entendement ! Voilà la devise des Lumières »[37], s'exclame Kant en 1784. Formule à première vue bien naïve au regard du double langage du Dieu-serpent. Moins candide qu'il n'y paraît, toutefois, si l'on sait que Kant ne fait ici que définir ce qui lui paraît être la *majorité naturelle* de l'homme. Si « naturelle » soit-elle à ses yeux, elle n'en est pas moins difficile à atteindre, à assumer, au point que c'est la minorité de l'homme, c'est-à-dire l'attachement aveugle aux croyances les moins examinées, qui prévaut. Or tel est bien le choix qui se pose à l'homme de l'Éden : croire ou comprendre. Et ce choix vient autant de Dieu que de son messager à la langue bifide.

Le message, en effet, ne tombe pas de n'importe quelle langue. Une lourde tradition d'interprétations venimeuses transmises des siècles durant par la chrétienté contribue encore aujourd'hui à occulter la richesse symbolique du serpent, dont Bachelard dit qu'il est « un des plus importants archétypes de l'âme humaine »[38]. Ligne mouvante, le serpent est à la fois vie[39] et abstraction, tonifiant et mortel, primitif et

---

37. KANT, « Réponse à la question : Qu'est-ce que les Lumières ? », dans *Critique de la faculté de juger*, Paris, Gallimard, « Folio Essais », 1985, p. 497.

38. Cité par le *Dictionnaire des symboles*, de Jean CHEVALIER et Alain GHEERBRANT, Paris, Laffont (Bouquins), 1982, p. 868. Le dictionnaire consacre au serpent plus de douze pages (p. 867-879), probablement une des plus longues entrées, sinon la plus longue (par comparaison : l'entrée « Eau » n'occupe que huit pages). Aucun autre animal, en tout cas, n'y a une place comparable. Voir aussi le *Dictionnaire encyclopédique de la Bible*, publié sous la direction du Centre Informatique et Bible, abbaye de Maredsous, Montréal, Iris Diffusion, 1987, p. 1193-1194.

39. *Dictionnaire des symboles, op. cit.*, p. 868 : « Les Chaldéens avaient un seul mot pour **vie** et **serpent** » (en gras dans le texte).

avisé, visible et caché, conscience et libido. Dieu primordial, on le retrouve « au départ de toutes les cosmogenèses, avant que les religions de l'esprit ne le détrônent. Il est ce qui **anime** et ce qui **maintient** »[40]. Qu'il ouvre la gueule, qu'il engloutisse et le voilà matrice, qu'il se dresse, le voilà phallus. Qu'il se love sur lui-même, qu'il se morde la queue et le voilà cercle fondateur, auto-fécondant, centre et support du monde, passage de mort à vie et de vie à mort[41]. Les narrateurs de la Genèse ne pouvaient ignorer la puissance créatrice investie, en Méditerranée et en Asie occidentale, dans la figure omniprésente du serpent. Il ne s'agit pas de gommer ce que cette figure peut avoir de dangereux et d'excessif. Laissé à lui-même, le serpent risque de bouleverser l'ordre même qu'il contribue à établir. D'où son côté malfaisant. Mais ce risque ne l'empêche pas d'insuffler la vie, d'inspirer la pensée, d'animer les instincts. À l'aise à l'ombre comme à la lumière, le serpent est tantôt sage, tantôt viscéral.

Cette double nature illustre à merveille l'ambiguïté profonde du conseil qu'il donne à la femme : l'aventure de la connaissance n'est pas une partie de plaisir, contrairement à ce que suggère l'aspect savoureux de son fruit ; et sa morsure — morsure dans le fruit et morsure de la connaissance — procure d'abord la peine et le désenchantement. Mais sans cette épreuve les hôtes de l'Éden ne deviendraient jamais hommes, ils ne procréeraient pas, ils n'ensemenceraient pas, ils ne produiraient pas. L'homme resterait comme l'embryon dans l'utérus paradisiaque. Il n'aurait pas de nom ni ne nommerait sa compagne « Ève — c'est-à-dire la Vivante » (Gen., III, 20), nom qu'elle ne reçoit qu'après avoir été chassée de l'Éden — avant, elle est la femme (en hébreu *ishah*, qui fait écho à *ish*, homme). L'expulsion du paradis n'est que trop clairement naissance, dans tout ce qu'elle a de violent et de douloureux. Adam et Ève font directement l'expérience de la douleur à laquelle l'enfantement de l'espèce est assujetti. Et cette souffrance n'est pas uniquement physique : naître, ce n'est pas seulement sortir du giron maternel, c'est grandir dans ce monde inhospitalier, c'est — seconde naissance — s'arracher à la mère, quitter l'enfance, subir ce que la psychanalyse appellera la castration ; épreuve dont la circoncision (et sans doute aussi l'excision chez les filles) est la manifestation tangible et symbolique, signe charnel de ce qu'on est à la fois voué à la solitude (la nudité) et à

---

40. *Ibid.*, p. 868.

41. *Ibid.*, p. 868-869 (en gras dans le texte). Image encore empruntée à Bachelard.

la société (la circoncision sépare, mais elle fait également lien puisque tous les membres du clan la subissent et y reconnaissent, inscrite dans la chair, leur commune appartenance). Souffrance de la chair et souffrance de l'âme, donc, liées l'une à l'autre au même titre que naissance et connaissance. D'être évoqué à tort et à travers, toutefois, le rapprochement perd de son âpreté : la connaissance *commence* par l'apprentissage de la séparation, de la perte et de la douleur. L'homme n'a encore rien appris, que déjà il éprouve la difficulté d'apprendre et qu'il essuie les avanies de sa liberté.

Injustices, en effet, que cette série de malédictions qui pleut sur l'homme au sortir de l'innocence, devenu soudain responsable de son ignorance. Ou coupable d'avoir voulu égaler Dieu. Ne suffirait-il pas désormais, s'inquiète Dieu, que sa créature tende la main « pour prendre aussi de l'arbre de vie, en manger et vivre à jamais ! » (Gen., III, 22). C'est cette folie qui le met en quête de savoir, c'est d'avoir plus ou moins sciemment désiré l'impossible, l'impensable, c'est-à-dire la vie éternelle et la connaissance, que l'homme est « puni ». Puni de s'être laissé prendre au discours lénifiant du serpent, puni de n'avoir pas soupçonné ce que cette séduction laissait dans l'obscurité. Car là où l'homme agit imprudemment, dans son refus naïf de se soumettre à l'interdit, insouciant des conséquences de son acte, le serpent incite en pleine connaissance de cause. Il sait ce que l'homme ignore, il est le maître de la part d'ombre qui accompagne tout savoir et qui désormais habitera l'*Homo sapiens* à son insu.

Cette part d'ombre est ce que le savoir doit oublier pour se déployer. Le savoir ne va pas sans un certain refoulement du sacrifice qu'il exige et apparaît en quelque sorte comme la condition de ce qu'on appelle aujourd'hui l'inconscient. L'homme chassé de son enfance ne comprend rien à ce qui lui arrive, et pour s'expliquer ce qu'il ne comprend pas, il fait, tout ensemble, de son ignorance et de son désir de savoir une faute, un péché. Ainsi tombe-t-il dans ce que Kant désigne comme sa « minorité » (son état de mineur irresponsable). Le *sapere aude !* du philosophe de Kœnigsberg retentit, des siècles plus tard, de l'effort colossal que doit accomplir l'homme désireux d'atteindre sa majorité pour se libérer de la « faute » qui consiste à tenter de comprendre plutôt qu'à se contenter de croire. Traînant derrière lui des siècles de culpabilité chrétienne (et dans son cas, circonstance aggravante, protestante), Kant sait que le plus tenace obstacle sur le chemin de la connaissance est la peur. « Cesse d'avoir peur ! », dit-il à son semblable. Par contraste, Aristote, étranger à cette tradition, n'a pas à se libérer d'un fardeau — la peur d'apprendre — qu'il ne connaît pas. Chez lui la passion de connaître n'implique nulle souffrance, tout au plus une discipline. Elle est avant tout pur désir d'émerveillement. D'Aristote, nous avons gardé ou repris l'idée d'un savoir naïf et positif — quoique en l'instrumentant dans une tout autre voie : vers la maîtrise plutôt que vers la contemplation. De la Genèse, nous ne retenons que le péché, la transgression de l'interdit. Par là nous nous privons d'écouter ce que le récit du premier épisode humain de la Torah permet d'entendre : que cette transgression n'est rien d'autre que l'inévitable désir de savoir en acte et le sentiment de déréliction son premier fruit.

Ce premier acte n'est pas sans avoir des suites fâcheuses. Avec Caïn et Abel, Adam et Ève enfantent un vrai cauchemar : de ce que Dieu, sans explication, accepte l'offrande du second et dédaigne celle du premier naît le meurtre fratricide. À l'arbitraire, Dieu ajoute aussitôt l'inconséquence : il interdit qu'Abel soit vengé en promettant de venger sept fois le meurtre éventuel de Caïn, qu'il marque d'un signe « pour que personne en le rencontrant ne le frappe » (Gen., IV, 15). Consécration de la suprématie de l'agriculteur sur le pasteur, explique-t-on volontiers. Explication vraisemblable qui préfigure l'aboutissement sédentaire (bien que provisoire) des Hébreux. Mais la victoire de la culture sur le pâturage ne nécessite pas le fratricide. Ce meurtre initial est plutôt le signe du carnage qui menace le groupe à la moindre anicroche. Il suffisait à Caïn d'attendre un jour ou deux pour voir si Dieu persistait dans son favoritisme ou si, alternant son attention, il ne tournerait pas cette fois son regard vers lui. Aussi, devant le terrible « Qu'as-tu fait ? » de Dieu, Caïn reconnaît-il que sa « faute est trop lourde à porter ». Non pas de ce qu'il verra l'œil réprobateur de Dieu jusque dans sa tombe, comme le veut Victor Hugo, mais de ce qu'il se *sent* désormais hors-la-loi :

> « [...] Si tu me chasses aujourd'hui de l'étendue de ce sol, je serai caché à ta face, je serai errant et vagabond sur la terre, et quiconque me trouvera me tuera. »
>
> Gen., IV, 14

Or la peine à laquelle Caïn est condamné ne le met justement pas hors de la loi mais le place au contraire sous son régime, que son meurtre contribue à instaurer — en quoi Dieu acquiesce à la demande du meurtrier. La punition divine (malédiction et vagabondage) prend ainsi tout son sens, elle sanctionne et établit une limite : elle n'autorise pas les hommes à tuer au nom de Dieu, au nom de la loi. Le bref épisode de Caïn n'est donc pas la simple conséquence du « péché originel », mais bien une allégorie de la jalousie et de la justice. Il s'agit de sanctionner la jalousie meurtrière du coupable sans déclencher la *mimésis* interminable de la vengeance. Si Caïn est tué d'avoir tué, l'entretuerie n'aura plus de fin. Le mobile du meurtre, à cet égard, est sans importance ; mais qu'il soit à la fois dérisoire (une préférence provisoire du destin pour le frère cadet) et nodal (le renversement arbitraire de l'ordre qui donne habituellement préséance à l'aîné) n'est pas sans signification : la rage jalouse est l'étincelle des luttes fratricides, elle est à l'origine de la *mimésis* destructrice sans l'arrêt de laquelle la société chavire.

Tout de même, la justice ne règne pas, car, comme le dit Dieu lui-même : « Mon Esprit ne dirigera pas toujours l'homme, étant donné ses erreurs : il n'est que chair et ses jours seront de 120 ans » (Gen., VI, 3). Devant la multiplication de la méchanceté, Dieu se repent d'avoir fait l'homme et décide d'effacer sa création. La grande lessive du Déluge prélude à une deuxième création. Sur terre, cette fois. L'arche remplace l'Éden. Sans être nécessairement meilleur qu'Adam, Noé, le *Repos*, sera sûrement moins naïf. Mais surtout il est de la lignée de Seth, le *Désigné*, troisième fils qu'Adam et Ève ont eu « à la place » d'Abel (Gen., VI, 25)[42]. Si cette place est ainsi désignée, c'est bien qu'il y a là le germe d'un recommencement possible. Celui-ci *repose* sur Noé, que Dieu voit comme « le seul juste » de sa génération (Gen., VII, 1) ; mais un juste averti de ce monde, rompu à l'expérience de la méchanceté et de la violence — il a six cents ans d'expérience derrière lui au moment du Déluge. La deuxième naissance de l'humanité se fait dans des conditions plus réalistes que la première : une terre nettoyée plutôt qu'un jardin idyllique et trompeur. L'homme recommence en meilleure *connaissance* du défi qui l'attend.

Sans doute, la métaphore du recommencement comporte à son tour quelque chose d'illusoire : on ne repart jamais de rien. De fait, Noé illustre aussi la continuité ; une continuité envisageable de ce que l'homme n'est pas pure méchanceté, de ce qu'il porte également en lui

---

42. Le texte biblique ajoute, significativement : « Seth eut aussi un fils, et il l'appela du nom d'Enosch [le *Mortel*]. C'est alors que l'on commença à invoquer le nom de l'Éternel » (Gen., 4, 26).

le désir de justice. Le cataclysme biblique s'enrichit à cet égard d'une signification qu'on ne trouve pas dans la version qu'en donne le récit de *Gilgamesh*. Le rescapé du déluge de l'épopée akkadienne, Utanapishti (*cf.* ci-dessus, chap. III), entre presque en fraude dans l'immortalité et ne se mêle plus des affaires humaines; il n'a sauvé que lui-même. Noé, au contraire, se met à l'abri des eaux et reprend pied sur le sol asséché pour reconstruire l'humanité sous le regard de Dieu. L'arc-en-ciel, signe d'alliance, témoigne du lien qui rattache le monde des hommes au monde des dieux; l'Éternel renoncera dorénavant à détruire son œuvre :

> Je ne maudirai plus jamais le sol à cause de l'homme. Certes, le cœur de l'homme est porté au mal dès sa jeunesse, mais plus jamais je ne frapperai tous les vivants comme je l'ai fait.
>
> Gen., VIII, 21

Dieu se résigne à l'imperfection de sa création et rétablit les ponts avec les humains, réinvestis de leur pouvoir sur les autres espèces.

Ainsi, l'homme de la Genèse se trouve religieusement moins démuni que l'homme de *Gilgamesh*. Dieu, le serpent lui parlent, le conseillent — même insidieusement. La colère divine n'efface pas tout : quoique imparfaite, la réconciliation est possible. Du monde de Gilgamesh, en revanche, les dieux sont absents en tant qu'interlocuteurs, indifférents au cours des affaires humaines, dans lesquelles ils n'interviennent qu'incidemment, sans intention générale; de même, nous savons que le serpent y dérobe sans rien dire la plante de jouvence que le héros a rapporté à grand-peine du fond de la mer. Tout se passe au contraire chez l'homme biblique comme s'il refusait à assumer la solitude métaphysique du héros sumérien qui se résout à ne plus rien attendre des dieux.

En effet, si arbitraire que puisse paraître le dieu de la Genèse, ses interventions ne sont pas totalement gratuites. Elles manifestent, de manière parfois étrange, il est vrai, le souci de l'homme, elles s'inscrivent dans une intention secrète, ou du moins difficile à déchiffrer. Et cette intention, ce projet que Dieu a pour l'homme n'est finalement rien d'autre qu'une demande que ce dernier adresse à l'invisible et haute image qu'il a de lui-même. Cette demande ne saurait être précise ni cette image se dévoiler sans déchoir, il suffit à l'homme d'espérer qu'elle lui ressemble.

Nous avons vu déjà pourquoi YHVH doit rester innommable, mais nous savons aussi que cette absence doit pouvoir être désignée d'une manière ou d'une autre pour que la loi soit possible, comme en témoigne concrètement l'histoire de Caïn. Sans craindre de forcer la note, on pourrait dire que d'une présence divine indifférente chez *Gilgamesh* on « passe », avec la Genèse, à l'absence soucieuse de Dieu. Mais ce paradoxe n'est évidemment pensable qu'à la condition que Dieu soit, comme nous l'avons déjà signalé, pure métaphore : métaphore d'un principe de justice supérieur, intouchable, indicible, sans lequel la société ne peut se donner de loi et sombre dans l'engrenage sans fin de la violence. Le souci est bel et bien celui de l'homme, qui fabrique Dieu pour qu'il prenne soin de lui. Mais l'homme ne peut s'avouer l'auteur de Dieu sans que cette métaphore perde aussitôt tout pouvoir. Et c'est aussi pourquoi, bien que venant d'un principe tout-puissant, ce pouvoir ne saurait exercer sa vigilance en permanence. Si Dieu était toujours là à veiller sur l'homme, on ne comprendrait pas que l'homme s'égare si souvent et doive toujours, tel Sisyphe, remonter la pente.

Finalement, Dieu ne peut être ni pure abstraction ni claire représentation. Il navigue nécessairement de l'une à l'autre. On pourrait même avancer que le sage, sans avoir la folie de le dire, peut se passer de Dieu. Il le peut et il le doit de ce qu'il n'ignore pas son absence. Et le génie du judaïsme consisterait justement à indiquer à travers YHVH le défaut fondamental de tout dieu. Mais, pour le commun des mortels, cette spéculation est trop hasardeuse, et l'on peut comprendre que la masse des croyants cède au besoin de le représenter — besoin auquel le christianisme se montrera beaucoup plus sensible que le judaïsme et l'islam.

Nous pourrions continuer à lire la Genèse et les quatre autres livres de la Torah que, fondamentalement, nous ne trouverions rien de plus que l'illustration, très riche, très diverse, truculente et turbulente, exaltante et douloureuse, de ce rapport ambigu de l'homme avec la métaphore divine qui le gouverne et, par la même occasion, un tableau mouvant des rapports des hommes entre eux. Ce rapport se noue et se dénoue évidemment à travers le récit d'un peuple, qui, de génération en génération, de recommencement en renouvellement, de défaite en victoire et de conquête en exil, précise peu à peu l'histoire qui le définit et la tâche qui lui incombe, au nom d'une élection qu'il porte de plus en plus lourdement comme un fardeau trop pesant dont il est constamment tenté — et dans l'impossibilité — de se défaire. Devant les rigueurs de cette destinée, on comprend que la création du monde perde de son importance et puisse se résumer en quelques lignes. Dieu y pourvoit. Dieu y suffit. La Genèse ne se préoccupe tout simplement pas de cosmogonie. Décidément, elle s'intéresse à l'homme. Et au peuple qui l'annonce, qui le porte et le symbolise. Mais cet homme a peur. Peur de sa solitude. Peur d'être sans Dieu et peut-être aussi, obscurément, de se trouver seul avec Lui, seul devant l'incompréhensible.

Du secret désir de connaître et de la transgression qu'il implique vient aussi, nous le savons, la possibilité d'engendrer. Ce n'est qu'après le bannissement du jardin de l'innocence qu'Adam « connaît » Ève — *la vie* — et que l'espèce se met à proliférer. Pluralité et diversité sont les fruits du « mal ». L'épisode de Babel confirme que Dieu lui-même pousse à la confusion, encourage la différence et la dispersion. Non pas simplement pour empêcher les hommes de réaliser un projet susceptible de le menacer, Lui YHVH, par définition inatteignable et insensible à la menace, mais, comme le montre bien Marie Balmary[43], pour mettre fin à un projet unitaire et totalitaire insensé : vouloir joindre la terre au ciel, faire descendre le ciel sur terre, ériger le céleste, donner corps à l'indicible. Nul ne peut se faire l'architecte de Dieu. Le récit de Babel donne corps à l'idée de l'inaccessibilité du Principe. Et si l'humanité entière se réunit pour construire une tour, ou toute autre échelle vers Lui, cette entreprise, d'avance vouée à l'échec, ne peut qu'aplatir l'homme en le réduisant à la répétition du même. L'homme est appelé à se répandre et à se disperser. Sans doute, dans cet éparpillement, un peuple, bientôt réduit à une fraction de lui-même (Juda), continue à porter la loi. Mais ces porteurs se dispersent à leur tour pour en témoigner aux quatre coins de la terre. La diaspora du peuple juif symbolise et accompagne la dispersion de l'humanité, dont les fils de Noé, l'éclatement de Babel, la descendance d'Ismaël et celle d'Ésaü sont autant de moments, autant de rappels de cette vocation de l'humain à vagabonder et à ensemencer dans son errance.

De quoi ce peuple témoigne, l'Exode et les autres livres de la Torah le disent amplement. Mais la Loi, on l'a vu, se prépare dès la Genèse. L'inaccomplissement du sacrifice d'Isaac par Abraham se comprend de lui-même : la fidélité à Dieu est impitoyablement mise à l'épreuve, Abraham se montre prêt à aller jusqu'au bout, en tuant l'unique fils que sa femme Sarah lui a donné à un âge qui ne permettait plus de l'espérer. Mais cette preuve suffit et Dieu retient son bras, il ne veut pas que l'homme moleste l'être, son semblable, qu'Il a modelé à son image.

---

43. Marie BALMARY, *le Sacrifice interdit, Freud et la Bible*, Paris, Grasset, 1986, p. 76-87.

Il ne s'agit pas seulement d'interdire le sacrifice humain, mais de bien plus encore : l'Absolu se refuse à ce qu'on commette l'extrême (sacrifier son seul fils légitime) en son nom. C'est la leçon de Babel sous un autre angle. Aucun acte, aucune entreprise terrestre ne saurait se hisser à la hauteur de Dieu. Nul ne peut accaparer le Principe, fût-ce au prix de la plus grande dévotion.

D'autres épisodes sont de lecture plus difficile. Ainsi l'éloignement de Hagar, la servante que Sarah, inféconde, a donnée pour concubine à son mari, et d'Ismaël, fils de cette union, la prétérition d'Ésaü, qui s'est fait subtiliser son droit d'aînesse par son frère Jacob, l'exil de Jacob et de sa famille en Égypte. Pour commencer par le premier, il est tentant d'y voir l'expression d'une sorte de sélection ethnique, à laquelle certains passages de l'Exode et du Lévitique paraissent apporter confirmation : le peuple élu doit rester pur de tout mélange. Cette lecture au premier degré se méprend évidemment sur le sens de l'élection, réduite ici à une « préférence » de Dieu pour son peuple. D'abord cette préférence n'aurait rien d'étrange à une époque et en un lieu où les dieux sont partout tutélaires, spécifiques aux peuples qui les honorent (même si les mêmes dieux se retrouvent sous divers noms chez des peuples différents). À cet égard, le Dieu de la Torah frappe plutôt par son caractère abstrait ainsi que par le souci qu'il a de l'autre. Abram, *Père élevé*, devient Abraham, *Père d'une multitude*, au moment où, suite à la naissance d'Ismaël *(Dieu entend)*, Dieu établit son alliance avec lui et lui annonce que sortiront de lui de multiples nations (Gen., XVII, 4-5). En même temps qu'il l'avertit de la naissance d'Isaac (nommé *Il rit* de ce qu'Abraham rit de cette éventualité), Dieu bénit Ismaël et sa nombreuse descendance. Le texte prend soin de préciser que le père et le fils (Abraham et Ismaël) sont circoncis le même jour, comme pour bien marquer l'égalité des alliances établies. « Et tous les gens de sa maison, nés dans sa maison, ou acquis à prix d'argent des étrangers, furent circoncis avec lui » (Gen., XVII, 18-27). La circoncision, signe de l'alliance, s'applique à tous les peuples qui descendent d'Abraham, et en lui « seront bénies toutes les nations de la terre » (Gen., XVIII, 18). Ne pas être circoncis, pour un mâle, signifie l'exclusion de ses semblables (Gen., XVII, 14), celui qui la refuse viole l'alliance et sort du genre humain.

L'élection ne place donc pas les Israélites dans un rapport exclusif avec Dieu, il leur assigne plutôt une mission exemplaire dont la leçon, indirectement, s'adresse à tous les peuples. Mais la tâche, encore une fois, est lourde, impossible, et on ne doit pas s'étonner que le peuple chargé de l'assumer cherche à l'esquiver. N'est-ce pas finalement ce fardeau qu'Ésaü abandonne inconsciemment à son cadet en échangeant son droit d'aînesse contre un brouet de lentilles ? En « méprisant » ce droit (Gen., xxv, 34), il se rend indigne de la responsabilité à laquelle il renonce. S'inscrire dans la continuité de l'élection demande une volonté particulière, et Jacob manœuvre habilement, quitte à tromper son père, pour l'assumer. Cette détermination n'élimine pas le frère indigne de l'alliance divine mais le libère, lui et sa descendance (tout comme celle d'Ismaël), du redoutable « privilège » échu au peuple élu.

Redoutable, en effet, du moment qu'Israël ne se montre pas toujours — tant s'en faut — à la hauteur de ce que Dieu et ses prophètes exigent de lui. Plus encore en période de victoires et de conquêtes, où les succès risquent de lui monter à la tête ou de l'amollir. C'est pourquoi le « peuple à la nuque raide » est si souvent rappelé à l'ordre et averti des malheurs que tour à tour sa suffisance et son relâchement ne manqueront pas d'attirer sur lui. C'est aussi ce qui justifie la longueur et les difficultés du périple qui mène à la Loi. La Loi n'est pas simplement donnée, elle doit être conquise. L'élection est au prix de l'expérience de la souffrance et de l'humiliation. Ainsi, le passage par l'Égypte est nécessaire : le peuple élu doit avoir connu la servitude pour entreprendre le dur apprentissage de l'*auto-nomie* — au sens propre, la capacité de dicter à soi-même sa propre loi.

Le rapport des fils d'Israël avec les autres peuples n'en reste pas moins ambigu et problématique. Du moment que ces derniers ne suivent pas la Loi, Dieu les a « en abomination » (Lév., xx, 23). En même temps, cet écart est l'effet de sa volonté :

> Vous serez saints pour moi, car je suis saint, moi, l'Éternel ; je vous ai séparés des peuples, afin que vous soyez à moi.
>
> Lév., xx, 26

La Torah abonde de passages de cette sorte, où il est difficile de ne pas voir l'expression d'un sentiment de supériorité, sentiment inévitable dès lors qu'Israël se sent appelé à montrer la voie. Mais cette vocation devrait du moins le pousser à se mélanger aux autres, et force est de constater que pareil métissage est régulièrement découragé, voire interdit par les Écritures. Ce cloisonnement a évidemment une explication : suivre la Loi est déjà très ardu pour les élus eux-mêmes ; qu'ils se mélangent, et ils ne manqueront pas de se laisser corrompre par l'idolâtrie des autres. C'est d'ailleurs ce qui arrive sous le règne du plus juste et du plus glorieux des rois d'Israël. L'amour excessif que Salomon porte aux femmes étrangères, on l'a vu, l'incite à autoriser les cultes idolâtres de leurs nations respectives, et cette infidélité à YHVH entraînera l'irréparable division du royaume et le rétrécissement à une tribu, celle de Juda, de l'élection divine.

Rappelons que la Torah, telle qu'elle a été recueillie et transmise, naît de l'exil, c'est-à-dire d'une situation extrêmement précaire pour ce qui reste du peuple élu et de ses élites. Le souci du maintien et de la transmission de la Loi ne peut que s'en trouver exacerbé, jusqu'à être projeté dans le passé sous la forme d'une « pureté » qui n'a probablement jamais été rigoureusement observée. Il n'est alors plus tant question de donner l'exemple que de sauvegarder ce qui risque de périr, comme si les rédacteurs de la Torah savaient que seule, désormais, l'écriture pourrait en garantir la pérennité et la transmission, comme s'ils pressentaient que la reconstruction du temple et des murs de Jérusalem serait éphémère et qu'elle ne suffirait pas à assurer la tradition. L'écrit prépare et anticipe une dispersion qui, sous les coups de l'adversité, a déjà commencé. C'est la Loi qu'il importe de fixer et de maintenir dans le temps et malgré la dispersion. Ou plutôt, grâce à elle, maintenant que les royaumes ont montré leur précarité. Là où l'entreprise territoriale a échoué, le Livre peut réussir.

Avec lui, avec la Torah fixée dans l'écriture, le peuple élu n'a plus besoin de roi ni de terre. L'exil auquel il est désormais promis maintiendra plus sûrement la tradition que le plus puissant des rois : étrangers partout, les Juifs tiendront plus que jamais à leur identité, contenue dans le livre qu'ils emportent partout avec eux. Il n'y a pas d'autre manière de maintenir la communauté qui témoigne de la Loi tout en l'essaimant aux quatre coins du monde. Pas de meilleure manière de dire, non plus, que l'appartenance n'est pas nécessairement liée au sol. Que les autres nations et, peut-être par contrecoup, un bon nombre de Juifs eux-mêmes ne l'aient pas compris ne change rien, à cet égard, au sens du récit : ce n'est que par son maintien, dans ce qu'elle a d'unique et de spécifique, que la communauté participe et contribue à l'universel. C'est aussi la plus sûre façon pour elle de ne pas mourir. La pérennité que cherche à transmettre la Torah n'a rien d'individuel, c'est dans la perpétuation de la Loi et du récit qui l'institue que les Juifs cherchent une immortalité qui ne peut être que collective. Ils sont bien les maîtres insurpassés de l'identité narrative.

L'épreuve de la connaissance dont la Genèse offre l'allégorie est finalement beaucoup plus complexe qu'il n'y paraît à première vue. Son récit condense un processus proprement interminable au cours duquel l'humain fait au moins trois types d'expériences étroitement nouées entre elles où l'autre (le serpent) joue un rôle de révélateur essentiel : la douleur identitaire, où la nudité symbolise, au sens fort, la *découverte* de soi ; l'hostilité du monde où nous jette la naissance ; la perte irréparable qui accompagne toute connaissance et qui commence par celle que nous oublions avoir éprouvée en entrant dans la langue.

4. Hésiode et la naissance des dieux

La mythologie grecque n'a pas de bible, elle est dispersée dans de nombreux récits en fragments plus ou moins contradictoires qu'aucun narrateur antique, hormis Hésiode, n'a tenté de tisser les uns aux autres dans une trame cohérente. *La Théogonie* d'Hésiode constitue le principal document dont nous disposons pour comprendre la pensée mythique et cosmogonique des Grecs[44]. Mais elle ne rassemble qu'une partie de la mythologie qui circulait dans la Grèce antique et, surtout, elle ne se présente pas comme une somme canonique destinée à fixer une loi ou une tradition sacrée. Les versions des événements mythologiques varient donc d'une région, d'une période ou d'un poète à l'autre. On y retrouve bien partout les mêmes personnages, notamment le monde olympien avec sa douzaine de dieux principaux et ses figures secondaires, mais dans des scénarios assez différents. Les personnages nous sont plus familiers que leurs parcours, quoique certains épisodes — Cronos dévorant ses enfants, Prométhée enchaîné pour avoir dérobé le feu — soient restés plus nettement que d'autres dans la mémoire collective.

L'univers olympien nous apparaît généralement peu sérieux. Cette frivolité concorde avec l'idée infantile que le monde moderne s'est longtemps faite de la mythologie. Même si elle est aujourd'hui réhabilitée en tant qu'objet d'étude et de réflexion, nous trouvons parfaitement normal que les Grecs eux-mêmes aient fini par en faire une sorte de comédie cosmique. Le berceau de la démocratie et de la philosophie, à nos yeux, ne pouvait réellement ajouter foi aux fables que ses habitants se transmettaient pour le plaisir. Mais cette incompatibilité est la

---

44. Jean-Pierre VERNANT, « Genèse du monde, naissance des dieux, royauté céleste », dans HÉSIODE, *Théogonie*, la Naissance des dieux, Paris, Rivages, 1993, p. 7.

nôtre, nous la prêtons aux Grecs par esprit de concordance avec l'image stéréotypée que nous avons d'eux en tant qu'inventeurs de la philosophie, de la géométrie, en tant que maîtres de l'harmonie, de l'équilibre et de la raison — comme si les Grecs avaient été les premiers et les seuls en leur temps à suivre cette voie et que leur exceptionnelle intelligence les mettaient à l'abri de toute frayeur irrationnelle[45].

À vrai dire, nous ne savons pas exactement comment les Grecs eux-mêmes lisaient leur propres mythes, tout au plus peut-on supposer que cette lecture a évolué en direction de ce que Robert Graves appelle l'allégorie philosophique, termes qu'il utilise pour caractériser la cosmogonie d'Hésiode, qui n'est déjà plus selon lui *a true myth*[46]. Mais la définition que Graves donne du vrai mythe[47] est si restrictive qu'elle ne s'applique pour ainsi dire à aucun des écrits qui nous sont parvenus de l'Antiquité. « Vrais » ou « faux », nous sommes bien obligés de travailler avec les récits dont nous disposons. Et même si Hésiode, en prélude à sa *Théogonie*, demande aux muses de nous « faire entendre des vérités » (v. 28), il n'est pas question ici de la vérité philosophique au sens que nous lui donnons dans l'introduction de ce livre : Hésiode semble plutôt vouloir s'inscrire dans la fidélité à une certaine tradition narrative, sans nous fournir d'indication sur le sens que ces histoires fabuleuses ont à ses propres yeux. La question de savoir si le poète « croit à ce qu'il raconte », en tout état de cause, n'a pas grande importance. L'important est qu'il juge bon de le raconter et d'y mettre tout son talent. Au reste, il faut admettre que nous sommes « en présence d'une pensée étrangère aux catégories qui nous sont habituelles : elle est à la fois mythique et savante, poétique et abstraite, narrative et systématique, traditionnelle et personnelle »[48].

Nous savons déjà que Platon ne prenait pas ce genre de fables à la légère ; il déplorait notamment que les dieux y fussent représentés de manière irrespectueuse, affublés de tous les défauts des humains. De

---

45. C'est *grosso modo* la thèse que soutient Edith HAMILTON dans son recueil très populaire, *la Mythologie* (*Mythology*, 1940), Paris, Marabout, 1978, p. 6-13.

46. Robert GRAVES, *The Greek Myths*, New York, Penguin Books, 1960, vol. I, p. 12.

47. *Ibid.*, p. 12 : « *True myth may be defined as the reduction to narrative shorthand of ritual mime performed on the public festivals, and in many cases recorded pictorially on temple walls, vases, seals, bowls, mirrors, chests, shields, tapestries and the like.* » Pour une vue plus large sur cette question, voir Paul VEYNE, *Les Grecs ont-ils cru à leurs mythes ?*, Paris, Seuil, 1983.

48. Jean-Pierre VERNANT, *loc. cit.*, p. 8.

manière générale, même à l'époque classique, les Grecs ne plaisantaient pas avec la religion, comme en témoignent le procès de Socrate et l'affaire d'Alcibiade, qui, soupçonné d'avoir mutilé des statues d'Hermès, dut fuir Athènes pour éviter la justice de ses concitoyens en des circonstances, pourtant, où ces derniers auraient eu grand besoin de ses talents de stratège. Particulièrement grave est l'irrespect envers les dieux tutélaires : négliger les divinités protectrices de la cité, c'est négliger la cité elle-même, c'est, indépendamment de toute croyance en la « réalité » du monde olympien, briser le pacte fondamental qui lie les citoyens les uns aux autres et qui se manifeste notamment à travers le cérémonial du sacrifice. Dans la cité grecque, l'acte religieux est éminemment politique. S'il n'est donc pas interdit de s'amuser des mésaventures des dieux, au grand dam de Platon, on ne se moque pas pour autant du sacré, on respecte ce qui soude la communauté.

Le monde des dieux désigne aussi ce qui échappe au savoir et à la volonté des hommes[49]. Le récit mythologique raconte en quelque sorte ce que nous, mortels, ne pouvons connaître de connaissance certaine, rationnelle ; la tradition prend le relais là où la raison reconnaît ses limites, au-delà desquelles l'esprit s'aventure dans ce que les Grecs réprouvent le plus : la démesure (*hubris*). En remodelant cette tradition à sa guise, la mythologie illustre en termes poétiques ce que la raison peut tenter d'imaginer à l'égard de l'inconnaissable et, ce faisant, elle informe une vision du monde et des origines qui non seulement n'est pas dépourvue de toute rationalité mais qui permet aux hommes de mieux apprivoiser ce monde et de s'y comporter en conséquence. C'est en ce sens qu'on peut parler d'un véritable savoir mythologique, révélateur d'une conception de l'univers qui n'est pas simplement grecque, mais qui, à partir de la Grèce, imprègne peu ou prou toutes les cultures qui s'en inspirent — tout comme la Grèce elle-même s'est nourrie de traditions venues d'autres peuples.

Mais, là encore, réduire la parole mythique (*muthos*) à un type de savoir, qui serait notamment « opposé » ou complémentaire à la parole logique (*logos*) fausse la perspective. Du temps d'Hésiode, *muthos* et *logos* renvoient tous deux à une même parole, riche et complexe, une parole qui est à la fois narrative, religieuse, poétique et douée de raison.

---

49. Hannah ARENDT, dans *The Life of the Mind*, One-volume Edition, Two/ *Willing*, New York, Harcourt Brace Jovanovich, 1981, p. 3, va jusqu'à dire que la faculté de la volonté n'existe pas pour les Grecs.

En cela la parole, le mythe, inséparable du culte, dit le vrai et fait apparaître le divin, médiatrice entre les hommes et les dieux. Elle est le lieu d'une nécessaire rencontre, dont nous ne sommes plus capables, nous modernes, de saisir le sens[50].

Reste à savoir si les mythes (les grecs comme les autres) disent à l'insu de ceux qui les transmettent des vérités générales, intemporelles, sur cette part de l'âme humaine qui se dérobe la plupart du temps à la conscience. C'est, nous le savons, le pari de la démarche psychanalytique, que certains mythologues tiennent à cet égard en assez grande suspicion. Contre l'interprétation psychanalytique, ils invoquent divers arguments : une bonne partie de la mythologie grecque transpose des événements politico-historiques; les poètes font une lecture erronée des mythes qu'ils rapportent; certains épisodes sont des farces de pur divertissement; mais surtout le mythe est ouverture sur le monde et vers le divin, théophanie, et non pas enfermement de la psyché sur elle-même[51]. Rien de tout cela n'empêche qu'une part de sens puisse échapper au conteur et rester enfouie dans sa narration, jusque dans les « erreurs » qu'elle contient. Si les récits des Anciens, comme ceux des peuples dits primitifs, nous intriguent encore, s'ils trouvent même un regain d'intérêt auquel la psychanalyse n'est évidemment pas étrangère, c'est bien qu'ils rejoignent en nous, au-delà de ce qu'ils ont de particulier et de circonstanciel, des permanences obscures, des résonances plus ou moins étouffées auxquelles ces Anciens étaient probablement plus attentifs que nous.

Le regard folklorique avec lequel nous sommes néanmoins enclins à recevoir ces mythes aujourd'hui tend à laisser dans l'ombre une grande part de leur richesse. Le moins qu'on puisse dire est que nous rechignons à concilier philosophie et mythologie, en raison d'une réticence que nous conservons malgré tout envers la seconde en tant que narration pourvoyeuse de sens. Cette réserve toute moderne tend à obscurcir notre lecture et à en limiter arbitrairement la portée. Or, on ne le rappellera jamais assez, tout récit mythologique, « déformé » ou non, « bien » ou « mal » transmis, n'est intelligible qu'en proportion de l'effort déployé pour le lire, que cette lecture rejoigne ou non — nous

---

50. Voir sur ce point le livre émouvant de Walter F. OTTO, *l'Esprit de la religion grecque ancienne*, « *Theophania* », traduit de l'allemand par J. LAUXEROIS et Cl. ROËLS, Paris, Berg International, 1995 (éd. originale allemande 1975).

51. GRAVES, *op. cit.*, p. 12 et 17. Voir aussi OTTO, *op. cit.*, p. 33.

ne le saurons jamais — celles qu'en faisaient, différentes d'une époque à l'autre, les Grecs eux-mêmes.

À travers un récit rocambolesque, coupé de longues énumérations généalogiques, Hésiode raconte donc « un vaste mythe de souveraineté »[52]. Ce mythe est précédé d'une adresse aux muses et s'ouvre sur une cosmogonie antérieure à la naissance des Titans, les anciens dieux, et des Olympiens, les nouveaux dieux. Naît d'abord Chaos (Abîme-Béant), puis Gaia (Terre) et Éros (Amour), « le plus beau d'entre les dieux immortels » (v. 120)[53]. Chaos enfante Érèbe (Obscur) et Nyx (Nuit), laquelle, grosse de son union avec Érèbe, enfante à son tour Éther (Clair-Éclat) et Hèméra (Journée). Gaia, de son côté, fait naître Ouranos (Ciel), « égal à elle-même », de façon à ce qu'il puisse « la cacher, l'envelopper entièrement » et fournir un « séjour à jamais stable » aux dieux bienheureux, puis elle enfante tour à tour Ouréa (Monts), Pontos (Flot-Marin), Océanos (Fleuve-Océan) et de nombreux autres rejetons, dont Cronos, le plus jeune, et sa sœur Rhéia, qui deviendra son épouse (v. 116-154). Le rôle d'Éros n'est pas précisé, nous savons seulement qu'il « rompt les membres » et qu'il « dompte, au fond des poitrines, l'esprit et le sage vouloir », chez les dieux comme chez les hommes (v. 121-122). Personne ne lui échappe, et tout laisse supposer que Gaia et Ouranos succombent à son pouvoir. Trop. À vrai dire, toute cette procréation se fait « sans bonne entente » (v. 133). Le poète insiste :

Il faut dire que tous ceux qui naquirent de la Terre et du Ciel
étaient les plus terribles des enfants et portaient le fardeau de la haine
[de leur géniteur
depuis le commencement. Sitôt que l'un d'eux naissait,
tous autant qu'ils étaient, il les cachait, sans les laisser venir à la lumière
au profond de la cachette de la Terre. Et en plus il se réjouissait de son
[œuvre mauvaise,
le Ciel ! Mais elle en dedans, elle gémissait, l'énorme Terre,
qui devenait trop étroite, oppressée — et rusé, mauvais, fut le savoir-
[faire dont elle eut la pensée.
Créant vite la race de l'Indomptable gris
elle forgea une grande faucille et fit part de sa pensée à ses enfants.

v. 154-160

---

52. VERNANT, *loc. cit.*, p. 8.

53. Les citations sont empruntées à la traduction d'Annie Bonnafé, dans HÉSIODE, *Théogonie, op. cit.*

Cette pensée, on s'en doute, vise Ouranos, et c'est de le faire châtrer. L'enfantement de la première génération de dieux, les Titans, se fait donc dans la haine du géniteur — aussi bien celle qu'il éprouve lui-même envers ses enfants que celle qu'il leur inspire, à eux comme à leur mère. Mère et progéniture maugréent contre la puissance mauvaise, étouffante, d'un fornicateur insatiable, possessif et jaloux, qui bloque toute évolution. En même temps cet engrossement incessant fait gonfler la Terre jusqu'à l'éclatement. Cronos, le plus jeune fils, ose accomplir le dessein maternel. Il s'empare de la faucille et moissonne le sexe « d'un père qui [...] porte si mal ce nom » qu'il n'a pas à s'en soucier (v. 171). Le sang de la blessure rejaillit sur la Terre, et ses éclaboussures donnent naissance aux Érinyes, aux Géants et aux Nymphes. Cronos jette au loin dans la mer les parties génitales d'Ouranos, qui, se mêlant à l'écume des flots, donneront naissance à Aphrodite.

La castration du géniteur est nécessaire parce qu'en maintenant ses enfants dans le giron maternel, il se montre incapable d'être père. Loin d'assumer sa paternité, il se comporte comme un nourrisson — il est, après tout, le fils de la Terre qu'il engrosse — qui refuse de décoller un seul instant du sein de la mère, il tient le monde entier sous lui dans une soif de possession soupçonneuse, inquiète de tout ce qui pourrait la menacer. Ouranos est le premier prisonnier de sa propre obsession, et le coup de serpe filial le libère lui aussi : il pourra désormais régner et déployer sa splendeur au-dessus de la Terre au lieu de l'étouffer. Du double conflit homme-femme et père-fils émerge ainsi un début d'harmonie, où les éléments fondamentaux, Terre, Ciel et Amour trouvent leur juste place. Amour, distinct de la possession, doit s'accompagner d'une saine distance pour ne pas se confondre et confondre les amants dans la haine. Dès lors, le monde peut respirer, sous la gouverne de Cronos, prince des Titans.

Pourtant l'ordre établi demeure instable, à l'instar de son nouveau maître. Régnant dans la crainte qu'un de ses enfants ne lui réserve le traitement qu'il a infligé à son père, Cronos les dévore les uns après les autres à leur naissance. Seul Zeus, dernier-né que sa mère remplace par une pierre enveloppée dans des langes, échappe à la voracité paternelle et trouve refuge en Crète. Parvenu à maturité, il fait boire à son père une potion qui l'oblige à vomir ses frères et sœurs. Prenant la tête de cette deuxième génération de dieux, Zeus olympien s'engage dans un long combat contre Cronos, dont il finit par sortir victorieux. Vaincus, Cronos et les Titans qui ont combattu à ses côtés sont enfermés sous bonne garde aux confins de la terre dans les ténèbres brumeuses du Tartare, d'où ils ne sortiront plus.

La victoire de Zeus n'est pas simplement due à sa supériorité technique, la foudre, mais plus encore à sa sagacité politique. *Mètiéta* Zeus (v. 56 et v. 886), soit, littéralement, « Zeus plein de *mètis* », plein de ruse et d'intelligence, promet à tous ceux qui se joindront à lui de respecter leur rang et de leur attribuer les honneurs qu'ils méritent. Il tire ainsi des cachots où Cronos les tenaient enfermés les Cyclopes et les Cent-Bras (Gygès, Cottos et Obriarée), qui lui feront remporter la bataille. Malgré toute sa perspicacité, toutefois, le maître de l'Olympe n'est pas à l'abri d'un renversement semblable à celui qu'il a fait subir à son père. Il faut briser le cycle infernal qui fait de chaque nouvelle génération une menace pour la précédente.

La menace est d'autant plus réelle que Zeus a épousé nulle autre que *Mètis* elle-même, c'est-à-dire l'Intelligence ou la Ruse en personne. C'est finalement grâce à elle qu'il a triomphé. Or la voilà grosse d'un enfant qui pourrait se révéler redoutable. Pour ne pas avoir à répéter les déglutitions paternelles, Zeus avale sa compagne, qu'il met « en sûreté au fond de ses entrailles » (v. 899) — il s'approprie l'intelligence. Athènè, dont Mètis était enceinte, sortira tout armée du crâne de son père et sera son enfant préférée, déesse chaste, combative, personnification de la justice, de la science et de la raison. Cet épisode résume et clôt une longue évolution qui, dans la mythologie grecque, va de la toute-puissance initiale de la mère-terre à la prédominance du père, elle-même contenue dans certaines limites. Pour que cette prédominance soit possible, en effet, il faut que le mâle s'arrache à la femme, qu'il subisse la castration qui le sépare du sein maternel et s'approprie les facultés de sa compagne. En d'autres termes, il doit faire la distinction entre la mère nourricière et l'épouse, dont il ingurgite le pouvoir, de manière à ne plus craindre les enfants qu'elle lui donne. Mais il doit également accepter que sa domination ne soit pas absolue. Ainsi, Zeus n'est ni tout-puissant ni omniscient; son discernement lui a simplement permis d'instaurer un ordre durable, acceptable pour les habitants de l'Olympe, dont il sera désormais l'arbitre incontestable. Le cycle de la violence destructrice est rompu, la justice devient possible. Les rapports entre les dieux sont réglés. Tel est l'ordre cosmique sous lequel se posent pour les hommes les deux questions, étroitement liées, de l'existence et de la connaissance.

Ces deux questions trouvent leur réponse dans les rapports qui s'établissent entre les dieux et les hommes. C'est l'objet du mythe de

Prométhée (Pense-d'Abord — par contraste avec son frère Épiméthée, Pense-Après). Chose curieuse, Hésiode place cet épisode avant le récit de la guerre entre Olympiens et Titans. Le poète entend probablement montrer que les deux ordres, céleste et terrestre, sont indissociables ; ou que Zeus, désireux de retenir Prométhée de son côté (celui-ci, contrairement à Atlas, a choisi le camp des Olympiens), le laisse agir en faveur des hommes, race que Zeus ne porte pas nécessairement dans son cœur et dont il ne souhaitait pas l'avènement. Œuvre de Prométhée, l'espèce humaine dérange l'ordre olympien et advient sous le signe de la tromperie. Après avoir tenté de berner Zeus dans un arbitrage sacrificiel où il ruse pour réserver la meilleure part du bœuf égorgé aux humains, Prométhée leur apporte le feu contre la volonté divine. Ces deux infractions successives lui valent d'être enchaîné au rocher où l'aigle vient chaque jour lui manger son foie.

Mais c'est encore pour les hommes que les prouesses de Prométhée sont les plus lourdes de conséquences. C'est à dessein que Zeus, feignant de tomber dans le piège, choisit les os enrobés de graisse et qu'il abandonne à l'humanité la viande que Prométhée a dissimulée sous les viscères, car le maître de l'Olympe a prévu « les maux qui attendaient les humains mortels » (v. 551-552). La répartition de Prométhée permet aux dieux de se nourrir du fumet de la graisse grillée qui convient aux immortels et de laisser aux hommes la chair putrescible dont se nourriront désormais les mortels. Zeus se venge aussi de ce que les hommes ont reçu le feu, qui leur permet notamment de cuire la viande qu'ils ont frauduleusement reçue en partage : il leur envoie la femme la plus désirable qui soit, dont la sottise, la paresse et la cupidité n'ont d'égale que la beauté. Le mâle est désormais condamné à produire sans relâche pour satisfaire ses caprices. Dans *les Travaux et les Jours*, Hésiode lui donne un nom, Pandora : c'est elle qui ouvre l'urne — la fameuse « boîte de Pandore » — où Prométhée avait pris soin de tenir enfermés tous les maux (vieillesse, travail, maladies, folie, vices, etc.), qui, libérés par la curiosité féminine, seront désormais le lot des humains. Mais dans ce lot, grâce encore à la prévoyance de Prométhée, figure également l'espoir trompeur, dont les mensonges dissuadent les hommes de commettre un suicide collectif[54]. Prométhée ne projetait finalement rien de moins que de donner aux hommes la connaissance (le feu) sans les misères qu'elle implique (l'urne de tous les maux). Sa

---

54. Graves, *op. cit.*, 39. j, p. 145.

démesure consiste à vouloir rendre la race humaine égale à celle des dieux. En s'opposant à la volonté divine, le bienfaiteur de l'humanité devient l'instrument involontaire de sa malédiction.

Le monde n'a pas de démiurge, pas de créateur. La terre-mère, Gaia, seule avec Éros devant l'Abîme-Béant, semble porter en son sein tout l'univers à venir, du moment qu'elle enfante le Ciel et que de sa copulation avec lui tout dépend. Mais Chaos, l'abîme, n'est pas pur néant : de ses profondeurs naissent non seulement les ténèbres et la nuit mais aussi le jour, la clarté. Dès l'origine les contraires agissent les uns sur les autres et se donnent mutuellement naissance. De l'opposition des contraires, dira Héraclite trois siècles plus tard, naît la plus belle harmonie. Quant à l'idée de chaos, de béance initiale, elle trouve un écho dans la notion d'« Indéfini » *(apéiron)* chère à Anaximandre, le premier philosophe grec dont il nous est resté quelque trace ; un fragment lapidaire d'une condensation extrême qui, aujourd'hui encore, n'a pas fini de susciter les interprétations :

> D'où les choses prennent naissance, c'est aussi vers là qu'elles doivent toucher à leur fin, *selon la nécessité ; car elles doivent expier et être jugées pour leurs fautes, selon l'ordre du temps*[55].

Tout ce qui est défini, tout ce qui est engendré, commente Nietzsche, est voué à disparaître, seul l'indéterminé peut prétendre à la permanence de l'être, et « tout devenir est une manière coupable de s'affranchir de l'être éternel, une iniquité qui doit être expiée par la mort »[56].

Il n'est évidemment pas exclu qu'Hésiode ait conçu sa *Théogonie* comme le récit d'un simple moment appelé à retourner au chaos initial, hors du temps. Toujours est-il que son poème tend à rendre compte d'un certain ordre du monde dont Zeus apparaît à la fois comme l'artisan et le garant — ce qui ne fait pas de lui un créateur. Loin d'adhérer entièrement à la logique du conflit ou du dépérissement, Hésiode insiste plutôt sur la stérilité de la répétition conflictuelle. C'est à cette répétition que Zeus, à l'inverse de ses prédécesseurs, parvient justement à échapper. Le conflit n'est productif que s'il débouche sur autre chose que sa reproduction mimétique.

---

55. La partie en italique est le seul morceau de phrase qui soit d'Anaximandre même.

56. NIETZSCHE, *la Philosophie à l'époque tragique des Grecs* (*Nachgelassene Schriften*, 1870-1873), Paris, Gallimard, « Folio Essais », 1975, p. 25.

Dans cette organisation du monde, les hommes ne sont à peu près pour rien et apparaissent plutôt indésirables : objets, tout au plus, de la rivalité entre Zeus et Prométhée. Ils n'en pâtissent pas moins de la démesure *(hubris)* d'un champion qu'ils n'ont pas choisi, signe de la place modeste qui leur revient dans l'ordre des choses. À son corps défendant, Prométhée indique aux hommes les limites imparties à leur condition, dont ils ne sont pas responsables. Leur seul tort pourrait être d'avoir cédé aux charmes de Pandora, mais ceux-ci, voulus par Zeus, sont invincibles. Même si l'on retrouve chez elle un peu de la séduction d'Ève, il n'y a là aucune trace de culpabilité. La malédiction, décidément, vient d'en haut : c'est suite à l'étourderie d'Épiméthée, frère de Prométhée et mari de Pandora, que celle-ci ouvre l'urne funeste. Assujettis au désir qu'éveille la beauté, les hommes sont tout au plus les artisans inconscients de leurs propres malheurs. Mais rien n'indique qu'ils auraient pu les éviter.

La connaissance est un piège, Prométhée et Épiméthée en sont les deux mâchoires. Le premier, malgré sa prévoyance, se risque trop loin et le second se lance étourdiment. À vrai dire, les deux frères ne font qu'un : en arrachant aux dieux une part de leur savoir et de leur puissance, Prométhée ouvre à son insu la porte des maux. Le feu qu'il dérobe à Zeus joue *mutatis mutandis* le rôle de la pomme dans la Genèse, il éclaire la misère et la finitude des hommes. Mais ce geste est du même coup constitutif de l'espèce : en volant le feu, Prométhée crée l'humanité, car c'est de cuire sa viande et d'apprendre à connaître que l'homme se distingue de l'animal. Connaissance fatale : de prendre part, si peu que ce soit, au divin plonge l'homme dans la misère. L'homme n'échappe pas à la soif d'apprendre, de comprendre, et ce désir intarissable le mène à sa perte. La connaissance est d'abord certitude de la mort, et cette conscience est insoutenable. Et c'est à soutenir cette condition effroyable que sert l'espoir. Si cet ingrédient dérisoire est mélangé au brouet des calamités pandoriennes, c'est que l'homme d'Hésiode vit dans l'hostilité des dieux.

L'homme de la Genèse a beau se faire chasser du royaume de l'innocence et entrer dans celui de la connaissance tout aussi brutalement, YHVH ne le lâche pas des yeux et veille sur lui. Le dieu de la Torah n'est courroucé contre l'homme que par dépit, qui est évidemment le dépit de l'homme lui-même de se voir si inférieur au Principe qui devrait le guider. Là où l'homme d'Hésiode se résigne au malheur, celui de la Genèse travaille à lui faire échec, sans grand succès, il faut bien le dire.

D'échec en échec, YHVH reste néanmoins avec lui aussi longtemps qu'il ne renonce pas à cet effort : un jour peut-être l'homme cessera de faire désespérer YHVH de la justice. Chez Hésiode, la justice, ou plus exactement l'équilibre des forces en présence dans le monde, n'existe que par et pour les dieux. Rien n'interdit aux hommes de s'en inspirer pour tenter d'éviter, sinon les conflits, du moins la répétition sans fin de la *mimésis* qui menace toute société. Mais rien non plus ne les met à l'abri de la décrépitude qu'ils couvrent de leurs faux espoirs.

Aucune leçon de sagesse ne se laisse facilement déduire du propos d'Hésiode. Narration poétique du monde ou mythe de souveraineté, *la Théogonie* est à l'opposé de la rigueur normative et du souci identitaire qui traverse et tend la Torah. Hésiode, comme Homère, joue avec les éléments et les mythes pour faire plaisir aux hommes. À ces hommes qui, parce que grecs, se croyaient peut-être plus proches des dieux qu'aucun autre peuple... Disons plutôt : à ces hommes qui paraissaient supporter le malheur de n'être qu'humains en se consolant de se savoir grecs. Mesure et démesure en même temps. Représentation à l'usage de gens plutôt satisfaits d'eux-mêmes, en paix avec leurs origines. Les Juifs, au contraire, écrivent la pérégrination d'un peuple aux origines douloureuses, qui ne parvient jamais à la hauteur de ses ambitions. Chez les Grecs du temps d'Hésiode, l'immortalité est inaccessible, sauf aux héros — par la voix de ceux qui les racontent. Pour les Juifs, l'immortalité, c'est la Loi sans cesse bafouée, sans cesse à accomplir. Le héros, c'est le Livre, et il demeure à jamais inachevé.

Deux éléments de grande parenté, pourtant, entre la Genèse et *la Théogonie* : l'une et l'autre font passer la connaissance du malheur par la femme ; l'une et l'autre ignorent superbement l'au-delà, elles sont toutes deux exclusivement dans la vie. La Genèse de manière beaucoup plus terrestre, plus humaine, dans toute l'âpreté de ce terme. *La Théogonie* s'évade au contraire du monde des humains, qu'Hésiode aborde ailleurs, dans *les Travaux et les Jours* ; il n'en demeure pas moins que l'homme n'est pas maître de son destin et moins encore maître du monde. Détachement qu'on ne trouve pas dans la Genèse, où YHVH s'efforce autant que possible de rendre l'homme responsable de ses actes, jusqu'à lui faire payer le prix de son ignorance initiale. Ce prix a sa contrepartie : la responsabilité qu'il revendique pour lui-même le met en possession de la nature, dont il lui appartient de prendre soin.

Les différences l'emportent, et de loin, sur les rapprochements. Nous nous trouvons là devant deux conceptions du monde, deux conceptions de l'humanité presque parfaitement antinomiques, que le christianisme cherchera vainement à concilier. Le christianisme voudra reprendre le projet judaïque dans l'esprit grec, et, bien entendu, cette tentative débouchera sur autre chose. Le projet judaïque en sortira méconnaissable, transformé par l'espérance d'un salut individuel qui, du moins dans la Torah, lui est étranger. De la Grèce, la chrétienté retiendra surtout le sentiment de supériorité, mais qu'elle transposera au monde entier. Si les Grecs se prenaient pour la crème des peuples, du moins savaient-ils qu'en tant qu'humains ils étaient peu de chose et surtout pas maîtres de la nature. L'impossible mariage du christianisme n'est évidemment pas sans conséquence pour nous-mêmes aujourd'hui. De l'hellénisme, nous avons repris la certitude sans la mesure. Du judaïsme, nous avons retenu la volonté de maîtrise sans le doute. De l'esprit grec, nous avons laissé la gratuité, la polysémie, au nom d'un monothéisme anthropomorphe contraire à ce qu'il y a de plus abstrait, de plus exigeant, de plus « moderne » dans le judaïsme : l'expression difficile, quasi inexprimable, du principe par lequel l'homme se rend responsable de sa propre loi. Si l'épreuve de la connaissance a un sens, c'est d'abord celui-là.

Reste à savoir si cette loi est bien celle que l'homme croit se donner ou si cet homme ne répond pas aussi, et surtout, à une loi plus secrète dont il n'est pas maître. La coupure irrémédiable qui sépare les mortels des immortels conduit, chez les Grecs, à une conception déchirante de la connaissance qui trouve son expression la plus profonde dans la tragédie.

V

LA CONNAISSANCE
COMME DRAME INTÉRIEUR

De toute la littérature antique, c'est sans doute la tragédie grecque (Eschyle, Sophocle, Euripide) qui a produit les figures les plus proches de notre sensibilité moderne. Parmi elles, Œdipe et Antigone, tels que Sophocle les a travaillés. Comme Homère, comme Eschyle, Sophocle puise librement dans le vaste réservoir de la mythologie. Le mythe d'Œdipe, très ancien, illustrait peut-être à l'origine le meurtre rituel du roi par celui qui était appelé (ou qui devenait de ce fait) son successeur. Dans ce rituel, le nouveau roi était considéré comme le fils de celui qu'il remplaçait et dont il épousait la veuve. Cette monstrueuse affaire de parricide et d'inceste ne serait donc que la « mauvaise » lecture par les classiques grecs eux-mêmes d'une histoire qui se serait détachée du rite oublié qu'elle illustrait[57]. Ces considérations n'ont ici qu'une importance anthropologique. L'Œdipe qui circule dans l'imaginaire occidental et dont Freud s'est servi est celui de Sophocle.

La psychanalyse freudienne s'est si puissamment emparée de la tragédie de Sophocle qu'il est devenu presque impossible de la lire en dehors de l'interprétation qu'elle en donne. Rappelons sommairement que, dans cette interprétation, le drame œdipien met en scène le conflit ordinairement refoulé que le petit enfant (mâle surtout) éprouve entre une *mimésis* admirative pour son père, dont il espère le soutien, et le désir inavouable de s'en débarrasser pour prendre sa place auprès de sa mère, avec toute l'angoisse que peut susciter la pensée d'un si redoutable projet. L'Œdipe freudien n'est pas simplement l'illustration d'une théorie de la sexualité infantile, il est du même coup la manifestation de

---

57. Robert GRAVES, *The Greek Myths* (1960), New York, Penguin Books, 1990, vol. II, 105. 2-3 p. 13.

l'universalité à laquelle cette théorie prétend, du moment qu'elle explique en termes analytiques une permanence de la psyché humaine déjà présente dans la mythologie antique. À noter ici que le démenti anthropologique selon lequel le mythe originel renvoie au rituel de succession que nous venons d'évoquer ne peut servir d'argument contre Freud, puisqu'il indiquerait au contraire que le rite lui-même, en faisant du meurtrier le fils symbolique du roi éliminé, s'appuie sur cette structure fondamentale — on sait à quel point le père de la psychanalyse a été théoriquement et pratiquement hanté par le meurtre du père symbolique.

Sans vouloir débattre ici de la pertinence *psychanalytique* de l'usage freudien d'Œdipe, voyons ce que cette version, en dépit de sa profondeur, finit par mettre à l'écart, ce qu'elle a pour effet, à la longue, d'effacer du drame de Sophocle. Placer ce drame sous le signe de l'inconscient, en effet, c'était d'abord proposer d'en approfondir la lecture, et cette tentative s'est révélée si fructueuse que personne aujourd'hui, même chez les mythologues anti-freudiens, ne peut plus l'ignorer. Mais, du même coup, cet approfondissement risque de laisser dans l'ombre ce qui n'est pas nécessaire ou ce qui nuit à la conception freudienne de la sexualité infantile. Dans le sort que la psychanalyse a réservé au drame de Sophocle se manifeste on ne peut plus clairement l'effet réducteur de toute interprétation qui est appelée à se répéter et à se figer, *a fortiori* lorsqu'elle sert à soutenir une position théorique. Placer la tragédie d'Œdipe sous le signe de la connaissance permet de sortir de l'ornière théorique et de redonner sa place au récit, sans perdre le bénéfice de l'outil analytique.

La connaissance, dans l'*Œdipe roi* de Sophocle, s'articule à la question du retour, mais d'une manière souterraine, qui tranche avec celle de *l'Odyssée*. Au rebours d'Ulysse, Œdipe ignore sa propre identité et fait tout pour éviter de revenir chez lui. C'est pourtant bien là qu'il revient sans le savoir. Ulysse sait où il va, même s'il n'y va pas comme il le voudrait. Œdipe, qui se croit arrivé, échoue au lieu même qu'il voulait fuir. Tous deux sont menacés dans leur position de roi et d'époux. Ulysse le sait, il voit sa vulnérabilité et agit en conséquence. Œdipe apparaît solidement installé sur le trône qu'il va perdre, fort d'une puissance dont il ignore la fragilité.

Au départ de la tragédie de Sophocle, donc, Œdipe offre l'image de la réussite : sa sagesse lui a permis de vaincre le Sphinx, de devenir roi de Thèbes, grâce à lui libérée du monstre, et d'épouser la reine Jocaste.

Et c'est lui, une fois encore, qui s'apprête à délivrer la cité du mal qui l'afflige. Seul accroc à ce parcours, on l'apprendra par la suite, il a tué, au carrefour de trois chemins, un vieil homme et ses serviteurs qui, du haut de leur char, ont tenté de l'écarter violemment de leur route. La tragédie s'ouvre au moment où, Œdipe régnant avec bonheur depuis des années, Thèbes subit les ravages d'une peste dont le roi ne tardera pas à apprendre de l'oracle de Delphes qu'elle durera tant que la ville n'aura pas balayé sa souillure, à savoir le ou les meurtriers du roi Laïos, auquel Œdipe a succédé. Ignorant jusqu'alors que Laïos, qu'il ne connaît que de nom, ait été assassiné, le héros s'étonne :

ŒDIPE
Quel était donc le mal qui vous embarrassait et vous empêchait, après le meurtre royal, de savoir la vérité ?

CRÉON
Le Sphinx aux-chants-artificieux nous obligeait à considérer le malheur immédiat sans songer à l'inconnu.

ŒDIPE
Cet inconnu, moi, en reprenant toute l'affaire dès le début, je le découvrirai.

Prologue, scène II [58]

À partir de là commence en effet une implacable enquête policière, à travers laquelle Œdipe effectue un retour inconscient aux origines. Non seulement ignore-t-il ses véritables racines, mais il n'a pas même conscience de s'être mis à leur recherche. Ce n'est qu'à partir du moment où il apparaît que Laïos pourrait être le vieillard qu'il a jadis tué au carrefour des trois chemins qu'Œdipe comprend que cette enquête risque de le mettre en cause, sans se douter encore le moindrement qu'il s'agit là de son père génétique, qui a déjà tenté de se débarrasser de lui peu après sa naissance. D'ailleurs la coïncidence entre les deux événements n'est pas parfaite car le seul serviteur qui a survécu au drame a toujours affirmé qu'il y avait plusieurs meurtriers. Un messager de Corinthe vient alors annoncer que le vieux roi Polybe,

---

58. La traduction utilisée ici est celle de Ch. GEORGIN, Paris, Librairie A. Hatier, 1957.

dont Œdipe se croit toujours le fils, est mort de maladie et que les habitants de l'Isthme appellent ce dernier à lui succéder sur le trône.

Une fois de plus, au moment où tout risquait de chavirer, le destin semble sourire au héros, qui est en passe de réunir deux couronnes sur sa tête. Bien plus, la nouvelle anéantit la validité de tous les oracles, dont il n'a plus désormais à s'inquiéter, et semble reléguer le meurtre de Laïos à l'arrière-plan. Mais l'impiété d'Œdipe n'est pas totale (au regard surtout de celle de Jocaste qui d'emblée l'invite à se moquer des oracles) : quelque chose retient encore Œdipe de retourner à Corinthe, la crainte d'épouser sa mère. Le messager s'empresse aussitôt de le rassurer : ni Polybe ni sa femme ne sont ses véritables parents. Le monde d'Œdipe bascule de nouveau. Cette révélation le ramène en quelque sorte à son lointain point de départ : au temps de sa jeunesse corinthienne, où un convive échauffé par l'ivresse avait un jour mis en doute sa filiation ; malgré les protestations indignées de ses parents, Œdipe était parti pour Delphes consulter Apollon. Sans rien révéler de ses origines, l'oracle avait prophétisé les abominations qui devaient à jamais le détourner de retourner chez lui. En toute innocence, le messager a déclenché l'implacable mécanique qui va conduire Œdipe à découvrir sa véritable, et monstrueuse, identité.

Au-delà du parricide et de l'inceste, *Œdipe roi* met en scène la tragédie de la vérité. C'est pour apprendre la vérité qu'Œdipe fait le voyage de Delphes, et c'est la sinistre vérité de l'oracle qui, en l'éloignant de Corinthe, l'engage obscurément sur le chemin de ses véritables origines. Tout autant que le meurtre de son inconnu de père, c'est la découverte de la vérité du Sphinx, la solution de l'énigme, qui lui ouvre le lit de son étrangère de mère et le met en possession du trône de Thèbes. La trouvaille freudienne est d'avoir fait de cette ignorance la métaphore de l'inconscient. Mais chez Freud cette métaphore se trompe d'objet : ce que l'enfant ignore ou refoule, dans l'Œdipe freudien, n'est nullement l'identité de ses parents, mais la nature et la portée de ses propres pulsions. En fuyant les sombres prédictions d'Apollon, l'Œdipe de Sophocle, à supposer que l'oracle traduise ses désirs inconscients, tente bien de les refouler, mais la tentative échoue de ce que le personnage se méprend sur la cible des pulsions qu'il réfrène.

C'est d'avoir été lui-même ignoré au sens le plus virulent, d'avoir été rejeté par les auteurs de ses jours qu'Œdipe est dans l'incapacité de les reconnaître. En l'envoyant à la mort, à vrai dire, ses géniteurs ont abdiqué leur parenté. Ses véritables parents sont ceux qui l'ont accueilli, voulu, élevé. Et le retour inconscient du protagoniste vers ses origines biologiques n'est rien d'autre que le retour de la faute à sa source. L'accomplissement de l'oracle prend ainsi tout son sens : par l'effroi que procure sa révélation, Apollon enjoint traîtreusement Œdipe d'aller, là même où il redoute plus que tout de se rendre, punir ses géniteurs d'un forfait qu'il ignore. Bien plus redoutable que la devinette du Sphinx, dont le héros trouve facilement la clé, l'énigme divine le pousse à son insu sur le chemin d'une vérité insoutenable. Si la faute appartient à Laïos et Jocaste, le drame n'en reste pas moins celui d'Œdipe, aveuglé par la lumière que, tout du long, il a plus que personne et malgré lui contribué à faire jaillir. Sous les coups répétés qu'Œdipe se porte avec les broches qu'il vient d'arracher au cadavre de Jocaste, c'est la vérité qui, littéralement, lui crève les yeux en déchirant d'un trait le voile qui protégeait son bonheur d'emprunt.

La vérité, en effet, la vérité qu'Œdipe dénude si tragiquement, c'est qu'il n'est pas lui-même. Non seulement n'est-il pas le fils de ses parents, non seulement était-il, durant toutes ces années, étranger à ses propres actes mais sa bonne fortune, sa grandeur, sa famille, sa renommée sont une imposture, ses accomplissements une suite de méprises atroces que la supériorité de son esprit ne lui a pas permis d'éviter. Il se découvre du même coup étranger à ses origines (Corinthe) et originaire du pays étranger qu'il gouverne. Au plus près de lui loge l'abomination qu'il était si certain d'avoir écarté de sa route. À l'inverse d'Ulysse, qui ne doute pas un instant que la cause de ses malheurs lui est extérieure et qui combat l'atrocité en crevant l'œil de l'autre, Œdipe trouve l'autre en lui et se châtie lui-même de cette terrible découverte en s'enlevant la vue :

> Ah ! Tout est devenu clair ! Ô lumière, puissé-je te voir pour la dernière fois, moi qui suis né d'où je ne devais pas naître, qui ai vécu avec qui je ne devais pas vivre, et qui ai tué ceux que je ne devais pas tuer !
> *Ultime réplique du quatrième épisode.*

Cette lumière qu'il ne veut plus voir est celle dont il se prévalait orgueilleusement devant la cécité de Tirésias pour rejeter les mises en garde du devin :

> Tu as des yeux [*disait Tirésias*], mais tu ne vois pas le mal où tu es, ni où tu vis, ni avec qui tu habites. Sais-tu de qui tu es né ? Tu es à ton insu l'ennemi des tiens, sur et sous terre.
> *Premier épisode, scène II.*

La vérité n'a rien à voir avec la lumière, elle est invisible pour les yeux. L'aveugle, qui ne se laisse pas éblouir par l'éclat des choses, le sait mieux que personne. Œdipe, dénoueur d'énigmes, omniscient, hormis de lui-même, s'est laissé prendre au jeu de l'intelligence et a cru pouvoir fuir son destin. Dans cette fuite, néanmoins, s'exprimait encore une crainte, une sorte de respect religieux de l'oracle, qui disparaît au moment où, devant l'annonce de la mort paisible de son père, le héros croit l'avoir déjoué. Et c'est très exactement au même instant, au sommet de sa gloire, que le destin le rattrape en lui faisant savoir par la bouche du même messager qu'il n'est pas le fils de ceux qui l'ont adopté. Chez Sophocle comme chez Homère le destin est plus fort que l'homme, et ce que nous appelons, nous modernes, la volonté ne peut rien. Mais du moins Ulysse le sait-il et, d'une certaine façon, agit-il en conséquence. Non pas simplement parce qu'il est particulièrement intelligent (Œdipe l'est aussi), mais plus encore parce qu'il n'est jamais amené, même dans la caverne du Cyclope, même dans sa descente au Tartare, à douter de lui-même : la nécessité est pour lui ce qu'il doit à la fois accepter et affronter. Œdipe, lui, espère l'éviter et c'est là, non pas tant dans la fuite elle-même que dans la fausse sécurité qu'elle procure, qu'il manifeste de la démesure ou, si l'on préfère, de l'inconscience.

En fuyant ses origines, c'est-à-dire ce qu'il tient à juste titre pour sa famille et sa patrie, Œdipe s'écarte de lui-même. Il accomplit dramatiquement ce que chacun doit faire tôt ou tard d'une façon ou d'une autre : couper le cordon ombilical, quitter le foyer familial. Mais il le fait avec une radicalité excessive. Et c'est là que le héros commet l'erreur ; l'erreur grave sans laquelle, selon Aristote, il ne serait pas tragique[59]. Plutôt que de chercher à approfondir le sens de l'oracle et de s'enquérir d'une identité, la sienne, sur laquelle pesaient les doutes qui ont motivé son voyage à Delphes, il ne veut plus rien savoir de ses parents, là aussi illustrant de manière dramatique ce qui nous arrive à tous à notre insu : l'oubli de la prime enfance.

C'est dans cet état d'ignorance qu'Œdipe, au croisement où se décide tout le reste de sa vie, rencontre et tue son géniteur : geste de légitime défense devant celui qui, quant à lui, dans un obscur retour du refoulé, cherche une seconde fois à éliminer le fils qui doit causer sa perte. À vouloir écarter de sa route celui qui revient malgré lui le hanter et se venger, le père meurtrier attire la sentence de mort à laquelle il a

---

59. Aristote, *Poétique*, 1453 a.

jadis cru pouvoir échapper. Pas moyen de mieux dire que le châtiment est au cœur même de l'acte criminel, que la punition loge dans la démesure qui la déclenche. La faute d'Œdipe n'est donc pas de tuer le père qui s'est rendu indigne de ce titre mais bien d'agir de manière à laisser échapper la portée de son acte. *Œdipe roi* est la tragédie de l'ignorance ; l'erreur fatale qu'elle met en scène est l'obscur désir de ne pas savoir. La scène du Sphinx, où l'on peut voir une rencontre non moins décisive de ce qu'elle lui ouvre Thèbes et le lit maternel, apparaît maintenant dans sa vérité dérisoire : dérisoire la solution de l'énigme au regard de la connaissance que le héros vient d'éluder, celle qui le concerne au plus près.

Tous, peu ou prou, nous devenons étrangers à nous-mêmes de ce que nous perdons contact avec nos expériences originaires. Perte elle-même due à ce que cet apprentissage a de difficile, de douloureux. À l'instar d'Œdipe, nous préférons en laisser le souvenir dans l'ombre. Comme si d'avoir quitté le berceau de notre enfance nous mettait hors d'atteinte du drame qui s'est joué là, et qui a pourtant toutes les chances de se rejouer sur d'autres scènes de notre vie.

Cette irrémédiable distance qu'Œdipe prend devant la prophétie apparaît à la réflexion comme la manifestation visible de la crainte qu'éprouve tout un chacun à revenir aux pulsions, aux conflits et aux angoisses primordiales de la petite enfance. Mais cette distance, cette fuite, cet oubli, loin de nous sauver, font que nous devenons à nous-mêmes l'énigme la plus dangereuse, la plus pénible, la plus difficile à dénouer. Qu'on le veuille ou non, cette énigme nous travaille secrète-ment, dans les ténèbres de ce que nous avons oublié et que Freud nomme l'inconscient. Aucun soleil ne peut l'éclairer. Aucune réussite sociale, non plus, ne saurait nous mettre à l'abri d'un retour, toujours possible, de ce qui a été enfoui dans l'oubli, de cette vérité dont la langue grecque dit si bien qu'elle est *alétheia*, c'est-à-dire non-oubli, dévoile-ment de l'oublié. Rien, ni le pouvoir ni la fortune ni même l'intel-ligence, ne garantit à personne qu'il ne devra pas faire un jour le terrible voyage œdipien vers sa sombre vérité et regretter le jour de sa naissance.

S'exprime ainsi chez Sophocle le sentiment d'une fatalité plus redoutable encore que chez Homère parce que secrète. Ulysse lit sans peine les signes extérieurs des dieux. Œdipe a affaire, sous l'espèce de l'oracle, à une angoisse intérieure qu'il ne peut déchiffrer, mais à laquelle le temps, l'imprévu l'obligeront, un peu tard, à faire face. Ce n'est décidément pas sans raison que Freud a été fasciné par ce mythe qui met en scène la fragilité du moi. Mais son rétrécissement au fameux « complexe d'Œdipe » — que Freud l'ait voulu ou non — tend à éliminer ce qui dans la lecture de Sophocle incite à une certaine modestie devant l'énigme du sujet. Cette réduction s'inscrit dans la prétention générale d'une certaine science à installer la lumière électrique dans les voûtes de l'inconscient. Nous, modernes, aimons à ce que les mythes servent à nous guérir de l'inconnu et à nous prévenir de l'imprévisible. Nous sommes comme Œdipe avant qu'il n'en vienne à se crever les yeux.

L'interprétation psychanalytique — dont le lecteur, j'espère, aura compris qu'elle se distingue d'une psychanalyse ou d'une psychologie qui s'affirme comme science de l'âme — n'est évidemment pas la seule possible. La tragédie d'*Œdipe roi* est aussi un drame politique : le roi ne peut demeurer à la tête de la cité qu'aussi longtemps que sa gloire personnelle coïncide avec les intérêts de ses concitoyens. C'est parce qu'il sauve Thèbes qu'Œdipe est appelé à la gouverner. Et c'est parce qu'il néglige, en quelque sorte, de se connaître lui-même, trop occupé de sa fortune et de sa renommée, que la peste intérieure qui le ronge à son insu se répand dans le corps de la cité et l'oblige finalement à quitter le pouvoir et probablement la ville elle-même. Si la destitution est totale, c'est que l'homme ne vit dignement que dans sa qualité de citoyen. Œdipe, *a fortiori* s'il est roi, ne vaut rien par lui-même ; il ne vaut que comme membre de la communauté civique, dont son aveuglement finit par l'exclure. Cette exclusion même, malgré l'atrocité qui l'entoure, a quelque chose de noble, du moment que, presque sans faiblir, Œdipe aura accompli son devoir de premier citoyen jusqu'au bout, au prix de son propre sacrifice. Celui-ci répare d'ailleurs l'impiété et la veulerie de son géniteur, le roi Laïos, qui, lui déjà, a cru pouvoir déjouer l'oracle en envoyant à la mort le fils dont l'oracle l'avait prévenu qu'il ne pourrait l'engendrer qu'au risque de sa propre perte. Œdipe n'a pas cette lâcheté. Devant l'émergence de la vérité qu'il a si longtemps tenté d'écarter de sa route, il n'hésite pas. Plus il se convainc que la vérité dont il approche va le détruire, plus féroce se fait son désir de savoir. C'est sans doute cette intégrité politique, jusque dans le malheur le plus noir, qui permettra bien plus tard à Sophocle, dans *Œdipe à Colone*, de réserver à son personnage, malgré le ressentiment qui l'habite, une fin honorable, quasi merveilleuse, et de faire de son tombeau un lieu sacré. En découvrant l'autre tapi au plus profond de lui-même et, plus encore, en y acceptant cette part maudite, fût-ce au prix de sa vue, Œdipe accomplit un geste d'une portée politique immense, qui n'apparaît dans toute sa force qu'à la lecture d'*Antigone*[60].

Le rapport entre le citoyen et la cité n'est pas toujours simple. Si *Œdipe roi*, politiquement parlant, illustre à première vue la nécessité et la grandeur du sacrifice de l'individu à la cause commune, en revanche *Antigone* paraît poser les limites de la raison d'État. Ce n'est pas pour rien que ces limites trouvent leur expression dans la détermination d'une femme. N'étant pas citoyenne, Antigone ne se sent peut-être pas tenue au même civisme que si elle était homme envers une communauté dont elle est politiquement exclue. Son statut marginal, joint à son appartenance à la famille régnante, lui donne et l'audace et l'indépendance de braver les ordres du prince au nom d'une justice supérieure. Le fait est qu'Antigone est, avec Lysistrata, une des rares héroïnes actives de la littérature grecque. Il existe d'autres fortes figures de femmes dans cette littérature : Médée, Hélène, Andromaque, Pénélope, mais ces personnages féminins sont plutôt victimes des événements. De façon générale, la femme grecque est objet. Objet de lutte, de convoitise (c'est flagrant dans *l'Iliade*) ou, pire, objet de malheurs, comme leur ancêtre à toutes, Pandora. Antigone n'est pas seulement une exception, elle est une des plus hautes figures de toute la tragédie grecque, symbole du courage et de la justice.

L'intrigue est d'une simplicité extrême. Les deux frères d'Antigone, Étéocle et Polynice, se sont entretués au cours d'une bataille pour la possession de Thèbes. Le second est venu assiéger la ville avec des troupes étrangères. En recourant aux ennemis de Thèbes pour prendre le pouvoir, Polynice s'est lui-même mis hors la loi. Il ne mérite pas les honneurs funèbres réservés à son frère et sur ordre de Créon, oncle d'Antigone, reste privé de sépulture. Antigone brave le décret royal et la mort qui sanctionne son infraction en accomplissant sur le cadavre de son frère le rite funéraire qui lui permettra de prendre sa place parmi les

---

60. Je dois cet aspect essentiel de l'analyse que je propose ici à l'intelligence de Dario De Facendis venu faire une lecture magistrale d'*Œdipe roi* dans un séminaire de doctorat qu'Isabelle Lasvergnas et moi avons dirigé de 1998 à 1999 à l'Université du Québec à Montréal et qu'on trouvera en partie dans une version écrite d'un exposé antérieur sur le même thème : « La connaissance tragique dans *Œdipe roi* de Sophocle », Université du Québec à Montréal, département de sociologie, groupe interuniversitaire d'étude de la postmodernité, *Cahiers de recherche*, nº 44, séminaire du 15 novembre 1996, p. 1-44.

morts. Sophocle met face à face deux obsessions destructrices, chacune prête à tout pour triompher : d'une part le respect absolu de la loi de la cité, d'autre part l'obéissance inconditionnelle aux devoirs fondamentaux que dictent l'amour fraternel et les liens du sang. Entre les deux, toutefois, la balance n'est pas égale. Comme le titre l'indique et comme le traitement des personnages le confirme, le spectateur est conduit à s'identifier avec l'héroïne plutôt qu'avec le représentant du pouvoir. Là où Créon punit et menace de mort, Antigone se dévoue et offre sa vie.

Aussi, dans la plupart des interprétations, Antigone incarne-t-elle la supériorité des lois non écrites, des devoirs imprescriptibles sur le respect de la loi promulguée, voire sur l'ordre public. Même pour les meilleures raisons, la cité ne peut exiger de ses sujets une obéissance qui les oblige à enfreindre les principes les plus sacrés. Plutôt mourir en accomplissant la loi divine, en écoutant la voix suprême de la conscience, que de vivre indigne dans la soumission à la loi inique du pouvoir. Antigone est devenue le nom splendide de la juste rébellion, l'anti- par excellence et, à suivre la lettre de son nom l'anti-enfantement[61], devenue plus banalement l'emblème de la résistance à la tyrannie.

Avec *Antigone*, donc, le « message » de Sophocle aurait traversé les siècles intact. Le dramaturge le plus aimé d'Athènes, berceau de la démocratie, nous aurait donné avec la plus réussie de ses pièces le plus émouvant témoignage de ce que nous appelons aujourd'hui les droits de la personne. À résumer ainsi son essence, on sent bien que la tragédie de Sophocle n'est pas seulement ni même foncièrement une leçon de politique. Elle n'est pas davantage une ode à la justice ou un hymne à la fraternité. Comme *Œdipe roi* (vraisemblablement plus tardif), *Antigone* est d'abord une tragédie, tragédie de l'humain devant cette chose intraduisible que les Grecs nomment *atè* : tout à la fois fléau, malheur, erreur, faute, fatalité. Devant l'*atè*, devant le fatal aveuglement qui conduit au désastre, Antigone et Créon sont égaux, absolument nécessaires l'un à l'autre. L'équilibre n'est pas parfait, néanmoins. En tant que victime, Antigone peut, sans déplaire, pousser la radicalité beaucoup plus loin que son bourreau. Et elle ne s'en prive pas.

Pas un instant elle ne tente de fléchir, de convaincre ou de raisonner Créon. Rôle que Sophocle prend bien soin de confier à d'autres : à Hémon, fils du prince et fiancé d'Antigone, puis, avec plus de force

---

61. *Anti*, littéralement en grec : à la place de, au lieu de, et *gonè* : engendrement, enfantement.

encore, au devin Tirésias. L'inflexibilité d'Antigone ne s'exprime pas seulement à l'égard du tyran mais aussi envers Ismène. Bien qu'elle n'ait pas eu d'emblée le courage de suivre sa sœur dans son défi, comme elle le lui avoue elle-même très honnêtement, Ismène se montrera solidaire de son acte devant la fureur de Créon, ce qu'Antigone refuse de manière blessante. Blessure d'autant plus cruelle qu'Ismène aime sa sœur au point de ne pas pouvoir imaginer lui survivre. Rien n'y fait, Antigone, elle, n'a plus de sœur; lors de son ultime confrontation avec Créon, elle s'écrie : « Voyez, ô fils des chefs de Thèbes, la seule qui survive des filles de vos rois, voyez ce qu'elle souffre — et par qui! — pour avoir rendu hommage, pieuse, à la piété! » (v. 940-943).

En soi déjà très dur, ce rejet offre un contraste saisissant avec les paroles dont Antigone justifie l'accomplissement de son devoir funéraire :

> Jamais pour des enfants dont j'eusse été la mère,
> jamais pour un mari pourrissant dans la mort,
> contre ma cité je n'eusse assumé cette charge.
> Quel est donc le principe auquel j'affirme avoir obéi?
> Après l'époux défunt un autre fût venu;
> après mon enfant mort le fils d'un autre lit;
> mais puisque dans l'Hadès dorment mes père et mère,
> je ne puis plus compter avoir jamais de frère.
> Voilà pour quelle cause entre tous t'honorant,
> au regard d'un Créon je semble criminelle
> et scandale d'audace, ô tête fraternelle.   v. 905-915[62]

Le lien du sang l'emporte sur la loyauté envers la cité seulement de ce qu'il est irremplaçable. Non moins irremplaçable, pourtant, l'amitié d'Ismène? Elle n'est hélas qu'une femme. Et pour n'avoir pas aussitôt suivi Antigone dans son amour fraternel, elle a perdu sa qualité de sœur. Car c'est bien d'amour qu'il s'agit et du plus absolu qui soit. Pour rester fidèle à cet amour, Antigone est prête à mourir vierge, elle va jusqu'à renoncer à l'enfantement — que pourrait bien signifier la procréation dans une famille où la transmission de la vie semble désormais vouée à la malédiction? Hémon, son dévouement, ses sentiments ne pèsent

---

62. Traduction, avec quelques modifications, de M. DESPORTES, Paris, Bordas, 1973. Les autres passages cités d'*Antigone* sont tirés de la traduction de P. MAZOU, Paris, Les Belles Lettres, 1962.

pas lourd dans la balance. Et c'est pourtant, en lui aussi, l'amour qui l'emporte et qui le dresse contre son père :

> Amour, invincible Amour, tu es tout ensemble celui qui s'abat sur nos bêtes et celui qui veille, toujours à l'affût, sur le frais visage de nos jeunes filles.
> Tu vogues au-dessus des flots, aussi bien que par les campagnes où gîtent les bêtes sauvages.
> Et, parmi les dieux eux-mêmes ou les hommes éphémères, pas un être ne se montre capable de t'échapper. Qui tu touches aussitôt délire.
> Tu entraînes les bons sur les routes du mal, pour leur ruine. C'est toi qui as mis en branle dans cette querelle un fils contre un père.
> Qui triomphe donc ici ? C'est le Désir rayonnant, le Désir né des regards de la vierge promise au lit de son époux, le Désir dont la place est aux côté des grandes lois, parmi les maîtres de ce monde. La divine Aphrodite, invincible, se joue de tous.
>
> v. 781-800

Le jeu d'Aphrodite est implacable, il mène à la mort, vers laquelle Antigone, la toute première, dès le prologue, se jette fièrement (v. 72-73), comme si déjà une voix souterraine en elle murmurait ce que le Chœur clame au seuil de son martyre : « Ce sont les fautes paternelles que paie ici ton épreuve » (v. 855-856). Sa folie, l'*atè* qui la poursuit ne lui appartiennent pas. Fille maudite d'un amour incestueux, elle répète en invoquant les dieux un inceste inavoué que seule la mort lui permet d'accomplir en toute pureté.

Dans son propre emportement, augmenté de ce que la résistance à sa loi vient d'une femme, Créon ne fait au fond qu'obéir au désir secret de sa nièce, qui reste du début à la fin la force motrice de la tragédie. La grandeur d'Antigone, son orgueilleux excès le rapetissent jusque dans sa cruauté. Sous prétexte de laisser Hadès lui-même décider du sort de la jeune fille, il se garde de la faire exécuter et ordonne qu'on l'emmure vivante avec des provisions. Si cruel que soit le procédé, cette exécution à retardement est le signe d'une hésitation, d'une crainte secrète que Tirésias fera éclore au grand jour et qui montrent déjà que le tyran n'est pas prêt, contrairement à l'héroïne, à joindre jusqu'au bout l'acte à la parole. Des deux personnages principaux, c'est encore Créon le plus raisonnable. S'il rejette violemment les arguments tour à tour sensés et passionnés de son fils, sans se rendre compte qu'il l'envoie ainsi

rejoindre Antigone dans la mort, du moins finit-il, après coup, et bien
sûr trop tard, par se montrer sensible aux prophéties et aux remontrances du vieux Tirésias, qui l'a impitoyablement confronté à l'énormité de son comportement :

> Tu payeras ainsi le crime d'avoir précipité des vivants chez les morts,
> d'avoir donné à une vie humaine le cadre outrageux d'une tombe,
> alors qu'en même temps tu retiens sur la terre un mort qui appartient
> aux dieux infernaux, un mort que tu frustres ici de ses droits, des
> offrandes, des rites qui lui restent dus […]
>
> v. 1066-1072

Si Créon, vaincu et misérable, revient à contrecœur sur son intransigeance, c'est que, finalement, il n'a pas d'autre dette à payer que celle
de sa propre faute qu'il croit encore pouvoir *in extremis* réparer. Là où il
ne faisait qu'obéir aux impératifs de sa charge, à la raison d'État, dont il
est seul juge et maître, Antigone répondait à une nécessité plus contraignante, plus folle, dont elle n'a jamais été maîtresse mais à laquelle elle
se livre avec une ferveur sans faille et qu'on pourrait appeler la « raison
de famille ». Plus contraignante que la nécessité d'État du simple fait
que personne n'a choisi sa naissance et que les liens du sang, comme
l'amour, ne se raisonnent pas. À l'instar d'Œdipe lui-même, sa descendance est vouée à l'*atè*. Ismène n'en est pas plus épargnée que sa sœur,
mais elle se résigne à la subir. Chose qu'Antigone ne peut supporter.
L'*atè*, Antigone, et c'est ce qui la hisse au rang d'une héroïne, décide de
la vivre. Loin de simplement désespérer, elle se fait elle-même la protagoniste de son désespoir. Elle ne se laisse bâillonner ni par Créon ni par
la nécessité. Sous ses prétentions à la piété, elle défie les dieux et en
appelle à leur jugement. Enfin, derrière le mur où l'on cherche à étouffer sa voix, sans perdre un instant elle se donne la mort et la répand
autour d'elle : Hémon puis Eurydice, mère de ce dernier, meurent l'un
après l'autre de son suicide. Resté seul devant l'hécatombe à laquelle il
a si pitoyablement contribué, Créon ne demanderait pas mieux que de
mourir à son tour, mais sa détresse est sans courage.

Nous, modernes, préférons voir dans la personne d'Antigone l'intrépide combattante des droits imprescriptibles de l'humanité. Mais là
n'est pas, je crois, l'aspect le plus fort de la fascination qu'elle continue
d'exercer sur nous. Nous fascine plus secrètement et plus profondément, chez elle, l'enchevêtrement serré de la douleur d'être né, du

manque amoureux et du désir de mourir. Or cette douleur et ce manque, si présents soient-ils partout aujourd'hui, peuvent difficilement être pensés à leurs racines dans une civilisation qui, à l'inverse de celle des Grecs, cherche par tous les moyens à escamoter la mort.

Antigone, plus violemment qu'*Œdipe roi*, dit encore autre chose, sur le plan politique. Sur la question fondamentale de l'exclusion. En refusant le rite funèbre à Polynice, en le laissant en pâture aux animaux sauvages, Créon l'exclut jusque dans la mort et le rejette hors du règne de l'humain. Or cette mesure radicale n'est pas seulement contraire aux lois non écrites, elle est aussi injustifiable du point de vue même de la raison d'État, si l'on entend par là non pas la raison — en l'occurrence troublée — du prince mais le bien de la cité. Même si le jeu politique exige qu'un des frères, quoique tous deux également criminels ou également maudits, soit honoré pour servir d'exemple aux citoyens, cette différence de traitement ne peut aller jusqu'à repousser le frère « coupable » dans une altérité telle qu'elle l'évince de l'humanité. Créon n'échoue pas sans raison, et son échec ne tient pas à l'obstination de sa nièce. Il échoue lamentablement de ne pas accepter, de ne pas comprendre que l'autre, l'ennemi, fait aussi partie de la cité. En quoi le Créon d'*Antigone* se montre très différent du Créon d'*Œdipe roi*. Ce dernier, malgré les soupçons abominables dont il a été l'objet de la part de son beau-frère, refuse de l'accabler et s'en remet sagement au dieu pour décider du sort du roi déchu. Bien qu'intervenant plus tard dans l'histoire tragique des Labdacides, le Créon d'*Antigone* est antérieur à celui d'*Œdipe roi* dans l'œuvre de Sophocle. *Œdipe roi* confirme donc positivement ce qu'*Antigone* montre négativement : l'autre, l'ennemi, le mal ne peuvent être évacués de la cité, tout comme Œdipe lui-même, aux prises avec la terrible révélation de son identité, ne peut effacer l'altérité qu'il découvre en lui. Comme le dit très justement Dario De Facendis, Sophocle ouvre le politique à « la capacité d'accepter que le mal puisse être dans le champ du même »[63]. Bien plus, cette capacité est une condition du politique. Et on peut se demander si notre modernité, toujours si désireuse de se référer aux anciens Grecs, en a réellement saisi toute la portée. Le discours démocratique moderne affiche le plus souvent une acceptation plutôt superficielle de la différence : la différence n'est « tolérée » que pour autant qu'elle finisse, au sens propre, par revenir au même, c'est-à-dire dans la mesure où elle ne dérange pas.

---

63. Séminaire cité *supra*, note 60, p. 141.

Or ce que Sophocle illustre, c'est que l'homme et la cité doivent accepter l'altérité dont ils sont porteurs jusqu'au point d'en être bouleversés, jusqu'au point d'avoir à remettre en cause l'idée qu'ils se font d'eux-mêmes. La connaissance de soi est à ce prix. Ce qui ne nous empêche pas d'y prendre aussi plaisir. Et la tragédie apparaît justement comme l'art poétique qui plaît à dire cette déchirure.

La tragédie est la mise en scène du mal d'être au monde. Le malheur est, dit-elle. Mais nous pouvons tenter d'en comprendre les rouages. Et cette tentative est source de plaisir. C'est pourquoi, insiste Aristote, le bon poète tragique doit plaire. Connaître les sources de ce que Ferdinando Camon appelle « la maladie humaine » est probablement le plus difficile et le plus rare plaisir qui s'offre à l'homme. L'homme, cette « merveille » (*Antigone*, v. 332), n'échappe pas à son destin, mais il a les moyens de comprendre ce qui lui arrive. Et cette compréhension est seule susceptible de le hisser au-dessus de la détresse. Ce qui fait la tragédie, et qui provoque chez le spectateur la purge de l'âme, la *catharsis* chère à Aristote, c'est l'action qui mène le personnage principal d'une heureuse ignorance de soi à la reconnaissance douloureuse de son erreur, de ses limites. Là aussi, comme dans la Genèse, s'établit une équation implicite entre bonheur et ignorance, entre malheur et connaissance.

La passion de connaître est la calamité de l'homme. Et son seul bien. L'homme est cet animal tragique capable de jouir de la connaissance de son mal. Et ce mal se confond avec le désir de connaître, du moment qu'il n'y a pour l'homme de connaissance certaine que celle de sa finitude. Voilà peut-être, cette finitude, ce que la conception érotique de la connaissance, chez Platon, se propose de dépasser.

VI

LA CONNAISSANCE D'ÉROS

Chez Platon, le chemin de la connaissance est aussi une épreuve. Mais c'est Éros qui nous y engage. Cette conception érotique de la connaissance trouve son expression la plus vive dans *le Banquet*. La lecture que j'en propose s'aide du *Phèdre* et de certains passages de *la République* et du *Phédon*. Mais il s'agit toujours de lire un récit, *le Banquet*, tel qu'en lui-même il se suffit, et non pas du tout, je m'en expliquerai, d'aborder la pensée platonicienne dans son ensemble.

Un certain Apollodore raconte à un groupe d'amis proches du milieu des affaires qu'il s'est fait récemment aborder sur la route de Phalère par un plaisantin de sa connaissance désireux de savoir au juste ce qu'il en était d'un fameux banquet auquel Socrate aurait jadis participé.

L'homme en question, précise Apollodore, tenait ses informations de quelqu'un qui les avait reçues d'un dénommé Phénix, mais elles étaient si vagues qu'il désirait le questionner, lui, Apollodore, si assidu auprès de Socrate, sur un événement auquel il avait peut-être eu lui-même la chance d'assister. Supposition qui montrait combien le requérant se trompait sur les dates, puisque Apollodore n'était alors qu'un enfant et qu'il n'y avait pas trois ans qu'il suivait Socrate. N'empêche qu'il connaissait bien la chose, tenant son récit d'Aristodème, un petit va-nu-pieds alors très entiché du maître, qui avait lui-même assisté à la réunion. Le récit, quoique incomplet, était digne de foi : Apollodore avait eu l'occasion de vérifier maints détails auprès de Socrate en personne.

Encore tout frais de l'exercice de remémoration auquel il s'est livré sur la route de Phalère, Apollodore se croit donc assez bien placé pour satisfaire la curiosité de ses amis. Outre la joie que le conteur lui-même se promet d'avoir à parler philosophie, son récit sera également tout bénéfice pour ses auditeurs et les changera des pitoyables préoccupations matérielles qui sont ordinairement les leurs. Rabroué pour son acrimonie, Apollodore en rajoute : c'est bien connu, il passe son temps à divaguer ! On le calme. Et le récit qu'il tient d'Aristodème commence.

Ainsi s'ouvre *le Banquet* de Platon. De la brume initiale où circule la rumeur se détache le joyau du récit. Celui-ci reste évidemment sujet aux aléas de la transmission. Comme l'avoue Aristodème, il comporte des lacunes, mais l'exactitude des détails les plus importants, c'est ce qui compte, a été attestée par le principal intéressé. La véracité du récit s'impose bel et bien au-dessus de la confusion du on-dit. Ce souci d'authenticité paraît exagéré, s'agissant après tout d'une soirée qui finit en beuverie, où le thème de la discussion pourrait bien n'être que prétexte à grivoiseries, prélude à des manœuvres de séduction autour du beau jeune homme chez qui l'on s'est réuni. Telles sont du moins les intentions qui, à en croire Socrate, se cachent sous les louanges qu'Alcibiade, survenu complètement ivre vers la fin du banquet, fait mine de lui consacrer : elles visent en réalité à le brouiller avec le bel Agathon (222 c-d). C'est que l'irruption tardive d'Alcibiade a brouillé les cartes et changé du tout au tout la nature de la réunion. Le repas terminé, on avait en effet convenu de boire modérément et congédié la joueuse de flûte pour discuter sérieusement d'un thème cher à Phèdre, l'amour. C'était à qui serait le plus éloquent sur Éros. Chacun y était allé de son discours, et Socrate venait de finir le sien lorsque Alcibiade et son escorte font leur entrée.

Entrée providentielle. Le discours de Socrate, écho de celui que lui tint jadis une femme savante en matière d'amour, Diotime de Mantinée, a hissé le sujet à une telle hauteur que personne n'oserait le reprendre à ce niveau. Aristophane tente bien de revenir sur une allusion faite à son propre exposé mais il en est fort heureusement empêché par le tohu-bohu des nouveaux venus. Ici, comme partout ailleurs dans le dialogue, la mise en scène est soignée jusque dans le moindre détail : il allait, lui le comédien, se couvrir de ridicule à tenter d'ergoter. Du sommet où Socrate a porté le propos, la discussion ne peut effectivement que redescendre et aller s'aplatissant. Autant faire une chute spectaculaire, digne de l'ascension accomplie. Revenir de ces hauteurs, se réveiller du rêve socratique, exige rien de moins qu'une intervention brutale de l'extérieur, par des fêtards ignorants de tout ce qui vient de se dire et de l'atmosphère qu'ils chahutent. Cette chute dans l'ivresse, pourtant, cette joyeuse dégringolade de la contemplation béate dans l'anecdote grivoise du corps de garde donnent au récit tout son sel. Plus encore : toute sa portée.

Le renversement final du *Banquet* heurte de front la conception platonique qui domine la littérature philosophique sur Platon. Tant chez ses thuriféraires que chez ses détracteurs, Platon, figure fondatrice de l'idéalisme occidental, apparaît comme l'instituteur d'une coupure radicale entre l'âme et le corps, entre les mondes intelligible et sensible ; il serait à l'origine des avatars que ce dualisme prendra par la suite dans le christianisme et qui hante encore notre modernité.

Voilà justement ce que ma lecture du *Banquet* voudrait oublier. Non pas pour entrer dans la polémique mais pour, le temps d'une lecture, la congédier. L'influence du platonisme sur la tradition métaphysique occidentale est indéniable, et je ne prétends pas la remettre en cause. Simplement, le platonisme, avec ses controverses, n'est pas mon objet. Pour couper court à toute dispute, je concède d'avance que le dualisme et l'idéalisme sont chez Platon et qu'il n'est pas difficile d'y constater leur présence. Mais j'ajoute aussitôt que la pensée de Platon est si riche, si diverse, qu'elle peut nourrir une argumentation infinie dans bien des sens différents ; elle est si mouvante, si subtile, qu'il en restera toujours quelque chose d'insaisissable. Plus de deux mille ans d'efforts n'ont toujours pas réussi, par bonheur, à accoucher d'un système platonicien. Cette impossibilité témoigne mieux que tout de l'inépuisable richesse de l'œuvre. Elle n'a pourtant pas empêché les lieux communs de s'installer, les études platoniciennes en sont farcies. La sclérose menace tout écrit, et Platon est le premier à en manifester l'inquiétude. Contre l'écriture, l'écrivain procède lui-même à la plus sévère mise en garde.

L'écriture comme poison. Platon aborde la chose presque incidemment vers la fin du *Phèdre*. Et Derrida suggère avec force que cette fin est capitale, qu'elle ordonne tout le dialogue[64]. « Convient-il ou ne convient-il pas d'écrire ? », demande Socrate au terme d'un entretien sur le Beau qui débouche sur les mérites respectifs de la rhétorique et de la dialectique (274 b). Socrate esquisse une réponse en se servant librement de la mythologie égyptienne : le dieu Thot (ou Theut), père du nombre, du calcul, de la géométrie, de l'astronomie, du trictrac et, surtout, inventeur de l'écriture, vient proposer ses inventions au roi solaire

---

64. Jacques DERRIDA, « La pharmacie de Platon », *Tel Quel*, n°s 32 et 33, 1968, repris dans *la Dissémination*, Paris, Seuil, 1972, et dans PLATON, *Phèdre*, Paris, GF-Flammarion, 1989, p. 255-403 (notre édition de référence).

et père des dieux, Ammon (ou Thamous). Celui-ci soupèse les avantages et les inconvénients de chacun de ces arts et, quand vient le tour de l'écriture, exprime de sérieuses réserves. Contrairement à ce qu'affirme Thot, l'écriture, loin d'aider la mémoire, servira seulement de remède (*pharmakon*) à la remémoration et, à ce titre, favorisera la paresse : « cet art produira l'oubli dans l'âme de ceux qui l'auront appris, parce qu'ils cesseront d'exercer leur mémoire » (275 a)[65]. Le *pharmakon*, à la fois drogue, remède et poison, est toujours un instrument à double tranchant. Détaché de la parole et de son auteur (de son père, dit Socrate), figé hors de toute dialectique, sans vie, l'écrit peut tomber n'importe quand sous les yeux de n'importe qui. Il risque ainsi d'être la proie de lecteurs mal préparés à le recevoir et enclins à surestimer ses vertus :

> Par conséquent, celui qui se figure avoir laissé derrière lui, en des caractères écrits, les règles d'un art et celui qui, de son côté, recueille ces règles, en croyant que, de caractères d'écriture, sortira du certain et du solide, ces gens-là sont tout remplis de naïveté et méconnaissent à coup sûr l'oracle d'Ammon, comme tout un chacun qui croit que les discours écrits sont quelque chose de plus qu'un moyen de rappeler, à celui qui les connaît déjà, les choses traitées dans cet écrit.
>
> 275 c-d

« Tout discours », souligne déjà Socrate avant d'aborder la question de l'écriture, « doit être constitué à la façon d'un être vivant » (264 d), pour la bonne raison qu'il s'adresse à la mobilité de l'âme, au vivant par excellence. Or le seul type de discours qui puisse réellement s'écrire dans l'âme de l'homme est le discours qui se trouve lui-même « doté d'une âme » : un discours vivant, animé par celui qui le porte et qui sait se défendre ; qui sait aussi « devant qui il faut parler et devant qui il faut se taire ». À la limite, ces jardins d'écritures doivent être ensemencés « par manière de jeu », en vue seulement d'amasser un trésor de remémoration pour soi-même et pour ceux qui, cheminant sur le même sentier, se plairont « à voir pousser ces tendres cultures » (276 a-d).

Phèdre est ici le témoin fictif d'un aveu difficile, voire douloureux. L'aveu, on s'en doute, n'est pas de Socrate, qui toute sa vie s'est justement et délibérément abstenu d'écrire. Il vient de Platon, du véritable père du discours. En écrivant, pire, en faisant parler Socrate par sa

---

65. Nous citons la traduction de Luc Brisson, Platon, *Phèdre, op. cit.*

plume, c'est-à-dire en fixant sa parole dans l'écriture (bien que personne ne soit dupe du procédé), Platon ne peut que trahir l'esprit dont il se réclame. Quoi qu'il dise, du moment qu'il écrit, il se contredit. Même à jouer de l'écriture comme on s'amuse au jardinage, le dialecticien a tout lieu de redouter l'usage qu'on pourra faire des plates-bandes que l'écrivain ensemence de ses mots. Et pourtant il écrit. Il écrit en prenant soin de glisser dans ses écritures une mise en garde contre l'écriture. Sorte de mode d'emploi voilé à l'adresse des futurs usagers du *pharmakon* — son œuvre — qu'il ne peut s'empêcher de laisser à la postérité. Paradoxalement, la discrétion de la mise en garde (quelques pages dans *Phèdre*) est proportionnelle à son importance : la subtilité de l'écriture et de sa mise en scène est la principale condition de son succès. Ce n'est que dans la mesure où l'écrit conserve la trace fragile du parler et traduit à pas feutrés ses incertitudes, ses méandres, que le promeneur peut être doucement amené à ne pas piétiner le terreau où Platon sème les germes de sa parole. Jamais autant qu'au moment d'inscrire toute son œuvre sous le signe de la fragilité ne doit-il user de finesse et de légèreté[66].

Tout laisse donc supposer que Platon laisse négligemment traîner dans le *Phèdre* une mince clé de lecture dissimulée parmi les feuilles mortes de son jardin. À condition de se rappeler qu'il s'agit là d'une clé sans serrure. Nulle part, et dans le *Phèdre* moins que partout ailleurs, Platon ne donne quelque chose qui ressemble de près ou de loin à la « clé de son œuvre » — expression dont le ridicule devrait suffire à dissuader ici tout apprenti serrurier. *Phèdre* livre un avertissement. Sans qu'on puisse affirmer que l'avertissement s'applique à tous les dialogues platoniciens, on peut difficilement contester qu'il vaille au moins pour ceux qui ont été rédigés dans la même période ; ce qui semble bien être le cas du *Banquet*, généralement situé par les érudits dans la même fourche chronologique que le *Phèdre*, en compagnie du *Phédon* et de *la République*, écrits par ailleurs apparentés par leur thématique et leur esprit. Il n'est pas nécessaire ici de connaître l'ordre précis dans lequel ces dialogues ont été rédigés. Il suffit d'admettre, et ce n'est guère difficile, qu'ils participent du même style. Et ce style trahit notamment l'intention de dérouter.

---

66. S'il en est qui doutent de cette finesse et de l'enjeu qu'elle cache, je les invite à lire l'analyse, elle-même toute de subtilité, de DERRIDA, « La pharmacie de Platon », *loc. cit.*

Dérouter, c'est à quoi servent le récit et sa forme dialoguée. Dans *le Banquet*, pourtant, le dialogue à proprement parler occupe peu de place, et, jusqu'à l'arrivée d'Alcibiade, la trame du récit n'offre à première vue rien de très déroutant. Les discours se succèdent, doctes et pompeux, parmi lesquels le mythe d'Aristophane introduit un moment de drôlerie, jusqu'à ce que Socrate expose la vérité qu'il a jadis puisée auprès de Diotime : à partir des beautés sensibles, Éros conduit l'âme par degrés vers la contemplation du Beau en soi au royaume de l'Intelligible. Discours impeccable, donc, auquel il semble impossible de rien ajouter.

Mais si tout est dit, pourquoi le dialogue ne s'arrêterait-il pas tout bonnement à cette apothéose — à l'instar de *la République*, qui s'achève sur l'essence vraie de l'âme et l'évocation grandiose de sa migration, ou du *Phèdre*, qui prend fin sur la question cruciale de l'écriture ? Bref, que vient faire Alcibiade avec ses gros sabots ? L'éloge de Socrate, sans doute. Dont ce dernier n'a pourtant nul besoin et qu'il s'empresse de tourner en dérision. On voit mal, décidément, ce que le triomphe de la Beauté intelligible peut gagner à voir son champion mêlé aux histoires salaces de son élève, même si l'image du maître en sort indemne. Mais laissons un instant le fougueux Alcibiade et son ivresse, dont l'effet de diversion n'est que trop manifeste. Si son intervention était la seule à nous intriguer, *le Banquet* aurait peu de surprises à nous offrir.

On le sent bien dès le prologue : ce sont les détails, les détours qui surprennent. Puis, mine de rien, les petites bizarreries se faufilent dans le récit lui-même. Elles méritent une attention scrupuleuse. En route vers la demeure d'Agathon, qui tient un banquet pour fêter le triomphe qu'a reçu sa première tragédie, Socrate invite le narrateur (Aristodème) à l'accompagner bien que ce dernier n'ait pas été invité (on apprendra plus tard qu'il l'était mais que l'invitation ne lui est pas parvenue à temps). Socrate s'amuse à l'idée de faire mentir le proverbe selon lequel « les gens de bien [*agathoi*] s'invitent d'eux-mêmes aux festins des gens de bien [*agathôn*, au génitif pluriel, homonyme d'Agathon] ». Manière de dire que les gens de la bonne société se reconnaissent aisément entre eux : ils n'ont pas plus besoin d'invitation que d'intermédiaire, position que Socrate s'offre justement à assumer en faveur d'Aristodème. Histoire d'émousser ce que sa plaisanterie peut avoir de blessant pour son compagnon (il ne compterait pas parmi les gens de bien), Socrate se hâte d'ajouter qu'Homère malmène le proverbe de façon autrement plus violente en envoyant le mou Ménélas prendre place sans invitation à la table de l'intrépide Agamemnon. Sur quoi Aristodème observe qu'il pourrait bien se trouver, à l'instar de Ménélas, dans la situation d'un « homme de rien », forcé de se prévaloir de l'invitation de son maître (174 b-d). Sans doute le premier narrateur (Aristodème) a-t-il compris que l'humour de Socrate vise surtout à le mettre dans le coup et désigne la société de l'hôte qui les attend. Comme le nom d'Agathon l'indique, ils se rendent chez des « gens de bien »; lesquels, réflexion faite, ne sont pas sans ressembler à ceux qui composent l'auditoire du deuxième narrateur (Apollodore). Il y a pourtant fort à parier que ce rapprochement ne vient pas à l'esprit des auditeurs, tout comme leur échappe la pointe de la plaisanterie, à savoir que, chez ces gens de bien, dans ce rassemblement de beaux esprits férus de poésie (Homère n'est pas évoqué pour rien), le bien et le beau seront peut-être à prendre avec un grain de sel.

Cette réserve que Socrate laisse ironiquement filtrer ne tarde pas à se manifester une deuxième fois. C'est l'épisode, plus fréquemment commenté celui-là, de la halte méditative. Le philosophe, absorbé dans ses pensées, laisse son compagnon prendre de l'avance. Arrivé chez Agathon, le narrateur se retourne : plus de Socrate ! Un serviteur parti à sa recherche le retrouve planté dans le vestibule du voisin, sourd à ses appels. Agathon veut le faire amener de peur qu'il ne rebrousse chemin, mais Aristodème l'en dissuade : ces pauses lui sont coutumières, il finira bien par se joindre à la fête. On se met à table sans l'attendre, et Aristodème s'emploie à calmer son hôte, qui reste démangé par l'envie d'envoyer à sa recherche. « Enfin il arriva, et même avec moins de retard qu'à l'ordinaire, encore qu'on fût déjà au milieu du souper » (175 c)[67]. Le repas a donc commencé sans Socrate, et cette absence momentanée est un signe. Le premier signe, encore ténu, d'un thème dont la présence sous-jacente ne cessera de s'amplifier tout au long du récit. Socrate commence en quelque sorte par faire défaut (tout comme il a fait faux bond la veille à la grande fête publique où l'on célébrait la victoire du poète). Il se fait désirer.

---

67. J'utilise ici et pour la suite, sauf indication contraire, la traduction de Philippe JACCOTTET, Lausanne, Éditions de l'Aire, 1979, reprise par le Livre de poche (Paris) en 1991, en m'aidant également de la version de Léon ROBIN (Paris, Gallimard, « Pléiade », 1950) et de celle de Paul VICAIRE (Paris, Les Belles Lettres, 1989). Jaccottet suit l'original grec de moins près que les deux autres; en revanche, son français a une verve, une aisance, une concision qui le rendent plus proche de l'esprit du dialogue. Jaccottet rend souvent à merveille toute sa cocasserie. Je me permets néanmoins, ici ou là, de prendre quelques libertés avec son texte, notamment lorsque les termes utilisés risquent d'induire le lecteur en erreur.

Le retardataire n'est pas plutôt entré qu'Agathon, assoiffé de sagesse, se jette sur sa proie :

— Viens ici, Socrate, prends place à mes côtés, que je puisse à mon tour, rien qu'en te touchant, bénéficier des sages pensées qui te sont venues dans le vestibule ! Nul doute en effet ; tu as trouvé le fil, tu le tiens ! Sinon, tu y serais encore !

Socrate alors s'assit et dit :

— Comme ce serait beau, Agathon, si la sagesse était chose qui pût couler de l'esprit le plus plein dans l'esprit le plus vide à la seule condition qu'ils fussent en contact, comme l'eau, par l'entremise d'un brin de laine, passe de la coupe la plus pleine dans celle qui l'est moins. S'il en est ainsi de la sagesse, quelle chance d'être ton voisin ! Je pourrai près de toi faire mon plein de sagesse : car la mienne, hélas ! doit être assez piètre, ambiguë comme le sont les rêves, tandis que la tienne, resplendissante et promise au plus bel avenir, auréole ta jeunesse et, hier encore, éclatait aux yeux de plus de trente mille Grecs !

— Tout doux, Socrate ! dit Agathon. Nous porterons cette affaire de sagesse tout à l'heure devant le tribunal, toi et moi, et Dionysos [*dieu du vin et arbitre des concours dramatiques*] en sera juge. Pour le moment songe plutôt à manger.

175 d-e

Première escarmouche entre la poésie et la philosophie. L'ironie du philosophe n'échappe pas au poète, qui ne se laisse pas démonter. Fort du succès que vient de remporter sa tragédie, Agathon se promet bien de faire de nouveau triompher son verbe au cours des libations qui s'annoncent. Les acteurs sont installés, le jeu peut commencer.

Et l'on sait déjà en quoi il consiste : c'est à qui fera le plus bel éloge d'Éros. Programme devant lequel Socrate, qui n'a de savoir que des choses de l'amour, ne peut se dérober. Sa tâche n'en sera pas moins redoutable, se plaint-il, de ce que l'ordre adopté le place en dernier dans la chaîne des interventions. Personne n'est dupe de cette coquetterie, et, de fait, sa position se révélera au contraire idéale : elle lui permettra de prendre appui sur les discours précédents et d'effectuer un spectaculaire renversement de perspective. Car ces discours ne sont pas simplement ridicules, cocasses ou incohérents : ils contiennent chacun un élément, au moins, auquel Platon peut souscrire.

Après avoir rappelé qu'Hésiode et Parménide situent Éros parmi les dieux primordiaux, Phèdre, qui ouvre la joute oratoire, loue l'amour de ce qu'il insuffle force et courage aux amoureux qui vont côte à côte au combat : non seulement désirent-ils à tout prix éviter de perdre la face devant leur amour mais encore sont-ils prêts à mourir l'un pour l'autre. Que l'amour soit un souffle, une source d'inspiration puissante, ni Platon ni Socrate ne pourraient le nier. Au reste, l'éloge de Phèdre se présente comme un étalage d'érudition peu cohérent. Pausanias, d'ailleurs, lui reproche un peu plus tard de s'être cantonné dans le registre de la louange. À l'image d'Aphrodite, dont il est inséparable, l'amour est double : céleste et vulgaire. Pausanias fait ici, en substance, la même distinction que Socrate dans le *Phèdre*, où l'âme est représentée comme un attelage formé de deux chevaux, l'un docile à la voix de la raison, attiré par la beauté en soi, l'autre emporté par la brutalité de ses instincts et pressé de les assouvir, le cas échéant contre nature (246 b; 250 e-251 a; 253 d-254 a). Mais la célèbre allégorie de Socrate se développe de manière splendide, tandis qu'en cherchant à expliquer ses deux Aphrodite Pausanias s'embourbe dans le grotesque. Platon va jusqu'à lui faire dire que l'Aphrodite céleste doit son élévation à ce qu'elle « ne contient pas d'éléments femelles » (181 c)! puis met dans sa bouche un panégyrique parfaitement inepte des coutumes athéniennes en matière d'amour, où tout ce qui serait en d'autres circonstances condamnable, y compris le parjure, est admis lorsqu'il est accompli sous l'emprise du délire amoureux (183 b). Plus grave encore : les Barbares, à l'inverse des Athéniens, condamnent l'amour homosexuel au même titre et pour les mêmes raisons que la philosophie (182 b-c). Le rapprochement est piquant, il anticipe en le parodiant un des éléments du discours de Diotime.

Platon s'amuse donc à glisser ici ou là des éléments de ses propres opinions et à les faire apparaître sous un jour ridicule, jeu d'écriture qui suggère qu'un raisonnement isolé ou mal ficelé se détruit lui-même : il n'y a pas d'argument qui vaille en soi, hors « des divisions et des rassemblements qui me permettent de penser », et dont Socrate se dit justement « amoureux » (*Phèdre*, 266 b). Mais voilà que Pausanias, à force de se répéter et de s'emberlificoter, finit par finir. Sur quoi Aristophane, normalement le prochain sur la liste, est pris d'un irrépressible hoquet qui le met hors d'état de parler. Signe, sans doute, que nous approchons du burlesque, mais aussi réaction spasmodique au discours de Pausanias et clin d'œil au public (Aristophane n'est pas comédien pour rien) : de toute évidence, le discours n'a pas passé[68]! L'intermède annonce et

68. Dans sa « Notice » au *Banquet* (Paris, Les Belles Lettres, 1989), Léon Robin observe à propos de cet intermède qu'il vise notamment à « laisser reposer l'attention après un morceau important, et pour en souligner l'importance » (p. LI). ▷

retarde du même coup la performance humoristique du dramaturge, dont le discours suivant va rendre la nécessité encore plus impérieuse. Aux arguties de Pausanias succède ainsi la médecine d'Éryximaque. Tout comme il s'engage à faire passer le hoquet de son voisin, l'homme de l'art se fait fort de fournir à l'intervention de son prédécesseur le coup de pouce dont elle a besoin : « Il me paraît indispensable, puisque Pausanias, s'il a donné un bel exorde à son discours, n'a pu lui trouver une digne conclusion, d'essayer moi d'y suppléer » (185 d). Étendant la distinction initiale de Pausanias « à l'ordre entier des choses humaines et divines », Éryximaque passe à la médecine, « la science des phénomènes d'amour dont le corps est le siège eu égard au remplissement et à l'évacuation » (186 c). Féru de sa science, le savant donne une leçon de pédanterie qui mène les auditeurs au plus creux de la compétition. Platon ne fait pas souffrir le lecteur plus longtemps que nécessaire, le temps qu'Aristophane passe son hoquet. Et le brave médecin de s'excuser du peu : peut-être a-t-il malgré lui laissé des lacunes que son voisin voudra bien combler, puisque le voilà remis de son indisposition.

Et bien remis ! Aristophane raille son guérisseur de ce qu'il doit son rétablissement à un éternuement et se montre « un peu choqué que l'équilibre de notre corps requière des bruits et des gargouillis de cette espèce ! » (189 a). Piqué, le bon médecin rabroue le railleur et menace de soumettre son discours au même traitement. Aristophane en profite pour plaider l'indulgence : non pas qu'il redoute de faire rire — c'est après tout son métier — mais parce qu'il craint tout bonnement de tomber dans le ridicule. Le ton est donné.

Suit l'inénarrable mythe (sans doute emprunté à la zoogonie d'Empédocle) qui depuis a fait fortune comme une des plus belles allégories de l'amour. Les humains étaient jadis complets comme des boules et munis de huit membres qui leur permettaient de rouler à toute vitesse et de rejaillir dans toutes les directions. Ces êtres rebondis se répartissaient en trois catégories : les mâles, les femelles et les androgynes. Leur vigueur les poussait à escalader le ciel et à s'attaquer aux dieux. Irrité de cette arrogance, Zeus les coupa en deux comme on fait avec les œufs en les menaçant de les scinder de nouveau et de les réduire à sautiller sur une jambe s'ils ne se tenaient pas tranquilles. Puis

---

Commentaire qui s'accorde avec ce qu'il dit plus haut du discours de Pausanias, qualifié de « morceau remarquable » (p. L). Qualification pour le moins ambiguë. Remarquable de sottise, en ce qui nous concerne.

il chargea Apollon « de leur retourner le visage et une moitié du cou du côté de la coupure, afin que l'ayant toujours sous les yeux ils apprissent un peu la modestie ». Cette chirurgie est suivie d'un travail de façonnement et de finition qui, si minutieux soit-il, laisse, c'est le cas de le dire, quelque chose à désirer :

> Les corps ainsi dédoublés, chacun poursuivait sa moitié pour s'y réunir. Embrassées, entrelacées, brûlant de ne faire plus qu'un, l'inanition et l'inactivité où les réduisait le refus de rien faire l'une sans l'autre les tuaient. Et, lorsque sa moitié périssait, la survivante en cherchait une autre et l'enlaçait [...]; de la sorte la race allait s'éteignant. Pris de pitié, Zeus s'avise alors d'un autre expédient et leur transporte sur le devant le sexe que jusqu'alors ils portaient derrière, n'engendrant pas et n'enfantant pas entre eux, mais dans la terre, comme les cigales. Il le leur plaça donc là où vous savez pour leur permettre d'engendrer entre eux par pénétration du mâle dans la femelle. Le but en était que l'union, quand elle se produisait entre homme et femme, assurât la propagation de l'espèce, et, quand elle se produisait entre hommes, provoquât à tout le moins une satiété qui leur permit, dans l'intervalle, de se tourner vers l'action et les autres intérêts de l'existence. [...]
>
> C'est ainsi que nous sommes tous la tessère [*sumbolon*] de quelqu'un, ayant été coupés en deux comme de vulgaires soles; et nous passons notre vie à chercher notre moitié.
>
> 191 a-d

Les trois sortes d'unions possibles (hétérosexuelles, homosexuelles mâles et femelles) se situent ici sur le même plan, bien que les rapports hommes-femmes trouvent une légitimation supplémentaire dans la procréation. Mais si les propos d'Aristophane tranchent à cet égard avec les discours précédents, qui prônent tous la supériorité de l'amour homosexuel mâle, ils ne vont pas jusqu'à faire de la reproduction de l'espèce le fondement de l'amour. Ce fondement réside manifestement du côté de la coupure, à laquelle l'expédient de Zeus n'apporte qu'un soulagement partiel. Ni la procréation ni la jouissance ne sauraient remplacer l'union perdue, et le désir d'union le plus soutenu, même entre des moitiés qui se sont trouvées, conserve quelque chose d'inexplicable :

> Lors donc qu'un amoureux des garçons, ou des femmes, se trouve à rencontrer sa moitié complémentaire, ils sont saisis l'un pour l'autre

de tant d'affection, de confiance et d'amour qu'ils ne supportent plus d'être une minute détachés, si j'ose dire, l'un de l'autre. Et ces mêmes êtres qui passent toute leur vie ensemble seraient pourtant bien incapables de dire ce qu'ils attendent de leur union ; qui croirait en effet que le seul plaisir des sens pût les attacher pareillement à leur vie commune ? Leur âme, évidemment, cherche autre chose qu'elle ne peut dire, mais qu'elle pressent et laisse entendre. Et si, lorsqu'ils sont couchés ensemble, Héphaïstos survenait, ses outils à la main, pour leur dire : « Qu'est-ce donc, vous autres, que vous espérez de votre union ? » et que, les voyant perplexes, il continuât : « Votre désir n'est-il pas de vous identifier si bien l'un à l'autre que ni jour ni nuit il n'y ait entre vous de distance ? Si c'est bien là votre désir, je vais vous amalgamer et vous fondre au feu de ma forge, afin que vous ne soyez plus deux, mais un, que, vivants, vous viviez tous les deux comme un seul et que, une fois morts, vous continuiez jusqu'au fond de l'Hadès à n'être qu'un au lieu de deux, partageant une commune mort. Mais voyez si c'est bien là votre désir, et si ce sort vous contenterait. » À ces paroles, nous le savons, personne ne dirait non, personne n'opposerait d'autre vœu ; chacun penserait simplement avoir entendu exprimer le désir même qu'il eut toujours de s'unir et de se confondre avec celui qu'il aime pour n'être enfin plus deux, mais un seul.

La cause en est que notre nature première était une et que nous ne faisions qu'un ; et ce qu'on nomme amour n'est rien d'autre que le désir et la quête de cette unité.

192 b-e

Aristophane atteint ici le point culminant de son discours. La poésie de ce passage est telle que le lecteur en viendrait presque à oublier le tour humoristique de sa performance, si le dramaturge ne faisait soudain intervenir Héphaïstos. Personne, ni dans le cercle choisi des hôtes d'Agathon ni chez les auditeurs d'Apollodore, n'ignore que le dieu boiteux, qu'Aphrodite trompe abondamment avec Arès, était la risée de l'Olympe. Homère, constamment évoqué dans *le Banquet*, dépeint le patron du feu et de la métallurgie préparant un piège pour enchaîner les amants adultérins au lit de leurs ébats et les exposer dans la nudité de leur forfait au regard de Zeus. Héphaïstos compte sur les liens qu'il a forgés pour les dissuader à jamais de récidiver et déclare les y maintenir aussi longtemps qu'il faudra pour obtenir réparation (*l'Odyssée*, VIII, v. 300-320). Il y a donc une bonne dose d'ironie à faire d'un cocu notoire le porte-parole du désir et le forgeron de l'amour. Bien plus, l'ironie suggère un piège : celui-là même que le boiteux construit pour confondre son épouse. La quête amoureuse, cette fusion à laquelle les amants aspirent, ne serait-elle pas piégée, trompeuse ? Si l'amour n'est rien d'autre que la recherche de l'unité perdue, Éros nous pousserait alors à notre insu dans une vaine entreprise : réparer la coupure devant laquelle Zeus a cru bon de mettre les humains. Cette réparation est au-dessus de nos forces. Et si, malgré tout, nous persistons à l'entreprendre, *c'est de ne pas savoir* : vouloir effacer cette mutilation en pleine conscience de ce qu'elle représente serait faire preuve de démesure et d'impiété !

C'est pourtant d'une autre impiété qu'aussitôt après il va être question. Au moment exact où Aristophane est sur le point d'amener son auditoire devant l'inéluctabilité de la perte qui fonde le sentiment amoureux… il se dérobe. Il termine son discours par une pirouette moralisatrice : si nous nous conduisons mal envers les dieux, nous risquons d'être scindés une fois de plus ; gardons-nous donc de nous opposer à Éros, « mais que chacun conclue plutôt avec lui un traité de paix et d'amitié, afin de trouver enfin cette autre part de nous-mêmes dont la rencontre est un bonheur qui n'est pas donné à tout le monde aujourd'hui » (193 b). À moins de donner à « cette autre part de nous-mêmes » un sens ésotérique que les ultimes paroles de l'orateur semblent plutôt démentir, nous sommes là devant une conclusion bien fade, en contraste presque affligeant avec la verve qui précède. La finesse du discours permettait d'espérer une meilleure chute. Sous ses airs rigolards, en effet, Aristophane était le premier, vraiment, à dire quelque chose : qu'il n'y a d'amour que du manque et que ce manque est irréparable.

Non, voilà précisément ce qu'Aristophane *manque* de dire.

Cette défaillance a sans doute une explication historique : Platon n'a déjà que trop donné à ce personnage dont il ne peut s'empêcher d'admirer l'art mais qui, avec sa comédie des *Nuées*, a contribué à dresser les Athéniens contre Socrate. Pas question que l'ennemi de Socrate ait la part trop belle. À cette considération « politique » s'en ajoute une autre, bien plus déterminante du point de vue de l'économie même du dialogue : si Aristophane vendait la mèche, la parole socratique en serait nécessairement émoussée. Il *faut* donc, toute vindicte mise à part, que l'orateur passe à côté de l'essentiel, ne fasse que le frôler. Implicite dans le discours d'Aristophane, une vérité vient d'être évoquée, que Socrate laissera lui aussi, mais à un autre niveau, en suspens : ce que propose l'amour est impossible.

Au merveilleux Agathon, cependant, rien d'impossible. Et Socrate, encore un coup, ne résiste pas à l'envie de le taquiner : que pourra-t-il bien dire, lui, Socrate, une fois que le poète aura brillé, comme il l'a fait la veille avec assurance devant des milliers de spectateurs ? Agathon proteste qu'il est beaucoup plus redoutable de s'adresser à un petit cercle de gens intelligents qu'à une foule d'ignorants. Socrate s'en voudrait de le croire si peu avisé ; il lui rappelle simplement que les « sages » qui l'entourent aujourd'hui faisaient hier partie de la foule… Et de se mettre à l'interroger sur le sentiment qu'il éprouverait, respectivement, à commettre une faute devant des sages ou devant la foule. Mais Phèdre, président de séance, intervient :

> « Mon cher Agathon, si tu commences à répondre à Socrate, tu peux compter qu'il va se désintéresser complètement de notre sujet, comme chaque fois qu'il trouve quelqu'un à qui parler, surtout si c'est un beau garçon ! »
>
> 194 d

Trop heureux d'obéir à ce rappel à l'ordre, Agathon procède quant à lui à un surprenant rappel à la méthode, dont Socrate ne manquera pas de se servir sitôt après : qu'est-ce que c'est que ces discours qui louent les bienfaits de l'amour sans avoir préalablement défini sa nature ! Il faut commencer par savoir de quoi on parle. Or, loin d'être vieux, comme le disait Phèdre, Éros est ennemi de la vieillesse — quand bien même celle-ci ne cesse de lui courir après ! Il est donc jeunesse et beauté. Beauté qu'aucun discours ne suffit à rendre. Histoire de faire bon poids, Éros réunit aussi les quatre vertus cardinales : justice, tempérance, courage et sagesse. Agathon s'évertue à justifier ces attributs dans un morceau de bravoure rhétorique parfaitement incohérent, qu'on peut lire comme une singerie de la dialectique socratique (rappelons que ces vertus font l'objet d'un minutieux examen dans *la République*). Enfin l'amour est poète, il rend poète celui qu'il touche, fût-il plus rébarbatif à la Muse ; car, poursuit Agathon, « on ne peut donner ce qu'on n'a pas, ni enseigner ce qu'on ignore » (196 e).

Remarque banale au milieu de cette avalanche fleurie de louanges. Du moins le serait-elle, banale, dans un autre contexte. Mais s'agissant d'Éros et venant après l'évocation par Aristophane de l'incomplétude amoureuse, elle fait à son tour retentir sous le discours d'Agathon un vide, un creux, une lacune : à se demander si Platon ne joue pas de la naïveté du poète pour lui faire dire en passant et à sa propre barbe, en quelque sorte, un morceau de cette vérité qui, décidément, est partout laissée en arrêt : l'amour même, lui non plus, ne saurait « donner ce qu'il n'a pas ». À moins que ce don illusoire ne soit précisément ce que les amoureux s'acharnent inconsciemment à lui faire porter, comme le dira à sa manière Jacques Lacan, grand lecteur du *Banquet*[69]. Au reste, le discours maniéré et creux d'Agathon ne donne, lui, pas grand-chose. Sinon l'occasion à Socrate de faire triompher la dialectique.

Les applaudissements unanimes que reçoit la péroraison du poète en disent long sur l'état des esprits : le chemin que Socrate doit maintenant leur faire parcourir ne sera pas facile. Le philosophe commence par présenter ses excuses : il s'est engagé à la légère dans un concours d'éloquence où il n'a pas sa place. Il s'imaginait, « pauvre sot ! qu'il suffisait de dire la vérité », alors qu'il fallait « au contraire enchérir et surenchérir de louanges, véridiques ou non » (198 d). Toutefois, ajoute-t-il, « s'il s'agit de dire le vrai et que vous y teniez encore, je veux bien prendre la parole, mais à ma façon, et sans même songer à une concurrence où je me couvrirais de ridicule ! » (199 a-b).

L'intervention de Socrate commence par une petite mise au point qui constitue le seul moment proprement dialectique du *Banquet*. Le philosophe se tourne de nouveau vers Agathon et, « sans mentir », cette fois, le félicite de sa distinction initiale « entre la nature et les œuvres de l'Amour ». Fini les plaisanteries. Socrate propose de partir de cette distinction pour poser quelques questions. Et d'abord celle-ci : « L'Amour est-il amour de quelque chose ou de rien ? » De quelque chose, évidemment. Ou, plus exactement, de quelqu'un. Quel que soit l'objet de l'amour, cet objet, il le désire, non ? Agathon acquiesce, et Socrate poursuit :

> — Est-ce lorsqu'il a cet objet qu'il le désire, ou lorsqu'il ne l'a pas ?
>
> — Lorsqu'il ne l'a pas, apparemment du moins.
>
> — Apparemment, dis-tu ? Examine justement, dit Socrate, si ce n'est pas plutôt nécessairement que l'on désire ce dont on est privé et non ce dont on n'est pas privé. Moi, du moins, cher Agathon, je vois là une nécessité ; et toi, que t'en semble ?

69. Jacques LACAN, « Le ressort de l'amour. Un commentaire du *Banquet* de Platon », *le Séminaire*, livre VII, *le Transfert* (1960-1961), Paris, Seuil, 1991, p. 29-195. Ailleurs, Lacan dit de l'amour qu'il consiste à « donner ce qu'on n'a pas à quelqu'un qui n'en veut pas ».

— Je suis du même avis.

[...]

— [...] Mais si quelqu'un venait nous dire : « Moi qui suis en santé, je n'en souhaite pas moins de l'être, moi qui suis riche, d'être riche ; donc je désire cela même que j'ai », nous lui répliquerions : « Toi, mon bonhomme, qui a acquis richesse, santé ou force, tu souhaites simplement continuer à les posséder à l'avenir, puisque présentement, bon gré mal gré, tu les possèdes ; examine donc si, lorsque tu prétends désirer les qualités que tu as, ce n'est pas plus exactement que tu désires les posséder encore à l'avenir. » N'en tomberait-il pas d'accord ?

Ce fut aussi l'avis d'Agathon. Et Socrate :

— Ainsi donc n'est-ce pas aimer ce qui n'est pas encore à notre disposition, ce que l'on n'a pas, que de désirer sauvegarder ces qualités à l'avenir ?

— En effet.

— Ainsi cet homme, comme tout homme qui désire, désire ce qui n'est ni présent, ni disponible, ce qu'il n'a pas, ce qu'il n'est pas, ce qui lui manque ; et c'est bien là, nous l'avons vu, l'objet de tout amour et de tout désir.

— Parfaitement.

— Allons ! enchaîna Socrate, récapitulons donc ce dont nous sommes convenus. *Il ne peut être question d'amour, premièrement, qu'en rapport avec un objet quelconque, et, secondement, avec un objet dont on souffre privation.*[70]

— D'accord.

[...]

— Voilà qui est bien, camarade ! S'il en est ainsi, l'Amour sera donc amour de la beauté, et non de la laideur ?

Il en convint.

— Mais n'avons-nous pas admis tout à l'heure qu'on aime ce qui nous manque, ce qu'on ne possède pas ?

— Oui.

— L'Amour sera donc privé de la beauté et ne la possédera pas.

— Oui, forcément.

— Eh quoi ! est-ce donc être beau que d'être privé de la beauté et de rien en avoir ?

---

70. Nous soulignons.

— Bien sûr que non !

— Persistes-tu donc à croire que l'Amour soit beau, s'il en est ainsi ?

— Sans doute, Socrate, aurait alors dit Agathon, n'aurais-je pas trop pensé à ce que je disais !

— N'empêche que ton discours était bien beau, Agathon !

199 d-201 b

Socrate amène encore son auditeur à apparenter le beau au bien pour l'obliger à conclure que l'amour est privé et du beau et du bien. Mais Agathon est au bord de l'exaspération. Sensible à l'amour propre de son hôte, Socrate le laisse tranquille et poursuit le dialogue « en différé » avec celle qui jadis lui a tout appris de l'amour, Diotime de Mantinée.

Socrate ménage ainsi la fierté d'Agathon en se mettant à sa place, dans la position du jeune néophyte qui répond tant bien que mal aux questions que lui pose son initiatrice. Du même coup, ce renversement lui donne les coudées franches et lui permet d'exprimer sa conception de l'amour avec plus de force : nul ne pourra lui reprocher de chercher à se mettre en valeur (n'oublions pas que Socrate s'est désisté de la joute oratoire). Tout le mérite du discours revient en effet à Diotime. Une femme. Une gifle de plus aux orateurs précédents : pour eux, Aristophane excepté, il allait de soi que le seul amour dont il fût digne de parler était celui que les hommes se portent entre eux.

Le dialogue Diotime-Socrate reprend donc exactement là où s'est arrêté le dialogue Socrate-Agathon. Convaincu par son interlocutrice que l'amour ne saurait être ni beau ni bon, l'élève Socrate se demande alors s'il serait laid et mauvais. Il se fait aussitôt rabrouer :

— Ne blasphème pas ! répliqua-t-elle. T'imagines-tu donc que ce qui est n'est pas beau est forcément laid ?

— Sans doute !

— Et qu'on soit ignorant quand on n'est pas savant ? Ne sens-tu pas qu'entre la science et l'ignorance il existe un moyen terme ?

— Et lequel ?

— L'opinion droite dont on ne peut rendre raison : ce n'est pas la science en effet (puisqu'on ne peut appeler science une connaissance non fondée en raison), et ce n'est pas l'ignorance (pas moyen de taxer d'ignorance une connaissance qui, ne fût-ce que par hasard, atteint parfois le réel [*tou ontos*]). L'opinion droite est donc une sorte de moyen terme entre l'intelligence et l'ignorance d'une chose.

— C'est ma foi vrai !

— [...] Ainsi de l'Amour : ne pense pas, pour avoir admis qu'il n'est ni beau ni bon, qu'il soit nécessairement laid et mauvais, mais considère-le plutôt comme un intermédiaire entre les deux.

201 e-202 b

Le parallèle que, mine de rien, Diotime trace ici entre science et beauté n'est évidemment pas fortuit. Tout en établissant l'amour comme intermédiaire, elle indique déjà une piste qu'elle reprendra et élargira plus loin : Éros a affaire avec la connaissance, et la connaissance avec la beauté. Ni laid ni beau, ni ignorant ni savant, donc, Éros n'est pas plus mortel qu'immortel, pas plus homme que dieu, mais toujours un intermédiaire, un démon qui inspire ceux qu'il habite. L'amour prend ici un caractère presque insaisissable : c'est un souffle. On le devine essentiel, mais il n'est pour ainsi dire rien en lui-même. Puissant trait d'union, il n'a d'effet que par ce qu'il lie.

Diotime illustre la nature d'Éros par un mythe : le jour de la naissance d'Aphrodite, alors que les dieux festoient, l'un d'eux, Poros, ivre de nectar, s'assoupit à l'écart. Pénia, rôdant dans les parages pour mendier quelques miettes du festin, aperçoit le dieu endormi, s'accouple à lui dans son sommeil et devient grosse d'Éros. Celui-ci est donc fils de Pauvreté (Pénia) et de Ressource (Poros), lui-même fils d'Invention (Mètis). Attaché à la belle Aphrodite par le jour de sa conception, Éros est un « va-nu-pieds sans abri » qui vit à la dure et dans l'indigence, comme sa mère. Son héritage paternel, en revanche, lui vaut d'être « à l'affût du beau et du bien, courageux, entreprenant, ardent, redoutable chasseur, toujours à tendre d'autres pièges ». Fertile en expédients, Éros est un merveilleux sorcier, un sophiste de premier ordre qui passe son temps à philosopher. N'étant ni mortel ni immortel, « il peut, dans la même journée, s'épanouir et mourir ; puis, pour peu qu'un des expédients empruntés à son père réussisse, ressusciter encore. Mais le profit de ses ruses lui file toujours entre les doigts, de sorte qu'il ne connaît jamais ni le complet dénuement ni la véritable richesse » (203 b-e).

Incapable de jamais se saisir complètement de ce qu'il cherche ni d'atteindre la beauté à laquelle il aspire, Éros est dans la situation du philosophe, qui jamais ne parvient à la sagesse dont il est amoureux. S'il y parvenait, il cesserait de philosopher et rejoindrait la quiétude de l'ignorant qui, croyant ne manquer de rien, ne peut désirer ce qu'il croit avoir. Pour un peu, la sagesse et l'ignorance se rejoindraient ici dans la même béatitude, mais cette jonction reste humainement chimérique : nous, mortels, sommes trop vulnérables à la peur et au malheur pour pouvoir goûter à une sérénité qui demeure décidément l'apanage exclusif des dieux. Si l'ignorance peut momentanément faire illusion, elle ne saurait durablement protéger son adepte ni du monde ni de lui-même. L'insatisfaction est, à l'instar de celle d'Éros, notre lot à tous. Le désir nous tient.

Tous les hommes, dit en effet Diotime, portent en eux, plus ou moins consciemment, le désir d'être féconds. Féconds par le corps ou féconds par l'esprit. À quelque niveau qu'il se situe, l'amour les habite. Sans doute en est-il qui se contentent de l'amour de l'argent ou de l'amour des jeux. D'autres sont plus sensibles à la beauté physique. Et c'est par elle, nécessairement, que l'amour de l'autre s'allume, raison pour laquelle on le considère volontiers comme l'amour par excellence et que le vocabulaire amoureux lui est réservé. L'attrait de la beauté charnelle, toutefois, trouve tôt ou tard ses limites :

> — [...] Car l'objet de l'amour, Socrate, n'est point la beauté, comme tu l'imagines...
> — Mais quoi donc ?
> — ... mais la procréation et l'enfantement dans la beauté.
> — Allons donc !
> — Exactement, poursuivit Diotime. Et pourquoi la procréation ? Parce qu'elle est tout ce qu'un mortel peut obtenir d'éternité et d'immortalité.
>
> 206 e

« Mais ce qui est vrai du corps l'est également de l'âme » (207 e). Là où la plupart se perpétuent en procréant, d'aucuns cherchent l'immortalité à travers leurs exploits ou dans leurs œuvres. Les plus beaux rejetons de l'esprit assurent la postérité la plus durable et sont naturellement préférés par ceux qu'attire la fécondité de l'âme. Cette gloire immortelle, pourtant, n'intéresse guère le philosophe, que l'amour appelle à quelque chose de plus précieux et de plus exigeant. Diotime n'est pas certaine que ce dernier degré de la révélation amoureuse soit à la portée de son élève. Elle s'y risque tout de même. Qu'il la suive comme il pourra.

Depuis un certain temps déjà les répliques du jeune Socrate sont de pure forme. On est insensiblement passé du dialogue à l'exposé magistral, qui trouve ici son apothéose. Diotime montre comment l'amour, éveillé par la beauté de son objet sensuel, mène à la découverte de la beauté en tous les corps, de celle-ci à la beauté des âmes, de la beauté des âmes à celle des actions, de la beauté des actions à la beauté des connaissances pour discerner enfin, « tourné désormais vers le vaste océan du beau » une connaissance unique, celle du Beau : « beauté éternelle qui ne connaît naissance ni mort, accroissement ni diminution » (210 a - 211 a). Connaître n'est rien d'autre que tendre vers la beauté suprême qui ordonne le monde. Et c'est pourquoi Éros, amoureux du beau, l'est aussi forcément du savoir qui le révèle : il est le premier des philosophes ou, mieux encore, le souffle démonique qui les inspire.

Ainsi va le discours de Diotime gravissant le sentier de la contemplation. L'ardeur qui le porte, la beauté qui s'en dégage font de sa première lecture un moment inoubliable. Il conduit à ce débordement d'exaltation qu'on éprouve parfois devant un paysage, devant un visage, à l'écoute d'une musique. Mais, comme le paysage, comme le visage, comme la musique, les propos de Diotime ne peuvent toujours répéter leur exploit; nous n'y retrouvons pas chaque fois le moment de grâce qu'ils ont d'abord inspiré. À la relecture, une sorte de déception s'installe, comme à l'écoute d'une aria trop entendue. La musique est la même, le texte toujours aussi riche, mais la plénitude de naguère fait place à une satiété légèrement excessive. Il y a là quelque chose de trop qui n'était pas perceptible la première fois, quelque chose de trop parfait, de trop complet. Cette beauté sans faille, si pleine, si lisse laisse à désirer. Elle a perdu quelque chose à se faire trop belle. L'exaltation semble avoir quitté le lit qu'elle a creusé. Peut-être aurait-il mieux valu laisser Diotime poursuivre seule sa redoutable ascension vers le midi de la beauté et se contenter de rester à mi-pente à deviner le sommet à travers les brumes du matin...

Heureusement, il y a Alcibiade.

Alcibiade fait irruption avec la vérité.

Coiffé de lierre et de violettes, des bandelettes sur les yeux, il vient titubant chez Agathon couronner la tête de celui qu'il déclare bien haut le plus sage et le plus beau. Devra-t-il repartir aussitôt son hommage rendu ou l'acceptera-t-on comme convive, bien que complètement saoul ? Un « tonnerre d'applaudissements » l'invite à se joindre à la compagnie. Arrivé auprès d'Agathon, il passe les bandelettes de sa tête à celle du poète, et ce n'est qu'alors, les yeux dégagés, qu'en se retournant il aperçoit Socrate :

— Héraclès, à moi! Que vois-je? Socrate ici? C'est encore un piège que tu m'as tendu en te couchant là [...]. Et pourquoi as-tu choisi justement ce lit? Tu ne serais jamais à côté d'Aristophane ni de quelque autre farceur bien décidé à rire, mais tu auras tout fait pour avoir comme voisin le plus beau garçon de la soirée!

Et Socrate :

— Songe donc à me défendre, Agathon, car aimer cet homme-là, quelle histoire! Du jour où j'en suis tombé amoureux, je n'ai plus pu entretenir ni même regarder un seul beau garçon sans que celui-là, avec son caractère envieux et jaloux, ne fasse aussitôt je ne sais quelle folie, ne m'insulte et ne soit à deux doigts de me rosser! Veille donc à ce qu'il ne recommence pas ce soir; tâche de nous réconcilier ou, s'il fait mine de recourir à la violence, défends-moi, car je tremble autant devant sa passion que devant ses fureurs!

— Non, non! Pas question de réconciliation entre nous, dit Alcibiade. Quant à ce que tu viens de dire, tu ne perds rien pour attendre. Pour le moment, Agathon, passe-moi de ces bandelettes, afin que j'en ceigne aussi la tête de cet homme, cette tête merveilleuse, et qu'il n'aille pas me reprocher de t'avoir couronné toi et de l'oublier lui, quand ses paroles triomphent de tout le monde, non point une fois comme toi avant-hier, mais tous les jours de sa vie!

Ce disant, il prend des bandelettes, en couronne Socrate et s'étend sur le lit.

— Allons, messieurs! dit-il une fois installé. Seriez-vous devenus abstinents? Voyons, respectez nos conventions : premier devoir, boire! Donc, j'élis président de la beuverie, en attendant que vous soyez à niveau, moi-même en personne!

212 d - 213 e

Alcibiade a beau chambarder les règles de la soirée et présider à la beuverie, Éryximaque refuse qu'on se contente de boire « comme de vulgaires soiffeurs ». Tout ivre soit-il, il faudra bien que le nouveau venu se fende lui aussi d'un discours. Alcibiade commence par protester que la partie n'est pas égale, mais profite aussitôt de son droit de parole pour demander à la compagnie si elle croit un traître mot des craintes que Socrate vient d'exprimer à son endroit :

— Car c'est lui qui me rossera si j'ai l'audace d'en louer un autre devant lui, fût-ce un dieu!

— Vas-tu te taire ! dit Socrate.

— Par Poséidon ! dit Alcibiade, n'essaie pas de protester, tu sais bien que je ne louerai personne d'autre en ta présence !

— Eh bien soit ! dit Éryximaque. Prononce l'éloge de Socrate, si tu veux.

— Qu'est-ce que j'entends ? dit Alcibiade. Tu penses qu'il me faut, Éryximaque... Est-ce que je vais m'attaquer à cet homme et le châtier devant vous ?

— Qu'a-t-il encore en tête, celui-là ? s'exclama Socrate. Tu veux faire mon éloge pour rire, n'est-ce pas ? Ou quoi ?

— Non point, mais pour dire la vérité ! À toi de voir si tu l'acceptes.

— La vérité, dis-tu ? Bien sûr que je l'accepte ! Mieux : je l'exige !

— Je n'y manquerai pas, répondit Alcibiade. Et convenons que si je fais quelque entorse à la vérité, tu auras toute licence de m'interrompre pour me dire où j'aurais menti [...].

214 d-e

Du savoureux portrait qu'Alcibiade brosse de Socrate, il ressort que, sous des apparences plutôt disgracieuses, ce silène, ce joueur de pipeau, ce charmeur de première force, qui met ses interlocuteurs dans tous leurs états, cache un trésor divin. Il se conduit par ailleurs comme un citoyen-soldat exemplaire, imperméable au froid comme à la déroute. Mais, par-dessus tout, malgré tout l'amour qu'il ressent pour les beaux garçons, il ne perd jamais la maîtrise de lui-même. Alcibiade l'a éprouvé à ses dépens : l'ingénieuse stratégie qu'il a déployée pour l'amener dans son lit n'a rien donné. « J'eus beau faire, il triompha ; dédaigna, ridiculisa, bafoua cette beauté en fleur qui était justement mon meilleur atout [...]. Oui, sachez-le, par les dieux et les déesses, lorsque s'acheva cette nuit passée avec Socrate, je me retrouvai tel que si j'avais dormi avec mon père ou mon frère aîné ! » (219 c). On ne prendra toute la mesure de la déconvenue d'Alcibiade qu'en se rappelant qu'il appartient normalement au plus âgé (l'amant) d'obtenir les faveurs du plus jeune (l'aimé). Alcibiade en est réduit à faire les avances dont il devrait être l'objet. S'il est contraint de renverser les rôles, c'est que la beauté de l'esprit l'emporte sur la grâce du corps.

Plus cruelle encore que la blessure d'amour-propre, la morsure de la philosophie. Socrate est le seul homme devant lequel Alcibiade rougisse, le seul qui lui fasse honte de la vie impossible qu'il mène. Morsure d'autant plus vive qu'Alcibiade sait très bien que son entreprise de séduction visait un objet impossible : ce trésor enfoui en Socrate, dans lequel il espérait puiser, comme on va chercher dans ces silènes qu'exposent les sculpteurs les *agalmata*, ou statuettes divines, qu'ils cachent dans leurs ventres. Le brillant stratège rougit d'avoir cru pouvoir troquer la beauté de son corps contre la beauté intérieure de son maître. Socrate n'avait alors pas manqué de tourner en dérision le profit intellectuel et moral qu'Alcibiade espérait réaliser à son contact : ce n'était pas une mauvaise affaire que son jeune ami combinait à ses dépens en lui offrant *du cuivre pour de l'or*.

À supposer qu'il y eût de l'or. « Commence par t'assurer, heureux homme », lui avait dit Socrate, « que tu ne te méprends pas sur le rien que je suis ! » (219 a). La véritable défaite d'Alcibiade n'est pas l'infructueuse entreprise de séduction qu'il se complaît à relater, c'est d'avoir voulu boire à la coupe de la philosophie comme on fait l'amour ; c'est d'avoir cru pouvoir puiser chez Socrate un bien qui ne s'y trouvait pas — pas à sa disposition, du moins — et qu'il aurait dû plutôt chercher en lui-même. Tel était justement l'effort auquel il avait renoncé pour la gloriole politique et les plaisirs faciles de la vie mondaine (vie dont les contemporains de Platon savent qu'elle a mal tourné). Si l'épreuve de la connaissance passe donc ici par la déception amoureuse, c'est bien du désir de connaître qu'il s'agit. Alcibiade, si meurtri soit-il, n'est pas dupe : c'est de lui-même, finalement, qu'il est le plus amèrement déçu, c'est de la lâcheté qui l'a fait passer à côté de sa propre vérité qu'il reste inconsolable.

Le discours d'Alcibiade n'est donc qu'incidemment l'éloge de Socrate. S'il n'était que le témoignage de la manière édifiante dont ce dernier a mis en pratique les leçons de Diotime, une seconde « apologie de Socrate », au fond, il perdrait beaucoup de son sel. Le récit graveleux des amours malheureuses d'Alcibiade tire l'essentiel de sa saveur de ce que l'intéressé, plus ou moins consciemment (n'oublions pas qu'il est ivre), expose la profondeur de sa propre déconvenue : la morsure inguérissable d'une philosophie qu'il n'a pas eu la trempe de faire sienne. Socrate n'est ici que le faire-valoir de ce qu'Alcibiade a manqué d'accomplir. Plus encore, Socrate porte dans sa personne, en quelque sorte, l'objet trompeur qu'y cherche son jeune compagnon. Ces merveilleux *agalmata* qu'Alcibiade lui prête, lui, Socrate, *il ne les a pas*. S'il les avait, ces joyaux divins, il ne serait plus philosophe mais sage accompli ; il ne vagabonderait pas, compagnon d'Éros, en quête de la sagesse et de la beauté mais irait prendre place parmi les dieux. La sagesse, la beauté ne sont rien de disponible qu'on puisse emmagasiner et emporter avec soi.

Dans *Phèdre*, rappelons-nous, Socrate mettait en garde contre les facilités du *pharmakon* de l'écriture. L'illusoire transmission de l'écrit est du même ordre que la quête des fameuses *agalmata* : les images, les idoles ont ici pris la place des mots. Dès le début du banquet, on a vu Agathon exprimer le même désir naïf : que la science coule en lui au simple contact de Socrate. Or le savoir n'est pas une substance, il n'est pas transmissible, raison pour laquelle Diotime hésite à se rendre jusqu'au bout de son discours. Se « transmet », tout au plus, le désir de savoir, encore qu'il faille plutôt parler d'éveil que de transmission. Socrate insiste constamment là-dessus, il n'a jamais prétendu exercer un autre métier que celui de sa mère : il est, à l'image de Diotime, la sage-femme des esprits. Et la vérité dont il les aide à accoucher est négative : il s'agit de les délivrer de ce qu'ils imaginent savoir pour faire place au désir de connaître.

La confession d'Alcibiade, à cet égard, est elle-même trompeuse car la véritable cible de son éloge n'est pas la vérité mais le bel Agathon. Tout ce que tu viens de raconter, lui dit Socrate, n'a d'autre but que de nous brouiller, Agathon et moi, de manière à en faire ta chasse gardée et à lui interdire de m'approcher.

> Mais nous t'avons percé à jour, et ton petit drame satyrique et silénique était cousu de fil blanc. Veillons donc, mon cher Agathon, à ce qu'il n'y gagne rien, et fais en sorte que personne ne nous brouille, toi et moi ! Agathon répondit : — Ma foi ! Socrate, il y a des chances que tu voies juste ; j'en trouve un indice dans le fait qu'il se soit installé entre nous deux, comme pour mieux nous séparer. Mais il n'en sera pas plus avancé, car je vais à l'instant m'étendre à tes côtés ! — Parfait ! dit Socrate, viens ici, installe-toi à ma droite ! — Ô Zeus, s'écria Alcibiade, cet homme-là m'en aura fait voir de toutes les couleurs ! Il se croit obligé de me battre à tout coup ! Au moins, singulier personnage, laisse Agathon prendre place entre nous deux ! — Rien à faire, répliqua Socrate. Tu viens de faire mon éloge, et je dois faire celui de mon voisin de droite ; si donc Agathon s'installe sur le lit entre nous, tu ne voudrais pas qu'il refasse un éloge de moi avant que je n'aie fait le sien ? Laisse donc, divin ami, et ne sois pas jaloux de ce jeune homme si je fais son éloge : car j'en ai grande envie. — Hourra ! s'écria Agathon. Tu vois, Alcibiade, il n'y a pas moyen que je reste ici,

il faut absolument que je change de place, afin d'avoir mon éloge par Socrate ! — C'est toujours la même histoire, soupira Alcibiade. Quand Socrate est là, adieu les beaux garçons !

222 d-223 a

Comme si la vérité qu'annonçait Alcibiade au début de son éloge se ramenait à une affaire de sexe et de jalousie. Tout se passe décidément de manière à ce que le thème de l'amour se noie dans la boisson et la drôlerie. À ceci près qu'Alcibiade est privé de l'objet de son désir, comme le sera Agathon de son éloge, puisqu'à peine s'est-il levé pour aller s'étendre à la droite de Socrate, qu'une nouvelle irruption de fêtards submerge tout de son désordre et transforme la soirée en beuverie, histoire de laisser le lecteur sur sa faim. Car le thème principal du dialogue, tout compte fait, n'est peut-être ni l'amour ni la beauté, malgré la place, justement un peu trop évidente, qui leur est faite, mais bien cette faille partout sous-jacente comme une veine discrète dans la trame du récit, et qu'il faudrait pouvoir ne pas nommer pour garder un peu du mystère où nous laisse Platon.

Le Banquet ne pouvait s'achever sur les révélations de Diotime sans contredire irrémédiablement son esprit. Ce que dit la femme de Mantinée doit être oublié, faute de quoi nous risquerions de croire avoir atteint quelque chose comme le savoir suprême, ivresse autrement plus risible et dérisoire que celle du vin. L'épisode d'Alcibiade n'a pas, comme on le lit souvent chez les commentateurs, à nous faire « redescendre » de la sphère des vérités intelligibles vers le monde sensible, du moment que nous n'y sommes jamais vraiment montés. Le discours de Diotime — qui occupe, au terme de la chaîne Apollodore-Aristodème-Socrate, le quatrième degré de la transmission narrative — est un songe, une divagation, dont l'exaltation éthylique d'Alcibiade nous réveille.

Et pourtant ce discours sublime occupe, à l'instar des *agalmata* chez Socrate, une place centrale au cœur du dialogue. Comment prétendre que Platon n'y exprime pas ses idées les plus chères, qui sont par là même les plus difficiles, les plus délicates à fixer. Raison de plus pour qu'aussitôt après les avoir livrées, trahies, il cherche à les estomper dans l'esprit du lecteur, de peur que ce dernier ne veuille les emporter comme Alcibiade le trésor qu'il cherche en Socrate. Désir et crainte mélangés, chez Platon, de dire l'indicible, intention manifeste de ne pas laisser le discours sur cette cime introuvable. Et c'est à quoi sert ici magnifiquement l'art du récit : sans cet art, que Platon manie à merveille, aucune des grandes questions abordées dans *le Banquet*, et moins que toutes celle qui y circule la plupart du temps voilée, n'aurait pu faire l'objet d'un traitement à la fois aussi profond et aussi subtil. L'humour, l'ambiguïté, les rebondissements, la trame elle-même servent le propos d'une manière que seul l'art de la narration permet. Grâce à lui, toutes les graines n'ont pas fini de germer, jusqu'aujourd'hui, dans les jardins d'écritures que Platon a ensemencés.

Paradoxalement, le récit est pour la philosophie de Platon l'instrument privilégié qui la préserve de l'inertie et du pédantisme où risque de sombrer toute vérité *écrite*. La championne de la vérité doit recourir à l'art des « faiseurs de fables » pour éviter que son *pharmakon* ne devienne pur poison de l'esprit. C'est si vrai que Platon lui-même ne réussit pas toujours à s'en prémunir et succombe à la tentation de la certitude. Nous venons de voir cette tentation à l'œuvre dans le discours de Diotime, dont Socrate avoue qu'elle parle à l'occasion « comme un sophiste accompli » (208 c), c'est-à-dire *trop bien*. Contre ce pouvoir d'enchantement, l'épisode d'Alcibiade fait justement effet d'antidote. Et *le Banquet* tout entier apparaît comme un contrepoison aux excès de vérité qui alourdissent l'œuvre platonicienne. Même si je me garde ici de vouloir aborder cette œuvre globalement, je ne résiste pas au désir de montrer en quoi *le Banquet* peut servir d'outil critique à certains de ses passages, notamment à ceux qui concernent la connaissance et la mort.

L'assurance de celui qui sait où niche la vérité imprègne le *Phédon*, le *Timée* et, de manière plus subtile, *la République*. Toute l'œuvre, à vrai dire, est pétrie d'une conviction irréfragable : que l'ultime réalité du monde est beauté et la pensée le plus sûr moyen d'en approcher. Mais cette pensée reste faible parce que tributaire des incessantes exigences du corps :

> [...] si nous devons jamais avoir une pure connaissance de quoi que ce soit, il faut nous séparer de lui [*le corps*], et, avec l'âme en elle-même, contempler les choses en elles-mêmes. C'est à ce moment, semble-t-il, que nous appartiendra ce dont nous nous déclarons amoureux : la pensée ; oui, quand nous aurons trépassé, tel est le sens de l'argument, et non point durant notre vie ! S'il n'est pas possible en effet de rien connaître de façon pure, avec le concours du corps, de deux choses l'une : ou bien d'aucune manière il ne nous est possible d'acquérir la connaissance, ou bien ce l'est pour nous une fois trépassés [...].[71]
>
> *Phédon*, 66 d-e

Ainsi parle Socrate le jour de sa mort à ceux qui redoutent de le voir mourir. S'il est une connaissance pure, seule la mort nous y donne accès. Un doute subsiste : que la connaissance puisse n'exister « d'aucune manière ». Mais ce doute, chez Platon, est minime, voire de simple rhétorique, puisque de notre vivant déjà la pensée nous permet de saisir des moments, des reflets de cette vérité dont nous sommes séparés. De cette vérité que le tourbillon du monde tour à tour révèle et obscurcit mais dont l'existence, quelque part au-delà de ce monde, dans le règne immuable des Idées, est néanmoins certaine.

On invoque souvent le *Timée* pour montrer que Platon croit à la « réalité » des Idées. Mais de quelle réalité s'agit-il ? Certainement pas de celle qui est immédiatement accessible à nos sens. On fait donc nécessairement fausse route à se représenter ces fameuses « Idées » comme de parfaits objets corporels qui meublent le monde céleste. Ce que *Timée* dit — Timée, remarquons-le bien, et non Socrate, qui n'est ici qu'un auditeur, ravi, pour une fois, de ne pas avoir à parler — c'est que le démiurge, l'architecte suprême, a créé l'Âme du monde les yeux fixés sur le Modèle éternel avec lequel il se confond. Cette Âme du monde se révèle elle-même d'une facture assez compliquée, dont Timée donne longuement les détails. De façon générale, son exposé reste passablement laborieux et ne vise d'ailleurs qu'à fournir « une vraisemblable histoire » des origines du monde, réserve que Socrate s'empresse d'approuver (29 d). L'essentiel est qu'au principe de l'univers il y a bel et bien une idée, un modèle, une forme immuable dont l'Âme du monde s'inspire pour ordonner le chaos. Pour le dire succinctement : l'intelligence précède et informe la matière, qui est elle-même organisation du chaos. C'est ce qui met l'univers à mi-chemin entre forme et chaos, entre immuabilité et mouvement, entre éternité et devenir. Mais, au-dessus de ce compromis, le réel, le vrai, l'incorruptible, le modèle, c'est l'Intelligible. Le monde est le produit d'une matrice dont l'intelligence constitue le suprême degré de réalité. La réalité la plus haute, la plus vraie, la seule réalité sûre, c'est la perfection conceptuelle. Et la mort le voyage qui permet à notre âme de la contempler. Comme chacune de nos âmes a déjà fait le voyage, elle en garde un vague souvenir, une sorte de nostalgie. Les Idées platoniciennes sont la nostalgie de l'Intelligible, présent, à qui sait regarder, dans les choses du monde.

---

71. Citation établie à partir des traductions de Léon Robin.

Présence virtuelle qui la plupart du temps échappe au regard. Les yeux (les sens en général) ne sont pourtant pas inutiles. Si les dieux nous ont fait don de la vue, « c'est afin que, contemplant au ciel les révolutions de l'intelligence, nous en fassions application aux circuits que parcourent en nous les opérations de la pensée » (*Timée*, 47 b). L'intelligible n'est donc pas qu'un souvenir, il est partiellement perceptible dans l'ordonnance même du cosmos (ordonnance qui fera dire à Galilée que la nature est écrite en langue mathématique). Sa beauté nous fait signe et transite par le monde sensible. Le corps est une prison, certes, mais une prison ouverte aux rayons cosmiques de l'intelligence, tout comme, dans *le Banquet*, l'attrait physique amorce un mouvement vers la beauté psychique. Platon pense contre le corps *avec* le corps. Contre le monde *dans* le monde et *à travers* lui.

Le monde est à la fois transparent et opaque à la beauté. Voilà ce que raconte, dans *la République*, la célèbre allégorie de la caverne. Probablement la plus forte métaphore de l'impraticable chemin de la connaissance. Dans une caverne, donc, assis entre deux murs, des hommes enchaînés des pieds au cou qui ne peuvent mouvoir ni corps ni tête. Sur un mur situé derrière eux passent des figurines éclairées par des feux dont les prisonniers ignorent la source ; ils ne voient que leurs ombres portées s'agiter devant eux sur la paroi qui borne leur horizon. Ce mur, ces ombres, croient-ils, sont le tout du monde. C'est ce que nous appelons sans y penser la « réalité ». Imaginons que l'un deux parvienne à défaire ses chaînes. Il se tourne, voit le manège des marionnettes, s'étonne des feux qui les éclairent. Il se lève, la caverne a une issue, il s'y engage à tâtons, encore ébloui par les feux qu'il vient d'admirer ; le chemin est long, étroit, tortueux, il glisse, se blesse aux aspérités des parois et renoncerait bientôt à son ascension si on ne le tirait de force vers la sortie. Soudain un trou de lumière. Vivacité inconnue, insoutenable. On le traîne à l'air libre la main sur les yeux, il chancelle, aveuglé. Laissé à lui-même il rebrousserait aussitôt chemin vers le confort de la caverne, tant les yeux lui brûlent… Il lui faudra du temps pour comprendre que le soleil de la vérité ne se laisse pas regarder en face et pour réussir à contempler progressivement ce que cette vérité illumine. Si d'aventure il revenait dire à ses compagnons ce qu'il a vu, ils ne le croiraient pas, le tiendraient pour fou, le mettraient à mort (514 a-517 a).

Non seulement le chemin vers la vérité est ardu mais celle-ci est à proprement parler insupportable. Le Vrai (le Beau, l'Intelligible, le

Divin) ne peut être contemplé sans nous précipiter dans la cécité, et pourtant sa lumière meurtrière nous ouvre un monde que jusqu'alors nous ignorions. Un monde ignoré du monde. Ce monde dont nous n'avions aucune idée n'est finalement rien d'autre que notre monde ! En une sorte de boucle implicite, la métaphore platonicienne renvoie à notre réalité quotidienne — le soleil et l'univers terrestre qu'il éclaire — pour évoquer cette beauté loin de laquelle nous vivons, enchaînés aux ombres de simulacres que nous prenons pour la réalité. Or le réel, cette réalité vraie dont le chemin de la connaissance nous permet d'approcher, est là sous nos yeux, à l'instar des étoiles dont Timée dit qu'elles signalent de leur tracés ordonnés le mouvement même de l'Intelligence. Autant dire que la caverne est dans notre tête. Les ombres qui y circulent sont nos préjugés, nos fantasmes, nos peurs, nos habitudes, retour répétitif et indigent de ce mauvais savoir qui ne laisse aucune place à l'étonnement.

La vérité elle-même, à nous mortels, reste bien sûr inaccessible, et l'âme, libérée du corps, ne pourra la contempler dans sa pureté que dans la mort. Manière dangereuse, la mort, de l'amadouer et d'y reporter nos espérances. Car c'est bien d'*espérance* que parle ici le philosophe (517 b). En attendant cette libération, néanmoins, c'est bien dans le corps et par lui, pourvu que l'âme qu'il renferme ne se contente pas d'être au service de ses appétits, qu'il nous est possible d'avoir accès aux manifestations de la beauté. Cette beauté, la beauté du monde sensible, s'offre à nos yeux mais nous manquons de la voir de ce que, dans tous les sens du terme, nous l'ignorons. Nous nous complaisons, médiocrement satisfaits, dans l'ignorance de notre cinéma intérieur pour avoir négligé, mutilé notre capacité à contempler le monde. Connaître, chercher à connaître, c'est soutenir l'effort qui permet d'entrer dans cette contemplation. Il faut s'exercer à voir, mais cet exercice n'est possible que dans un certain équilibre de l'âme que Platon nomme justice. Tomber amoureux d'un beau visage ne suffit pas. Ce miroir de chair est périssable, sa beauté se flétrira s'il n'est lui-même irrigué par d'autres sources. Qu'il s'agisse de la porter ou de la contempler, la beauté exige le même effort, l'effort grâce auquel, vivant en paix avec nous-mêmes, nous serons disponibles pour la *réalité* du monde.

Que le monde est *réellement* beau, qu'il est digne d'être contemplé dans *l'intelligence de sa réalité*, est décidément l'unique postulat de Platon. Dont tout découle. Notamment qu'il n'est pas de bonheur plus haut, plus vrai, plus durable que cette contemplation. La philosophie, l'amour de la sagesse, la connaissance même n'ont pas d'autre objet, pas d'autre fin. Aucune entreprise humaine, y compris et surtout celle qui vise à organiser la vie en commun, ne saurait exiger le sacrifice de cette contemplation. Si Socrate insiste sans cesse dans *la République* pour dire que la justice de l'âme et la justice de la cité obéissent toutes deux aux mêmes principes, c'est que la politique ne peut avoir d'autre but que de permettre à chacun, comme à la communauté tout entière, d'apprendre à bien conduire sa vie, à vivre en accord avec soi-même. Et si l'État s'en montre incapable, s'il dévie de cette tâche, s'il n'est pas au service de la connaissance, du moins ne saurait-il en barrer la route sans perdre toute légitimité.

Comment admettre, pourtant, que l'intelligence des choses terrestres et la conduite de notre vie méritent l'effort auquel nous convie Platon si l'âme est de toute façon promise, dans l'au-delà, à la contemplation du Beau en soi ? C'est que l'âme ne sort pas indemne de son séjour sur terre. La mort n'est pas pure délivrance. Un tel détachement serait une trop belle aubaine pour ceux qui n'ont pas su vivre ; « car l'âme s'en va chez Hadès sans aucun autre bagage que son éducation et la façon dont elle a vécu » (*Phédon*, 107 c-d). La topographie et la psychologie infernales de Platon, telles qu'elles apparaissent dans le *Phédon*, et qui influenceront si fort le christianisme, n'ont plus grand-chose à voir avec l'au-delà d'Homère. Dans *l'Odyssée*, nous l'avons vu, le royaume des morts est une sorte de non-lieu où circulent pêle-mêle des ombres sans force qui vont regrettant le temps de leur vie. Les Enfers de Platon, comme plus tard l'au-delà dantesque, sont hautement différenciés : il y a d'abominables abîmes pour les âmes incurables, des zones de réhabilitation (le futur purgatoire des chrétiens) pour celles qui ont la capacité de guérir et des lieux de félicité pour celles « dont il a été reconnu que leur vie a été exemplaire » (*Phédon*, 114 b). Mais l'eschatologie de Platon n'est elle-même pas univoque. Dès qu'il s'agit de l'au-delà, de l'indécidable, Platon recourt systématiquement à la forme mythique, qui se prête admirablement aux variantes, tantôt contradictoires, tantôt complémentaires. Ainsi, dans *la République*, Socrate propose une destinée psychique qui s'accorde mieux avec la conception qu'il développe de la justice en tant qu'accord avec soi-même. Ici aussi, au moment décisif, c'est le récit qui prend le relais de l'argumentation, avec le mythe d'Er.

Tenu pour mort sur le champ de bataille, Er, le corps intact, ressuscite le jour de ses funérailles et raconte ce qu'il a vu de sa visite dans l'au-delà. Les âmes irrémédiablement viciées subissent les mêmes sanctions que dans le *Phédon*. Mais la foule des âmes ordinaires, qu'elles viennent du ciel ou de la terre, passent cette fois par un autre tribunal : un tribunal dont l'unique juge n'est nul autre que l'âme elle-même. Appelée à choisir librement la vie et le personnage dans lesquels elle aura à se réincarner, elle procède à ce choix d'une manière qui reflète fidèlement le degré de jugement, de clairvoyance et de sagesse qu'elle a atteint au terme de sa vie précédente. Vivre dans l'injustice, dans le déséquilibre, dans la discorde intérieure, c'est se condamner à répéter les mêmes erreurs dans cette vie comme dans les suivantes. Seul l'accord avec soi-même nous met en mesure de choisir notre vie et de la mener maintenant et plus tard sur le chemin de la connaissance sans laquelle le monde restera pour nous imperméable et sa beauté à jamais fermée.

Qu'il s'agisse de ce monde ou de l'au-delà, de cette vie ou d'une autre, Platon entend libérer l'homme en l'invitant à prendre soin de son âme, à entretenir le souffle qui habite le corps et qui le rend vivant (*Phédon*, 105 c). Libérer l'homme, c'est-à-dire le soustraire à l'implacable *atè* du héros tragique, mais aussi à la tyrannie des ambitions politiques, des honneurs et de l'argent, à la dérision des passions ordinaires, de manière à laisser le plus d'espace possible à ce qu'Aristote appelle magnifiquement « la passion de connaître ». Mais, pour anticiper ce que nous verrons au chapitre suivant, là où Aristote moissonne et engrange, Platon se contente de humer. Platon, à l'instar de Socrate (de celui, du moins, qu'il fait parler), se veut rigoureusement philosophe, c'est-à-dire, on ne le répétera jamais assez, *amoureux de ce qu'il n'a pas*, amoureux de cette connaissance dont il sent puissamment la pauvreté, épris de cette beauté dont il déchiffre partout des signes d'intelligence. Absence et présence sont indissociables. Elles pèsent du même poids sur la balance de l'esprit. Que l'absence l'emporte, et l'esprit sombre dans la négation : l'horreur et le cynisme ont le champ libre. Que la présence domine, et le désir de vivre s'émousse, l'amour, gavé, s'assoupit. La vie n'a pas besoin de la beauté, risque même d'être écrasée par sa permanence. L'être vivant, pour rester *vivant*, exige que la beauté soit possible, qu'elle lui fasse signe.

Platon, infidèle à l'esprit du *Banquet*, se laisse parfois submerger par la présence. Les signes le remplissent de certitude : le Beau n'est pas une possibilité dans le monde, le Beau *est*. Éros s'efface devant la vérité de l'Être. Une vérité magnifiée à laquelle le christianisme donnera toute-puissance. Pas étonnant que l'Église se soit approprié cette essence platonique pour en faire son *pharmakon* à elle. Platon ramené malgré lui, mais aussi un peu par son propre excès, à l'emploi de droguiste ! Rien ne manque aux diseurs de vérités sur ses étagères. Sauf une chose. Une chose que nous avons déjà refusé de nommer.

À peine une « chose », à vrai dire, un ingrédient, subtil et tenace, qui ne se laisse pas mettre en bouteille, une fuite dont la rumeur imperceptible se faufile partout dans le récit du *Banquet* et que toute la philosophie occidentale depuis Platon et avec Platon cherche à étouffer de ses monumentales constructions scripturales.

D'autres fêtards ont surgi chez Agathon. Après s'être copieusement enivrés, les convives s'assoupissent. Certains sont partis. Le narrateur s'est lui-même endormi. Réveillé par le chant du coq, il aperçoit dans sa somnolence Agathon, Aristophane et Socrate toujours en train de boire et de deviser. Seul Socrate parle, à vrai dire. Visiblement, ses interlocuteurs ne suivent plus très bien et finissent par tomber l'un après l'autre dans le sommeil.

Triomphe de la philosophie sur la tragédie et la comédie, dit-on volontiers. Sans doute. Triomphe plein d'ironie, pourtant, du moment que le discours socratique, aussi intarissable que le vin, endort ses auditeurs. Peu importe, la parole maintient vivant celui qui parle. Comédie et tragédie ont toujours une fin, la *catharsis* du rire et des larmes ne dure pas. L'homme ne peut sans cesse rire de lui-même ni constamment s'apitoyer sur son sort. En revanche, la faculté de réfléchir, la capacité d'émerveillement, sont en lui aussi inépuisables que l'objet de sa contemplation. La réflexion n'a pas de fin. Elle nous maintient *éveillés*, amoureux du monde. Le philosophe n'a pas la vérité, mais il est le premier à dire que l'*atè* n'est rien d'inéluctable, que le monde vaut la peine d'être contemplé, que la vie peut être belle, qu'il dépend de nous de la conduire en sorte qu'elle le devienne.

Assistant au choix que les âmes font de leur réincarnation parmi les nombreuses vies qui leur sont offertes, Er voit celle d'Ulysse, que le sort a placé en dernier, errer « longtemps à la recherche d'une existence de simple particulier vivant sans souci », qu'il finit à grand-peine par découvrir avec joie « posée quelque part où les autres l'avaient négligemment laissée de côté » (*la République*, 620 c-d). Cet hommage à la clairvoyance du héros homérique, au terme de l'ouvrage central que Platon consacre à la question de savoir comment vivre, indique probablement que l'aventurier n'a pas subi ses tribulations en pure perte. Il est en quelque sorte devenu philosophe. Un peu comme Ulysse, mais sans avoir à quitter son foyer, le philosophe prend plaisir à suivre le difficile chemin sur lequel l'engagent la passion de connaître et l'amour de la réflexion.

VII

LES VOIES DE LA CONNAISSANCE

Avec Platon nous sommes arrivés au point où se pose, à la jonction du récit et de la philosophie, la question de la vérité.

Jonction sans exemple et, pour ainsi dire, sans lendemain. Philosophie et récit se croisent et s'écartent aussitôt l'un de l'autre, non sans garder chacun des traces de leur rencontre : il y aura, incidemment, de la philosophie dans le récit et du récit dans la philosophie, mais les deux genres, exception faite de quelques-uns (saint Augustin, Descartes, Hegel), resteront jusqu'aujourd'hui nettement distincts. Nous disions dans l'introduction de ce livre que la philosophie, la philosophie platonicienne en particulier, s'était construite contre le récit. Précisons : contre un certain type de récit, qui n'a aucune fin pédagogique. Nous venons de voir combien Platon use à cette fin de la fiction. Le récit, chez lui, n'a rien d'incident, rien d'un ornement; il ne se limite pas non plus aux « mythes » insérés ici et là dans la trame des dialogues pour évoquer ce qui ne peut être dit autrement. Dans maint écrit de Platon, le récit est nodal : ce qu'il évoque de vérité tient autant à la structure de la narration qu'à ce qui est énoncé. Pour une raison que nous connaissons : le vrai ne peut pas se dire, moins encore s'écrire, mais il est possible de le faire chatoyer à travers les ambiguïtés du dialogue et de sa mise en scène.

Ce qui se noue à ce point de jonction du récit et de la philosophie, au prix peut-être d'un vaste malentendu, est donc le statut de la vérité. À quel ordre de vérité la pensée peut-elle prétendre ? L'homme peut-il savoir ce qu'il en est du monde, de la place qu'il y occupe et de sa mort ? Platon postule que la mort, loin d'être la fin de tout pour la psyché, coïncide avec la vérité. Dans la mort, qui la détache du corps, l'âme trouve sa vérité et, suivant son état, entre en contact avec la réalité et la vérité ultimes du monde ou amorce un nouveau cycle de ses pérégrinations. *L'âme*, pas l'individu. Socrate meurt sans retour, mais la psyché dont il a pris soin poursuit sa route ailleurs. L'acceptation de la mort, chez Socrate, fait même partie des soins qu'il prodigue à son âme pour qu'elle puisse contempler le Beau en soi. Certains vont jusqu'à dire qu'il est impensable pour Platon que son maître soit mort pour rien et que toute l'entreprise platonicienne trouve sa source dans ce désir de rédemption[72]. Possible. Ce qu'il s'agit de racheter, en tout état de cause, ne saurait être l'âme (puisque Socrate s'en est précisément bien occupé) mais la vie du philosophe, mais la vie philosophique elle-même.

N'avoir pas vécu en vain, tel est finalement le souci majeur de Platon. Mis à part les spéculations ontologiques qui en constituent la justification ultime, l'héroïsme philosophique rejoint en cela l'héroïsme homérique : il s'agit dans les deux cas de faire l'usage le plus intense, le plus judicieux possible de ce bref moment imparti à chacun, la vie. La différence tient au contenu : à la richesse sensible (pratique et matérielle) du héros homérique se substitue la richesse intellectuelle, contemplative du philosophe. Tout comme l'Intelligible, dans l'allégorie de la caverne, renvoie à la lumière terrestre et à sa source solaire, de même le Beau en soi renvoie à la beauté du monde. L'immortalité platonicienne n'est évidemment pas un mince ajout au destin de l'âme homérique, mais il n'en reste pas moins que c'est *dans la vie*, dans les limites imparties à sa brève existence terrestre, que le héros socratique jouit des beautés dont il est amoureux. Du moment que l'âme oublie tout, ou presque, de son passage par les sphères supérieures, Socrate, en tant qu'homme, n'a rien à attendre de ce séjour. Tout, pour lui, y compris l'idée de la béatitude éternelle (celle, disons, que lui souhaite Platon), se joue finalement ici bas. Il importe avant tout, et en dehors de toute rétribution *post mortem*, d'avoir été juste, c'est-à-dire, répétons-le, en accord avec soi-même et d'avoir ainsi participé dans cette vie, qui ne reviendra jamais, à la beauté de ce qui la dépasse. La récompense du philosophe est sa vie même. Il ne demande rien à la mort. Il lui suffit de ne pas la craindre, car seule la *crainte* de la mort nous fait agir contre nous-mêmes. L'acceptation de la mort, quoi qu'il arrive au-delà, est la condition sans laquelle l'homme restera toujours sujet au malheur, victime de l'*atè* du héros tragique. L'acceptation de la mort permet la curiosité amoureuse du monde.

---

72. C'est l'hypothèse avancée notamment par Dario De Facendis au cours d'une conversation privée.

Le point faible de cette curiosité du monde, chez Platon, vient de ce qu'elle ne se contente pas tout à fait du monde, de ce qu'elle postule et vise une vérité ultime, au lieu de se suffire à elle-même et de se maintenir dans la sensibilité du monde. La philosophie occidentale s'est fait prendre à ce finalisme transcendantal, qui cherche la vérité *en dehors*, *au-dessus*, *au-delà*, alors qu'elle gît invisible à nos pieds, semblable au gibier tapi dans le buisson près duquel le chasseur scrute vainement l'horizon[73]. S'en tenir au monde perceptible, tel est sans doute ce que propose Aristote en rompant avec la doctrine des Idées. Or, paradoxalement, c'est à partir du même Aristote que la philosophie, sans l'avoir nécessairement prémédité, s'éloigne du récit et s'engage plus résolument dans la quête de la vérité.

L'abandon du récit signale une modification profonde du projet philosophique ébauché par Platon ; il trahit l'intention des philosophes de prendre une voie différente de celle qu'a tenté d'ouvrir sans grand succès, malgré son énorme influence, celui qu'on considère en Occident comme le père de la philosophie. Avant de poursuivre la lecture des grands récits qui informent notre imaginaire, il vaut la peine de s'arrêter un instant à ce carrefour décisif. Et pour comprendre ce qui s'y « décide », il faut tenter d'évaluer, à la lumière des lectures que nous avons faites jusqu'ici, la portée de la rupture qu'introduit, avant, avec et après Platon, le projet de la philosophie. Précisons d'emblée qu'il s'agit évidemment du projet de la philosophie *grecque*, sans du tout vouloir entendre par là que la philosophie « commence » exclusivement au lieu et à l'époque de la Grèce classique. Elle y commence pour l'imaginaire occidental, et c'est lui qui nous intéresse ici.

Le projet de la philosophie est d'ouvrir une voie nouvelle vers la connaissance à travers un questionnement qui tend à se passer des explications mythiques reçues des ancêtres. Sans être nécessairement aboli ni ridiculisé, le mythe est à tout le moins accueilli comme une représentation qui mérite examen. Probablement parce que le pouvoir explicatif du mythe, sa capacité de faire sens ont faibli, comme en témoigne la liberté que la narration homérique prend avec les dieux. La fameuse coupure entre *muthos* et *logos*, si l'on se fie à l'évolution de ces deux vocables (de signifiés communs à des signifiés divergents), s'est probablement faite progressivement, à partir, justement, d'Homère.

---

73. Par analogie avec ce que Socrate dit de la justice qu'il cherche avec ses interlocuteurs dans *la République* (432 a - e).

C'est après coup seulement que le *logos* philosophique apparaît porteur d'une intention *sui generis* en opposition à la tradition du récit mythologique. La philosophie, donc, questionne en quête d'un nouveau fondement cognitif, à un moment où la croyance dans les mythes tend à s'effriter.

Ce questionnement, en continuité à cet égard avec la mythologie, s'adresse en premier lieu à la nature, à la *phusis*, au cosmos. En quoi consiste l'étant? Qu'en est-il de l'être? Dans quelle sorte de monde sommes-nous? Telles sont, en simplifiant, les questions que se posent apparemment la plupart des philosophes dits « présocratiques » ou « préplatoniciens » : Thalès, Anaximandre, Héraclite, Parménide, considéré comme le père du principe de non-contradiction, Anaxagore, Empédocle, Démocrite. Ce qui nous reste de ces géants est minuscule : des fragments difficiles à interpréter et des commentaires qui, peut-être, en déforment le sens plus qu'il ne l'éclairent. Ces fragments n'en témoignent pas moins d'une puissante interrogation sur l'être, dont le questionneur, l'homme en tant que *préoccupation*, semble toutefois absent — à l'inverse de ce qui se passe, par exemple, dans *Gilgamesh* et dans la Torah.

La préoccupation de l'humain dans le questionnement philosophique, c'est en quoi consiste ce qu'on appelle volontiers la rupture socratique. Plutôt que de chercher à connaître la *phusis*, Socrate interroge la condition humaine. Cette interrogation conduit tout d'abord à l'évidence que l'homme non seulement ne sait rien de ce qu'il croit savoir mais encore qu'il ne se connaît pas lui-même, exigence déjà posée, semble-t-il, par Thalès. Du coup, le premier pas vers la connaissance consiste à se débarrasser de ce faux savoir, tâche à laquelle se consacrent les dialogues platoniciens dits « de la première période » ou « socratiques ». Socrate amène ses interlocuteurs à reconnaître qu'ils ont parlé du beau, de la sagesse, du courage, de l'amitié, de la justice sans savoir réellement de quoi ils parlaient, de sorte qu'ils conduisent leur existence dans l'ignorance des vertus qu'ils prétendent pratiquer. La maïeutique à laquelle il procède met au jour la prétention et l'incohérence des préjugés qui font obstacle à l'interrogation vraie, sans laquelle il n'est pas de connaissance qui vaille. Cette méconnaissance a des conséquences pratiques : c'est par ignorance que les hommes mal agissent, c'est par paresse intellectuelle qu'ils sont malheureux. Affirmation époustouflante, presque révoltante. Si radicale, à vrai dire, que ni la théologie chrétienne ni la philosophie moderne, hormis Spinoza, n'ont eu l'audace de la reprendre.

Cette audace socratique, Platon la fait sienne, tout en cherchant à l'articuler à une conception générale de la *phusis* susceptible de conforter le philosophe dans la priorité qu'il donne au soin de l'âme. Ce souci de l'âme n'est pas exclusif à Platon. Comme le montre Jan Patocka, il est aussi celui de Démocrite, contemporain de Socrate. Mais chez Démocrite, dit Patocka, la discipline de l'âme est au service du savoir ; tandis que Platon inverse la priorité : « La connaissance est un moyen pour l'âme de *devenir* ce qu'elle *peut* être »[74]. Renversement capital. Il indique que toute la conception platonicienne du monde, avec d'un côté sa manifestation sensible et de l'autre sa sphère intelligible, toute cette part de sa philosophie qui influencera si profondément la métaphysique occidentale, n'a de sens que par rapport à la question de savoir comment conduire sa vie. Que cette question, dans l'œuvre même de Platon, et plus encore dans celle de ses continuateurs, finisse par pâtir de cette articulation cosmique, que la théorie des Idées, en d'autres termes, ait plutôt contribué à reléguer le souci platonicien de l'âme à l'arrière-plan de la philosophie, montre assez que cette articulation n'a pas donné les fruits escomptés. Pire : jusqu'aujourd'hui, la distinction que Platon établit entre le monde sensible et le monde intelligible sert de point d'appui à la critique de ceux qui situent la pensée platonicienne à l'origine de la tangente métaphysique que la philosophie grecque puis occidentale ont prise depuis lors. Ce qui devait renforcer la question existentielle l'a finalement affaiblie.

Peut-être est-ce bien à la menace de cet affaiblissement qu'Aristote tente de parer en se départissant de la doctrine des Idées. En affirmant que la beauté du monde est visible de la caverne platonicienne, en abolissant les murs de la caverne plutôt qu'en y retournant, Aristote cheville plus concrètement que son maître, et à certains égards de façon plus convaincante que lui, le souci de l'âme à la connaissance. Pour lui comme pour Platon, connaître, c'est s'acheminer vers la beauté, vers l'équilibre, vers le Bien. On pourrait même dire avec Patocka que le Stagirite a, dans cet acheminement, une plus haute idée de la liberté humaine : là où, chez Platon, le Beau, le Bien apparaissent en quelque sorte comme des données immuables cantonnées dans un autre monde, chez Aristote cet équilibre et cette beauté dépendent davantage de l'homme lui-même, en ce qu'il lui appartient, à lui, l'homme, ici et

---

74. Jan Patocka, *Platon et l'Europe*, traduit du tchèque par Erika Abrams, Lagrasse, Verdier, 1983, p. 91. Les mots en italique sont soulignés dans le texte de référence.

maintenant, collectivement et individuellement, de donner forme et consistance à sa vie, plutôt que de la laisser aller à vau-l'eau dans l'informe. « Pour Aristote, le problème n'est pas seulement celui de l'étalon d'après lequel l'homme se mesure, mais celui de l'action effective, où l'homme doit se décider et réaliser sa décision », c'est-à-dire réaliser « par son action ce qui n'existe pas encore »[75]. Toute la conception aristotélicienne de la politique, en effet, va dans ce sens : la politique est par excellence le domaine de la *phronèsis*, traduit ordinairement par « prudence », en un terme bien peu apte à rendre compte de ce qui se présente plutôt comme *intelligence en acte*. Ni science, ni technique, mais participant de l'une et de l'autre, la *phronèsis* est cette connaissance agissante, cette *praxis* avertie grâce à laquelle l'homme peut tenter de mettre en œuvre ses aspirations et vérifier dans l'action leur bien-fondé et leur beauté (*Éthique à Nicomaque*, 1140 a-b).

Aristote donne là une leçon de politique que les politiques et politologues d'aujourd'hui feraient bien de méditer, à supposer qu'ils visent au bien commun et que cette expression leur dise encore quelque chose. Mais la manière aristotélicienne d'aborder la connaissance, plus exactement le style des textes qui nous sont restés d'Aristote et qui pour la plupart n'étaient pas destinés au public mais à lui seul et au cercle restreint de ses élèves, ces circonstances ont soumis sa pensée à tous les aléas de l'écrit, dont Platon se méfiait à si juste titre. Hasard ou imprévoyance, Aristote n'a pas pris les mêmes précautions que son maître envers l'écriture. Derrière les circonstances, le style trahit aussi une différence de démarche tributaire d'une certaine conception proprement aristotélicienne de la connaissance — disons plus pragmatique que celle de Platon.

Ce pragmatisme se manifeste — presque naïvement, d'un point de vue platonicien — dans le passage auquel nous venons de nous référer par la façon dont Aristote illustre son admirable concept de *phronèsis* : il donne Périclès en exemple d'un politique qui a agi en conformité avec cette exigence. Or on se souviendra que, dans le *Gorgias*, le *Protagoras* ou *la République*, Socrate cite Thémistocle, Périclès et leurs semblables en exemple de ce qu'il ne faut précisément pas faire : en dépit de toutes leurs qualités, ces grands hommes d'État n'ont pas su veiller sur la cité comme il l'aurait fallu, ils ont manqué de prendre soin de son âme, comme aussi de la leur propre ; pour cette raison, pour n'avoir pas

---

75. PATOCKA, *op. cit.*, p. 211.

travaillé à rendre la cité meilleure, ils ont gaspillé leurs talents, et leurs politiques se sont, en définitive, soldées par des échecs (*Gorgias*, 515 c - 516 a et 518 e). En prenant Périclès pour modèle, Aristote indique clairement qu'il ne souscrit pas aux exigences de son mentor.

De façon générale, quelque chose dans la manière dont la connaissance se montre, dans les écrits d'Aristote *tels qu'ils nous sont parvenus*, diffère radicalement de la démarche platonicienne. Par malchance, les dialogues aristotéliciens, dont Cicéron admirait tant l'art, ont disparu. On peut se livrer à leur égard à toutes sortes de spéculations, mais elles sont sans intérêt pour notre propos. Nous sommes bien obligés de considérer la manière et l'influence d'Aristote à partir des traces qu'ont laissées les écrits qui ont survécu. Or, dans ces écrits, le moins qu'on puisse dire est qu'Éros n'est plus tout à fait de la partie. Ce retrait est sensible jusque dans le style des textes aristotéliciens. Et ce style — peu importe ici que ce soit délibéré ou accidentel — est à l'opposé de la narration :

> Tout art et toute recherche, comme toute action et tout choix délibéré, passent pour viser à quelque bien. Aussi a-t-on eu raison de déclarer que le bien est ce à quoi tout vise. Il y a manifestement une différence entre les fins : les unes en effet sont des activités, les autres des actes qui en dérivent; dans le cas où des fins dérivent des actions, les actes sont naturellement supérieurs aux activités.
>
> Nombreux étant les actions, les arts et les sciences, nombreuses sont aussi les fins : pour la médecine, c'est la santé; pour la construction navale, le navire; pour la stratégie, la victoire; pour l'économie, la richesse. Certains de ces arts sont subordonnés à un art unique : ainsi sont subordonnées à l'équitation la fabrication des mors et toutes celles qui concernent le harnachement des chevaux; et à son tour l'équitation et toute action guerrière à la stratégie, etc. Dans tous les cas les fins propres aux arts dominants sont préférables à celles de tous les arts qui leur sont subordonnés : c'est en effet à cause des unes qu'on poursuit aussi les autres. Peu importe que les activités soient elles-mêmes les fins des actions ou que ce soit autre chose qui en dérive, comme pour les sciences évoquées.
>
> Si donc, parmi ce qu'on peut faire, existe une fin que nous voulions pour elle-même, si nous choisissons tout le reste en vue d'elle et non toutes en vue d'une autre — car on irait ainsi à l'infini et le désir se viderait et s'évanouirait —, il est évident que ce peut être là le bien

et même le souverain bien. N'est-il pas vrai que, pour la vie aussi, la connaissance de ce bien est d'une grande importance et que, ayant une cible comme des archers, nous pourrions mieux atteindre ce qu'il faut ? S'il en est ainsi, il faut essayer de circonscrire schématiquement du moins sa nature, et les connaissances et capacités dont il dépend.

Éthique à Nicomaque, 1094 a

Ainsi commence l'ouvrage qui, de tous les textes d'Aristote, a probablement exercé sur la pensée occidentale l'influence la plus large et la plus durable. Parmi les fins qu'on *peut* s'assigner, dit le Stagirite, il en est une qu'on *peut* vouloir pour elle-même et en vue de laquelle toutes les autres lui sont dès lors subordonnées. Pour Aristote, ce choix s'impose à nous comme une nécessité pratique, sans quoi les fins seraient toutes relatives les unes aux autres et leur poursuite n'aurait pas de fin. Aucune hiérarchie des valeurs ne serait possible. Là encore, ce simple constat donne à réfléchir en un monde, le nôtre, où cette hiérarchie des fins semble s'estomper dans le brouillard des desseins particuliers et des légitimités privées, qui pourtant concourent à un progrès général tout à la fois irréversible et imprévisible, désiré et redouté. Les désirs, à vrai dire, s'éparpillent et se contredisent plus qu'ils ne s'évanouissent. Mais peut-être Aristote indique-t-il justement que c'est alors la volonté collective qui se vide et s'épuise. À quoi l'on peut aujourd'hui mesurer, une fois encore, combien la civilisation qui n'a pour ainsi dire jamais cessé, peu ou prou, de se réclamer de lui est effectivement éloignée de son esprit.

Cette brève incursion chez Aristote suffit à montrer, je crois, deux mouvements contradictoires à l'œuvre dans sa pensée, en tant qu'elle se veut à la fois tributaire et correctrice de Platon. De Platon, Aristote garde, on l'a vu, le projet qui consiste à bien conduire sa vie. On sait aussi que ce bien est assigné à l'homme comme une visée pratique, dans un monde où les murs de la caverne sont (ou peuvent être) abattus. Cette assignation, à première vue, loin de contredire le projet platonicien, lui donne une assise plus concrète. Mais la faculté susceptible de le mettre en œuvre, la *phronèsis*, se distingue de la science, dont l'objet est éternel et incorruptible (1139 b). Aristote réintroduit donc ici, en tant qu'objet de la catégorie la plus élevée du savoir, la sphère de l'intelligible. Dans le champ même de la connaissance, cette coupure, pour être moins visible que chez Platon, a des conséquences plus radicales. Si le bien, le beau sont la visée d'un savoir-faire pratique, soumis à l'épreuve des faits, cette intelligence en acte se suffit à elle-même. Du moins pourrait-elle incliner à le croire. Dans cette autosuffisance de la raison pratique réside, encore une fois, la splendide audace de la pensée aristotélicienne. Et pourtant il semble à peu près inévitable que quelque chose du souci de l'âme s'y perde.

Si, à toutes fins pratiques, il n'y a plus de lien entre ce qui *est* par nécessité, objet de la science, et ce qui *peut* advenir en vertu de nos efforts, objet de la *phronèsis*, il y a fort à parier que ces deux démarches (sans rien dire ici de la production matérielle assurée par la technique) aillent leur chemin séparément. Et l'on voit mal, dans ces conditions, comment maintenir cette tension vers la beauté grâce à laquelle l'âme reste attentive à elle-même. Sans doute, cette tension n'a-t-elle jamais manqué à un homme tout entier orienté vers l'enquête destinée à lui faire découvrir les mille facettes de la beauté du vivant — et de fait une masse considérable des écrits et des efforts d'Aristote porte sur ce qu'on appelle aujourd'hui la biologie. Mais il ne s'agit pas tant d'Aristote lui-même que de son héritage intellectuel — d'un bien plus grand poids que celui de Platon dans la conception moderne de la science. Son esprit de système a évidemment été accentué et partiellement défiguré par ceux qui ont cherché à y « mettre de l'ordre ». Il n'en reste pas moins que cette mise en ordre s'inspire en partie de la nature même de l'écrit aristotélicien : avec une subtilité qui échappe souvent au lecteur de ce qu'elle se cache sous une aridité rébarbative et elliptique, Aristote trie, classe, découpe, recense les éléments de son objet. Ses exposés cherchent à établir et à sérier plus qu'ils ne questionnent.

Ce n'est donc pas en vertu d'une simple infortune de l'œuvre et de son cheminement que les écrits d'Aristote ont d'une part contribué à nourrir une scolastique qui a fini par se scléroser et que d'autre part certains persistent aujourd'hui, au prix d'une grande méprise sur la conception grecque de la science, à les considérer comme un des fondements du positivisme moderne. Cette méprise est tout à fait compréhensible : il y a en germe dans le projet d'Aristote la visée d'un savoir global et cumulatif susceptible d'inclure à terme l'ensemble de la nature. L'idée d'un savoir achevé portant sur un monde fini que les savants parviendraient avec le temps à recenser dans tous ses aspects est totalement étrangère à l'érotique de la connaissance platonicienne. Cette conception omnivore, tentaculaire du savoir laisse espérer, dans la meilleure des hypothèses, une sagesse qu'il serait possible d'acquérir en ce monde ; elle se propose ni plus ni moins de supprimer le manque sans la tension duquel l'amour d'un réel insaisissable cède à la conviction que la réalité est bel est bien contenue dans un monument aux murs inébranlables. Le Panthéon des savoirs accumulés, comme autant de trésors répertoriés, remplace la caverne des ombres et des simulacres. Le souci de l'âme risque fort d'étouffer sous l'ambition d'un tel amoncellement, dont nous voyons aujourd'hui, non sans inquiétude, qu'il est susceptible de se matérialiser et de se poursuivre presque indéfiniment — c'est-à-dire dans les limites encore imprécises et controversées de ce qu'on appelle l'écosystème.

Il ne fait guère de doute qu'en articulant le soin de l'âme à l'état de dépossession où nous sommes devant la vérité Platon prend appui sur le socle le plus profond de notre psyché : l'étendue irréductible qui sépare le désir du réel et sa réalisation. Le réel n'est pas réalisable, telle est l'impitoyable vérité devant laquelle nous place la pensée de Platon. Que le réel nous attende dans un autre monde en récompense du soin que nous aurons pris de notre âme n'a qu'une importance seconde. L'essentiel, pour l'instant de notre présence ici, en ce monde — qu'il y en ait ou non un autre après —, l'essentiel est que le réel existe dans notre imaginaire, au principe même de ce qui nous fait vivant. Aussi belle qu'impitoyable, cette vérité nous interdit de nous lamenter sur notre condition, puisque l'impossibilité même de toucher au réel, de capitaliser la beauté est ce qui alimente en nous la flamme qui nous garde éveillés. Rien, dans l'absolu, ne nous garantit la certitude du Beau, mais quelque chose — quand bien même n'y en aurait-il qu'un seul élan passager dans toute une vie — atteste en nous le désir indestructible de la beauté. Quel qu'en soit l'élément déclencheur — les courbes d'un corps, la saveur d'un fruit, le son d'une flûte —, l'amour du monde dépend en définitive du travail que l'esprit accomplit sur lui-même, et cet esprit y puise une force que le monde sensible ne peut plus lui enlever ; mieux, une force dont la contemplation de ce monde a tout à gagner.

L'Éros de Platon est la tension qui transforme en force cette faiblesse où nous sommes d'être à la fois avide du monde, désireux de le comprendre et incapable de le connaître vraiment. Tension que la philosophie ne va pas tarder à perdre dans l'héritage de celui qu'elle revendique pour fondateur. Le dédain où la philosophie laisse le récit n'est qu'un des symptômes de cette perte, laquelle résulte plus profondément d'une quête de certitude qui, tendue vers l'absolu, craint de questionner le vide et l'angoisse qui la motivent. Le vide, voilà ce que Platon, je crois, entendait maintenir présent en nous comme une sorte d'appel à être. Son apport le plus vivant, et le plus négligé par la philosophie, c'est cette idée que le vide occupe au centre de notre être une place fertile qu'on ne peut ni ignorer ni combler. Il est une béance qu'il ne faut pas craindre de maintenir à vif. Vouloir l'obturer, que ce soit par la paresse de l'esprit ou par l'excès des sens, c'est étouffer en nous le souffle sans lequel nous ne pouvons vivre et mourir qu'en dessous de nous-mêmes.

À partir de ce qui apparaît à la lumière de Platon, de façon maintenant plus précise qu'au début de cet ouvrage, comme l'échec de la philosophie, on peut se demander si le récit cherche de son côté à mettre en évidence, plus ou moins délibérément, ce que la plupart des philosophes laissent en plan, ce qu'ils s'ingénient à couvrir de leurs systèmes. La question se pose déjà à l'égard des grandes narrations mythiques que nous avons parcourues jusqu'ici. Dans quelle mesure *l'Épopée de Gilgamesh*, la Torah, *la Théogonie* d'Hésiode, *l'Odyssée*, les tragédies d'*Œdipe roi* et d'*Antigone* n'anticipent-elles pas, en quelque sorte, les limites d'une approche raisonnée et systématique de l'être ?

Sur ce point *l'Épopée de Gilgamesh* et *l'Odyssée* m'apparaissent particulièrement éloquentes. Le héros akkadien et l'aventurier homérique, au reste très différents, ont ceci de commun qu'ils renoncent à l'autre monde. Le premier difficilement, au terme d'une série de hauts faits qui n'ont pas réussi à l'approcher de l'immortalité qu'il cherchait vainement. Le second d'entrée de jeu. Dès le début, Ulysse semble averti de cette vanité, que confirme sa brève visite aux Enfers. L'homme n'a pas d'autre choix que de conduire sa vie comme si tout s'y jouait, pas d'autre espoir que d'être heureux ici maintenant, si mince et si fragile ce bonheur soit-il. Dans cette perspective, la préoccupation de l'être n'a pas lieu de se manifester. Absence qui donne à ces deux récits une actualité étonnante. Ils disent d'avance l'absurdité rédhibitoire de toute entreprise « métaphysique ».

La Théogonie d'Hésiode va dans le même sens, mais par un autre chemin : la voie du ciel. Chez Hésiode, le monde supérieur existe, il a son histoire, sa hiérarchie, on peut le raconter, le chanter. Les dieux ont la part belle, et les hommes, n'en déplaise à Prométhée, doivent se contenter de ce que Zeus veut bien leur laisser. Aux uns l'immortalité et les plaisirs, aux autres la finitude et le travail. Les deux mondes sont en contact, comme chez Homère, mais ce contact, sa portée, ses effets dépendent encore une fois du bon vouloir des dieux. La présence du monde divin n'offre à l'homme aucune espèce de garantie ni en ce monde ni chez Hadès. La mort mène vers un monde d'ombres sans consistance, elle n'est nullement un pont vers l'immortalité, y compris pour ceux qui ont bien mérité de l'existence. Bref, pour les humains, la transcendance n'existe pas.

C'est contre ce détachement, c'est-à-dire sur fond d'impuissance humaine devant l'ordre du monde, que s'élève la tragédie sophocléenne. Non pas du tout que Sophocle entende s'y opposer — comble de la démesure ! Bien au contraire, il met la démesure en évidence, de manière à faire voir ce qui arrive à l'homme qui se croit maître de son destin. Loin d'être une protestation (à la moderne), le cycle d'*Œdipe* et d'*Antigone* serait plutôt une mise en garde : l'*atè* nous guette tous et s'abat encore plus sûrement sur ceux qui, en la défiant, montrent qu'ils ne connaissent pas leur place dans le monde. Défi délibéré chez Antigone, défi inconscient chez Œdipe. Dans les deux cas, pourtant, l'ordre contre lequel le héros s'avance est indéchiffrable ou n'est déchiffré qu'après coup. *Atè* est imparable, et dans ces conditions le souci de l'être en tant que transcendance paraît dérisoire. Seul le sens de la mesure et le désir de comprendre ne le sont pas. Tous deux rejoignent le fameux précepte que Socrate reprend de l'oracle de Delphes : « Connais-toi toi-même. » C'est-à-dire : « mesure ton ignorance » ou « prends garde aux limites inhérentes à ta condition d'humain ». À la lumière de cette mise en garde, la métaphysique est sans doute une démesure de l'esprit. Pour autant que Platon prétende guider l'âme vers une félicité qui s'étend dans un autre monde, son souci dépasse les objectifs que le héros tragique — et l'homme en général — peut espérer atteindre. Mais n'oublions pas que cette âme platonicienne est alors à jamais déta-chée de l'individu où elle a séjourné. Ce qui survit au-delà de notre vie terrestre n'est pour ainsi dire que la parcelle cosmique dont nous étions porteurs. Socrate, une fois encore, est irrémédiablement mortel.

Telle me semble être aussi la position du récit biblique, du moins du point de vue individuel. Individuellement, l'homme du judaïsme ne peut pas grand-chose. Il a néanmoins la possibilité, un peu comme chez Platon, d'être en contact avec la transcendance, avec l'Innommable (YHVH). Mais ce contact ne lui assure, à lui individu, aucune espèce de salut, ni même la moindre participation à l'éternité. S'il participe à la transcendance, c'est, dans son imaginaire, à travers la collectivité dont il est un maillon et à la pérennité de laquelle il contribue, bon an mal an, en obéissant à la Loi. Le génie spécifique du judaïsme s'exprime ici pleinement. La Loi donne forme à l'identité collective à laquelle le Juif appartient et grâce à laquelle il peut spirituellement s'enraciner en amont et se projeter en aval de sa vie. Il est dans le fleuve du peuple dont témoigne le Livre ; il trouve là de son vivant sa parcelle d'immortalité. La connaissance, dont on a vu qu'elle est douloureuse, ne saurait donc être l'affaire de l'âme, concept inexistant dans la Torah, elle est l'affaire de l'histoire et n'a de portée que collective. Le monde est cruel, les hommes ne comprennent pas bien, pas toujours, ce qu'il exige d'eux, mais ils peuvent ensemble tenter de faire et de léguer la Loi. La Loi est certes révélée, un mystère indéchiffrable y préside, même si ce sont les hommes qui la font, et aucune espèce de spéculation n'est possible à ce niveau indicible. Au reste, la Loi descend ici-bas et se situe dans le temps, et dans le temps seulement. Elle n'introduit par conséquent à aucune espèce de métaphysique imaginable. À aucune autre connaissance que celle de la Loi et de l'histoire qui la rend possible. Il n'y a, à la limite, pas d'autre étude que celle des Écritures.

On voit mieux dès lors à quel point de jonction crucial intervient, dans toute son ambiguïté, la connaissance platonicienne : quelque chose en l'homme que Platon nomme âme, le souffle même de la vie, lui permet, à partir de son expérience sensible, de se former lui-même à une approche des choses intelligibles, dont il peut ainsi avoir un aperçu ici-bas. C'est la marque de l'homme d'avoir en lui cette possibilité, et une vie qui passe à côté d'elle, c'est-à-dire à côté du désir de la beauté, à côté de ce qu'il y a virtuellement de plus vivant, est une vie gâchée.

Cette ambition cognitive a reculé à l'arrière-plan de la philosophie occidentale de ce qu'elle était probablement trop exigeante, trop difficile. Comme on le verra dans la prochaine partie de ce livre, le christianisme a beaucoup contribué à ce recul : tout en s'inspirant très partiellement de Platon, il a fait du salut de l'âme tout autre chose. Le salut chrétien tient essentiellement à la foi, à la révélation, à ce que la théologie nomme la grâce, précisément pour indiquer que celle-ci ne dépend pas de nous. La connaissance, à tout le moins, n'y est pour rien [76]. De plus, ce qui chez Platon est un principe général auquel chacun peut participer — l'âme du monde — dans la chrétienté s'individualise : le chrétien doit sauver son âme individuelle, salut dont l'enjeu dernier est la

---

76. Dans quelle mesure la grâce dépend de nos œuvres, de nos actes, voilà qui fait évidemment l'objet de disputes théologiques très complexes dans lesquelles il n'est pas nécessaire d'entrer. L'important, ici, est que tous s'accordent pour dire que la grâce ne dépend pas du savoir.

résurrection du corps auquel elle est désormais indissolublement liée. Dire que le christianisme est du « platonisme pour le peuple » n'a de sens, éventuellement, qu'en raison de la distance qui sépare le platonisme de Platon. La théologie chrétienne ne fait qu'accentuer l'occultation dont le platonisme serait responsable.

L'Église, à l'instar d'Augustin, insatisfaite des vérités de la philosophie, construira sa propre conception du monde à partir d'une révélation narrative. Le redoutable génie du christianisme est d'avoir tiré les conséquences de la faiblesse de la philosophie et établi sa vérité sur un mythe. À ceci près, qui change tout, que ce mythe ne sera jamais considéré comme un mythe. Il s'annonce et se répand comme une « bonne nouvelle » (évangile). Le christianisme accomplit un incroyable exploit. Il réussit à imposer cette antinomie : un récit de Vérité.

TROISIÈME PARTIE

LA VÉRITÉ OU LA MORT

En s'affirmant comme récit de vérité, en se faisant le messager d'une vérité qui apporte le salut à l'humanité, l'Évangile introduit une rupture profonde dans la tradition narrative dont se nourrit notre imaginaire. Les grandes œuvres littéraires de la chrétienté occidentale en seront marquées jusqu'à la Renaissance, et au-delà. Ce n'est probablement qu'avec Rabelais et Cervantès que le charme de la vérité sera rompu — même si cette vérité continue à déployer ses effets jusqu'à nous.

Le souci de vérité n'est pourtant pas propre à la littérature chrétienne, on le rencontre chez Hérodote, Thucydide ou Xénophon. Mais l'historien, sans être à l'abri de la fabulation, tente de restituer le cours des choses humaines. Il ne raconte rien de mystérieux, même s'il se heurte parfois à ce que les conduites humaines ont d'inexplicable. Thucydide ne s'occupe pas des dieux, il cherche à comprendre la guerre du Péloponnèse. La particularité du récit évangélique, par rapport aux récits historiques de l'Antiquité païenne, ce n'est donc pas de prétendre dire le vrai. Ce n'est pas non plus de raconter le merveilleux, chose que font très bien Homère et Hésiode. C'est de les cheviller l'un à l'autre et de leur donner une finalité dernière. C'est de dire : « le merveilleux que je rapporte s'est effectivement produit, il est salvateur, j'en témoigne ». L'articulation de l'historique au miraculeux et au salut est centrale. Elle pose un problème crucial auquel il nous faudra sans cesse revenir.

Pour lire *Gilgamesh* ou *l'Odyssée*, pour en tirer profit et plaisir, nul besoin d'y croire. Il en va tout autrement du récit de la passion et de la résurrection : il n'a de sens, de son propre aveu, que du point de vue de la foi. Lire l'aventure de Jésus comme une fable, si belle soit-elle, c'est lui enlever sa raison d'être. Au point qu'on peut se demander ce que cette histoire vient faire dans ce livre, du moment qu'elle contrevient dans son principe à l'idée même que nous avons adoptée du récit en tant que texte ouvert à l'inépuisable fécondité de ses interprétations successives. *A priori*, le récit évangélique ne participe en rien du mythe, et son statut de témoignage semble invalider toute démarche qui l'envisage sous cet angle. Il y a là une difficulté essentielle que je ne cherche pas à éviter. Je choisis au contraire de la mettre au centre de ma lecture.

Ma lecture est délibérément paradoxale : elle aborde le Nouveau Testament du point de vue agnostique qui est le mien sans rien enlever de sa force au récit évangélique qu'il rapporte. C'est du moins le pari que je tiens. Et que je crois nécessaire de relever. Tant cette force travaille la littérature qui, des siècles durant, s'inscrira dans son sillage. On ne peut bien comprendre les *Confessions* d'Augustin, le cycle du Graal, *la Divine Comédie* de Dante, et l'empreinte dont ils ont marqué notre civilisation, que dans la puissance phénoménale du verbe évangélique.

VIII

L'ÉVANGILE

Notre investigation commence là où, inévitablement, elle finira : par la question de savoir si l'on peut légitimement recevoir l'histoire du Christ comme un mythe. Une telle lecture a-t-elle le moindre sens ? Tout est là. En tant qu'elle est constitutive de la foi chrétienne, l'histoire de Jésus se présente en effet comme une révélation qui exclut tout ce qui la contredit. Comment ignorer la nature révélatrice du récit évangélique sans le vider d'emblée de ce qui fait selon lui son essence ? Cette question n'a pas de réponse simple. Elle est même, à certains égards, insoluble.

Si la foi s'affirme comme la condition *sine qua non* de la lecture des textes qui la soutiennent, elle n'en donne pas pour autant toutes les clés. D'abord, le message évangélique n'est pas réductible à la tradition écrite qui le consigne. Ensuite, le Nouveau Testament ne constitue pas, au sens rigoureux, un recueil sacré. Il n'est pas d'un bout à l'autre la parole même de Dieu. Il n'en est que la manifestation humaine, imparfaite, incomplète. La lecture de l'Évangile pose ainsi des problèmes très singuliers et particulièrement épineux, qu'aucun parti pris de naïveté ne nous permet d'éluder.

1. Le défi de l'interprétation

Aucun texte de la tradition narrative occidentale ne pose à l'interprétation un défi aussi formidable que le Nouveau Testament. L'ampleur du défi est bien sûr à la mesure de l'événement. Mais il tient aussi à l'enchevêtrement quasi inextricable qui lie les textes à leur propre

201

histoire, à l'histoire des premiers siècles de l'Église[77] et au dogme qui, pour l'essentiel, fixera la portée théologique du récit christique à partir du credo formulé en 325 par le concile de Nicée — « pour notre salut, le Fils, engendré et non créé, consubstantiel au Père, s'est fait homme, s'est incarné, est mort et a ressuscité le troisième jour ».

La référence à Nicée peut paraître incongrue : les chrétiens d'aujour-d'hui n'attachent plus d'importance aux querelles théologiques qui ont accompagné les premiers siècles du christianisme. Et l'Église catho-lique elle-même se montre de moins en moins réfractaire à une lecture symbolique des Écritures et à une interprétation plus ouverte des mys-tères de la foi, tant que ces derniers n'en souffrent pas, tant que leur réalité reste intacte. En tout état de cause, l'*aggiornamento* de l'Église ne nous concerne pas. Peu importe ici comment la pensée chrétienne, qu'elle soit catholique, orthodoxe ou protestante, interprète aujour-d'hui le Nouveau Testament. C'est l'imaginaire collectif qui nous inté-resse, et donc l'empreinte dont l'Écriture l'a marqué au fil du temps, indépendamment de la situation actuelle de la foi et des Églises. Et cette empreinte n'est pas simplement celle des textes ; elle est, tout autant, la marque de l'esprit qui a présidé à leur avènement. La Bonne Nouvelle, jusque dans sa fabrique, est inséparable des conditions qui président à sa propagation. Ou pour le dire autrement : l'Évangile est indissociable du besoin de vérité qu'il contribue à satisfaire et qui motive sa diffusion.

Commençons donc par en proposer une définition compatible avec cette fonction de vérité : l'Évangile est le récit authentique qui annonce et promet le salut, la rémission des péchés et la victoire sur la mort, le royaume de Dieu et la vie éternelle à quiconque croit au mystère de Jésus-Christ, Fils de Dieu incarné dans un homme historiquement attesté, dont le narrateur évangélique témoigne en révélant ses actes, ses paroles, sa mort et sa résurrection.

---

77. De façon générale dans ce chapitre, le terme « Église » renvoie à l'ensemble des Églises et des communautés chrétiennes, surtout lorsqu'il est question des pre-miers siècles de leur histoire. Le singulier se justifie de l'unité qui s'imposera grâce au pouvoir impérial romain, dès lors que le christianisme sera devenu religion d'État à visée universelle. Le même terme pourra aussi désigner plus particulièrement l'Église catholique, surtout en référence aux temps modernes (postérieurs à la Réforme luthé-rienne). En revanche il ne désignera jamais ni l'Église orthodoxe postérieure au Grand Schisme Orient/Occident de 1054, ni les nombreuses Églises protestantes.

Cette tentative de définition — acceptable, je crois, pour la plupart des chrétiens — renvoie à toute une série de difficultés sur lesquelles la théologie n'a cessé de se pencher pendant vingt siècles. Cette pensée théologique est d'une inépuisable complexité, d'une incroyable inventivité, de ce qu'elle s'ingénie, sans jamais véritablement y parvenir, à rationaliser l'inexplicable ; au centre duquel se situe évidemment le mystère pascal ou, pour le dire plus largement, le double mystère de l'incarnation et de la résurrection. Toute lecture chrétienne de l'Évangile doit considérer la résurrection comme réelle, même si le « corps » ressuscité n'est pas, comme nous le verrons chez l'apôtre Paul, le même corps. En d'autres termes, quelles que soient les difficultés que pose la « réalité » de la résurrection, cette réalité ne saurait être mise en doute. En douter, lui donner une interprétation purement métaphorique, allégorique ou symbolique, c'est sortir du christianisme. Ce qu'on peut évidemment très bien faire : le christianisme ne possède pas le monopole herméneutique de son récit fondateur. J'insiste seulement sur ce que je considère ici comme un nécessaire point de départ, à savoir que toute lecture du dehors, non chrétienne, doit *commencer* par comprendre, autant qu'il est possible à un non-croyant, son sens intérieur, la vérité chrétienne elle-même. Mais comme, à lire les théologiens, la vérité de la foi ne se laisse pas aisément cerner, il faut d'abord procéder à un bref examen des limites dans lesquelles cette interprétation chrétienne est possible.

La première limite tient aux textes. Si, comme on l'a vu, les textes ne sont pas tout, s'il y a une part de la vérité évangélique qui leur échappe, nous sommes néanmoins bien obligés de nous y tenir. Ce sont d'abord les quatre évangiles canoniques eux-mêmes (dans l'ordre chronologique le plus probable de leur composition : Marc, Matthieu, Luc et Actes des Apôtres[78], puis Jean). Il faut les aborder dans l'ensemble assez hétérogène que constitue le Nouveau Testament, en se rappelant notamment que les épîtres de Paul sont antérieures au plus ancien des évangiles canoniques (celui de Marc). Paul est considéré à juste titre par bien des théologiens comme la pièce maîtresse de toute interprétation du mystère christique. Mais sa dimension narrative, concernant le Christ, est très réduite, lapidaire. Or c'est bien sûr la dimension qui nous intéresse ici le plus, du moment que c'est le *récit* de la prédication et de la passion de Jésus qui a le plus fortement imprégné la conscience

---

78. Les Actes des Apôtres sont généralement considérés comme la suite de l'Évangile selon saint Luc ; ils lui sont d'ailleurs attribués.

collective chrétienne. Aussi, sans négliger l'apôtre, je privilégie les quatre évangiles retenus par la tradition.

Mais de quoi, de qui parlent-ils au juste ? De l'homme Jésus, personnage historique dont on sait fort peu de chose, ou du Christ incarné et ressuscité, objet central de la foi ? De l'un et de l'autre, évidemment. Et si la théologie parfois les distingue, il n'en reste pas moins que l'imagerie et la tradition populaires les confondent à juste titre[79]. C'est donc bien ce qu'on raconte de Jésus-Christ qui nous intéresse ici, toujours du point de vue de l'imaginaire. On pourrait même me reprocher de me concentrer sur la tradition narrative au détriment d'une iconographie immense, et non moins représentative. Mais il faut choisir, et ce livre tente de donner la parole aux textes.

Nous ne sommes pas au bout de nos difficultés pour autant. Il faut savoir que ces textes mêmes, dans l'histoire de leur lecture théologique, ont été abordés à divers niveaux. L'interprétation catholique du Moyen Âge en distingue au moins quatre. Un sens littéral ou philologique, et trois niveaux de signification spirituels[80] : le sens allégorique, qui éclaire la doctrine ; le sens moral, qui éclaire le croyant dans sa conduite ; le sens dit « anagogique », qui renvoie à l'eschatologie, c'est-à-dire à la fin des temps et à la vie éternelle[81].

À ces quatre sens possibles s'en ajoute un cinquième qui en quelque sorte les surplombe, le « sens plénier », expression qui traduit un principe très ancien selon lequel « la Bible s'explique par la Bible tout entière »[82]. C'est dire que le Nouveau Testament doit lui-même se

---

79. Dans *Être chrétien* (Paris, Seuil, Points, 1994, p. 159) le célèbre théologien allemand Hans KÜNG affirme que « le Christ des chrétiens est une personne absolument concrète, humaine, historique : le Christ des chrétiens n'est personne d'autre que *Jésus de Nazareth*. Et, dans la mesure même où le christianisme se fonde essentiellement dans l'histoire, la foi chrétienne est essentiellement une foi historique ».

80. Je m'inspire ici de l'introduction de Marc LIENHARD aux *Œuvres* de LUTHER publiées dans la Pléiade, Paris, Gallimard, 1999, p. XVIII, note 4. Pour une vue approfondie de cette question, voir le *Dictionnaire critique de théologie*, publié sous la direction de Jean-Yves LACOSTE, Paris, PUF, 1998 (ci-après *D.C.T.*), sous l'entrée « Sens de l'Écriture », p. 1083-1089.

81. La théologie rappelle que, malgré sa remise en cause par certains fidèles aujourd'hui, la croyance en la vie éternelle « est un élément constitutif de la foi chrétienne » (*D.C.T.*, sous « Vie éternelle », p. 1222-1223).

82. *D.C.T.*, p. 1084. C'est à des conversations passionnantes avec Marc Fernand Archambault que je dois d'avoir mieux vu la complexité de l'interprétation évangélique.

comprendre dans son rapport avec l'Ancien, dont à vrai dire il commande la lecture. Car le Nouveau se présente en partie comme une interprétation de l'Écriture qui le précède et l'annonce. Cette mission annonciatrice devient après coup sa mission principale. Il n'y a, à proprement parler, d'Ancien Testament qu'en vertu et en fonction du Nouveau. La continuité dont ce dernier se réclame s'établit à contrecourant, d'aval en amont, bien qu'évidemment elle se donne à lire dans le sens inverse, en descendant. Dans cette optique, l'Ancien Testament est bel et bien chrétien, il ne dit du judaïsme que ce que le christianisme veut bien en conserver. Par rapport à la tradition judaïque, et du point de vue juif, le Nouveau Testament apparaît au contraire comme une rupture, une distorsion, voire comme une trahison. Lorsqu'on fait référence à la tradition judaïque, il vaut donc mieux éviter de désigner son corpus sous l'appellation chrétienne et lui restituer sa dénomination juive : Tanakh ou Torah[83]. Dans son rapport avec eux, je lis donc le Nouveau Testament comme le désir de prolonger ce avec quoi, du point de vue juif, il est effectivement en rupture. Nous y reviendrons. Au reste, ma lecture s'efforce d'être à la fois littérale et plénière, sans du tout minimiser la dimension eschatologique du message évangélique.

Les difficultés que nous venons d'évoquer renvoient en définitive à la nature même de l'Évangile et à ce qui me paraît être, j'insiste, le problème fondamental de la tradition chrétienne : l'ambition de fonder la foi et le salut sur un récit, plus exactement sur une série de témoignages relatifs à des événements historiques, censés s'être effectivement produits. Je ne parle pas des inexactitudes et des incohérences qu'ils comportent, très secondaires à mes yeux. Ce ne sont pas les circonstances qui posent problème, pas du tout, mais bien, de façon générale, la prétention d'en arriver à travers la narration de l'éphémère, de l'historique, du contingent à une vérité essentielle, transcendante, qui a l'éternité pour enjeu.

Les concepts de vérité et d'éternité sont évidemment sujets à bien des méprises. Mais la vérité évangélique n'a pas à dévoiler l'énigme de l'univers pour engager le croyant dans la conduite de sa vie et dans ses espérances dernières. La foi en Jésus-Christ y suffit pleinement. En ce

---

83. Le terme « Torah » désigne *stricto sensu* les cinq premiers livres du Tanakh et par extension l'ensemble du Tanakh lui-même, qui comprend donc la Torah (en grec *Pentateuque*), les Nevi'im, c'est-à-dire les Prophètes et les Kethuvim ou Ktoubim, c'est-à-dire les Écrits.

sens, la Bonne Nouvelle ne présente aucune ambiguïté, elle place le chrétien devant un choix radical : la vie dans la vérité du Christ ou la mort dans le péché. De cette seule exigence doit partir toute interprétation qui se veut fidèle à l'esprit du christianisme, toutes confessions confondues.

Pour l'agnostique que je suis, néanmoins, l'énoncé de cette exigence ne suffit pas à régler la question nodale que j'ai posée d'entrée de jeu : le problème de la vérité narrative à laquelle prétend l'Évangile reste entier. Qu'il s'agisse d'accepter ou de refuser cette vérité, la lecture du récit évangélique me place devant une sorte d'impasse herméneutique : si je le considère comme n'importe quel autre récit, je risque de passer complètement à côté de la vérité au nom de laquelle il s'est transmis ; si, au contraire, je l'interprète exclusivement à la lumière de sa visée de vérité, je me ferme à tout sens que cette vérité ne peut admettre sans danger pour elle. Ces deux attitudes n'ont pas de moyen terme, elles ne souffrent pas de compromis. Le récit de vérité, par principe, ne se présente pas comme mythe et refuse d'être lu en tant que tel. Le lire comme un mythe, encore un coup, c'est d'emblée lui refuser le statut qu'il revendique. L'impasse paraît décidément totale.

Lire l'Évangile comme un mythe est néanmoins possible. Cette lecture est même légitime, nécessaire. À condition qu'elle ne vide pas les textes de leur substance. Or cette condition me paraît pleinement respectée par la démarche que nous avons suivie à l'égard des autres récits abordés jusqu'ici dans ce livre, notamment à l'égard de la Torah. Dans cette perspective, en effet, la portée — inépuisable — de l'histoire christique, comme celle de tout grand mythe fondateur, dépasse nécessairement dans ses possibilités l'intention de ses narrateurs et de ses propagateurs. Loin d'être réduite, cette portée s'en trouve augmentée. Je ne propose donc pas d'aborder l'Évangile « comme n'importe quel autre récit », ce qui n'aurait strictement aucun intérêt, mais, tout au contraire, de le lire comme un mythe d'une force et d'une profondeur telles qu'il a réussi à produire un effet de vérité plus puissant et plus durable qu'aucun autre. Loin d'écarter la vérité du mythe, l'interprétation doit la comprendre dans toute sa puissance, dans tout son potentiel, sans que son contenu, tel qu'il est notamment transmis par l'orthodoxie, soit considéré comme son dernier mot. Ainsi l'interprétation qui, récusant d'emblée la divinité du Christ, ferait de Jésus un simple prophète, si grand fût-il, et qui comprendrait la résurrection comme une allégorie, passerait complètement à côté de l'élément central qui a assuré à cette histoire son immense et profond retentissement à travers les siècles.

Lire les Évangiles comme un mythe, donc, c'est à la fois refuser d'être prisonnier de l'interprétation de l'Église (et de toute Église), sans du tout négliger pour autant l'impact historique que cette dernière a eu et continue d'avoir sur notre imaginaire collectif. Cela suppose évidemment que les textes du Nouveau Testament puissent être abordés d'une position agnostique, en dehors de toute allégeance, de toute profession de foi. Attitude que le fidèle ne peut avoir. Je ne le lui demande pas, je respecte sa foi. Je dis simplement : les textes n'appartiennent à personne. Chacun peut les lire, même si très longtemps l'Église a cherché à imposer, jusqu'au sang et au feu, l'exclusivité de sa lecture à elle. Mais il ne s'agit pas non plus de les lire à tort et à travers. Toute lecture de l'Évangile, pour être un tant soit peu féconde, doit prendre sa soif de vérité comme ce qui le constitue au premier chef. Quitte à ce que cette vérité contienne en puissance une ou plusieurs significations que la tradition n'aurait pas voulu ou pas pu saisir. Car ce n'est, paradoxalement, qu'à la lumière de cette lecture dominante que d'autres interprétations peuvent faire sens.

La force, la spécificité de l'Évangile résident encore une fois dans cette invraisemblable jonction où divin et humain en viennent à fusionner en un point repérable de l'histoire[84]. Dieu devient, en quelque sorte, historique. Histoire incroyable ! Crue, cependant. Tenue pour vraie par des millions d'êtres humains jusqu'à nous. Là est le miracle. La lecture qui n'en tient pas compte est insignifiante. Comme est insignifiante l'attitude qui consiste à dire que cette histoire est fausse, qu'elle ne tient pas debout. Qu'on y croie, qu'on n'y croie pas n'a depuis longtemps plus d'importance. Ni sa croyance ni son refus ne changent rien à sa portée. On ne comprendra pas le mythe christique tant qu'on refusera de se demander comment il se fait qu'un récit aussi stupéfiant ait traversé les siècles comme véridique. Ce n'est donc qu'après avoir montré en quoi le Nouveau Testament rompt avec la mythologie qu'on peut tenter de révéler son extraordinaire potentiel mythique ou allégorique.

Toutes les difficultés n'en sont pas levées pour autant, loin de là. La vérité évangélique est si puissamment soudée au témoignage qui la fonde qu'aucune lecture ne peut promettre de les dissocier sans paraître

---

84. Voir ci-dessus note 79 ce qu'en dit Hans Küng.

attenter au récit qui la transmet. Finalement, la question de savoir s'il fait sens de lire cette aventure comme un mythe — si tant est qu'on puisse jamais en décider — ne peut apparaître dans toutes ses dimensions qu'à travers la lecture même des textes qui la rapportent et par la force de conviction qu'une telle lecture entraîne.

À la lumière de ce qui précède, on devine déjà que, selon qu'on lit le récit évangélique comme vérité ou comme mythe, la signification de la jonction qu'il opère entre Dieu et l'homme diffère radicalement :

— Le récit de vérité dit que Dieu envoie son Fils, par quoi il se fait — momentanément — homme. C'est l'interprétation orthodoxe, que commande une lecture littérale des textes : elle met l'accent sur la résurrection.

— Le mythe — parmi bien d'autres lectures possibles — traduit le désir plus ou moins conscient chez l'homme d'être Dieu, de prendre en quelque sorte la place de Dieu. Cette interprétation est symbolique. Elle met l'accent sur la mort.

Je propose donc une lecture de l'Évangile en deux temps : d'abord comme récit de vérité ; puis comme un mythe où l'affirmation de cette vérité en cache une autre, inavouable.

2. Le récit de vérité

L'histoire est tellement connue qu'elle a depuis longtemps cessé d'étonner. Et il n'y en a pas de plus étonnante. Pour en saisir toute la force, il faut se la raconter comme si on l'entendait pour la première fois.

Sous le règne de Tibère, en Palestine, un homme vêtu de poil de chameau et d'une ceinture de cuir, se nourrissant de sauterelles et de miel sauvage, baptisait et prêchait le baptême de repentir. Il était celui dont il est écrit dans Ésaïe que sa voix « crie dans le désert ». Un autre, annonçait-il, allait bientôt venir, un homme plus puissant que lui, dont il n'était pas digne de délier les sandales. Lui, Jean, baptisait d'eau, tandis que cet autre baptiserait du Saint-Esprit. Or cet autre vint de Galilée auprès de Jean, qui le baptisa dans le Jourdain. Au moment où le baptisé sortait de l'eau, Jean « vit les cieux s'ouvrir et l'Esprit descendre sur lui comme une colombe. Et une voix fit entendre des cieux ces paroles : Tu es mon Fils bien-aimé, en toi j'ai mis toute mon affection » (Marc, I, 4-11). Le baptisé s'en alla dans le désert, où il tint quarante jours, tenté par Satan. Au sortir du désert, il reprit le chemin de la Galilée, se mit à prêcher et à appeler ses premiers disciples. Tel est le « Commencement de l'Évangile de Jésus-Christ, Fils de Dieu » (Marc, I, I).

D'autres chroniqueurs remontent plus haut dans son histoire et affirment que l'enfant a été conçu par le Saint-Esprit alors que sa mère, Marie, était encore vierge. Matthieu rapporte qu'un ange s'est adressé à Joseph, le fiancé de Marie, pour le rassurer sur l'origine de l'enfant et le dissuader de rompre leurs fiançailles. Luc raconte que l'annonce en a été faite à Marie elle-même par l'ange Gabriel. Tous deux, néanmoins, jugent opportun d'établir la généalogie du père adoptif, l'un en descendant d'Abraham (Matthieu, I, 1-16), l'autre en remontant jusqu'à Adam, fils de Dieu (Luc, III, 23-38). On dit aussi que sa naissance s'est accompagnée au firmament de l'apparition d'une étoile qui a guidé trois mages d'Orient jusqu'à son berceau. L'ayant appris, le roi Hérode fit massacrer tous les nouveau-nés de Judée. En vain. Alerté par un ange, Joseph s'était enfui en Égypte avec la mère et l'enfant, où ils restèrent jusqu'à la mort d'Hérode, « afin que s'accomplisse ce que le Seigneur avait annoncé par le prophète : j'ai appelé mon fils hors d'Égypte » (Matthieu, II, 1-15). Luc ne mentionne ni les mages, ni le massacre, ni l'Égypte, mais relate que Jésus est né dans une étable où sont accourus des bergers, avertis par un ange accompagné d'une « multitude de l'armée céleste », de sorte qu'ils purent témoigner de ce qu'ils avaient vu[85]. Le même Luc est le seul évangile canonique à donner un épisode de l'adolescence : Jésus, ayant accompagné ses parents à Jérusalem, y reste à leur insu. Ceux-ci le retrouvent trois jours plus tard dans le temple assis parmi les doctes à écouter et à questionner. Devant l'inquiétude de ses parents, il s'étonne : « Pourquoi me cherchiez-vous ? Ne saviez-vous pas qu'il faut que je m'occupe des affaires de mon Père ? » (Luc, II, 42-51).

Sur sa vie d'adulte, à partir de la sortie du désert, Matthieu, Marc et Luc — dits « synoptiques » — concordent dans les grandes lignes. Animé par la certitude inébranlable de sa filiation divine et de la vérité de son message, Jésus parcourt le pays en prêchant, en suscitant des disciples, parmi lesquels il choisit douze apôtres chargés d'étendre sa mission[86]. Ses miracles, sa popularité croissante, son mépris de la hiérarchie

---

85. À noter qu'aucun des évangiles canoniques ne mentionne la présence de l'âne et du bœuf auprès de la crèche, image pourtant devenue, comme chacun sait, un lieu commun de la nativité.

86. Le chiffre douze n'est pas le fruit du hasard : il y a autant d'apôtres que de tribus en Israël au temps de son unité.

religieuse, son esprit de repartie, son ouverture vers les païens, la liberté qu'il prend vis-à-vis de certains interdits, son radicalisme, tous ces éléments réunis inquiètent les principaux scribes et sacrificateurs du Sanhédrin (tribunal suprême et organisme gouvernemental des Juifs), qui complotent sa mort. Passion et résurrection se déroulent comme Jésus lui-même l'a annoncé à ses plus proches disciples : une semaine après avoir reçu un accueil triomphal à Jérusalem, Jésus est livré par Judas (un des douze), condamné à mort par le Sanhédrin et, à la demande de ce dernier, crucifié par les Romains. Il ressuscite le troisième jour et, après diverses apparitions auprès de certains de ses disciples incrédules, il finit par convaincre les apôtres de sa résurrection. Il leur enjoint d'aller prêcher de par le monde la Bonne Nouvelle et monte s'asseoir à la droite de Dieu, en attendant que viennent, avec la fin des temps, son retour et la délivrance.

Comment une histoire aussi invraisemblable a-t-elle donc pu se transmettre comme authentique et connaître un succès aussi phénoménal ? Aucun autre récit, aucun autre personnage n'a exercé sur notre imaginaire une puissance de fascination comparable. Le seul, à l'ouest du Tigre[87], avec lequel on puisse tracer un parallèle est Socrate : juste, lui aussi ; connu par sa seule parole, lui aussi ; condamné à mort, lui aussi, parce qu'il dérangeait. Là s'arrête la comparaison. Au reste, tout les sépare : là où Socrate questionne, doute, argumente, Jésus affirme, annonce, promet. Le premier est animé par le désir de la réflexion, le second par la puissance de la conviction. Socrate est mesure, Jésus démesure. Mais surtout Socrate n'a rien fondé, il a marqué les penseurs plutôt que la foule, il laisse un exemple, tout au plus une méthode, la maïeutique, et, s'il se dit parfois inspiré par son démon, il est homme jusqu'au bout des ongles. Pas une once de surnaturel dans ce qui a été rapporté de sa vie.

Indépendamment même de sa nature divine, Jésus présente une personnalité plus flamboyante et plus complexe. Ni ses gestes ni ses paroles ne se laissent aisément déchiffrer. Socrate déroute par sa manière de raisonner, Jésus par son comportement. Compassion et dureté alternent chez lui avec un éclat particulier. Cette alternance n'est pourtant pas dénuée de sens : la compassion se manifeste envers

---

87. Une figure comparable, à l'est du Tigre, est évidemment celle de Bouddha, mais ce dernier ne fait pas partie de l'imaginaire occidental. Il l'influence, bien entendu, mais comme figure de l'autre.

les humbles, les réprouvés, les malades, les enfants, les simples d'esprit, dès lors, surtout, que ces gens croient en lui sans demander à comprendre ; la dureté, en revanche, frappe les proches, les tièdes (plus que les ennemis), les doctes, les profanateurs du Temple. Jésus ignore superbement sa propre famille (Marc, III, 31-35), au nom de la famille plus vaste des fidèles. Jésus houspille ses disciples, il leur reproche de manquer d'intelligence, de fermeté et d'humilité ; ils n'ont pas suffisamment confiance en lui ; ils l'abandonnent aux moments les plus cruciaux, notamment dans la difficile nuit d'attente de Gethsémané, peu avant son arrestation. La faiblesse tout humaine des disciples contraste avec la détermination presque sans faille du maître, dont l'intransigeance est ici nécessaire à l'accomplissement de sa tâche et à la formation de ceux qui seront appelés à la poursuivre.

Il est même des occasions où la dureté de Jésus ne paraît pas liée aux nécessités de sa mission. Au disciple qui lui demande : « Permets-moi d'aller d'abord ensevelir mon père », Jésus rétorque : « Suis-moi, et laisse les morts ensevelir leurs morts » (Matthieu, VIII, 21-22). Injonction qui, outre le peu de cas qu'elle fait du rite funéraire et de la piété filiale, implique que sont seuls réellement vivants ceux qui le suivent. Le monde est violent, nul doute, mais c'est ici Jésus qui fait violence au monde en niant — comme mort — tout ce qui ne s'inscrit pas dans son sillage. Son appel est un cri de guerre, à première vue incompatible avec l'amour du prochain :

> Ne croyez pas que je sois venu apporter la paix sur la terre ; je ne suis pas venu apporter la paix, mais l'épée.
>
> Car je suis venu mettre la division entre l'homme et son père, entre la fille et sa mère ; entre la belle-fille et sa belle-mère ; et l'homme aura pour ennemis les gens de sa maison. Celui qui aime son père ou sa mère plus que moi n'est pas digne de moi, et celui qui aime son fils ou sa fille plus que moi n'est pas digne de moi ; celui qui ne prend pas sa croix et ne me suit pas, n'est pas digne de moi. Celui qui conservera sa vie la perdra, et celui qui perdra la vie à cause de moi la retrouvera.
>
> Matthieu, X, 34-39

Jésus s'adresse ici aux apôtres en prévision des persécutions à venir — et qui sont déjà en cours au moment de la rédaction des Évangiles. La division qu'il annonce vient de ce que son message ne sera pas nécessairement partout bien reçu. Car ce message ne peut pas être immédiatement compris de tous, comme l'illustre la parabole du semeur : la parole ne portera fruit que dans la bonne terre, inutile d'expliquer à ceux qui entendent sans comprendre (Marc, VI, 10-13). Cette explication assez brutale, réservée au groupe restreint qui l'entoure — le groupe de ceux à qui « a été donné le mystère du royaume de Dieu » —, exclut « ceux qui sont en dehors ». À ceux-là, justement, les paraboles suffisent, elles germeront au hasard des terrains où elles tombent. Leur caractère énigmatique est donc nécessaire, « de peur qu'ils [ceux du dehors] ne se convertissent, et que les péchés ne leur soient pardonnés ». Crainte surprenante de la part de celui qu'on appellera plus tard le Rédempteur. Venant de toute autre bouche cette discrimination serait jugée cynique. Pas dans la sienne, tant prédomine à l'égard du personnage de Jésus le préjugé un peu mièvre selon lequel il ne peut être que bon. « Pourquoi m'appelles-tu bon ? Il n'y a de bon que Dieu seul », lance-t-il au jeune homme riche venu se jeter à genoux devant lui (Marc, XX, 17-18). Agacement compréhensible devant celui qui veut à la fois la richesse matérielle ici-bas et la vie éternelle dans l'au-delà. Mais le dépit que manifeste Jésus prend à l'occasion une tournure plus étrange :

> Le lendemain [*de son entrée triomphale à Jérusalem*], après qu'ils furent sortis de Béthanie, Jésus eut faim. Apercevant de loin un figuier qui avait des feuilles, il alla voir s'il y trouverait quelque chose ; et, s'étant approché, il ne trouva que des feuilles, car ce n'était pas la saison des figues. Prenant alors la parole, il lui dit : Que jamais personne ne mange de ton fruit ! Et ses disciples l'entendirent.
> [...]
> Le matin [*du jour suivant*], en passant, les disciples virent le figuier séché jusqu'aux racines. Pierre, se rappelant ce qui s'était passé, dit à Jésus : Rabbi, regarde, le figuier que tu as maudit a séché. Jésus prit la parole, et leur dit : Ayez foi en Dieu.
>
> Marc, XI, 12-14 et 20-22

La foi — qui peut « déplacer les montagnes », comme il est dit tout de suite après — se manifeste ici dans sa puissance négative. La malédiction de Jésus est parfaitement gratuite, l'effet d'un caprice : le figuier n'est pas improductif, ce n'est tout simplement *pas la saison*. De tout autre un tel geste ne pourrait apparaître que comme démoniaque ou insensé. Démoniaque aussi l'épisode de Gadara (Marc, V, 1-17) : Jésus donne suite à la prière des démons qu'il entreprend de chasser en les dirigeant sur les pourceaux qui paissent alentours, précipitant ainsi le troupeau dans la mer, au désespoir des habitants, qui le supplient de quitter le territoire. Lors des noces de Cana, à sa mère, qui lui fait remarquer que le vin manque, il lance cette rude apostrophe : « Femme, qu'y a-t-il entre moi et toi ?[88] Mon heure n'est pas encore venue » (Jean, II, 3-4). Le personnage du Christ, tel qu'il apparaît dans les Évangiles, a quelque chose de dément, dont sa famille, d'ailleurs, ne manque pas de s'inquiéter (Marc, III, 21); dimension que les interprétations ecclésiastiques se sont toujours efforcées de gommer. Cette démence, dans le bien comme dans le mal, est évidemment à l'image du monde des hommes, du monde corrompu contre lequel le Christ engage le combat, comme s'il fallait aux justes une folie au moins égale à celle de l'injustice qu'ils combattent. Sa dureté est stratégique.

Le combat christique est paradoxal dans sa méthode comme dans ses visées. Jésus prêche de toute évidence la non-violence, corollaire de l'amour du prochain qui commande aussi l'amour de l'ennemi et l'exposition délibérée à ses coups. Par ailleurs il est brutal dans ses paroles, dans ses exigences, exceptionnellement dans ses gestes — à l'égard des marchands du Temple. Autre paradoxe, Jésus n'est pas sectaire, en ce qu'il ne privilégie aucun groupe ethnique ou social particulier. Ce qui ne l'empêche pas de montrer à l'occasion une préoccupation prioritaire pour les siens, comme dans Matthieu, xx, 5-6 : « N'allez pas vers les païens […], allez plutôt vers les brebis perdues de la maison d'Israël ». Bien plus, il se fait lui-même artisan d'un esprit de secte peu commun. De cet esprit participent au plus haut point l'amour et le dévouement exclusifs que le maître, on vient de le voir, exige de ses disciples. Comme si le monde même dans lequel ceux-ci sont appelés à répandre la Bonne Nouvelle était, momentanément du moins, suspendu. Ce qui fait de ce monde un terrain d'action, un objet d'intervention, davantage qu'un lieu à habiter, à partager avec autrui. Paradoxe, donc, d'un projet fraternel qui commence par isoler ses artisans, sur le plan spirituel, du prochain qu'ils ont pour mission de convaincre. C'est qu'il s'agit d'abord d'assurer la solidité de la foi qui cimente la communauté des premiers croyants. Pour la même raison, il faut à tout prix retrouver la brebis égarée : la ramener du monde vers le troupeau serré des fidèles. Aucune déviation mondaine n'est permise à qui veut servir le Christ, à celui qui a le privilège d'être dans le secret, de partager son projet et de

---

88. C'est la traduction de Louis SECOND (Nouvelle Édition de Genève, 1979). La TOB (trad. œcuménique de la Bible) propose : « Que me veux-tu, femme ? » et indique en note le mot à mot : « Qu'y a-t-il pour moi et pour toi ? »

marcher dans ses pas. Il y a là, sur le plan religieux, comme l'essence d'un militantisme qu'on retrouve dans certains mouvements politiques des xixᵉ et xxᵉ siècles.

À la veille du martyre auquel il se prépare et prépare son entourage, Jésus cherche à rassurer les apôtres : il reviendra les prendre avec lui après leur avoir préparé une place dans la maison de son Père. Mais voilà que Thomas exprime un doute : « Seigneur, nous ne savons où tu vas ; comment pouvons-nous en savoir le chemin ? Jésus lui dit : Je suis le chemin, la vérité et la vie. Nul ne vient au Père que par moi. [...] Celui qui m'a vu a vu le Père » (Jean, xiv, 6-9). Le maître parle ici sans détour et dévoile sa nature, il est venu du Père, il retourne au Père. « Maintenant, disent ses disciples, nous savons que tu sais toutes choses [...] » (Jean, xvi, 28-29). Jean lève ici plus radicalement que les autres évangiles canoniques l'ambiguïté du personnage et de son message. Jusqu'alors, en effet, Jésus semble hésiter entre la publicité et le secret, il demande à certains de témoigner de ce qu'ils lui ont vu faire, à d'autres de garder le silence. Il fait des miracles en public mais tient à accomplir certains autres avec un ou deux disciples pour seuls témoins. Ayant demandé aux disciples, peu après la seconde multiplication des pains : « Qui dites-vous que je suis ? », et Pierre lui ayant répondu : « Tu es le Christ », Jésus leur recommande « sévèrement de ne dire cela de lui à personne ». À cette occasion, il commence à leur apprendre qu'il *faut* qu'il soit rejeté, qu'il soit mis à mort et qu'il ressuscite. Ce qu'entendant, Pierre le tire à lui pour le remettre à la raison. Aussitôt Jésus s'exclame : « Arrière de moi, Satan ! car tu ne conçois pas les choses de Dieu, tu n'as que des pensées humaines » (Marc, viii, 29-33).

Six jours plus tard, se produit sur une haute montagne, où Jésus n'a pris avec lui que Pierre, Jacques et Jean, la scène de la transfiguration : les disciples voient les vêtements du Christ prendre une blancheur hors de ce monde et ce dernier s'entretenir avec Élie et Moïse, soudains apparus à ses côtés.

> Une nuée vint les couvrir, et de la nuée sortit une voix : Celui-ci est mon Fils bien-aimé : écoutez-le. [...]
>
> Comme ils redescendaient de la montagne, Jésus leur recommanda de ne dire à personne ce qu'ils avaient vu, jusqu'à ce que le Fils de l'homme soit ressuscité des morts. Ils retinrent cette parole, se demandant entre eux ce qu'il entendait par ressusciter des morts.
>
> Marc, ix, 2-10

La perplexité des disciples les plus proches éclaire les hésitations apparentes de Jésus, son mélange d'audace et de prudence, son désir, tout à la fois, de manifester et de cacher sa véritable nature, d'évoquer et de voiler son destin, bref, tout ce qui dans sa démarche et son message demeure, jusqu'à la passion, à dessein ambigu. Sans exclure que Jésus lui-même puisse momentanément douter du sens ultime de sa mission, quelle que soit donc la force de sa propre conviction, le maître comprend, il se rend compte, devant l'incrédulité des disciples, que sa vérité ne passe pas, même auprès des compagnons de la première heure. Cette vérité, le caractère divin de sa personne, la résurrection sont trop énormes, trop scandaleux, insensés pour un esprit humain, si dévoué lui soit-il, comme celui de Pierre. Les miracles, la transfiguration elle-même n'y suffisent pas. Seule sa résurrection effective permettra d'établir auprès des apôtres la preuve de sa divinité, de la vérité de sa mission. Jésus ne l'annonce aux apôtres que pour lui donner, le moment venu, plus de force : *il l'avait dit!* Tout tient à l'avènement, à la réalité même de ce miracle inouï, mais, à l'instar des disciples eux-mêmes, les lecteurs doivent y être soigneusement préparés.

Nécessité de marier les contradictions (nous y reviendrons) ou habileté suprême, les narrateurs doivent rendre la résurrection, moment clé de la foi chrétienne, plausible. Cette démarche par à-coups, par petites touches, par paraboles vers l'impossible révélation, ces clins d'œil vers l'incroyable, toujours assortis d'un rappel à l'ordre des choses terrestres, cette manière finalement si humaine de lever peu à peu le voile sur le surhumain donnent au surnaturel un très grand surcroît de force et de crédibilité. Plus encore, la vraisemblance de l'invraisemblable exige que le doute traverse le héros lui-même. Dans la dernière veille qui précède l'arrestation et la passion, au jardin de Gethsémané, Jésus s'ouvre à ses plus proches, Pierre, Jacques et Jean, de sa mortelle tristesse. Pour la première fois, l'instant d'une prière, il faiblit : « Père, dit-il, toutes choses te sont possibles, éloigne de moi cette coupe ! » Et de se ressaisir aussitôt : « Toutefois, non pas ce que je veux, mais ce que tu veux » (Marc, xiv, 36). Cette défaillance est rapportée par les trois Évangiles synoptiques, elle ne figure pas chez Jean, où domine sans faille l'assurance de la vérité ; assurance qui, paradoxalement, fait de la version johanesque un *récit* moins convaincant, même si, par ailleurs, le verbe de Jean a une puissance que les autres évangélistes n'ont pas. Jean scande plus qu'il ne raconte mais cette très belle scansion souffre de l'absolu qu'elle récite.

La seconde et ultime défaillance de Jésus n'apparaît que chez Marc et Matthieu au moment même de sa mort. À ce point culminant, l'évangéliste met sur les lèvres du crucifié cette phrase terrible, cette phrase magnifique, la plus déchirante qu'on puisse imaginer, pour lui comme pour tout homme, à cet instant crucial de la mort : « Mon Dieu, mon Dieu, pourquoi m'as-tu abandonné ? » *(Eloï, Eloï, lama sabachthani ?)*. Le récit atteint ici une authenticité d'une intensité bouleversante, plus haute encore, et ce n'est pas peu dire, que celle que provoque le reniement de Pierre. Moment de doute, d'angoisse et de douleur auquel toute la vérité de l'Évangile se trouve soudain suspendue. En cet instant suprême où tout se joue — la parole, la vérité, le salut, l'éternité — le Fils de Dieu est seul, pleinement et seulement homme : fragile, périssable, mortel. Car il *meurt*, et au moment de mourir, tout ce en quoi il a cru si fermement de son vivant, ce à quoi il donne sa vie, Dieu, la grâce, la résurrection, tout cela vacille, s'évanouit dans le néant qui l'emporte. Brusquement l'Évangile tout entier se teinte de cette minute tragique où surgit l'inquiétude fondamentale de la condition humaine : nul ne peut d'avance s'assurer, quelles que soient ses convictions, qu'il ne flanchera pas devant l'imminence de la mort. Jamais la vérité du récit évangélique n'est aussi forte qu'à ce moment. S'il n'y avait qu'une seule raison de croire en Jésus et en son histoire, ce serait celle-là, ce serait la résonance en nous de ces paroles-là dites à ce moment-là.

C'est peut-être de n'avoir pas senti la nécessité de cette suspension, de n'avoir pas compris toute l'importance de ce doute pour la vérité évangélique elle-même, que Luc et Jean lui substituent[89] des paroles apaisantes, rassurantes : « Je remets mon esprit entre tes mains » et « Tout est accompli ». Non, rien n'est accompli, justement ; tout peut basculer. Car si, au sommet du supplice, si, au moment décisif de la mort, tout va pour le mieux, si l'esprit du Christ est désormais en de bonnes mains et sa mission accomplie, alors la résurrection est en quelque sorte déjà là, elle va de soi et les trois jours qui nous en séparent sont inutiles. Si tout se déroule comme prévu, sans anicroche, alors la facilité, la normalité de la résurrection plaident contre elle, sa fadeur la rend encore plus invraisemblable. Il est déjà suffisamment difficile de croire à la résurrection en soi ; il devient totalement impossible

---

89. L'idée de substitution, ici, n'est évidemment qu'une hypothèse, soutenue, toutefois, de ce que la rédaction de Marc est très probablement antérieure à celles de Luc et de Jean.

d'adhérer à sa banalité, d'y croire comme à un événement inéluctable. Il faut qu'il y ait doute, angoisse, douleur, *perte*, pour que le miracle se produise. Il n'y a résurrection que s'il y a deuil, temps pour l'affliction, faute de quoi Jésus ne peut être réellement mort. L'apaisement, la certitude tranquille de Luc et de Jean affaiblissent, annihilent presque la vérité qu'ils croient peut-être servir en taisant l'incertitude.

La résurrection que le récit évangélique prend tant de soin à authentifier établit hors de tout doute la divinité du Christ, même si sa nature reste sujette à caution. Aucun des Évangiles ne dit vraiment la même chose, *sauf sur l'essentiel* : tous mentionnent la disparition du corps, absence nécessaire sur laquelle repose la possibilité même de la résurrection, même si elle n'en fournit pas la preuve ; tous parlent des apparitions du ressuscité. Mais la réalité et les circonstances de ces apparitions varient. Jésus n'est pas cru, pas reconnu ou pas immédiatement, pas par tous. Seuls Luc et Jean insistent sur la nature corporelle, physique de la résurrection. Le second de manière indirecte : à Marie de Magdala, Jésus dit : « Ne me touche pas ; car je ne suis pas encore monté vers mon Père » (Jean, xx, 17). En revanche il invite Thomas à toucher, mais il n'est pas dit que Thomas le fasse, peut-être se contente-t-il (par pudeur ?) de voir. Et c'est encore trop demander : « Parce que tu m'as vu, tu as cru. Heureux ceux qui n'ont pas vu, et qui ont cru », lui dit Jésus (Jean, xx, 29). La foi a plus de poids que les sens, elle seule compte vraiment. Ultime ambiguïté du récit évangélique : Jésus prend soin de se manifester, à tout le moins par sa voix et par son image, mais cette manifestation ressemble davantage à une mise à l'épreuve qu'à une preuve. Il s'agit de vérifier la solidité de la foi des apôtres, non pas de procéder à l'impossible démonstration matérielle de la résurrection. Est-ce que le Christ vit en eux ? Voilà ce qui compte. Et voilà par quoi Thomas se montre décevant.

Pourtant la résurrection de Jésus ne saurait être une simple métaphore. Paul, dont les écrits précèdent la rédaction des Évangiles, cerne remarquablement bien la question. « S'il n'y a point de résurrection des morts, écrit-il aux Corinthiens, Christ non plus n'est pas ressuscité. Et si Christ n'est pas ressuscité, notre prédication est donc vaine, et votre foi aussi est vaine » (I Cor., xv, 13-14). Ayant ainsi défini l'enjeu, l'apôtre s'adresse à la vraisemblance de la chose :

> Mais quelqu'un dira : Comment les morts ressuscitent-ils, et avec quel corps viennent-ils ? Insensé ! ce que tu sèmes ne reprend point

vie, s'il ne meurt. Et ce que tu sèmes, ce n'est pas le corps qui naîtra
[...] Ainsi en est-il de la résurrection des morts. Le corps est semé
corruptible ; il ressuscite incorruptible ; il est semé méprisable, il ressuscite glorieux ; il est semé infirme, il ressuscite plein de force ; il est
semé corps naturel, il ressuscite corps spirituel.

I Cor., xv, 35 et 42-45

La résurrection est réelle, corporelle. Mais le corps ressuscité n'est
pas de même nature que le corps mort, il est lui-même spirituel. Extraordinaire trouvaille de Paul, qui permet de prendre le phénomène de la
résurrection au sens littéral tout en lui gardant son mystère intact. La
métaphore de la semence ne donne qu'une image du processus, elle
n'enlève rien à la véracité de l'événement. Bien plus, la résurrection
n'est admissible par la raison qu'en tant qu'elle produit quelque chose
que nous ne pouvons pleinement saisir du point de vue nécessairement
terrestre qui est le nôtre. Il importe peu d'avoir vu le corps du Christ
ressuscité du moment que ce dernier peut apparaître à n'importe qui,
n'importe quand, comme Paul lui-même en témoigne pour l'avoir
éprouvé sur le chemin de Damas. Ne comptent ni le toucher ni la vue
mais la grâce, la foi (I Cor., xv, 8-11).

La trouvaille de Paul ne vaut toutefois que pour la résurrection du
Christ, à l'exclusion de celles que le maître accomplit lui-même en
quelques occasions, dont la plus forte est sans contredit celle de Lazare.
Il ne peut s'agir d'une simple guérison ni d'un réveil, comme en
d'autres cas, où la « mort » (coma, profonde léthargie ?) vient de se
produire[90]. En ce qui concerne Lazare, le texte précise bien qu'il gît
depuis quatre jours dans son sépulcre et que son corps « sent déjà »
(Jean, xi, 39). Or ce corps ne peut ressusciter que sous sa forme terrestre. Exemple des difficultés presque insurmontables qui menacent
toute interprétation concernant des récits tenus pour véridiques. Mais
la résurrection de Lazare, comme tous les autres miracles, n'est jamais
qu'un signe du pouvoir de Jésus, on peut l'accepter ou le refuser[91].
Tandis que la résurrection pascale est l'objet même de la foi, elle ne
peut être mise en doute ni ramenée à une allégorie. Il faut qu'elle soit

---

90. Voir Marc, v, 33-43, et Luc, vii, 11-16. C'est le cas également d'une résurrection effectuée par Pierre (Actes, ix, 36-41).

91. L'épisode de Lazare ne figure que chez Jean, le plus extrême des évangiles
canoniques.

réelle. Et mystérieuse. Mais ce n'est pas là encore le plus grand des mystères.

La plus grande énigme, le vrai miracle de l'Évangile, quoi qu'on puisse en penser aujourd'hui, c'est d'avoir réussi à s'imposer à travers les siècles *en tant que vérité historique*. Ou plus exactement : *en tant que vérité religieuse attestée par l'histoire*. En parcourant *l'Énéide*, nous avons vu qu'une des innovations du récit virgilien, probablement son innovation majeure par rapport aux épopées antérieures parvenues à notre connaissance, consiste à tisser l'histoire de Rome à sa légende. Légende et histoire s'y rencontrent en pleine connaissance de cause : les événements gravés sur le bouclier d'Énée sont historiques et le bouclier lui-même est légendaire, ni Virgile ni ses lecteurs n'entretiennent la moindre confusion à cet égard. Et il importe peu que le héros lui-même puisse avoir un pied dans la légende et un autre dans l'histoire, que la frontière entre les deux modes d'être (historique et légendaire) soit floue, du moment qu'on admet qu'une différence les sépare : même si Énée a réellement existé, ce que le poète dit de lui est sciemment fabulé puisque aucune source avérée ne donne accès à ce qui serait historique en lui. Les évangiles canoniques, en revanche, se donnent eux-mêmes comme source ; ils ont été reçus en tant que témoignages directs et indirects de ce qui s'est effectivement passé à tel moment en tel lieu. Luc est à cet égard le plus explicite, le seul à ébaucher, un peu à l'instar de Thucydide, ce qu'on appellerait de nos jours une critique des sources :

> Plusieurs ayant entrepris de composer un récit des événements qui se sont accomplis parmi nous, suivant ce que nous ont transmis ceux qui ont été des témoins oculaires dès le commencement et sont devenus des ministres de la parole, il m'a aussi semblé bon, après avoir fait des recherches exactes sur toutes ces choses depuis leur origine, de te les exposer par écrit d'une manière suivie, excellent Théophile, afin que tu reconnaisses la certitude des enseignements que tu as reçus.
>
> Luc, i, 1-4

Luc n'offre pas un témoignage de première main. Son récit, fondé sur des « recherches exactes » est le fruit d'une enquête historique. D'une compilation, à tout le moins. La critique des sources, à vrai dire, paraît rudimentaire, le narrateur se targue d'exactitude mais ne semble pas avoir fait de tri parmi les témoins dont il dispose ni évalué leur degré de fiabilité. Il ne mentionne ni concordances, ni recoupements, ni contradictions. Il ne cherche pas non plus à distinguer le légendaire, le fabuleux du réel. Tout est réel, tout est certain, tout est vrai. Les quatre Évangiles, à cet égard, se ressemblent, ils ont tous le même ton de certitude quant à l'authenticité des principaux événements qu'ils rapportent. Ils ne se contentent pas de raconter une histoire. Ils ne se bornent pas non plus à relater une histoire vécue, une histoire « vraie ». À travers la relation de ce qui a authentiquement eu lieu, ils disent *la* vérité. Pas n'importe quelle vérité, la vérité dernière, définitive dont le Christ est porteur et qu'il reviendra établir universellement.

Plus encore, cette vérité s'inscrit explicitement dans le droit fil de l'Ancien Testament. C'est ce que s'emploient à établir les généalogies de Luc et Matthieu. À maintes occasions Jésus intègre à son prêche des expressions, des passages des écritures prophétiques. Jusque sur la croix : son cri d'abandon reprend mot pour mot celui de David (Psaumes, XXII, 2), emprunt qui tendrait plutôt à affaiblir la portée que nous donnions plus haut à cette défaillance : ces paroles désespérées ne pourraient être, tout compte fait, qu'un dernier indice de la généalogie davidienne de Jésus ; bien qu'on puisse admettre aussi que leur retour spontané, en cette circonstance suprêmement douloureuse, accentue le tragique de l'instant. En tout état de cause, une telle référence à un tel moment ne peut passer inaperçue des Juifs qui connaissent un tant soit peu leurs écritures. Le souci de continuité s'exprime parfois de façon tout à fait manifeste : dans ses quatre premiers chapitres, Matthieu insiste au moins cinq fois sur le fait que les événements se produisent *afin que s'accomplisse ce qui avait été annoncé par Ésaïe le prophète*. Cette naïve insistance, qui va jusqu'à renverser le lien de causalité entre l'événement et sa prédiction, éveille la suspicion sur la filiation qu'elle vise à établir. Précisément parce que cette filiation ne va pas de soi.

Rien dans les textes qui servent de base à l'Ancien Testament, rien dans les sources juives elles-mêmes (le Tanakh), n'annonce clairement la venue de Jésus. Il est à deux reprises question d'un messie, d'un oint à venir : l'un, dont l'identité reste obscure, dans Daniel (IX, 25), à l'occasion de la reconstruction de Jérusalem subséquente à l'exil babylonien ; l'autre, dans les Psaumes (II, 2), où le psalmiste demande pourquoi les rois et les princes de la terre se liguent « contre l'Éternel et contre son oint », que la tradition chrétienne reconnaît comme le sien. Cette même tradition voit dans le psaume XXII des éléments qui préfigurent la passion du Christ (dont le plus troublant serait certainement le « Ils ont percé mes mains et mes pieds » du verset 17, si le sens littéral de *ils ont percé* n'était pas *comme un lion*) et l'annonce de son avènement dans le psaume CX, où l'Éternel invite le Seigneur à s'asseoir à sa droite. Dans la même veine, Ésaïe (VII, 14) prédirait la naissance du Seigneur : « La jeune fille [parfois traduit par « vierge »] est enceinte et enfantera un fils qu'elle appellera Emmanuel [Dieu avec nous] », mais beaucoup d'exégètes, même catholiques, voient dans ce passage l'annonce de la naissance prochaine d'Ézéchias[92].

Si les références du Nouveau Testament à l'Ancien sont évidemment nombreuses, les correspondances restent bien ténues. Ces renvois témoignent avant tout des connaissances scripturaires des rédacteurs évangéliques et n'ont pas la nécessité que ceux-ci leur prêtent. Quoi qu'on fasse, c'est toujours l'Ancien qui reçoit du Nouveau l'éclairage dont ce dernier a besoin. En dépit des efforts des évangélistes, le Tanakh n'est pas gros du Nouveau Testament. L'écart qui les sépare est même si important qu'on pourrait presque parler d'incompatibilité — que seules la longue tradition des Églises chrétiennes et la force de l'habitude nous empêchent de voir. Il y a bien de part et d'autre révélation, mais elles diffèrent radicalement d'esprit et d'objet. L'immense récit composite du Tanakh n'est pas l'histoire de Dieu mais l'histoire de son peuple, au long de laquelle YHVH fait tour à tour sentir son absence et sa présence, son mécontentement et ses attentes. Cette histoire essentiellement humaine se déroule sous son regard, bénéficie et pâtit à l'occasion de ses interventions et dans cette mesure seulement reçoit ici et là une impulsion surnaturelle et un éclairage révélateur.

Sont avant tout révélées la Loi et les difficultés que rencontrent sans cesse son avènement, son observance, mais non pas YHVH. Même lorsqu'il se manifeste à Moïse sur le Sinaï, il se garde d'apparaître : éclairs, épaisse nuée, c'est tout ce que le prophète aperçoit ; dans une rencontre ultérieure, il est dit que Moïse et ceux qui l'accompagnent contemplent le Dieu d'Israël, mais ils ne voient que ce qu'il y a sous ses pieds, « le ciel lui-même dans sa pureté », et « un feu dévorant sur le sommet de la montagne » (Exode, XXIV, 9-18). Au reste, YHVH ne fait sentir sa présence que par la voix. YHVH est voix, voie, principe, Loi. Seule la faiblesse de notre pouvoir d'abstraction fait de lui un « personnage ». Le génie propre de la Torah, ce qui la démarque de toutes les autres mythologies de l'Antiquité méditerranéenne, ce n'est pas tellement le monothéisme, comme on le dit toujours, c'est qu'elle cherche à établir

---

92. Note à Ésaïe, VII, 14, dans la Bible traduite sous la direction de l'École biblique de Jérusalem.

YHVH sans lui donner aucune forme. Elle n'y réussit pas complètement : au début de la Genèse, le Créateur fait l'homme à son image ; anthropomorphisme qui montre combien il est difficile de penser Dieu sans l'imaginer, sans se le représenter, ne serait-ce qu'indirectement. Il n'empêche que la Torah, nous l'avons vu, *tend* vers une conception abstraite, non figurative de YHVH. YHVH, on ne le dira jamais assez, est essentiellement *parole, verbe*.

Or voilà précisément ce que les Évangiles renversent. Jean le dit expressément, magnifiquement :

> Au commencement était la Parole, et la Parole était avec Dieu, et la parole était Dieu. Elle était au commencement avec Dieu. Toutes choses ont été faites par elle, et rien de ce qui a été fait n'a été fait sans elle. [...]
> [...]
> Et la parole a été faite chair, et elle a habité parmi nous, pleine de grâce et de vérité [...].
>
> Jean, I, 1-14

Fusion fulgurante de la Genèse et de Jean, qui, en cherchant à établir la continuité, marque la rupture. Se faire chair : voilà justement ce que le verbe de la Torah évite aussi radicalement que possible. Se faire chair : tel est le projet du Dieu évangélique. Les deux démarches sont parfaitement antinomiques, irréconciliables. Tout se passe comme si la parole de l'Évangile forçait la mince brèche ouverte au tout début de la Genèse pour inverser le mouvement : l'homme fait Dieu à son image. En quoi les évangélistes n'inaugurent rien : les Grecs le faisaient déjà abondamment depuis longtemps. Et l'Évangile est grec — autant qu'araméen ou judéen. L'anthropomorphisme grec vient en quelque sorte subvertir la révélation judaïque : l'adhésion du monde hellénisé au monothéisme était probablement à ce prix. Dans l'esprit populaire, Zeus, père des dieux, peut ainsi sans trop de difficulté devenir le Père tout court. Dieu (étymologiquement formé sur le génitif de Zeus) envoie le Saint-Esprit féconder Marie comme Zeus pénètre Danaé de sa pluie d'or. Voilà qui semble avoir convenu aux païens. Mais pas aux Juifs[93]. Du moment que Dieu s'incarne, le récit de cette incarnation ne peut être que l'histoire de Dieu sur terre, l'histoire des tribulations terrestres de Dieu. Rien

---

93. À l'exception, évidemment, des communautés juives qui acceptent l'Évangile, mais qui de ce fait, à la longue, vont perdre leur judaïcité.

d'étonnant à ce que les Juifs n'aient cessé de la refuser : elle est, de leur point de vue, totalement inconvenante.

Le Dieu de l'Évangile n'est pas, ne peut pas être le YHVH de la Torah[94]. Le récit évangélique révèle cela même qui ne saurait être révélé : la figure de Dieu. Jean le sait bien, qui rappelle que « personne n'a jamais vu Dieu », pour ajouter aussitôt : « Dieu le Fils unique, qui est dans le sein du Père, est celui qui l'a fait connaître » (Jean, 1, 18). En cherchant à instaurer à travers Jésus une connaissance qui se révèle en opposition radicale avec la continuité dont elle se réclame, le christianisme s'engage dans une aventure littéralement schizophrène. La parole du Christ prolonge le verbe de Dieu, mais ce verbe se charge d'une image qui le transforme. L'irreprésentable se donne brusquement en représentation dans le monde, il descend dans l'histoire. Et dans le monde, dans l'histoire, le verbe divin ne peut plus être qu'humain. Ce n'est pas par hasard qu'en dépit de l'iconophobie de certains pères de l'Église le christianisme débordera d'images. Au point que celles-ci en viendront presque à supplanter la parole.

Il ne s'agit pas ici de désigner je ne sais quelle tare congénitale qui ferait du christianisme une simple erreur de parcours, une monumentale faute d'interprétation du judaïsme. Il s'agit au contraire de réaliser toute l'ampleur du défi que l'Évangile propose en cherchant à concilier l'inconciliable : l'humanité charnelle des dieux grecs avec l'in-humanité indescriptible du souffle et du verbe divins de la Torah. Dans cette torsion presque inconcevable réside sans doute le plus grand trait de génie du récit évangélique : tendre une corde raide entre l'homme et l'indicible. Que la vérité, la révélation du salut prennent le visage d'un homme historiquement situé et prêt à mourir pour elles, voilà sans doute la clé du succès prodigieux du Nouveau Testament. Mais ce succès entraîne un risque considérable : à tirer la vérité sur terre et à lui donner visage humain, on lui enlève ce qu'elle a d'indicible. Il devient possible de parler au nom du Christ. Donc au nom de Dieu. Et on ne s'en privera pas. Dans cette perspective, la résurrection, cette invraisemblance, apparaît presque comme un garde-fou.

La tentation de répéter l'exploit étant très forte, en effet, la résurrection est le verrou qui ferme l'accès à toute possibilité de répétition. C'est pourquoi elle doit s'être réellement produite. Si elle est purement

---

94. Cette opposition entre les deux Testaments sera théorisée au IIe siècle par le marcionisme et combattue par l'Église comme une hérésie redoutable.

métaphorique ou symbolique (du genre : les grands esprits ne meurent pas), elle reste à la portée du premier charlatan venu ; n'importe quel rhéteur peut venir sur terre dire la vérité aux hommes. Cette précaution n'a pas empêché les diseurs de vérité de marcher sur les brisées du Christ, mais aucun n'a pu gagner son autorité — pas même Paul, pas même l'Église qu'il a contribué à fonder. La résurrection d'un homme-dieu est probablement le genre d'événement auquel une même civilisation ne peut croire qu'une fois dans son histoire. Mais ce qu'on peut faire de cet événement sans exemple, pour le meilleur comme pour le pire, n'en reste pas moins inépuisable…

La spécificité du récit évangélique ne tient pas seulement à ce qu'il raconte l'histoire authentique d'un homme réel et néanmoins divin — Fils de Dieu au sens fort — venu dire la vérité au monde mais à ce qu'il présente cette vérité, la vie éternelle, comme une finalité, comme un objectif à atteindre. Le lien indissoluble que la vérité du message évangélique établit entre la vie terrestre et le salut éternel fait du second la finalité de la première. La vie ici maintenant a sa principale raison d'être hors d'elle-même dans un au-delà qui n'est plus hypothétique mais certain, assuré du moins à ceux qui l'auront cru. La piété n'est plus exercée pour elle-même, pour aider à vivre notre vie de mortel. Cette vie, au contraire, la manière dont on l'aura conduite, devient la monnaie, la monnaie durement gagnée, grâce à laquelle chacun peut payer sa place auprès de l'Éternel. C'est dans l'assignation de cet objectif que l'Évangile apparaît révolutionnaire. Cette finalité, dira-t-on, est déjà formulée chez Platon. Si l'on veut, à la manière près. Et la manière fait toute la différence. Platon n'annonce pas la vérité, il se garde de toute révélation. Il exprime sa conviction d'homme que la beauté *est*, qu'elle gouverne le cosmos, qu'elle vaut la peine d'être recherchée ici-bas et que plus l'âme en aura été profondément amoureuse en cette vie, mieux elle saura choisir ses vies subséquentes.

Platon réfléchit sur la manière de conduire sa vie à partir d'une certitude intime, mais il ne propose aucune vérité définitive. Certes, la vérité existe pour lui, confondue avec le beau, le bien, mais elle demeure inconnaissable, intransmissible. Tout au plus, et à grand risque d'être mal compris, le philosophe peut-il tenter de faire part aux autres de l'amour qui le porte vers elle mais surtout pas s'offrir en sacrifice en son nom. Si Socrate accepte de mourir, ce n'est nullement pour sauver le monde ; pas tant non plus pour donner une leçon à ses concitoyens que pour rester fidèle à lui-même. Si la perspective concrète de la mort ébranle nos convictions, dit Socrate, c'est qu'elles ne valaient pas cher. La mort est le moment de vérité qui met à l'épreuve la manière dont nous avons conduit notre vie. Mais ce moment de vérité ne scelle pas définitivement notre destin. La question de l'au-delà reste ouverte.

De tous les récits de l'Antiquité méditerranéenne, le récit christique est le seul, le premier en tout cas, qui ose clore si péremptoirement la question de la mort et de la vie éternelle. Que le Royaume de Dieu, tel que l'annonce Jésus, soit déjà parmi nous n'annule en rien la promesse d'une éternité à venir ; cette présence assure au contraire le lien qui permet de travailler ici et maintenant pour le salut et d'espérer l'avènement d'une Rédemption dernière. Toute cosmologie, on l'a vu, établit d'une manière ou d'une autre une liaison entre la vie et la mort, entre l'ici-bas et l'au-delà, entre le mortel et l'immortel, le terrestre et le céleste. C'est même le propre de l'esprit religieux de chercher à établir une cohérence entre le monde des humains et le monde des dieux, entre la terre et le cosmos. Malgré ce besoin de cohérence, la plupart des grands mythes fondateurs laissent prudemment ouverte la question de l'après : l'accès des âmes mortes — si âme il y a — à la transcendance et à la pérennité est rien moins qu'assuré.

Chez les Grecs, le royaume d'Hadès, assez semblable au *Chéol* hébraïque, est une sorte de zone grise, neutre, où les morts, bons ou mauvais, ne sont plus que l'ombre de ce qu'ils furent ; ce royaume ne contient aucune promesse, aucune rétribution. Si l'ordre du cosmos ou des dieux préside à celui des hommes, il ne leur garantit rien, surtout pas l'immortalité. La vie après la mort, en revanche, semble préoccuper au plus haut point la civilisation pharaonique. Sa mythologie, ses rites funéraires établissent en effet un passage exceptionnel entre l'en-deçà et l'au-delà. Exceptionnel à plus d'un titre : ce passage ne concerne en effet que Pharaon et son entourage. Dans la conception égyptienne de l'univers, les deux ordres, terrestre et céleste, se touchent (comme deux cercles tangents l'un à l'autre) au point de jonction que constitue Pharaon lui-même, roi et dieu, terrestre et céleste en même temps. En tant qu'il assure une indispensable liaison entre les deux mondes, il ne peut pas mourir. Derrière l'apparente succession des Pharaons, le même se perpétue sous des visages différents. Pharaon est immortel. L'immortalité ici n'est donc pas davantage que dans les autres cosmologies une promesse faite aux hommes en général, c'est une nécessité impartie à une fonction, c'est en quelque sorte la cheville ouvrière des deux mondes. Au reste, le destin est collectif.

Collectifs aussi, on l'a vu, le destin, la survie dans le Tanakh, à tout le moins dans sa première partie, la Torah. Avec les prophètes et, plus encore, avec les autres écrits, pointe très timidement l'idée d'un destin individuel. Au psaume XVI, David bénit YHVH de s'être fait son conseil, d'être sans relâche devant lui ; il exulte de ce que sa « chair reposera en sûreté ; car tu ne peux abandonner mon âme au *Chéol*, ni laisser ton ami voir la fosse », espoir qu'on retrouve au psaume XLIX. Premiers signes ténus, peut-être bien, du désir d'éternité que l'homme, qui ne se satisfait plus de survivre à travers la pérennité du groupe, éprouve comme individu — mais David n'est pas non plus n'importe qui. Dans ce mince filet, on peut, après coup, voir se faufiler une douteuse continuité des écrits hébraïques au message christique.

Faux fil, en effet. Le Christ vient ouvertement offrir l'immortalité à chacun, en assortissant cette offre alléchante d'une condition exorbitante : l'adhésion sans réserve à la certitude qu'il apporte. *La vérité ou la mort*. La seconde sera vaincue à la condition pour le croyant d'adhérer à la première. En revanche, la mort frappera irrémédiablement quiconque n'aura pas cru. La mort est ici donnée à la fois comme un châtiment et comme une malédiction à vaincre — projet dont la médecine moderne ne semble que trop encline à reprendre le flambeau. Parce que le sentiment du collectif s'effrite et que l'individu ne peut plus trouver sens à sa vie en lui, collectif, il faut raconter à cet individu une histoire qui l'encourage à trouver ce sens en soi, mieux, qui le lui certifie. Pour le certifier le Christ donne sa vie. Et, pour montrer que ce don n'est pas vain, il ressuscite. Il suffit d'y croire. Le prix peut paraître modique, comme cherche à nous en persuader Pascal dans la logique de son fameux pari. Et en un sens Pascal a raison : on ne perd pas grand-chose à parier pour Dieu. Mais on perd beaucoup à exclure toute autre voie vers le divin.

L'histoire du Christ est riche d'une beauté que nous sommes loin d'avoir épuisée et pauvre de son interprétation chrétienne. Celle-ci exige un prix qu'il est impossible d'acquitter. On ne se dédouane pas si aisément de l'incertitude. Nommer la certitude, c'est prendre une assurance contre la peur du néant. C'est vouloir remplir à tout prix le vide que laisse la mort du Christ. Seule manière de transformer son échec en victoire, de faire du doute une vérité. Non seulement l'assurance de cette vérité est impossible mais elle constitue surtout, comme on le verra, une arme redoutable pour la civilisation qui s'en sert.

S'il était possible de résumer en quelques mots l'importance historique de la révolution chrétienne, je dirais ceci : la mythologie grecque représente le monde, les écrits hébraïques disent la Loi ou, mieux encore, ils enseignent — tous deux s'adressent à la vie en tant que finitude ; tandis que les Évangiles annoncent dans ce monde une vérité qui n'est pas de ce monde et qui bouleverse le rapport du croyant à la vie. Tout ce que l'homme peut bien se raconter sur lui-même, en dehors de cette vérité, n'a désormais plus grande importance.

De ce que la vérité évangélique se présente comme définitive et universelle, le récit qui l'énonce réduit les possibilités de son interprétation. Globalement, et indépendamment des querelles exégétiques, du point de vue chrétien, il n'y a fondamentalement qu'une lecture possible du Nouveau Testament. Cette univocité semble sans conséquence parce que noyée dans un message de paix et d'amour. Ce message n'en rejette pas moins dans l'aveuglement, dans l'altérité et dans la guerre ceux qui ne veulent ni de *cette* paix ni de *cet* amour. Tout comme se retranchent dans la barbarie ceux qui refusent les bienfaits et la civilisation de la *pax romana*. Or la paix chrétienne saura dépasser, après l'avoir investie, la paix romaine. L'Évangile, la Bonne Nouvelle, triomphe là où *l'Énéide* a échoué, de ce que sa vérité est absolue et son universalisme sans limite.

Mais la signification chrétienne n'est pas la seule possible. Et ce qu'elle a d'exorbitant n'apparaît bien qu'à la lumière d'autres lectures.

3. Le récit de la mort de Dieu

La résurrection n'a pas besoin de s'être effectivement produite pour avoir la portée qu'on lui connaît. Indépendamment de la question de sa réalité, l'histoire du Christ contient de toute évidence une très grande puissance symbolique. Si cette histoire a eu un tel retentissement, si elle s'est propagée dans l'espace et dans le temps avec tant de force, c'est que, malgré la confiscation de l'Église, ce qu'elle avait à dire dépassait de loin ce qu'en a fait la hiérarchie ecclésiastique. D'abord parce que la geste et la parole du Christ répondent à un inépuisable besoin de consolation. Ensuite parce qu'elles rassemblent et condensent de très vieux mythes, bien antérieurs à l'apparition du christianisme. Enfin parce que la visée christique, son exigence correspondent à une aspiration à la fois inavouable et sublime, proprement surhumaine, qu'on peut brutalement formuler en deux mots : devenir Dieu. Ou, ce qui revient au même : supprimer Dieu.

René Girard a fait un pas significatif dans ce sens[95]. Il voit dans le Christ un homme désireux de dépasser la condition ordinaire de ses semblables et prêt pour cela à mettre sa vie en jeu. Pour Girard, ce sont les hommes, les hommes seulement — et non pas les hommes en tant qu'instruments inconscients de la volonté divine —, qui tuent Jésus. Sa mise à mort est l'aboutissement du refus radical qu'il oppose à la logique du rapport de force, dans un monde où la force domine. Poussé jusqu'au bout, ce refus amène le Christ à subir les coups des autres, à mourir de la violence du monde. La force et la beauté de cette interprétation tiennent à ce que Jésus est un simple mortel, dont la résurrection devient pur symbole : il vivra comme modèle impérissable dans le cœur des hommes. Du christianisme, Girard ne conserve que la morale et supprime le merveilleux. Plus de miracle, plus de vérité absolue. Voilà qui ouvre à une lecture mythique du récit évangélique, que je voudrais tenter ici de pousser plus loin en montrant que ce récit peut être lu comme l'expression d'une audace longtemps restée inconcevable : comme la tentative plus ou moins consciente d'humaniser Dieu ou de diviniser (transcender) l'humain. Loin de diminuer la portée du mythe, la lecture que je propose ici l'élargit ; elle déplace son champ de signification, sans rien lui enlever de sa force.

Je ne m'attarderai pas sur la dimension consolatrice du mythe. Elle est évidente. Et sa beauté compte pour beaucoup dans la longévité du récit évangélique. Celui-ci durera aussi longtemps que les hommes ne parviendront pas à se pardonner d'être ce qu'ils sont : tour à tour victimes et bourreaux. J'insisterai plutôt sur la vertu fraternelle du mythe, avec toute l'ambiguïté qu'elle comporte : cette fraternité n'est pas simplement charitable, elle a quelque chose de profondément redoutable, d'impossible[96].

---

95. René GIRARD, *Des choses cachées depuis la fondation du monde*, Paris, Grasset & Fasquelle, 1978, le Livre de poche (Biblio essais), 1986, p. 300 et suiv.

96. L'interprétation qui suit a sa source dans une réflexion que fait en passant Jacques DERRIDA dans « Foi et savoir », *la Religion*, sous la direction de Jacques DERRIDA et Gianni VATTIMO, Paris, Seuil, 1996, p. 20 : « Dans la définition de la "foi réfléchissante" et de ce qui lie indissolublement l'idée de la moralité pure à la révélation chrétienne, Kant recourt à la logique d'un principe simple, celui que nous citions à l'instant dans sa lettre : pour se conduire de façon morale, il faut faire en somme comme si Dieu n'existait pas ou ne s'occupait plus de notre salut. [...] N'est-ce pas une autre façon de dire que le christianisme ne peut répondre à sa vocation morale et la morale à sa vocation chrétienne qu'à endurer ici-bas, dans l'histoire phénoménale,

Dieu se fait homme et meurt sur la croix, dit le mythe. Prenons la peine d'évaluer à sa juste mesure la portée de cette incarnation symbolique. Elle est immense. Le Père s'offre lui-même en sacrifice dans la personne du Fils. Dieu est à la fois bourreau et victime, sacrificateur et sacrifié, dualité qu'exprime la dichotomie père/fils — et qui écarte toute possibilité d'interpréter ce sacrifice comme un acte simplement suicidaire. Le Père ordonne ou, à tout le moins, autorise la mort que le Fils accepte de subir pour lui. L'un tue, l'autre meurt. Mais si l'un *est* l'autre, s'ils sont tous deux de même substance, comme le dit Jean (« le Père est en moi et je suis dans le Père », xx, 38), alors c'est bel et bien Dieu qui meurt par le Christ et avec lui sur la croix.

Mais c'est le Fils qui l'annonce, qui parle pour le Père, de sa place et à sa place. Plus exactement, c'est la chaîne des narrateurs qui rapporte ce qu'affirme le Fils. Ce sont donc les hommes, autant dire les fils, qui racontent. Ce n'est que par les hommes que nous pouvons avoir une idée de ce que le Fils a dit et fait. Mais, comme celui-ci l'a déclaré, les hommes « ne savent pas ce qu'ils font ». Ils ne savent pas davantage, sans doute, ce qu'ils transmettent, ou ce qu'ils inventent — les disciples eux-mêmes avouent parfois ne pas comprendre. Quant au Fils, il se dit de Dieu, plus qu'aucun autre, superlativement, mais aussi comme tout homme. Le Christ personnifie au plus haut degré la condition mortelle qui est déjà celle d'Adam. Adam, le premier homme, et toute sa descendance, c'est-à-dire nous tous, sommes fils et filles de Dieu. C'est en tant qu'il est Fils par excellence, à ce point en Dieu qu'il affirme se confondre avec lui, que le Christ parle. Et ce qu'il annonce est tout simplement inimaginable : à travers lui, Jésus, Dieu est appelé à mourir et à renaître. Il le dit en tant que Fils pour tous les fils, pour tous les frères par conséquent.

Mais ce que le Fils dit est trop énorme pour que ses frères puissent le suivre. Car il s'agit de rien de moins que de s'émanciper du Père, d'accomplir le meurtre symbolique d'un père symbolique. De fonder sur cet acte d'une audace extrême une nouvelle fraternité. Une fraternité

---

la mort de Dieu, et bien au-delà des figures de la Passion ? Que le christianisme, c'est la mort de Dieu ainsi annoncée et rappelée par Kant à la modernité des Lumières ? » Cette réflexion m'a poussé, alors que j'étais déjà bien engagé dans la rédaction de ce chapitre, à faire un court article sur « Le malin génie du christianisme », *Conjonctures*, Revue québécoise d'analyse et de débat, n° 28, Les Écritures et la vie, Montréal, hiver 1999, p. 99-108, dont je reprends ici certains éléments, parfois textuellement, sans les signaler par des guillemets.

que le Christ est prêt à payer de son sang. Comme s'il fallait souder cette alliance d'un sacrifice réel. La force du meurtre symbolique est à ce prix. Au prix du meurtre effectif de celui qui le propose.

On m'objectera que les textes ne permettent pas de soutenir cette lecture. En effet, ils ne le permettent pas. Et pour cause : leurs rédacteurs sont *a priori* réfractaires aux autres sens possibles du message qu'ils rapportent. Ils s'en tiennent à la seule vérité acceptable pour eux comme pour leur communauté. Et leur choix est parfaitement compréhensible : à tout prendre, la résurrection du corps est moins difficile à admettre et surtout moins blasphématoire que la mort de Dieu. Il n'en reste pas moins que la manière dont ils présentent la vérité qui leur tient à cœur n'est pas exempte de contradictions. Et celles-ci parlent malgré eux. Signes, à tout le moins, que l'univocité de cette vérité ne s'impose pas sans mal.

Abordons l'ambiguïté du récit évangélique à travers la question, que je crois assez centrale, du royaume de Dieu. Aux pharisiens qui lui demandent quand viendra ce royaume (ou ce règne), Jésus répond : « Le royaume de Dieu ne vient pas de manière à frapper les regards. On ne dira point : Il est ici, ou : Il est là. Car voici, le royaume de Dieu est au milieu de vous » (Luc, XVII, 20-21). C'est justement ce que les pharisiens, dont Jésus n'était pourtant pas si éloigné, ne peuvent entendre. Mais ils ne sont pas seuls à être sourds. Malgré toute leur bonne volonté, les disciples, on l'a vu, le sont aussi. À maintes reprises, le récit indique que quelque chose d'essentiel leur échappe. Quelque chose, aux dires des évangélistes eux-mêmes (ou de ceux qui rapportent leur témoignage), ne cesse d'être mal entendu. Pierre, qui vient de reconnaître Jésus comme le Christ, refuse l'idée du sacrifice annoncé et se fait durement réprimander par le maître pour n'avoir « que des pensées humaines » (Marc, VIII, 29-33). Quelque chose du divin lui échappe radicalement. Cette violente réprimande (« Arrière de moi, Satan ! ») s'accorde à la vérité défendue par l'évangéliste. Mais sitôt après le Christ rassemble ses disciples pour leur dire :

> Si quelqu'un veut venir après moi, qu'il renonce à lui-même, qu'il se charge de sa croix, et qu'il me suive. Car celui qui voudra sauver sa vie la perdra, mais celui qui perdra sa vie à cause de moi et de la Bonne Nouvelle la sauvera. Et que sert-il à un homme de gagner tout le monde, s'il perd son âme.
>
> Marc, VIII, 34-36

Passage capital, cent mille fois commenté, où s'exprime un souci de l'âme quasi platonicien. Avec la croix en plus, toutefois. La nuance est cruciale, c'est le cas de le dire. C'est en effet le crucifié, *déjà*, qui parle — que le narrateur fait parler, devrais-je dire, à un moment où la mort et la résurrection sont depuis longtemps accomplies. Anticipation chargée d'ambiguïté. Si le règne de Dieu est « parmi nous », c'est que le souci de l'âme qui s'exprime ici est pleinement celui de Platon (chez Luc, le plus « grec » des évangiles synoptiques) et la mort du Christ le véritable terme de son aventure, quoi qu'il puisse advenir par la suite et qui échappe à la compréhension humaine. Si, comme le répètent à l'envi les quatre évangélistes, le royaume est cet au-delà céleste que le Christ rejoint au troisième jour, c'est que son martyre n'est qu'un passage vers la vérité éternelle, dont ses adeptes ne sauraient s'affliger. Ils devraient plutôt s'en réjouir. Or voilà ce que Pierre, incapable de concevoir « les choses de Dieu », semble ne pas pouvoir comprendre.

Cette incompréhension du plus fidèle des fidèles a elle-même quelque chose d'incompréhensible. Des deux hypothèses ci-dessus, en effet, laquelle, pour un croyant, est la plus douloureuse à accepter ? Celle selon laquelle le Christ meurt pour de bon ? Ou celle selon laquelle il ressuscite ? De toute évidence, c'est la première : il est pour les disciples totalement inadmissible que leur maître, compte tenu surtout des pouvoirs qu'il a manifestés, meure sans recours et de la façon la plus ignominieuse[97]. Que sa mort soit « pour rien » — pareille, finalement, à celle de n'importe qui. Au point qu'on peut lire le récit évangélique lui-même comme le mythe qui s'efforce de glorifier l'infamie et de donner sens à cette mort inacceptable.

Cet effort n'en laisse pas moins passer les doutes qui n'ont tout naturellement pas manqué de saisir les compagnons du Christ de son vivant. Pierre, ici comme en d'autres circonstances, réagit de façon toute humaine. Mais c'est *avant* la mort du maître. Cette mort qu'il refuse, dans l'incapacité bien compréhensible où il est de croire que le maître puisse ressusciter. Incapacité qui cède après coup sous le poids d'un deuil écrasant : une fois la mort administrée, accomplie, le fidèle ne peut faire son deuil qu'au prix de cette résurrection qu'il refusait naguère. Car ce qu'il refusait, en fait, c'était la mort et avec elle la fin du

---

97. On a tendance à oublier aujourd'hui que le supplice de la croix n'était pas seulement atroce mais qu'il était aussi la manière la plus infamante, pour les Romains, de mettre un homme à mort.

ministère christique. L'actualité de la résurrection, au dire même du Nouveau Testament, est ce qui permet aux disciples et plus particulièrement aux apôtres de sortir de l'abattement où les a plongés l'exécution du Christ, de reprendre foi et de propager la Bonne Nouvelle. Pour le dire crûment, la résurrection devient, *horribile dictu*, fonctionnellement nécessaire à la propagation du message christique. C'est une question de moral, de survie. Mais cette nécessité fonctionnelle pèse sur le message même : elle lui confère ce caractère univoque, cette allure de vérité intangible dont il ne se débarrassera jamais plus. Et qui fait barrage à toute autre interprétation.

Nous voilà donc revenu à notre point de départ. Mais de façon à pousser la lecture plus avant. Il suffit que l'esprit de survie, qui dans les textes eux-mêmes fige la vérité dont ils se disent porteurs, puisse apparaître comme la nécessité *sine qua non* de la communauté des croyants et de son rayonnement, il suffit que cette simple *hypothèse* soit *plausible*, pour que le mythe se libère du carcan qui l'enserre. Bien plus, sous l'effet de cette libération, les ambiguïtés du récit s'expliquent mieux : au récit salvateur qui suit la mort du Christ pour la justifier restent mêlés des éléments de ce qui s'est produit de son vivant. Et, parmi eux, figurent les paroles énigmatiques à travers lesquelles le maître annonce sa mort et sa résurrection. Mais dans un sens qui n'est pas forcément celui que les textes évangéliques cherchent à faire prévaloir.

Le Christ sait qu'il mourra de la main des hommes, de ce que ceux-ci, jusque chez ses propres disciples, sont incapables d'accepter l'énormité de ce qu'il annonce et qui, deux mille ans plus tard, est encore à peine amorcé : à savoir que Dieu est appelé à mourir. Mort à la fois inévitable et nécessaire, mort à laquelle il faut d'ores et déjà tenter de faire face puisque rien, à terme, ne pourra l'empêcher. Le martyre, la crucifixion sont le prix que Jésus consent à verser pour aller jusqu'au bout dans les difficiles vérités qu'il cherche à transmettre à ses frères humains. Et, parmi elles, la plus désagréable de toutes : que les hommes sont responsables de ce qui leur arrive, bien qu'ignorants de ce qu'ils font. Le Père doit mourir pour que les frères s'émancipent, sans avoir à recourir à son autorité, dans le respect les uns des autres. Tôt ou tard l'idée d'un Père céleste, d'une divine providence, d'une justice suprême s'épuisera, et les hommes découvriront qu'ils sont seuls. Leur inaptitude à affronter cette solitude sera leur vraie désolation, leur unique, effroyable châtiment.

Si Jésus consent d'avance à sacrifier sa vie, c'est, nous l'avons vu, par respect absolu du plus impératif des commandements, « Tu ne tueras

point », qui l'amène à préférer subir la mort plutôt que d'avoir à l'infli-
ger, même pour se défendre. Mais c'est aussi, probablement, parce que
le sacrifice a toujours joué un rôle trop important dans la religion pour
que l'immensité du retournement fraternel qu'il propose puisse ne
serait-ce que s'amorcer sans s'accompagner du plus grand des sacrifices
possibles : le sacrifice de soi. L'acceptation chez chacun d'un tel sacrifice est à ce point nécessaire que le Christ se dispose à en graver pour
toujours l'image dans l'esprit des générations futures en sacrifiant son
propre corps, comme la Cène en offre le magnifique symbole. Mais ce
sacrifice doit être le dernier. Il doit servir à perpétuer dans le temps le
message de celui qui y consent. Le message renaîtra du martyre comme
le phénix de ses cendres. Mais, plus encore, la crucifixion, et c'est là que
le mythe prend une force bouleversante, met en acte cette mort de
Dieu que l'Évangile n'ose annoncer. Dieu, dit le mythe, n'est nulle part
ailleurs que dans l'homme, dans chacun d'entre nous. C'est donc bien
lui qu'on tue en exécutant Jésus. Et c'est aussi pourquoi il faut que ce
meurtre à la fois exemplaire et inavouable ouvre à tout jamais les yeux
de ceux qui l'accomplissent ou le laissent accomplir.

Tout meurtre tue chez le meurtrier la possibilité en lui du divin. Le
meurtre du Christ doit donc être le dernier afin de n'avoir pas été
accompli en vain. Cet holocauste devient ainsi le prélude à la résurrection non pas du corps crucifié mais de l'amour impérissable que le crucifié porte pour toujours au-delà de sa chair mortelle. Que Dieu survive, à la rigueur, mais qu'il survive pour ce qu'il est effectivement :
une métaphore de l'indicible nécessaire aux hommes pour s'accepter
mutuellement. Mais au dernier moment le héros est pris d'un doute
atroce : que cet amour ne résiste pas à sa mort. Que son sacrifice reste
incompris.

Du bien-fondé de ce doute ultime, l'Évangile est lui-même à son
corps défendant la meilleure preuve. Il témoigne d'abord, on l'a vu, de
l'incapacité où se trouvent les fidèles d'accepter pour définitive la mort
de celui qui les a si fortement inspirés. À quoi se mêle sans doute la
culpabilité de l'avoir laissé mettre à mort. La résurrection rachète en
quelque sorte la lâcheté des disciples et, de façon plus générale, absout
les hommes de l'assassinat de Dieu. Elle efface le plus lourd de tous
les crimes. Au-delà de l'incapacité de faire face à la mort du Christ,
l'Évangile témoigne encore d'une difficulté plus considérable, quasi
insurmontable : l'impossibilité d'accueillir l'aspiration la plus haute de
celui dont on pleure la mort, le refus de souscrire à l'espoir que

l'homme s'émancipe, qu'il sache se passer du Père, qu'il accède de lui-même à ce qu'il y a virtuellement de divin en lui.

L'invite à l'émancipation de l'homme traverse bel et bien le récit évangélique, mais elle se heurte à l'idée archaïque d'un dieu céleste trônant au-dessus du monde dans l'attente du jugement dernier et finit par échouer devant l'impératif d'une résurrection corporelle que commandent et le refus de la mort et la dénégation du meurtre commis. Peur et culpabilité refont un dieu de chair à visage humain, là où le Christ peut être perçu, nouveau Prométhée, comme la figure mythique cherchant à pousser plus loin l'abolition de toute terreur divine. En dépit de son message d'amour (pourtant si fort chez Paul), le Nouveau Testament réinstitue la peur de Dieu. Que Jésus ait été incompris, qu'il ait inquiété, ne l'oublions pas, fait partie de ce que les textes rapportent à son sujet. Que, dans son ambiguïté, l'Écriture raconte à son insu la mort de Dieu et recule devant elle n'a donc rien d'impensable. Et, dans tout mythe, c'est le pensable qui importe. Le pensable, c'est-à-dire ce que le mythe permet de penser, le cas échéant malgré ses narrateurs.

4. Le chemin de la vérité

Le mythe christique se prête à bien des interprétations, et celle que je viens d'esquisser ci-dessus, en dépit de la conviction qui la nourrit, ne se propose pas comme *la* bonne lecture du récit évangélique mais seulement comme *une* de ses lectures. Une lecture que j'espère fructueuse, ne serait-ce qu'en vertu de ce qu'elle permet, par contraste, de mettre en évidence.

Le mythe est par définition, dans la splendide formule qu'en donne notamment Lévi-Strauss, « la succession sans fin de ses versions »[98]. Cet inachèvement propre au mythique illustre *a contrario* ce que j'appelle la clôture néo-testamentaire. Le Nouveau Testament ne clôt pas seulement l'interprétation du récit fondateur sur lequel il repose, il ferme également celle de l'Ancien, dans le sillage duquel il prend beaucoup de peine à se situer — effort qui confirme, soit dit en passant, que le Christ et son message sont tous deux originellement juifs, origine dont le christianisme reste à ce jour inconsolable. C'est bel et bien dans la manière d'imposer sa lecture comme seule et unique possible que la

---

98. Cité par Dany-Robert DUFOUR, *le Bégaiement des maîtres*, Paris, Éditions François Bourin, 1978, p. 15.

narration chrétienne — qui refuse évidemment de se considérer comme mythologique — introduit une rupture historique dans le style narratif.

Il se peut que cette manière de forcer le vrai soit, plus ou moins consciemment, le produit d'une sorte de sagesse pessimiste relative aux facultés mentales et morales de l'être humain. La mort de tout dieu, l'abolition de tout fondement transcendantal ou surnaturel au sentiment religieux, au respect devant l'indicible, à l'émerveillement de notre présence au monde, bref, cette suppression radicale du céleste, les hommes n'avaient probablement pas — hier pas plus qu'aujourd'hui — la force de la soutenir. Ainsi ont pu penser maint pasteur, maint théologien, dont je me garderai bien de sous-estimer l'intelligence. Nietzsche lui-même n'affirme rien d'autre, lorsque dans son célèbre passage sur la mort de Dieu il fait dire à l'Insensé :

> Comment nous consolerons-nous, nous, meurtriers entre les meurtriers ! Ce que le monde a possédé de plus sacré et de plus puissant jusqu'à ce jour a saigné sous notre couteau ; [...] qui nous nettoiera de ce sang ? [...] La grandeur de cet acte est trop grande pour nous. Ne faut-il pas devenir dieux nous-mêmes pour, simplement, avoir l'air dignes d'elle ? [...] Cet événement énorme est encore en chemin, il marche, et il n'est pas encore parvenu jusqu'à l'oreille des hommes.
>
> *Le Gai Savoir*, III, n° 125

Mais je ne cherche pas à sonder la perspicacité des théologiens. C'est l'effet du discours évangélique sur notre imaginaire narratif que j'interroge, l'effet de ce que j'appelle paradoxalement « le récit de vérité ». Contradiction dans les termes. Tout récit qui se présente comme vérité univoque et indiscutable perd ce qui fait à mes yeux l'essence du récit : son incessante pluralité de sens, sa perpétuelle ouverture à de nouvelles lectures. Dans cette perspective, en se proposant *la* vérité comme fin, l'Évangile constitue le plus insidieux des récits et, sans le dire, rejoint l'ambition de la philosophie. Mais cette dernière, du moins jusqu'à l'avènement du christianisme, met cartes sur table : elle argumente son discours de vérité et le soumet, *nolens volens*, à la critique de la raison. Le cas échéant, là où l'argumentation est à bout de souffle, elle recourt au mythe, comme le fait si bien Platon. Mais elle y recourt explicitement et sans prétendre à plus que ce qu'un mythe peut dire. Ce dernier est allégorie, métaphore, bref, ouvert à l'interprétation.

L'introduction de l'argument d'autorité dans le récit pour imposer une vérité exclusive de toute autre prive la narration de sa liberté fondamentale. Et cette privation, comme on le verra plus loin, ne sera pas sans conséquence sur l'évolution de la littérature chrétienne puis occidentale. Bien entendu, le christianisme ne tue pas toute liberté narrative, ce qui reviendrait à soutenir l'idée complètement absurde qu'il interdirait toute fiction. Je dis seulement qu'avec l'expansion et la domination du christianisme en Europe occidentale, la nature des grands récits, notamment des plus marquants d'entre eux, change assez radicalement. Ni les *Confessions* d'Augustin ni plus tard la geste chevaleresque (de *la Chanson de Roland* au cycle arthurien) ni *la Divine Comédie* de Dante ne sont pensables en dehors de la vérité évangélique. Même des œuvres d'inspiration « païenne », comme le *Roman de Renart* ou le *Roman de la rose*, se situent sous l'œil de Dieu. Certes, la surveillance divine est souvent moins étroite que nous l'imaginons aujourd'hui, la littérature médiévale a parfois des audaces surprenantes. Il ne s'agit pas, en tout état de cause, de caractériser une époque littéraire, qui plus est aussi vaste et aussi prolixe, mais de réfléchir à la portée générale de la rupture introduite par la vérité propre à la geste chrétienne.

Cette rupture ne touche pas seulement la littérature, elle affecte aussi la philosophie, l'histoire, la science, et influence jusqu'aujourd'hui notre conception du monde. La plus grande erreur, à cet égard, serait de considérer que cette influence s'est à ce point réduite à travers la sécularisation de nos sociétés et de nos institutions qu'elle serait aujourd'hui inexistante ou quasi. L'idée de vérité, le besoin d'y croire n'ont pas été atteints autant qu'on le suppose généralement par le déclin de l'Église et de la foi chrétienne. Ils se sont déplacés, en même temps que le besoin même du religieux. Principalement vers les sciences. C'est d'elles aujourd'hui dont, malgré tous les scepticismes et tous les relativismes, nous attendons encore le salut. Attente chrétienne par excellence.

Quiconque réfléchit à notre civilisation sans tenir compte de l'empreinte ineffaçable que l'esprit évangélique a laissée dans notre mémoire collective risque fort de ne rien comprendre à la place qu'occupe encore de nos jours en Occident la question de la vérité. La pire méprise serait de croire que nous sommes désormais en mesure d'assumer collectivement cette mort de Dieu que le récit christique aurait annoncée à son insu et qui, deux mille ans plus tard, paraît enfin pouvoir s'imposer largement. Même si cette mort était aussi acceptée que d'aucuns le prétendent, je ne suis pas certain que le sentiment de culpabilité qui a si longtemps accompagné la foi chrétienne s'évanouisse avec elle. Il pourrait plutôt se retirer en des lieux obscurs de la conscience où nous ne serions simplement plus capables de l'atteindre et de le comprendre. Comme le dit Elias Canetti :

> L'image de l'être unique dont les Chrétiens pleurent la mort depuis bientôt deux mille ans est entrée dans la conscience de toute l'humanité vigilante. C'est un mourant, et il ne doit pas mourir.
>
> *Masse et Puissance*, Paris, Gallimard, Tel, 1993, p. 497

Croire qu'on puisse faire table rase de nos racines religieuses, c'est se condamner à ne pas comprendre l'essence de ce qui nous gouverne, c'est laisser le christianisme gouverner à notre insu. Et ce qu'il gouverne n'est rien de moins que notre rapport à la vérité. Un rapport dont on croit volontiers de nos jours qu'il est régi par la science, et donc débarrassé de toute croyance. Cette foi en la science ignore pourtant ce que la science doit elle-même à la croyance. La science a soif de vérités, et cette ambition reste tributaire de notre rapport, positif ou négatif, à la transcendance. Que la transcendance soit affirmée ou niée, elle hante notre imaginaire et conditionne notre manière de penser, notre vision du monde. La négation de la transcendance (la mort de Dieu) pèse même plus lourd aujourd'hui que jadis son affirmation, de ce qu'on s'en croit débarrassé. Le sentiment de culpabilité qui accompagnait plus ou moins ouvertement l'adoration du Christ n'a fait que se replier un peu plus loin dans notre conscience collective.

Bien que Dieu n'en finisse pas d'agoniser sous nos yeux, l'idée même de ce meurtre tombe peu à peu dans l'oubli. Notre inaltérable soif de vérité nous tenaille obscurément. Nous nous épuisons à poursuivre des vérités fugitives sans admettre que cette course effrénée a un autre objet : l'absolu dont la nostalgie ne nous a pas quitté, la vérité ultime que nous ne nous pardonnons pas d'avoir sacrifiée. À supposer que le travail obscur du christianisme soit bien d'avoir ainsi semé dans notre civilisation les germes létaux de l'idée de Dieu, il est probable que ces semailles se soient faites (et refaites de siècle en siècle) au prix d'une sorte de terreur muette : que l'homme, meurtrier velléitaire de Dieu, est coupable de ne pas connaître la vérité et que rien de ce qu'il accomplira ne sera jamais assez grand pour l'absoudre de ce péché.

IX

LE PÉCHÉ D'IGNORANCE

Nul ne témoigne plus âprement qu'Augustin du péché[99] d'ignorance, de cette disgrâce d'avoir à vivre hors de la vérité. Augustin manifeste au plus haut degré ce qu'il en coûte au chrétien de ne pouvoir lire l'Évangile comme un mythe. En même temps ce « tout ou rien » de l'Évangile — la vérité ou la mort — est manifestement ce qui lui permet d'accéder à la plénitude après laquelle il languit.

La vérité, l'Évangile l'annonce. Il ne la donne pas. La vérité que le Christ incarne et qu'il est venu dire aux hommes, chacun doit l'arracher pied à pied pour soi-même. Sans même jamais être certain de l'atteindre ni de la garder. Car la foi est un don de Dieu. Vouloir la vérité ne suffit pas. Il y faut la grâce, et la grâce ne dépend pas de nous. Vouloir de toutes ses forces, bien que la volonté ne puisse rien. Tel est le paradoxe des *Confessions* d'Augustin, récit d'un long combat vers la révélation.

L'homme qui, plus que tout autre après Paul et avant Thomas d'Aquin, aura contribué à façonner la théologie de la chrétienté latine, raconte comment la soif de la vérité, après maints détours et atermoiements, l'a conduit, avec l'aide de Dieu, à embrasser la foi catholique. C'est peu dire qu'il raconte, il clame, il s'enflamme, s'indigne au souvenir de ses propres errements, comme si d'être arrivé à la vérité du Christ ne lui suffisait pas, ne rachetait pas complètement le temps

---

99. Le péché est entendu ici au sens paulinien, tel qu'Augustin l'interprète, c'est-à-dire comme un esclavage. C'est une soumission durable et coupable à l'erreur qui tient l'homme hors de Dieu, hors de la vérité, et le conduit à la mort. Ce n'est donc pas une simple faute passagère ou occasionnelle. Voir là-dessus le *D.C.T.*, p. 873. Rappelons que c'est Augustin qui a forgé l'expression « péché originel », à partir de la lecture de Romains, 5.

perdu. Il s'en veut, beauté, d'avoir tant tardé à t'aimer (X, 27·38)[100], comme s'il n'était pas tout à fait certain de pouvoir rester sans faiblesse auprès de toi. Écrites à l'aube du vᵉ siècle, au moment où l'Église doute encore de son triomphe[101], les *Confessions* sont l'histoire d'un déchirement qui n'a peut-être pas de fin…

Tout au long de sa narration, Augustin s'adresse directement à Dieu. Dieu l'a suivi pas à pas dans l'ombre de sa souffrance, sur un chemin dont lui, Dieu, savait d'avance les détours tortueux. Dieu est garant de l'authenticité du récit qu'Augustin livre à ses semblables. Dieu connaît la vérité, avec laquelle il ne fait qu'un et à laquelle lui seul peut conduire.

Dieu est présent déjà dans le lait maternel. Monique, mère d'Augustin, est intensément chrétienne, mais l'enfant n'en sait rien. Ce qu'il a vécu *infans*, avant d'avoir accès à la parole, Augustin ne s'en souvient que par procuration : de ce qu'on lui a dit de lui et qu'il peut vérifier auprès des enfants qu'il observe. Comme tout enfant, Augustin éprouve très tôt les limites de la volonté et manipule l'arme des faibles :

> Peu à peu je me rendais compte du lieu où j'étais et je voulais manifester mes volontés aux gens qui les rempliraient. Je voulais et je ne pouvais : elles étaient dedans, eux dehors et ils ne disposaient d'aucun organe pour entrer dans mon âme. Aussi je lançais des gestes et des cris, signes proportionnés à mes faibles moyens et qui reflétaient mes volontés, mais non point les réalités. Quand on ne me cédait pas, soit faute d'avoir compris ou crainte de me nuire, l'insoumission et le refus d'obéir m'indignaient, quoique ce fût le fait de grandes personnes, d'individus libres ; je me vengeais alors en pleurant.
>
> I, 6·8

---

100. Les *Confessions* contiennent treize livres, indiqués ici en chiffres romains. Les sections, à l'intérieur de chaque livre, ont fait l'objet d'une double numérotation. Elles sont toutes les deux indiquées en chiffres arabes, la seconde en italique pour la distinguer de la première, dont elle n'est *pas* une subdivision. Sauf indication contraire, la traduction utilisée ici est celle d'André Mandouze, parue aux éditions Pierre Horay, reprise par le Seuil dans la collection « Points ».

101. Le christianisme devient religion d'État en 391, soit dix ans avant la rédaction des *Confessions*, qu'on situe vers l'an 400. Né en 354 à Thagaste en Afrique du Nord, Augustin, élu évêque d'Hippone en 395, y meurt en 430.

Vague souvenir, rétro-projection sur l'enfance de l'expérience adulte, Augustin donne d'entrée de jeu la clé du drame : vouloir et ne pas pouvoir. Insuffisance originelle et permanente de l'homme, l'impuissance de la volonté que le petit enfant éprouve à peine entré dans ce monde ne disparaît pas avec l'âge adulte, elle ne fait que se déplacer. Ce que le petit Augustin ressent dans son corps, dans ses besoins primordiaux, l'adulte le découvre bien plus tard dans l'âme. La possibilité de cette découverte échappe à l'enfant même après qu'il s'est mis à parler, car, en entrant dans le langage, l'enfant se trouve plus que jamais livré à l'univers social des adultes. À la maison comme à l'école, on s'arroge le droit de lui dire qui croire, qui lire, quoi penser.

Devant les questions essentielles le jeune garçon n'en demeure pas moins seul : « Ai-je été quelque part [avant d'être né], ai-je été quelqu'un ? Personne pour me le dire » (I, 6·9). Tout au plus lui a-t-on raconté « quelques petites choses » concernant le sein de sa mère, et lui-même a vu des femmes enceintes. Rien d'autre, apparemment, des mystères du sexe et des appétits charnels qui plus tard le tourmenteront. L'influence catholique de sa mère, quoique non négligeable, est rapidement contrebalancée et dépassée par le dressage rhétorique auquel le soumettent ses maîtres. Les barbarismes sont châtiés avec une plus grande rigueur que les manquements moraux. L'élève obéit aux mentors « afin de fleurir en ce siècle et d'exceller ès arts bavards qui procurent honneur humain et fausses richesses » (I, 9·14). Augustin condamne l'éducation littéraire qu'il a reçue et dont la délectation lui vaut à un moment donné d'être considéré comme « un garçon de grande espérance » (I, 16·26). Avec le recul, les fables des grands poètes ne valent pas cher à ses yeux et suscitent des commentaires dont la sévérité rappelle un peu Platon : Homère est un enjôleur vide, qui a l'impudence de croire qu'une leçon de débauche — Zeus en pluie d'or dans le giron de Danaé — puisse descendre du ciel ! L'écolier ignore encore qu'il pourra mettre au service de Dieu la rhétorique dont il fait l'apprentissage. Pour l'heure, cet art le détourne de l'essentiel.

Dieu n'est alors pour le jeune Augustin qu'une puissance invisible et secourable vers laquelle se tourner et prier afin de n'être pas battu pour ses fautes de grammaire. Car les occupations frivoles que les adultes appellent des « affaires » prennent le pas sur l'innocent jeu de balle auquel s'adonne le petit garçon. Étrange chose, note Augustin, qu'à travers l'innocence des plaisirs enfantins, l'enfant commette des péchés (paresse, menue tricherie) en enfreignant des règles elles-mêmes fautives, de ce qu'elles le dressent à une fréquentation du monde qui, loin de Dieu, est déjà « fornication » (I, 13 · 21).

Et là un épisode significatif : tombé gravement malade, Augustin demande le baptême avec une ferveur enfantine digne de la foi de sa mère ; mais, devant son prompt rétablissement, le sacrement est différé. « Mon nettoyage fut donc ajourné », écrit Augustin, « comme si, de toute nécessité, j'avais dû, destiné à vivre, me salir encore, la salissure du péché devant, après ce bain, constituer une charge plus lourde et plus dangereuse » (I, 11 · 17). Ce report peut apparaître comme la manifestation subtile de la grâce divine, qui lui permettra plus tard de faire coïncider son baptême avec l'entrée dans sa nouvelle vie de croyant. N'aurait-il pas malgré tout mieux valu être dès son jeune âge guéri du péché et soumis à la discipline chrétienne ? À moins que même baptisé il n'eût réussi à traverser l'adolescence sans céder aux tentations… Augustin hésite, il ne sait par quel dessein fut ajourné son baptême ni si ce fut ou non pour son bien ; mais il en exprime encore le regret plus de dix ans après sa conversion. Mieux qu'aucun autre, cet épisode évoque l'obscurité des voies que Dieu choisit pour mener son serviteur à la lumière. Sans doute fallait-il qu'Augustin fît la longue épreuve de cette vérité que « toute âme en désordre » est « à soi-même sa peine » la plus lourde (I, 13 · 20).

À soi-même, aussi, l'énigme la plus troublante :

> Quelqu'un va-t-il être à soi-même son ouvrage et son artisan ? Ou bien serons-nous d'une veine étrangère, de laquelle coure en nous l'être et la vie, plus que nous ne sommes de par ton ouvrage à toi, Seigneur, pour qui être et vie ne sont pas deux, puisque tu es l'unité de l'Être suprême et de la suprême Vie ?

> I, 6 · 10

Avec les *Confessions* surgit, comme neuve, la question de l'identité individuelle. Qui nous fait ? Quelle part y prend l'autre, à quelle part pouvons-nous prétendre nous-mêmes, quelle part est de Dieu ? Augustin fait mine de laisser la question en suspens : Dieu est hors du temps, toujours identique à lui-même, et il importe peu de savoir comment nous finissons par le rejoindre ni comment nous l'avons cherché (consciemment ou inconsciemment) pourvu que nous le trouvions. Mais ce détachement n'est possible qu'après coup. Et même ! Il est un peu trop manifeste. L'esquive d'Augustin ne trompe pas : le « qui suis-je ? », indissolublement lié au « qui veux-je être ? », la double question de l'identité et de la volonté ne cessent de le tarauder.

Car tout part, chez Augustin, dès avant l'adolescence, de ce feu que n'apaise aucune des vanités de la littérature, de cette certitude centrale dont il se sent très tôt habité :

> Dès lors, en effet, je possédais l'être, la vie, le sentiment et j'avais à cœur l'intégrité de mon individu, vestige de la très secrète unité d'après laquelle j'existais. Je maintenais à l'aide du sens interne mes sens en bon état et, au prix de pensées menues sur des objets menus, me délectais en la vérité.

I, 20·31

Plus encore que les joies de la vérité, Augustin chérit l'intégrité, l'unité de son être intime. Cette source intérieure n'a pas de prix. Or c'est ce sentiment d'intégrité que les débauches « babyloniennes » de l'adolescence vont menacer. Avec le jaillissement de la puberté, le limon des convoitises charnelles emporte Augustin et l'éparpille au gré des passions qui le dominent. Sous prétexte de se « rassasier une bonne fois des choses d'en bas » (II, 2·2), l'adolescent se disperse dans les amers désagréments de la luxure sous l'œil indulgent de son père et malgré les discrètes exhortations de sa mère, dans lesquelles, faute d'entendre la voix de Dieu, il ne voit alors que conseils de femme qu'il rougirait de suivre.

Sans jamais décrire les souillures du passé, Augustin se plaît à fustiger les infections charnelles de son âme, ses voies scélérates, ses jouissances illicites, comme s'il en portait encore, trente ans plus tard, les inguérissables stigmates. N'étant alors ni croyant ni baptisé, l'adolescent ne saurait vivre dans un péché qu'il ignore. Sans doute éprouve-t-il le vide de sa quête effrénée des plaisirs charnels, que l'absence d'expérience et de discernement voue à l'échec. Son comportement, précise le narrateur, répond autant aux pressions sociales de la compagnie qu'il fréquente qu'à ses désirs propres. Souvenirs cuisants d'avoir cédé au vulgaire entraînement de la camaraderie, de s'être englué dans la mondanité ambiante, plutôt que d'avoir obéi à son exigence interne. Mais il y a peut-être plus : l'insistance avec laquelle l'évêque d'Hippone revient, toujours en des termes violemment dépréciateurs, sur les infamies d'autrefois semble indiquer que le combat n'est pas terminé. Ses fulminations répétées contre le péché témoignent probablement de ce que, des années plus tard, les tentations n'ont pas fini de l'obséder.

C'est aussi qu'Augustin est, en tout, un excessif. Le feu de sa foi le brûle aujourd'hui aussi fort que jadis l'ardeur de ses amours charnelles ou que son subit engouement pour la philosophie. Une passion intense le prend en effet, adolescent, à la lecture de l'*Hortensius* de Cicéron :

> Ce livre-là changea mes affections, tourna vers ton être, Seigneur, mes prières, modifia mes vœux et mes désirs. Toute vaine espérance me fut d'un coup sans valeur; je convoitais avec une fougue incroyable l'immortalité de la sagesse; je commençais de me lever pour revenir à toi. [...]
>
> Ah! quelle ardeur, mon Dieu, quelle ardeur de reprendre des régions terrestres mon vol vers toi, sans connaître, d'ailleurs, ton action sur moi. En toi, de fait, est la sagesse. Or sous le nom grec de philosophie, la lecture dont je parle allumait en moi l'amour de la sagesse. [...]
>
> Une seule chose, dans une si haute effervescence, me rabattait : le nom du Christ n'y était pas! Ce nom, de par ta miséricorde, Seigneur, ce nom de mon Sauveur, ton Fils, mon cœur d'enfant l'avait pieusement sucé dès avec le lait de ma mère; il le retenait bien profond. Sans ce nom, peu importait le mérite littéraire, le poli, l'exactitude; je n'étais pas tout entier pris.
>
> Aussi décidai-je d'appliquer mon esprit aux saintes Écritures et de voir ce qu'elles étaient. Et quel objet s'offre à ma vue! ni démontré aux superbes, ni dépouillé à l'intention des enfants, mais une entrée de plain-pied, puis des hauteurs à gravir et le voile des mystères. Je n'étais pas en état de pouvoir m'y engager ni de ployer la nuque pour prendre le pas. À vrai dire, mes paroles d'aujourd'hui ne cadrent pas telles quelles avec mes sentiments d'alors, quand je portais les yeux sur cette Écriture, mais elle me parut indigne que je la misse en parallèle avec la dignité cicéronienne. Mon enflure, aussi bien, répugnait à sa modestie; la pointe de mon intelligence ne pénétrait pas dedans. Elle était cependant faite pour croître avec les petits, mais je dédaignais d'être petit; dans mon faste soufflé je me faisais l'effet d'être grand.

III, 4-5 · 7-9

Cicéron, la philosophie infligent au jeune Augustin la morsure de la vérité. Mais celle-ci demeure incomplète. Que ce manque soit alors réellement « le nom du Christ » ou que ce dernier serve après coup à le désigner sous la plume du narrateur n'a pas grande importance. De la vérité, de la sagesse, la lecture de l'*Hortensius* n'a donné que l'appétit. Et plutôt que d'être dépourvu d'humilité cet appétit a simplement l'impétuosité de la jeunesse. Que l'Écriture biblique ne paraisse pas, alors, à la hauteur de la dignité cicéronienne doit néanmoins être sanctionné comme la marque du péché : dédain et enflure de celui qui ignore encore la présence de Dieu à ses côtés. Du moment que Dieu occupe déjà secrètement les pensées et les actes du futur croyant, le récit des jeunes années est immanquablement teinté de cette grâce latente. Comme le remarque judicieusement Augustin lui-même, les termes de sa narration « ne cadrent pas » nécessairement avec ses sentiments d'alors. Et pourtant l'écrivain ne peut s'empêcher de les flétrir au nom de la vérité à venir. Pour l'édification du lecteur ? Par nécessité de poursuivre la lutte intérieure ?

Dans un cas comme dans l'autre, les événements contiennent d'avance leur explication, et le narrateur adhère sans réserve à la prédestination de son existence. L'incompréhensible n'a plus besoin d'explication, la grâce divine éclaire tout. Au-delà de la question de la foi, le récit augustinien introduit, probablement comme nul autre avant lui, la puissance irrésistible de la finalité : les *Confessions* lui sont entièrement subordonnées. Il ne suffit plus de savoir, à l'instar de *l'Odyssée*, comment l'histoire se termine ni à quoi elle aboutit. Il faut que le lecteur sente que tous les épisodes sont commandés par la fin, qui est à la fois terminaison, avènement et dessein de Dieu. Cette détermination, dira-t-on, organise déjà le déroulement de *l'Énéide*, qu'Augustin connaissait bien, mais nous avons vu qu'elle s'inscrit chez Virgile sur le plan de la légende, mise au service de l'histoire. Augustin campe tout entier dans la vérité de son expérience personnelle.

Sur le plan de la vérité, le poids de la finalité commande aussi les Écritures elles-mêmes, dont Augustin ne fait que suivre l'esprit. Mais l'auteur des *Confessions* ajoute à la finalité biblique une autre dimension. Nous savons déjà combien la finalité du Tanakh et celle de l'Ancien Testament diffèrent. La seconde dérive du sens, définitif, que lui donne le Nouveau Testament dont l'Ancien est désormais censé avoir « préparé » la venue. La première demeure ouverte et fait jusqu'à ce jour l'objet d'interprétations diverses. Le judaïsme, rappelons-nous, est sans cesse en construction, en discussion avec lui-même, au regard de quoi le christianisme apparaît comme globalement clos, porteur d'un message achevé. Mais la finalité évangélique est celle que Dieu, par le Christ, se donne à lui-même. Augustin franchit un pas de plus dans la destination de la vérité : tout se passe comme si Dieu s'occupait spécifi-quement de lui, simple mortel, s'occupait personnellement, jusque dans ses retraits et ses silences, de faire advenir en lui, Augustin, l'illumina-tion. Interlocuteur secret puis révélé de sa quête de vérité, Dieu appa-raît à toutes fins pratiques comme l'*alter ego* du narrateur. Sa présence, même inaperçue, est telle, si constante, si intérieure qu'il n'y a plus guère de différence, *dans le récit*, entre Dieu et la conscience de son ser-viteur. À se demander qui est, au juste, au service de qui. N'est-ce pas Dieu, finalement, qui sert Augustin ?

D'un point de vue anthropologique, il tombe sous le sens que l'homme invente Dieu à sa convenance, à la mesure de ses craintes, de ses espoirs, de ses aspirations. Mais dans la perspective du croyant la révélation et son récit transcendent l'humain, et seule cette transcen-dance importe : pour lui, elle est réelle, l'homme ne la fabrique pas, il la reçoit. C'est évidemment le cas d'Augustin, précisément parce qu'il trouve insatisfaisante, incertaine, débile la vérité que peuvent lui procu-rer la raison et la philosophie. Seul le mystère d'une transcendance révélée peut étancher sa soif de vérité. Vérité et croyance, vérité et grâce sont indissolubles. Son humilité, sa soumission à Dieu sont donc parfai-tement sincères, il ne pourrait tout simplement pas croire sans elles.

Comme tout grand récit, toutefois, la narration d'Augustin exerce des effets ou traduit des courants qui débordent les intentions de son auteur. Il est difficile aujourd'hui de ne pas sentir émerger à la lecture des *Confessions*, dans le récit passionné du rapport qui se tisse entre l'âme et Dieu, une manière alors inédite de se mettre en scène comme individu. Jamais Platon n'aurait eu l'idée de s'adresser au créateur ou de tutoyer la beauté. Si humble se veuille-t-il, Augustin se fait plus ou moins consciemment l'interprète d'une nouvelle sensibilité du moi, en un temps où les solidarités communautaires tendent à se dissoudre dans la vaste et confuse identité que la citoyenneté romaine confère aux habi-tants d'un empire décadent. Même s'il se manifeste dans le cadre de communautés de fidèles, l'attachement à Dieu relie directement l'indi-vidu à ce dernier, et, dans le contexte politique de l'époque, l'impor-tance de ce lien personnel croît en proportion de l'affaiblissement du lien collectif traditionnel. Il offre en quelque sorte une identité et une sécurité de rechange.

Dans cette perspective identitaire, l'humilité augustinienne ne suffit pas à faire oublier que, selon l'aveu même du narrateur, son itinéraire spirituel a pour point de départ le sentiment de son intégrité individuelle (*cf.* ci-dessus I, *20·31*). Sentiment que son train de vie dissolu ne tarde pas à menacer et que l'amour cicéronien de la sagesse paraît impuissant à restaurer. Dès l'adolescence, rappelons-nous, Augustin vit déchiré entre le désir d'une vérité introuvable et la dissolution dans les plaisirs mondains, entre le besoin de cohérence interne et la veulerie de la chair. La sensualité de la femme a sur son âme plus d'emprise que l'esprit. Et dans ce combat inégal où la volonté spirituelle ne cesse de capituler devant la pulsion charnelle, ni le manichéisme, qu'il suit faute de mieux, ni la philosophie ne lui fournissent les armes susceptibles de faire triompher l'esprit. L'humilité d'Augustin vient de ce que, en dépit de tout son bagage intellectuel, il ne parvient pas à se faire obéir de lui-même, il est rabaissé dans sa volonté et son intelligence. Il se veut maître, il se découvre esclave. Toute sa révolte se nourrit de cette lancinante contradiction interne :

> [...] à force de réflexions et de rappels, je m'étonnais du temps si long depuis qu'en ma dix-neuvième année je m'étais mis à brûler d'amour pour la sagesse. Dès sa rencontre, c'était réglé : je quittais, avec toutes leurs espérances creuses et leurs folies mensongères, les vaines convoitises. Or, voilà que, déjà sur mes trente ans je pataugeais dans la même boue, avide, pour en jouir d'un à présent qui me fuyait et qui dispersait mon être. Je passais mon temps à dire : Demain je trouverai. Voici prochaine l'évidence dans son jour : ah ! je l'aurai ! Voici que Faustus[102] arrive, qui va tout expliquer. Les Académiciens ! oh ! les grands hommes ! Impossible que nous cherchions un principe de conduite certain. Mais non ! Cherchons encore avec plus de zèle ; trêve au désespoir ! Voici que les apparentes dissonances dans les livres de l'Église ne sont plus des dissonances : on les peut entendre d'un autre biais à leur honneur. Je resterai de pied ferme, jusqu'à tant que la vérité se découvre en pleine lumière, sur cet échelon où, enfant, mes parents m'avaient mis. Mais où chercher la vérité ? Quand la chercher ? [...]
> [...]
> Au long de ces discours où mon cœur, sous la poussée des vents contraires, allait de ci de là, le temps passait. Je tardais à me convertir au Seigneur et je différais d'un jour à l'autre de vivre en toi sans

---

102. Évêque manichéen de grande réputation qu'Augustin rencontre lors de son séjour à Carthage et dont il attendait beaucoup (V, *3·3* et suiv.).

différer de mourir chaque jour au-dedans de moi-même. Tout en aimant vivre heureux, je craignais d'être où l'on vit heureux : ma quête n'était qu'une fuite ! Aussi bien, à mon idée, je serais, une fois privé de la femme et de ses embrassements, trop malheureux. Je ne songeais pas, faute d'expérience, que pour guérir en ce cas l'infirmité, ta miséricorde fournit le remède. Je croyais que la continence est affaire d'énergie personnelle, et je n'avais pas conscience en moi d'une telle énergie. Sot que j'étais, j'ignorais que nul ne peut, comme il est écrit, se garder maître de soi, à moins que toi tu ne le donnes.

VI, 11 · *18-20*

Même l'acceptation des Écritures comme source de vérité ne suffit pas à tirer Augustin de son indécision. Son adhésion tardive aux livres de l'Église est encore trop intellectuelle. Or, sur ce plan, se produit justement à leur endroit un phénomène qui ne trompe pas : ces livres parlent aux petits, aux incultes autant sinon davantage qu'à l'élite cultivée. « Des gens sans savoir se dressent, ils s'emparent du ciel et nous, avec notre savoir sans cœur, voici que nous nous vautrons dans la chair et dans le sang » (VIII, 8 · *19*). À cette dure leçon d'humilité s'ajoute un obstacle plus terrible encore, l'épreuve ultime, en quelque sorte. À vrai dire, elle ne diffère pas, dans sa nature, de celle qui fut la sienne tout au long de ces années de lutte, mais le narrateur, avec un sens dramatique infaillible, la formule mieux que nulle part ailleurs, dans un raccourci fulgurant qui précède de peu le tournant de la conversion. L'indignation d'Augustin, incapable, si près du but, d'accomplir le pas décisif, atteint ici son comble :

> [...] il n'était que de le vouloir, mais fortement, mais pour tout de bon, et non point d'une volonté taillée en deux que l'on pousse par ci par là, que l'on ballotte, et qui se débat, une moitié d'elle se levant tandis que l'autre tombe.
> [...] Me suis-je arraché les cheveux, frappé le front, serré les genoux dans mes mains jointes : j'ai voulu le faire je l'ai fait. [...] Il était plus facile au corps d'obéir à la plus ténue volonté de l'âme pour remuer au premier signal ses membres qu'à l'âme de s'obéir elle-même à elle-même pour faire de point en point dans sa volonté seule ce qu'elle voulait de grand.
> D'où vient ce fait monstrueux ? Pourquoi cela ? Fais luire ta miséricorde, que j'interroge, si tant est que j'y puisse trouver réponse, les

repli de la peine infligée aux hommes et, dans leurs épaisses ténèbres, les brisements des fils d'Adam. D'où vient ce fait monstrueux ? Pourquoi cela ? L'âme commande au corps : sur le champ elle est obéie ; l'âme commande à l'âme : elle éprouve de la résistance. L'âme commande que la main bouge, et c'est chose si facile qu'à peine distingue-t-on entre l'exécution et le commandement ; cependant l'âme est esprit, la main est corps. L'âme commande que l'âme veuille, qui n'est pas autre qu'elle-même, et néanmoins elle ne fait rien.

VIII, 8-9 · 19-21

Ce passage très remarquable exige une lecture attentive. Non pas seulement de ce qu'il exprime avec force le drame de la volonté, le divorce entre le vouloir et le faire, qu'on trouve déjà chez Paul (*cf.* Romains, 7, 14-20), mais parce qu'il met en scène de manière à la fois violente et ambiguë l'impossibilité même de l'objet de la quête et de la nostalgie augustiniennes : l'unité du moi. Le moi dont Augustin, plus que personne en son temps, contribue à faire le centre de sa préoccupation spirituelle, apparaît d'emblée meurtri d'une fracture irrémédiable. Cette division, ici, ne sépare pas, comme en tant d'autres moments des *Confessions* ou des Épîtres de Paul, l'esprit de la chair. Augustin montre au contraire avec quelle facilité le corps obéit aux commandes de l'âme. La césure traverse l'âme elle-même. Dix ans après sa conversion, le narrateur reste sans réponse et implore la miséricorde de la lumière divine : « D'où vient ce fait monstrueux ? » C'est, dit-il, que l'âme « n'est pas toute à vouloir » ni « toute à commander ». Peut-être n'y a-t-il après tout rien là de si monstrueux mais simplement un « état maladif de l'âme ». Monstre ou maladie, le scandale de cette impuissance demeure entier : « C'était moi qui voulais et moi qui ne voulais pas : moi et moi, un seul et même être ».

Et pourtant Augustin avance aussitôt une sorte de solution, une pieuse explication :

Je me trouvais ainsi aux prises avec moi, mon être même disloqué, et cette dislocation, qui se faisait malgré que j'en eusse, rendait manifeste l'existence non pas d'une âme autre en nature que la mienne, mais d'un châtiment de mon âme. Dès lors donc c'était l'ouvrage non point de mon être personnel, mais du péché logé en moi, en punition, parce que j'étais fils d'Adam, d'un péché commis avec plus de liberté.

VIII, 10 · 22

Non point de mon être personnel, mais du péché logé en moi… À peine Augustin découvre-t-il la dislocation de son être qu'il l'évacue en l'attribuant aussitôt au péché.

Sans doute le péché peut-il être ici reçu comme le nom de la maladie de l'âme : le chrétien nomme « péché » ce que Platon appelle déséquilibre, désaccord, injustice — ce que Freud attribuera bien plus tard à l'inconscient. Simple question de vocabulaire, dira-t-on. Que non ! Si Platon parle d'injustice ou de désaccord, c'est parce qu'il considère que l'amoureux de la sagesse peut se donner les moyens de comprendre ce qui le tiraille et trouver la force de vivre en meilleure intelligence avec soi-même — ce sera aussi le projet de la psychanalyse. Dire de la division du moi qu'elle est l'effet du péché implique au contraire qu'il n'y a pas de remède hors de la grâce divine. En situant la question de la justice dans les bornes de l'humain, Platon, au regard de l'humilité chrétienne, peut paraître prétentieux. Mais cette prétention s'appuie (dans *la République*) sur une analyse pleine de finesses et de nuances, au terme de laquelle la justice reste partiellement introuvable. L'exigence platonicienne est consciente des limites où elle se maintient, mais elle ne fait appel à aucune puissance extérieure.

Dans le sillage de l'apôtre Paul, Augustin — qui parle aussi d'expérience — ne croit pas à la possibilité pour l'homme de travailler en lui et de lui-même (sans l'aide de Dieu) à la justice intérieure, à l'équilibre de l'âme. Chez Augustin la coupure est radicale, elle aurait presque le tranchant de la fameuse *Spaltung* qui divise le *Ich* freudien s'il n'en faisait pas un châtiment. En la présentant tout à la fois comme une perversion de la volonté et comme une disgrâce, en effet, l'évêque d'Hippone referme la faille qu'il vient d'ouvrir : non, dit-il, pas d'autre nature en moi, mais présence du péché, que Dieu seul peut effacer. Pressé de se débarrasser de la conception manichéenne qui fait du mal une substance, Augustin se satisfait d'y voir une perversion pécheresse. Mais, du coup, il évacue ce que son analyse contient, en germe, de plus profond : que dans le moi, au cœur de l'être intime, il y a l'autre. *Non pas d'une âme autre en nature que la mienne*, ce passage retentit décidément comme une tentative d'exorcisme pour expulser sa propre étrangeté de sa conscience.

Cet étranger qu'Œdipe paie si cher d'ignorer en lui, voilà ce qu'Augustin refuse d'admettre au moment même où il le nomme. Aussitôt nommée, l'altérité est renvoyée au sentiment de culpabilité qui nous habite et dont seul le Seigneur peut se charger. Dieu, qui est à la fois en nous et hors de nous, paraît décidément maître de notre unité et de notre identité (de notre mêmeté). Du coup, le moi semble prendre une consistance qui tranche avec sa faiblesse initiale. D'abord signe d'humilité, le recours à la grâce tend maintenant à évacuer du moi l'ambiguïté qui rendait cette grâce nécessaire. Raison pour laquelle il a été dit, parfois sans nuance, que le moi augustinien préparait de loin l'avènement du sentiment moderne de l'individualité et de son unicité.

Si du moins la grâce renvoyait à l'indicible, au YHVH judaïque, une porte resterait alors ouverte à l'absence... Mais Augustin parle, quoi qu'il en veuille, dans le cadre de l'anthropomorphisme évangélique. Un peu malgré lui, en effet, puisque un des principaux éléments qui l'ont retenu d'accepter les Écritures était précisément cette idée de la Genèse que Dieu avait fait l'homme à son image. À Milan, sous l'influence d'Ambroise, le narrateur découvre qu'il ne s'agit nullement de considérer que le *corps* de l'homme ait été *moulé* sur Dieu, comme le prétendent les détracteurs de la foi catholique, mais que cette conformité à Dieu est de nature spirituelle (VI, 3·*4*). Mais si, de l'aveu même d'Augustin, tout se joue au niveau de l'âme, Dieu est bel et bien créateur et garant de notre identité spirituelle. Et en se donnant figure humaine par le Fils, on l'a vu, il contribue puissamment à renforcer ce sentiment d'identité. Quoi qu'il dise, le christianisme humanise Dieu comme ne le fait aucun des deux autres monothéismes abrahamiques. La pensée augustinienne se forme et, plus encore, se répand dans ce cadre : le Sauveur, en nous lavant du péché, nous sauve de notre altérité secrète, de cet *Unheimliche* que, des siècles plus tard, Freud formule sans y mettre aucun baume.

Ainsi la beauté de la soumission augustinienne (et chrétienne) au mystère du divin paraît ternie, étouffée par l'enflure du moi dans sa relation à Dieu. L'enflure, pourtant, est justement ce contre quoi Augustin lutte en rabaissant ses connaissances littéraires et en brocardant la sotte insolence des doctes. La force de la parole chrétienne, comme le dit déjà très bien Paul, c'est sa folie : « Que nul ne s'abuse lui-même : si quelqu'un parmi vous pense être sage selon ce siècle, qu'il devienne fou, afin de devenir sage. Car la sagesse de ce monde est une folie devant Dieu » (I Corinthiens, 3, 18-19). La manière dont se fait la conversion d'Augustin est donc tout à fait paulinienne, non simplement parce qu'elle survient à la lecture de l'apôtre mais bien plus de ce que le déclencheur et le contenu de cette lecture apparaissent irrationnels, arbitraires. Le narrateur, il est vrai, est dans un tel état que tout peut arriver :

[...] je pleurais dans toute l'amertume du brisement de mon cœur, et voici que j'entends, d'une maison voisine, garçon ou fille, je ne sais, une voix chanter qui répétaille : « Prends, lis ; prends, lis »[103]. Aussitôt je change de visage, me voilà tout oreilles à chercher dans ma tête si quelque refrain de ce genre fait partie du répertoire des jeux d'enfants. Il ne me revient absolument pas que je l'aie nulle part entendu. Refoulant le torrent de mes larmes, je me levai dans l'idée que le ciel m'ordonnait d'ouvrir le cahier de l'Apôtre pour y lire le premier paragraphe que j'y trouverais. [...]

Je regagnais [*sic*] donc en hâte l'endroit où Alypius était assis. J'avais en me levant posé le cahier de l'Apôtre. Je me jetai dessus, j'ouvris et sans rien dire je lus le premier alinéa qui me tomba sous les yeux : « ... Non en banquets et beuveries, non en luxures et impudicités, non en contention et jalousie, mais endossez le Christ, le Seigneur Jésus et n'allez point pourvoir la chair dans ses convoitises. »[104] Je ne voulus, et d'ailleurs il n'était besoin, lire plus avant. Oui, aussitôt la phrase finie, les ténèbres du doute se dissipèrent toutes comme sous une lumière de sécurité infuse en mon cœur.

VIII, 12 · 29

Rien, dans ce passage de l'Épître aux Romains, qu'Augustin lui-même ne se soit déjà répété cent fois. Simplement les circonstances font que, cette fois, l'exhortation tombe du ciel. La double coïncidence qui fait jaillir cette voix enfantine à ce moment de désespoir suprême et qui amène le narrateur à ouvrir le livre à cet endroit précis, ce tout petit miracle est un signe : Dieu répond enfin à l'appel répété de son serviteur. Signe, en effet, et non simple hasard, du fait que l'âme d'Augustin est tendue à se briser vers l'espoir d'une relation directe avec Dieu. Sans la conviction qu'un tel lien personnel est possible, l'effet miraculeux de la coïncidence ne se serait pas produit, le narrateur n'aurait probablement pas prêté attention à cette ritournelle d'enfant, moins encore cherché à en déchiffrer le sens. La soumission à l'irrationnel s'accomplit de ce qu'Augustin est intimement convaincu de la nécessité du rapport privilégié dont il implore l'avènement — privilège, en effet, du

---

103. L'original latin est plus chantant : *Tolle, lege ; tolle lege*, où les « e » doivent s'entendre « é ».
104. Romains, 13, 13-14.

moment que la grâce n'échoit pas à tous, ni même nécessairement à tous ceux qui la désirent.

Par l'importance qu'elles confèrent à la destinée individuelle, les *Confessions* marquent, dans la foulée du Nouveau Testament, un tournant majeur pour la sensibilité de la chrétienté latine. Quoique fortement balisée, définie par l'Église, la foi, l'élection deviennent une affaire personnelle. Non que l'individu soit quitte de son comportement devant l'autorité ecclésiastique ou laïque mais parce qu'il est, à l'instar d'Augustin, nu devant le pouvoir de Dieu, nu comme Job. Mais Job, dans le *Tanakh*, n'incarne pas seulement la faiblesse de l'homme, l'indigence de l'intelligence humaine devant l'insondable de la création; il va finalement jusqu'à renoncer aux mérites de sa piété et de sa justice. Là où Job n'espère plus rien de Dieu, le chrétien, lui, attend rétribution de sa foi, sinon ici-bas, du moins dans l'au-delà. Parvenu aux limites de sa révolte, Job accepte de ne pas comprendre. Le chrétien veut la vérité, il veut sa part des « confidences de Dieu » auxquelles Job ne saurait justement prétendre (Job, 15, 8). L'espérance du chrétien en la vie éternelle, que la grâce mue en certitude, rend en quelque sorte sa nudité provisoire, alors que le retour de Job à sa prospérité terrestre, même au double de ce qu'il possédait avant sa déchéance, ne lui donne aucune assurance de cet ordre. Rien jamais n'est assuré à l'homme pieux que le seul bonheur de sa piété. Il est simplement dit de Job qu'il meurt « âgé et rassasié de jours » (Job, 42, 17).

L'assurance individuelle du chrétien n'est pourtant pas elle-même absolue. Si l'au-delà constitue à ses yeux une réalité indubitable, son accès (l'accès, du moins, à sa bonne part) reste toujours conditionnel. Certaine en soi, la grâce catholique n'est jamais définitivement acquise à qui la reçoit. Les *Confessions* sont écrites sous la brûlure persistante de la tentation, avec un accent, une inquiétude qui témoignent que la conversion n'a pas complètement éteint le duel de la volonté. Vivre selon la chair, pour le narrateur, garde une attirance que son indignation trahit à chaque page[105]. Les images du passé restent vivaces dans la mémoire et le rappellent cruellement à la dualité du moi, à son infirmité. Du coup, c'est tout plaisir des sens qui l'inquiète. Dans l'« examen de conscience » auquel le pénitent procède au terme de sa confession, Augustin évoque les remous que soulèvent en lui les chants religieux et

---

105. Au livre X (34·51), Augustin dit des tentations de la chair qu'elles le tracassent encore (*me adhuc pulsant*).

se tourmente à l'idée que cette émotion vienne davantage de la musique que des paroles. « Voilà où j'en suis […]. Je suis sous tes yeux devenu pour moi un problème » *(mihi quæstio factus sum)*, s'écrie-t-il (X, 33·50). Les beautés, les agréments du monde tiennent les sens en éveil, ce sont des invites permanentes à la jouissance et à la curiosité, où l'âme risque toujours de se perdre.

Que le croyant ait touché à la vérité ne signifie donc pas qu'il la possède comme un bien inaliénable. La victoire de la foi demeure fragile. Et j'ai envie de dire que cette fragilité sauve. Elle fait du récit d'Augustin, malgré la répétition parfois lassante des invocations qui le scandent, un témoignage vrai, attachant. La vérité des *Confessions* n'est pas la foi mais le combat intérieur pour la foi. Et l'issue du combat est aléatoire, du moment que Dieu seul en décide. Dieu, la vérité sont, mais leur mystère demeure entier. Limpide à Dieu l'âme d'Augustin reste partiellement obscure à elle-même, sa quête ne mène pas au savoir mais à la croyance. Il y a bien « connaissance » de Dieu dans la joie de sa présence, mais cette immédiateté n'est rien d'explicable, rien de rationnel. Non que la rationalité soit évincée du discours augustinien — « croire pour comprendre et comprendre pour croire », disait-il — mais parce que sans la croyance, la rationalité tourne en rond, se heurte à des impasses. Le désir et l'expérience de l'humilité, chez Augustin, sont donc authentiques, bien que l'humilité même soit toujours menacée d'inflation dans le rapport qu'elle cherche avec Dieu.

À certains égards, cette humilité va plus loin qu'Augustin lui-même l'imagine. Il est significatif que le récit proprement dit du parcours d'Augustin s'achève, peu après sa conversion, au livre IX des *Confessions*, avec la mort de sa mère, apaisée de voir ses prières exaucées et son fils rejoindre sa foi. L'itinéraire du narrateur, de toute évidence, est aussi un voyage vers la mère, l'entrée au sein de l'Église une sorte de retour au giron maternel. Augustin quitte la femme charnelle, la prostituée, pour la mère spirituelle, la sainte. Monique préfigure discrètement le rôle que prendra plus tard la Vierge Marie dans le catholicisme. Non seulement le don de la foi et le retour à la matrice originelle coïncident, mais cette coïncidence, à son tour, s'accorde avec la primauté de la croyance sur la raison : en Dieu comme dans le sein maternel règnent une sécurité, une chaleur, une vérité invisible mais sensible, que l'obscurité ne diminue pas. Dans le même examen de conscience du livre X, Augustin se blottit sous les ailes de Dieu : « Oui, je suis un pauvre petit, mais mon Père vit à jamais et j'ai pour moi un gardien idoine, le même tout ensemble qui m'engendra et qui me garde, toi, mon Bien, toi le Tout-Puissant qui, pour être avec moi, n'attends pas que je sois avec toi » (X, 4·6). Père et mère réunis au lieu où il fut engendré, en ce havre qui l'attend depuis toujours. Mouvement inverse à celui de la Genèse, retour au paradis.

Sous l'aile maternelle de Dieu, l'incertitude des choses du monde n'est plus matière à déchirement. L'assurance de la vérité, même incompréhensible, rend le doute vivable et relativise l'importance du savoir. Du même coup, cette incomplétude témoigne de la nécessité de Dieu et de son mystère. Sans la certitude du mystère, la raison se blesserait partout à ce qu'elle ne comprend pas et l'appétit de connaître en serait troublé. Dieu permet à l'homme de ne pas comprendre, et donc d'apprendre plus sereinement le monde dans les limites de son entendement. Le péché d'ignorance n'a rien à voir avec l'insuffisance de notre savoir mondain, rien à voir non plus avec l'impossibilité où nous sommes de connaître Dieu, ce péché est l'absence du souci de Dieu, l'ignorance délibérée de sa présence.

Les trois derniers livres des *Confessions* (XI-XIII) traitent en effet diverses questions fondamentales relatives à la capacité de connaître. Augustin aborde certains passages de la Genèse et de l'Exode sans chercher à leur donner une interprétation définitive. Il faut laisser aux Écritures leurs énigmes, leurs silences. Le mystère de la trinité ou la question de savoir ce que pouvait bien faire Dieu avant de créer le monde, par exemple, sont aussi énigmatiques que le concept du temps, avec lequel, pourtant, nous n'éprouvons d'ordinaire aucune difficulté à vivre et qui, à la réflexion, n'en pose pas moins des problèmes insolubles. Les célèbres réflexions d'Augustin sur le temps sont à couper le souffle : « Voyons donc, ô âme humaine, s'il se peut que, présent, le temps soit long » (XI, 15·19). Le plus familier, le plus banal est susceptible de nous plonger dans une perplexité abyssale. Dieu et ses mystères ne sont pas moins fascinants ni plus difficiles à accepter que cet abîme.

En fin de compte, l'enflure que risque de prendre le moi dans l'exigence de son rapport personnel avec Dieu se dégonfle au contact de l'énigme de la création. L'insondable nous ramène à notre infinie petitesse. Celui qu'on présente volontiers comme le précurseur de la sensibilité moderne ne redoute rien tant que le « mal profond » qui consiste « à se complaire en soi » (X, 39·64). La plénitude n'appartient qu'à Dieu, l'homme n'y participe que par procuration et reste sujet à l'incomplétude. Sans l'avoir voulu Augustin plante néanmoins le germe d'un moi, d'un sujet individuel, qui, pour peu qu'il se coupe de la métaphore divine, pourrait bien revendiquer la complétude pour lui-même au lieu de la laisser à Dieu et formuler à son propre égard des prétentions et des ambitions démesurées. S'il n'est plus de transcendance, en effet, notre identité n'a plus d'autre référence qu'elle-même. La définition tautologique de YHVH, « je suis celui qui suis », devient celle de l'homme, qui n'a plus de recours spirituel contre ses défaillances. Son seul recours est désormais son propre savoir, appelé à s'étendre sans limite, du moment qu'il n'y a plus rien au-dessus pour en relativiser la portée.

L'ambition du savoir platonicien n'avait d'autre fin que l'équilibre intérieur. En confiant sa faiblesse à Dieu, l'Église, paradoxalement, libère l'homme de cette exigence interne et lui permet de diriger ses forces vers le monde. En reprenant la linéarité temporelle de l'Ancien Testament et en fixant à l'histoire un terme (la Parousie), le christianisme instaure du même souffle une attente, une finalité dans laquelle les fidèles peuvent désormais inscrire leurs prières et leurs actions. D'essence divine, la finalité chrétienne commence par réduire les finalités terrestres à peu de choses, au point de se méfier de la curiosité scientifique. Elle n'en donne pas moins une direction qui, avec la banalisation du mystère et le ternissement de la foi, s'imprimera bientôt dans les affaires humaines. Ce qu'il n'espère plus de Dieu, l'homme moderne l'attend de ses propres entreprises. L'avenir terrestre, et non plus céleste, prime sur le présent. Dès lors le moi, tant collectif qu'individuel, entend s'inscrire dans ce que nous appelons sans y penser le sens de l'histoire. Juive et particulière dans son origine, l'idée de cette inscription s'universalise avec le christianisme : tous les hommes, toutes les cultures doivent désormais, sous peine de périr, s'inscrire dans cette perspective. Tel est l'immense paradoxe d'une doctrine qui privilégie l'au-delà et le spirituel, d'avoir puissamment contribué à produire une civilisation qui cherche à maîtriser la nature et à construire un paradis matériel sur terre. Mais les *Confessions* ont beau paraître aujourd'hui contenir en germe quelque chose du sujet de la modernité, ce sujet, malgré tout ce qu'il doit à Augustin, est aussi peu augustinien que possible.

En confessant ses errements et ses difficultés, Augustin entend convaincre les hommes de la nécessité de la foi. Mais il montre du même coup la détresse de l'homme qui s'en trouve privé. À tout prendre, cette détresse est meilleure que l'indifférence. Mieux vaut l'inquiétude de la foi, voire l'angoisse de la disgrâce, que la quiétude de l'incroyance. Mieux vaut désespérer de la vérité plutôt que de renoncer à la chercher dans la révélation des Écritures. En s'acharnant à vaincre son désespoir, Augustin affirme avec passion, et comme nul autre, l'indissolubilité du lien qui unit la vérité au salut.

D'Augustin, la tradition retiendra la certitude, davantage que le déchirement, le général plutôt que le particulier. Au prix d'une grave diminution. Ce qui fait la grandeur des *Confessions*, en effet, n'est pas tant leur aboutissement que leur cheminement. L'exploit du narrateur n'est pas d'avoir rencontré la vérité — événement qui, de son propre aveu, ne dépendait que de Dieu — mais de l'avoir si longtemps et si ardemment cherchée. Or la rencontre risque d'effacer le chemin — *a fortiori* devant la paresse d'esprit qui, avec la bénédiction de l'Église, se contente d'une lecture toute faite. Le triomphe de la vérité tend à offusquer l'intensité du drame individuel que vit le narrateur. L'évidence qui éclate à chaque page des *Confessions*, à savoir que la parole d'Augustin est incarnée, que la chair crie, que l'âme est une plaie vive, cette évidence est menacée d'oubli. Quelque chose dans les *Confessions* elles-mêmes incite paradoxalement à cet oubli, et ce quelque chose tient à la visée du narrateur.

À travers la narration d'une expérience individuelle, Augustin se fait l'agent de la vérité catholique. Il incarne l'aboutissement du message évangélique. À l'incarnation surnaturelle de la vérité dans le Christ vient s'ajouter le témoignage d'une incarnation individuelle, tout humaine. Cet ajout n'a rien d'anodin, il explique au contraire l'immense retentissement de ce récit autobiographique, dont l'exemple ne cessera d'inspirer la littérature occidentale. Le Nouveau Testament se borne — si j'ose dire — à rapporter l'histoire d'un homme qui n'a pas lui-même laissé la moindre trace, pas le plus petit écrit. Cette réserve est cruciale : en dépit de l'Église, elle laisse un espace, si mince soit-il, à une lecture mythologique de l'Évangile. Si le récit de la Passion, malgré sa prétention à l'authenticité, peut être lu comme un mythe, c'est parce que son héros, Jésus, est raconté par d'autres.

Augustin est au plein sens du terme l'auteur de sa propre histoire. Et sur l'essentiel — la longue marche vers la révélation — son récit ne laisse pratiquement pas de place à l'interprétation. Ses *Confessions* ne sont rien de moins que la narration directe d'une rencontre subjective avec la vérité. Cette vérité n'est pas seulement celle du narrateur, c'est la vérité universelle annoncée par l'Évangile, qui apparaît ainsi comme indissociable de la narration qui la porte. Subjectivité et objectivité y fusionnent. L'expérience particulière rejoint l'universel et, du coup, contribue à le fonder, du moins à le renforcer. La vérité existe, moi Augustin, je l'ai rencontrée, et j'atteste qu'il n'y en a pas d'autre. L'expérience du Christ, telle qu'on la rapporte, est par définition unique, elle demeure séparée de l'expérience commune — même chose, *mutatis mutandis*, de la fulgurante conversion de Paul, unique en son genre elle aussi. Récompense de sa persévérance, la conversion d'Augustin se propose au contraire, malgré toute sa dureté, comme accessible à tous, et notamment aux plus réfractaires ; elle est reproductible, souhaitable. Il n'existe qu'un Christ, qu'un Paul mais des millions d'Augustin possibles. Cette multitude est même nécessaire, elle est la meilleure preuve de ce qu'il n'y a, avec ou sans affres, qu'une porte vers le salut, qui s'impose à toutes les générations à venir.

On ne saurait être trop attentif à la contradiction dont Augustin témoigne à son insu et qui consiste à fonder une vérité générale (quoique révélée) dans l'expérience particulière, étant donné surtout l'importance de ce que cette vérité engage : la vie éternelle. En mettant l'accent sur la dimension individuelle, existentielle de cet enjeu, qui devient pour chacun une question de vie ou de mort, Augustin renforce l'effet de clôture que l'interprétation de l'Église impose au récit évangélique. Plus que jamais, la vérité et le salut qui en dépend interdisent la pluralité de sa lecture. La possibilité qu'a le croyant d'échapper à la mort devient un devoir. Cette possibilité, ce devoir sont l'ultime raison d'être de la foi. Et une telle croyance, pour se maintenir, ne peut qu'être aveugle à la subjectivité qui fonde son universalité. Sans quoi chacun verrait ce qui crève les yeux tout au long des *Confessions* : que la vérité de la grâce d'Augustin est nécessairement du même ordre que l'expérience qui y conduit, fondamentalement subjective — ce qui n'empêche pas que des milliers d'autres puissent la partager avec lui. En d'autres termes, l'évidence selon laquelle l'énoncé de la foi est indissociable de son énonciation et des conditions qui la rendent possible, cette évidence est incompatible avec la révélation.

Immense paradoxe que celui d'Augustin : lui, témoin transi de la division de l'âme, au temps où cette âme était précisément privée de vérité, confirme et installe malgré lui l'espèce de schizophrénie qui marque son désir de vérité. La révélation ne fait à cet égard que déplacer et refouler la césure. Le sujet de cette vérité, littéralement soumis à elle, est inconsciemment divisé. Qui sait, d'ailleurs, si en passant de l'esclavage du péché à l'esclavage de la vérité, Augustin ne cherche pas en quelque sorte à troquer une ignorance douloureuse contre une igno-rance apaisante… Augustin reste grand malgré tout de ce qu'il n'y par-vient pas vraiment. Ses *Confessions* n'en retentissent pas moins pour les siècles à venir comme une victoire. Une victoire qui ignore l'occultation qui la rend possible.

La pensée occidentale restera profondément marquée, jusqu'à nous, par cet aveuglement triomphal. Celui-ci tient à l'étanchéité qui sépare implicitement la vérité de son locuteur. L'idée même d'une révélation universelle, et plus tard d'une vérité scientifique, n'aurait pas seulement été impossible sans ce cloisonnement, elle n'aurait pas pu se perpétuer ni se transmettre dans la conscience de la schizophrénie qui la permet. Si Augustin est bien un lointain précurseur de la subjectivité moderne, alors cette subjectivité entame son parcours, et pour longtemps, dans l'ignorance de ce qui la divise. Autant dire dans l'ignorance du sujet. Non pas que ce sujet ignore les tiraillements (entre, par exemple, le bien et le mal ou la chair et l'esprit) mais parce qu'il ne connaît rien du leurre qui le guide vers ce qu'il tient pour la vérité. Il ne sait pas qu'il ignore. Il ignore l'ignorance socratique. À travers Augustin, Platon devient incompréhensible. Désormais, le platonisme et le néoplato-nisme ne sont plus qu'une « préparation » à la vérité évangélique, et la métaphysique se fait la servante de la théologie. Même lorsque la ser-vante voudra se détacher de sa maîtresse, comme chez Descartes, l'ombre du sujet augustinien continuera de planer sur ses méditations.

Aujourd'hui que l'émergence du sujet moderne apparaît après coup, avec la prise de conscience de sa division intime, comme un profond malentendu (même si cette prise de conscience est encore loin d'être largement partagée), on peut faire remonter la source de ce malen-tendu aussi loin qu'à l'évêque d'Hippone. Une chose me semble en tout état de cause assez certaine : ce malentendu nous travaille encore, il est au fondement du projet de vérité de la philosophie occidentale qui a contribué à l'essor des sciences expérimentales. Il y a là, peut-être, comme l'indication que la courbe exponentielle de nos succès scientifiques et techniques résulte en partie du besoin qu'éprouve inconsciemment l'homme moderne de s'ignorer lui-même.

QUATRIÈME PARTIE

HÉROÏSME ET VÉRITÉ

Socrate, le Christ, Augustin sont, chacun à sa manière, des héros de la vérité. Les deux premiers lui sacrifient la vie, le troisième les plaisirs charnels. Pour Socrate, toutefois, la mort n'est pas quelque chose dont la vérité puisse nous sauver : la mort vient de toute façon, et la grande affaire est de savoir dans quel état notre âme y entrera. Socrate choisit de mourir à son heure dans l'intégrité de ses convictions, plutôt que de prolonger dans le reniement ou l'exil une vie qui de toute façon est proche de sa fin. Il ne meurt pas pour la vérité, il meurt avec elle, heureux de cette bonne compagnie.

Pour le Christ, au contraire, la vérité est une conquête qu'il parachève par son sacrifice et sa résurrection. Le sacrifice d'Augustin est moindre, mais son esprit est le même : il s'agit de troquer l'éphémère pour l'éternel, le sensuel pour le spirituel, de quitter le monde pour la foi. Cette visée, on l'a vu, introduit dans le récit la rupture fondamentale à travers laquelle la multiplicité du sens est, à son tour, sacrifiée à l'unicité du vrai. Avec la consolidation et l'expansion du christianisme la littérature de la chrétienté occidentale en sera inévitablement marquée.

Mais le pur plaisir de conter est inextinguible. L'aventure, l'épopée gardent tous leurs droits. À la différence qu'elles se déroulent désormais sous l'emprise de la vérité chrétienne, qui s'en trouve à son tour aménagée. Héroïsme et vérité font en effet de drôles de ménages. Ces combinaisons s'appellent romans de chevalerie, ce sont, entre autres, *la Chanson de Roland*, les quêtes sublimes et loufoques des chevaliers arthuriens dans la geste bretonne. Une autre aventure, plus singulière, se présente, elle, comme une épopée de l'esprit, une sorte de chevalerie onirique où l'amour et la vérité se répondent et s'embrassent, c'est le voyage fabuleux de Dante.

X

L'HÉROÏSME SUBLIMÉ

Les héros épiques chrétiens empruntent beaucoup de leur fougue à ceux de l'Antiquité païenne. Ils en diffèrent de ce que leurs combats et leurs errances sont conditionnés par la vérité qu'ils sont censés servir, et qu'ils ne manquent pas non plus de mettre au service de leur renommée. L'aspiration à la gloire et le service de Dieu se prêtent mutuellement main-forte. Roland est Achille fait chrétien. De ce point de vue, chrétien, Roland porte ainsi l'héroïsme à son point culminant, il le rend sublime.

L'emportement du neveu de Charlemagne n'a pas pour cause le partage d'un butin, la perte d'une belle prise. Sa vaillance, pour ne pas dire sa témérité, lui assure l'immortalité de la renommée. Mais sous le regard de Dieu. Son ultime conquête est la vie éternelle. L'orgueil constitue pourtant un péché capital. Et Roland en est bouffi. Contre Ganelon, contre ses pairs, voire contre le roi Charles lui-même, il préconise la guerre à outrance : les offres de paix du roi Marsile, fourbe et ennemi de Dieu, doivent être refusées. Et la suite des événements lui donne évidemment raison : le prince « païen » n'a nulle intention de faire allégeance, moins encore de se convertir.

Contradiction majeure : l'idéal guerrier du chevalier n'a de prime abord aucun rapport avec l'amour du Christ. Certes, Jésus apporte l'épée, et Dieu sait que les conteurs de la légende arthurienne abuseront de la métaphore pour illustrer la victoire de la Nouvelle Religion sur l'Ancienne. Mais l'épée du Christ est *sa parole*, et l'amour qu'elle prêche fait la guerre à la guerre, combat l'orgueil des puissances mondaines : ce qu'on doit à César peut bien lui être laissé ; ce dû est dérisoire au regard de la dette que nous avons envers Dieu. Il y a de la violence dans le message évangélique, nous le savons, mais la première violence que le Christ exige est une violence faite à soi-même et à nos plus proches : laisser la famille, tendre la joue gauche…

Rien de plus contraire à l'idéal chevaleresque, qui ne souffre aucune offense. Tout affront à soi et aux siens doit être impitoyablement vengé. Les liens d'homme à homme que tisse la société féodale font de la parole donnée et de la loyauté la condition essentielle de leur viabilité. Le serment a beau être prêté au nom du Christ, la cité des hommes a beau se mettre sous l'égide symbolique de la cité de Dieu, les hommes qui servent la première, les chevaliers, obéissent à une logique qui n'a rien de chrétien. Augustin n'admet la guerre qu'en dernière extrémité et du bout des lèvres : « [...] le sage, dit-on, tirera l'épée pour la justice. Eh quoi ! s'il se souvient qu'il est homme, ne doit-il pas plus amèrement déplorer cette nécessité qui lui met justement les armes à la main ? » (*la Cité de Dieu*, XIX, 7).

De fait, les deux ordres dominants de la société, l'Église et la chevalerie (pour désigner d'un terme commode la hiérarchie politico-militaire), sont constamment en conflit. Au tournant de l'an mil, dans la situation de morcellement politique qui suit en Europe occidentale la désagrégation du pouvoir carolingien, l'Église joue vis-à-vis de la guerre un rôle modérateur au sein de la chrétienté, en essayant d'y faire respecter la paix de Dieu, et incitateur au dehors[106]. Elle contribue à canaliser l'énergie guerrière et l'esprit de rapine de la classe militaire vers l'extérieur de la chrétienté. La guerre contre l'infidèle est économique et politique avant d'être sainte.

La Chanson de Roland participe de ce compromis entre les deux ordres et traduit cette réorientation belliqueuse en termes héroïques. Dans un conflit qui opposerait des princes chrétiens, l'emportement de Roland ne pourrait être que condamnable. C'est bien pourquoi l'action met aux prises les armées de l'empereur Charles et la multitude des païens qui occupent encore l'Espagne. La référence carolingienne est largement fictive, elle permet d'installer la distance nécessaire à tout récit épique et lui donne l'éclat qui reste associé au souvenir glorieux de l'empereur. Probablement écrite au XIᵉ siècle, *la Chanson de Roland* reflète plutôt l'esprit de la *Reconquista* espagnole et annonce la croisade. Projetant dans le passé une préoccupation présente et faisant de l'époque carolingienne une légende exemplaire, elle met en scène la seule guerre que le

---

106. Dans *les Trois Ordres ou l'Imaginaire du féodalisme*, Georges Duby rappelle à propos de l'appel à la croisade d'Urbain II : « Le sermon de 1095 proclamait d'abord, ne l'oublions pas, la paix de Dieu, l'étendait à la chrétienté entière afin que tous les fidèles du Christ en âge de se battre pussent s'engager dans la guerre sainte » (Duby, *Féodalité*, Paris, Gallimard, Quarto, 1996, p. 661).

christianisme puisse tolérer. Ce faisant, elle donne à la vérité chrétienne une agressivité nouvelle. Le combat pour la foi se militarise.

Le fait historique sur lequel la trame de l'épopée repose est assez ténu : au printemps de 778, Charles a effectivement traversé les Pyrénées pour se porter au secours d'un prince musulman ; rappelé en deçà des monts par la révolte des Saxons, en août de la même année, il s'est effectivement fait massacrer son arrière-garde au retour par des montagnards basques (probablement chrétiens ou en voie de christianisation).

Le décalage introduit par la chanson de geste est donc considérable : Charles guerroie depuis sept ans en Espagne contre les païens, il ne lui reste que Saragosse à enlever, dont le souverain, le roi Marsile, fait mine de se soumettre. Envoyé auprès de ce dernier à l'instigation de Roland, Ganelon, partisan de la paix, jure de se venger d'une mission où il risque la mort (d'autres ambassadeurs ont déjà été massacrés à Saragosse). Il prépare sa vengeance en proposant à Marsile d'anéantir Roland et ses hommes, que lui, Ganelon, prendra soin de faire placer à l'arrière-garde de l'armée impériale. Si ce va-t-en-guerre et ses fidèles sont éliminés, Charles aura perdu son bras droit et sera forcé de conclure la paix.

La machination du traître se réalise point par point, en grande partie grâce au zèle furieux de sa principale victime. Roland, qui ne peut ni ne veut se dérober, décide d'assumer l'arrière-garde avec ses seules forces (vingt mille hommes) et refuse les renforts massifs que Charles propose de lui adjoindre (la moitié de l'armée impériale). Son obstination persiste en présence du danger. Averti assez tôt de l'ampleur des masses ennemies pour demander de l'aide, il s'y refuse obstinément. Les objurgations de son ami Olivier, dont la bravoure n'est pas moindre mais plus avisée que la sienne, n'y font rien : Roland ne sonnera pas du cor. Ou, plutôt, il n'en sonnera que trop tard, pour appeler son suzerain non pas au secours mais au spectacle de sa fin héroïque. Après avoir repoussé à un contre vingt tous les assauts successifs des païens, non sans y laisser la vie de tous les siens, Roland, invaincu, meurt les tempes éclatées, la cervelle lui coulant des oreilles, d'avoir trop violemment, trop longuement soufflé du cor.

Il lui reste encore assez de force, néanmoins, pour parcourir le champ de bataille à la recherche des corps de ses compagnons les plus proches, les douze pairs, qu'il aligne devant le seul autre survivant moribond de la bataille, l'archevêque Turpin. Assez de force aussi pour fracasser la tête d'un ultime ennemi qui, ayant fait le mort, tente de lui ravir son épée alors qu'il gît déjà prêt à rendre l'âme. De peur qu'un autre ne s'en empare après sa mort, Roland tente de briser sa chère Durandal sur les rochers. Les rochers se fendent et Durandal rebondit intacte. L'épée de Dieu ne peut se rompre ni même s'ébrécher. Son serviteur meurt couché sur elle, la face tournée vers l'ennemi, de sorte que Charles et ses gens puissent dire « qu'il fut mort cunquerant » (l. 174[107]), maître du champ de bataille.

Roland, metteur en scène sourcilleux de sa propre mort. Mourir dans l'honneur lui importe davantage que le sort de ses troupes, auxquelles il pouvait éviter l'anéantissement en suivant le conseil de son meilleur ami. L'orgueil a pris chez lui une telle démesure qu'il pourrait bien avoir fâché Dieu. Il lui reste à s'en faire pardonner, non pas explicitement mais en l'enveloppant dans l'ensemble de ses péchés :

> « Deus, meie culpe vers les tues vertuz [... vers ta bonté]
> De mes pecchez, des grands et des menuz,
> Que jo ai fait dès l'ure que nez fui [... dès l'heure que né fus]
> Tresqu'a cest jur que ci sui consoüt ! » [jusqu'à ce jour où suis terrassé]
> Sun destre guant en ad Deus tendut. [son gant droit vers Dieu il tend]
> Angles del ciel i descendent a lui.
>
> L. 175

Dieu envoie ses anges prendre le gant du mourant et indique par là qu'il lui accorde son pardon. Roland gagnera le paradis que l'archevêque Turpin a promis aux combattants dans le feu de l'action (l. 115). La présence musclée de ce haut dignitaire de l'Église au cœur du combat est plus que symbolique. Il ne se contente pas de bénir les troupes, « l'archevêque rend les coups par milliers » (l. 110). Le narrateur ne lésine pas sur les louanges : « Jamais la messe n'a été chantée par un prélat tonsuré dont le bras ait fait tant d'exploits » (l. 121)[108]. La caution religieuse accompagne toute l'épopée, et la métaphore christique, au point culminant de la bataille, frôle le blasphème.

Il est midi. Les Français, au prix de lourdes pertes, sont en passe de venir à bout de la première vague d'assaillants : cent mille hommes dont il ne restera pas « deux survivants » (l. 111). Le roi Marsile s'apprête à

---

107. La lettre « l. » désigne ici la « laisse », nom qu'on donne habituellement aux strophes de *la Chanson de Roland*. Nous renverrons donc chaque fois aux laisses plutôt qu'aux vers.

108. Sauf mention contraire, la traduction utilisée ici est celle de Pierre Jonin aux éditions Gallimard, Paris, 1979, disponible dans la collection « Folio ».

surgir avec le gros de son armée, trois fois plus grande que la première. Pour Roland et ses compagnons la mort est désormais certaine. Une mort victorieuse, que l'armée de Charles ne tardera pas à venger et que le récit annonce à coup d'orages et d'ouragans, qui s'abattent sur la France. Le pays tout entier est enveloppé de noires ténèbres sillonnées d'éclairs. L'épouvante gagne les cœurs, c'est « la fin del secle ». Non, c'est « li granz dulors por la mort de Rollant » (l. 110). Il n'y manque que le voile du temple qui se déchire. Cette fresque digne de la crucifixion dit mieux que tout la nature du combat que mène Roland. Il se bat pour Dieu. Plus encore : il est quasiment le Christ en armes donnant sa vie pour la vraie religion.

Aussi Dieu accorde-t-il une grâce miraculeuse au roi Charles, il arrête la course du soleil pour lui permettre de poursuivre l'ennemi et d'accomplir sa vengeance (l. 179). Que ne ferait-il pas pour celui qui porte, enchâssée dans le pommeau d'or de son épée, la pointe de la lance qui perça le flanc du Crucifié (l. 183). Cette pointe symboliquement retournée par le champion de la chrétienté contre ceux qui refusent la vérité trouve un prolongement macabre après la victoire finale :

> Le jour s'achève, la nuit est tombée. La lune est brillante et les étoiles scintillent. L'empereur est maître de Saragosse. Mille Français sont chargés de passer au crible la ville, les synagogues et les mosquées [*mahumeries*, dit le texte]. Maillets de fer et cognées en mains, ils fracassent les statues et toutes les idoles. Il n'y subsistera ni sorcellerie, ni hérésie [*falserie*]. Le roi croit en Dieu et veut le servir. Aussi les évêques bénissent-ils les eaux et les païens sont conduits au baptistère. Mais s'il y en a qui résistent à Charles, il les fait pendre, brûler ou passer par les armes. Beaucoup plus de cent mille sont baptisés et ils deviennent de véritables chrétiens. Une seule exception : la reine. Elle sera emmenée captive en douce France car le roi veut que sa conversion soit l'œuvre de l'amour[109].
>
> L. 266

Le narrateur semble insensible à l'humour noir de sa séquence : si la reine fait exception, c'est bien que les « véritables chrétiens » sont ceux dont la conversion ne doit rien à l'amour ! Il y a là un lapsus qui, mieux que tout, révèle cela même que *la Chanson* voudrait voiler : que l'ordre

---

109. Jonin écrit « amour divin », mais le texte dit simplement « par amur cunvertisset ».

chevaleresque qu'elle glorifie « christianise » au rebours de l'amour chrétien.

Toute vertu littéraire mise à part, l'épopée de Roland ne se signale pas seulement par son absence d'humour, peu fréquent dans le genre épique mais, plus encore, par l'aveuglement avec lequel elle entend servir la vérité. Mais peut-être ce service n'est-il pas sa visée principale. Peut-être ne fait-elle qu'emprunter à l'esprit de l'époque pour raconter autre chose. La guerre contre l'infidèle ne serait alors que la toile de fond familière où peindre les hauts faits, les caractères, les conflits et la violence des sentiments.

Rien n'empêche en effet que la geste ait été écrite avant tout par plaisir et pour le plaisir de ses destinataires. Conter la félonie des uns, le courage des autres, dire l'amitié chevaleresque, exposer le conflit intérieur entre sagesse et bravoure, voilà ce qui captive l'auditoire. Les deux amis, Olivier et Roland, peuvent même être considérés comme les deux faces d'un même personnage tiraillé entre deux devoirs contradictoires : honneur, qui condamne tout appel à l'aide, et efficacité stratégique, qui l'exige. Passé le moment de cette exigence, les rôles se renversent. C'est Olivier qui, prenant à son tour le parti de l'honneur, se fâche de ce que Roland veuille, *alors qu'il est trop tard*, s'abaisser à sonner du cor. L'archevêque Turpin coupe court à la dispute en accordant à Olivier qu'il a raison sur le principe et à Roland que Charles doit être alerté afin qu'il vienne au moins venger les morts.

Drame d'amitié, donc, où Dieu n'a pas grande part, bien que son représentant (Turpin) s'en fasse l'arbitre. Peu avant de mourir, parmi les derniers, Olivier, étourdi par les coups, aveuglé par le sang, frappe Roland par mégarde :

> À ce coup Roland le regarde et lui demande d'une voix douce et tendre : « Seigneur, mon ami, le faites-vous exprès ? C'est bien moi, Roland qui vous aime tant et vous ne m'avez lancé aucun défi ! » Olivier lui répond : « Maintenant je vous entends parler mais je ne vous vois pas ; que le Seigneur Dieu, lui, vous voie ! Je vous ai frappé, pardonnez-le moi ! » Roland lui répond : « Je n'ai pas le moindre mal. Je vous le pardonne ici et devant Dieu ». À ces mots ils s'inclinent l'un devant l'autre. En tel amour ils se sont séparés.
>
> L. 149[110]

---

110. J'ai modifié ici deux phrases, la première et la dernière, de la traduction JONIN.

Voilà sans doute la scène la plus émouvante de toute la geste. Roland, touché par l'amitié, se demande un instant s'il ne mérite pas le coup qu'il reçoit. Peut-être son ami le frappe-t-il sous l'effet persistant de la colère qu'a provoquée en lui leur violente querelle, il se pourrait qu'il l'ait fait exprès. Mais alors il aurait dû le défier. La réponse désamorce toute inquiétude : Olivier ne le voit pas. Si l'explication rassure le combattant, elle a de quoi faire réfléchir le lecteur : Olivier n'est-il pas aveuglé par le sang comme Roland par l'orgueil ? Ne frappe-t-il pas comme Roland engage le combat, sans réfléchir, aveuglément ? « Que Dieu, lui, vous voie ! », s'empresse-t-il d'ajouter. Que Dieu protège son ami, nul doute. Mais aussi qu'il le *comprenne*. Que Dieu comprenne chez Roland cette folie qu'Olivier ne comprend pas. Devant la mort, l'amitié reprend tous ses droits et n'a plus besoin de comprendre ; au moment de la grande séparation, Olivier et Roland s'aiment au-delà de ce qui les divise. Mais Dieu ?... Le récit prépare ici avec finesse, dans cet unique moment de tendresse, le pardon que Roland demandera tout à l'heure à Dieu. Cette prière n'a de sens que si le héros accepte, au moins en partie, le reproche que lui adressait son double, son *alter ego*. Mais est-ce bien à Dieu que la demande s'adresse ? Tendre son gant est un geste qu'on fait d'homme à homme... Jusque dans sa manière de battre sa coulpe, Roland se montre plus chevaleresque que chrétien.

Dieu, la foi, la chrétienté ne sont peut-être après tout que les pièces d'un décor obligé. Le décor d'une classe sociale qui a la guerre en honneur et qui prise l'honneur par-dessus tout. Turpin lui-même exhorte les pairs à ne pas fuir, de sorte « que nuls prozdom malvaisement n'en chant » (l. 115) — qu'aucun prud'homme ne dise mal d'eux. Présence et absence continuelles de Dieu... La chevalerie n'est décidément pas d'essence chrétienne, mais il faut bien qu'elle se batte pour une noble cause, pour la seule cause avouable, honorable. *La Chanson* ne pourrait se contenter de chanter la colère de Roland comme *l'Iliade* celle d'Achille. La guerre qu'il mène ne saurait avoir pour but de reconquérir une femme infidèle, il faut qu'elle serve à faire triompher la vraie foi. Ne serait-ce que parce que l'Église le veut, le proclame, notamment dans le célèbre prêche que le pape Urbain II prononce à Clermont en 1095 en guise de coup d'envoi aux croisades. On récite la geste comme on part pour Jérusalem : pour l'aventure et la conquête plus que pour Dieu. Mais il n'est pas question d'avoir Dieu contre soi.

L'Église, en déclarant la guerre sainte, permet ainsi aux chevaliers assoiffés de fiefs et de gloire de se battre et de conquérir en son nom.

Elle le permet et l'encourage, à condition que cela se fasse *chez l'autre*. L'Église ne peut se réconcilier avec la chevalerie que si celle-ci déploie sa fureur combative pour la chrétienté plutôt qu'à son détriment. La fonction de Dieu, dans la geste comme dans la vie, n'est donc pas secondaire : Dieu marque la frontière entre le même et l'autre. C'est pourquoi le musulman ne peut être que païen, adorateur d'idoles ! Non pas simplement païen aux yeux des chrétiens, mais païen dans l'absolu, comme *la Chanson de Roland* prend soin de l'établir en plaçant cette épithète dans la bouche même de ceux qui la portent. « En avant, païens, car je prends le départ », dit à ses troupes le chef musulman qui vient secourir Marsile (l. 2 3 8). Si l'autre se reconnaît lui-même comme païen, c'est bien que la différence est de nature, et non pas simplement de circonstance ou de point de vue.

Le Même et l'Autre apparaissent comme deux essences incommunicables, qui ne peuvent se rencontrer que dans le heurt sanglant des épées (la seule « communication » à laquelle *la Chanson* nous fasse assister, l'ambassade de Ganelon auprès de Marsile, est une trahison). Pour être autorisé à survivre, l'autre doit expressément abandonner son altérité : telle est la signification dernière du « Crois ou meurs » que Charlemagne ordonne à Saragosse et qu'on retrouve à mainte reprise dans l'histoire du christianisme germano-latin. Nul doute que la geste de Roland doit une bonne part de son retentissement au sentiment d'identité qu'elle contribue à établir ou à consolider au sein de la chrétienté occidentale. Avoir Dieu pour soi, c'est savoir qui on est.

Avoir Dieu pour soi, c'est se donner une légitimité supérieure. Ce besoin de Dieu est aussi le signe d'une insuffisance. Aux Achéens, il suffisait de se savoir achéens, aux Troyens, troyens. Le chevalier franc doit se savoir, se vouloir chrétien. L'honneur se cherche une justification dans la vérité. Mais cette caution se paie à coup de sang : la vérité qui donne la vie éternelle tue. À la vérité le Christ s'offrait en sacrifice. Augustin lui sacrifiait sa sensualité. Désormais, c'est la mort de l'autre qui témoigne de la justesse et de la justice de la foi. Roland n'expire (en Dieu) qu'après les avoir tous tués. On est passé du sacrifice au massacre.

XI
L'HÉROÏSME TRANSFÉRÉ

1. Perceval ou le transfert mythique

Dans *la Chanson de Roland,* narrateur et auditeurs savent que le héros a la vérité pour lui. La vérité est la condition, le cadre indispensable de son héroïsme, elle est donnée. Roland se contente de la servir et n'a pas à se mettre en quête d'elle.

La quête de la vérité, la pure poursuite du même appartiennent à un autre cycle, à la légende arthurienne, partie essentielle d'un domaine plus vaste qu'on appelle communément la « matière de Bretagne », à laquelle se rattache aussi, indirectement, le mythe de Tristan[111]. Merlin, Arthur et le Graal n'ont pas toujours cohabité, mais cette association a fini par s'installer dans une sorte de fusion entre la légende celtique et l'aventure chrétienne. Christianisation de la mythologie bretonne, voilà ce que proposent, du moins à partir du XIIᵉ siècle, certains des nombreux romans de la Table ronde et du Graal. Malgré ses ambiguïtés, cette fusion conduit du même coup à une captation du « vrai » christianisme par sa frange occidentale. Le roman breton effectue ainsi un transfert mythique qui, quoique tombé dans l'oubli, n'a pas fini d'exercer son pouvoir de fascination souterrain, comme en témoigne la récurrence des histoires de chevalerie dans le cinéma occidental.

---

111. « "Matière de Bretagne", "roman breton", "roman arthurien" : il n'y a pas d'équivalence stricte entre ces termes. C'est le premier d'entre eux qui a l'extension la plus grande car il embrasse tous les récits issus du domaine celtique, les *Tristan* aussi bien que les récits qui se développent autour de la figure d'Arthur », écrit Danielle RÉGNIER-BOHLER dans sa préface à *la Légende arthurienne, le Graal et la Table ronde,* édition établie sous la direction de Danielle RÉGNIER-BOHLER, Paris, Laffont, « Bouquins », 1989, p. VIII.

S'aventurer dans le monde arthurien, c'est un peu comme pénétrer dans la forêt de Brocéliande. On ne sait ni quand ni comment on en ressortira. Forêt de signes plus ou moins lumineux, plus ou moins obscurs, où toute apparition, tout événement sont riches d'une charge gnostique ou mystique, dont notre esprit moderne peine souvent à distinguer les divers niveaux et à déchiffrer les multiples correspondances. Ce foisonnement mystérieux de la forêt symbolique, que Baudelaire évoque dans ses *Correspondances*, exerce encore sur nous un attrait, un frémissement que notre rationalisme n'a pas tout à fait réussi à éteindre. Attrait pour les mystères d'un monde perdu où le cinéma nous fait aujourd'hui entrer en fraude et, il faut bien le dire, au prix d'une benoîte simplification, où le mystère se réduit le plus souvent à la magie des « effets spéciaux ». Le cycle du Graal est devenu pour nous une sorte de western en cottes de mailles où le donjon remplace le ranch et la forêt, la prairie. Cette résurgence moderne du heaume et de l'épée, dont l'hilarante équipe de *Monty Python* a si bien su se moquer, a elle-même une signification sur laquelle il faudra tenter de revenir.

Mais la forêt de Brocéliande ne nous perd pas seulement du fait de son étendue et de la complexité de son dédale. Elle nous déroute plus encore de ce qu'il existe autant de forêts que de narrateurs, autant de héros que de récits. Les mêmes figures prennent des caractères différents d'un conteur à l'autre, les mêmes prouesses s'insèrent dans des trames impossibles à superposer. Il n'y a donc pas *une* histoire de Lancelot, de Gauvain ou de Perceval avec, d'une version à l'autre, des variantes plus ou moins importantes, mais *des* histoires plus ou moins compatibles et parfois franchement inconciliables. Plus on chevauche dans la matière de Bretagne, plus on rencontre de Lancelot (ou de Gauvain ou de Perceval) différents, voire contradictoires, qui n'ont en commun que d'appartenir de près ou de loin à l'entourage du roi Arthur et qui, s'ils se rencontraient, seraient sans doute obligés d'en découdre avec eux-mêmes.

L'image n'est pas si farfelue. C'est bien à eux-mêmes que les héros arthuriens ont le plus souvent affaire derrière les adversaires plus ou moins maléfiques, les situations plus ou moins périlleuses qu'ils affrontent dans leur vagabondage solitaire. Les épreuves et les dangers qui jonchent leur chemin participent indistinctement des mondes extérieur et intérieur. L'obstacle à surmonter est parfois explicitement présenté comme une chimère : le pont que Gauvain doit emprunter pour pénétrer dans le château du Graal se montre d'une étroitesse qui le rend impossible d'accès, mais il suffit que le chevalier s'y engage résolument pour qu'il lui apparaisse « large et aisé à franchir » (B, 189[112]). Quels que soient le nombre, la fréquence et la nature de ses rencontres, le héros chemine seul — ancêtre du *lonesome cow-boy*. Le compagnonnage n'est jamais qu'éphémère, provisoire. Le chevalier n'est pas un chef de guerre. Il lui arrive de conduire des expéditions lointaines, mais celles-ci, rarement décrites, ne sont la plupart du temps qu'évoquées. Nul Roland, nul meneur d'hommes ne chevauchent sur la lande bretonne. Non pas que le justicier méprise toute gloire mais de ce qu'il est d'abord et avant tout seul avec lui-même.

Parmi les nombreux héros de la cour arthurienne, une figure se détache, plus digne que les autres de rencontrer le Graal : Perceval (en allemand Parzifal), appelé aussi Perlesvaus ou encore Parluifet, ainsi nommé de ce qu'il s'est fait lui-même. Le Perceval le plus ancien (du moins en français) est celui de Chrétien de Troyes. Chrétien, qui reste le grand classique du roman de chevalerie, occupe une place nodale dans la transmission de la matière de Bretagne et de la légende arthurienne[113]. Il inspirera à son tour à travers toute l'Europe occidentale une vaste littérature qui s'inscrira à la fois en continuité et en rupture avec son œuvre.

Chrétien raconte comment le fils de la Veuve Dame de la Déserte Forêt perdue — il ignore encore son propre nom — croise en forêt cinq splendides chevaliers qu'il prend pour des anges. Sous le coup de cette apparition, le garçon quitte sa mère éplorée, se rend à la cour du roi Arthur pour se faire adouber, apprend les règles de la chevalerie auprès

---

112. La lettre « B » renvoie ici à *la Légende arthurienne, le Graal et la Table ronde* de la collection « Bouquins », *op. cit.*, qui réunit une quinzaine de récits en vers ou en prose écrits par des auteurs pour la plupart anonymes entre la fin du XIIᵉ et la fin du XIVᵉ siècle. Les numéros renvoient aux pages de ce volume, qui n'en compte pas moins de 1200.

113. Il a écrit un *Marc et Iseut* dont nous n'avons plus trace — sans compter ses adaptations d'Ovide. Il emprunte une partie de son canevas et la plupart de ses personnages principaux au *Brut* de Robert WACE (1155), « adaptation en langue romane de l'*Historia regum Britanniæ* de GEOFFROY DE MONMOUTH (1138), qui s'ouvre sur la fuite d'Énée de Troie, se poursuit avec la naissance de Brutus, ancêtre éponyme des Bretons, et l'histoire des rois qui ont régné sur l'île jusqu'au-delà du roi Arthur » (C.T., 16). Les lettres « C.T. » renvoient ici à CHRÉTIEN DE TROYES, *Romans*, Paris, Librairie générale française, le Livre de poche, « La Pochothèque », 1994. Le texte cité est tiré de l'introduction de Jean-Marie FRITZ. Les numéros renvoient aux pages. Ceux qui renvoient aux vers seront précédés de la lettre « v ».

d'un sage prud'homme, découvre l'amour (chaste) et accomplit ses premiers exploits, qui, de fil en aiguille, l'amènent au mystérieux château d'un seigneur infirme, réduit à pêcher à la ligne et surnommé pour cela le Roi Pêcheur. Se produit alors une scène étrange dont le jeune chevalier manque de saisir l'importance : au cours du repas auquel l'a invité le Pêcheur, par trois fois passent devant lui, portés par des jeunes gens, d'abord une lance où perle sans cesse une goutte de sang puis un Graal d'or pur dont il ignore l'usage, la destination et le contenu. Par trois fois, en vertu de la discrétion que lui a enseignée le prud'homme, le chevalier sans nom s'abstient d'interroger son hôte sur la signification des objets qui défilent devant lui. Le lendemain, il se réveille dans un château déserté dont toutes les portes, sauf celles qui mènent au dehors, sont closes. Parti sans avoir pu prendre congé, le chevalier rencontre une demoiselle qui lui reproche son mutisme de la veille : il sera la source de grands malheurs pour lui-même et pour son hôte, qui aurait pu guérir des questions qu'il attendait de lui. Comme la jeune fille lui demande son nom, il *devine* qu'il s'appelle Perceval le Gallois. Tu t'appelleras désormais Perceval l'infortuné, rétorque la belle, qui lui apprend tout à la fois qu'elle est sa cousine, que sa mère à lui est morte de douleur et que c'est du péché qu'il a commis en la quittant qu'il n'a pas su poser les questions qu'il fallait.

Revenu à la cour d'Arthur, Perceval se fait de nouveau reprocher, par un laideron de passage, d'être resté muet chez le Roi Pêcheur. Le héros se jure alors de repartir en quête du château mystérieux pour retrouver la lance qui saigne et s'enquérir du Graal. Cinq ans plus tard (pendant lesquels le roman s'attache avant tout aux aventures de Gauvain), Perceval, de périls en défis, s'est tellement éloigné de l'objet de sa quête qu'il en a perdu jusqu'au souvenir de Dieu. Des pénitents croisés sur une étendue déserte lui font honte d'être en armes un Vendredi saint et le mettent sur le chemin d'un ermite, qui se révèle être son oncle maternel. Le saint homme apprend à son neveu que le Graal contient une hostie qu'on porte à un autre de ses oncles, dont le Roi Pêcheur est le fils. L'hostie suffit à soutenir la vie de son destinataire, qui est si pur esprit qu'il n'a que faire de riches victuailles. Navré de s'être écarté de la voie de Dieu, Perceval accepte de faire pénitence et de réapprendre la religion pour retrouver les vertus qui étaient les siennes autrefois. Le narrateur laisse ici Perceval communier le jour de Pâques chez son oncle ermite et annonce qu'il reviendra à lui après avoir conté les tribulations de messire Gauvain. Mais le récit s'interrompt 2 500 vers plus loin, toujours occupé de Gauvain, sans que Perceval soit réapparu. Chrétien meurt sans l'avoir terminé.

Cet inachèvement n'est peut-être pas seulement dû à sa mort[114]. Tout se passe comme si le narrateur ne pouvait se résoudre à finir, comme s'il était impossible que Perceval retourne jamais au château du Graal racheter sa parole perdue[115]. Les interminables aventures de Gauvain, obligé de se mettre à son tour, sans conviction ni grand succès, sur la piste de la lance sacrée, accréditent l'idée qu'il est de l'essence du Graal de rester inatteignable. Sa quête peut se poursuivre, s'oublier et se recommencer à l'infini.

L'impossibilité de la quête accentue le mystère et la sacralité du Graal, qui paraît d'abord étrangement indéfinie. Ce n'est qu'avec le passage de Perceval chez son oncle ermite que le mythe prend une coloration nettement chrétienne. En se christianisant, le mythe amorce un tournant dont on suppose qu'il modifiera profondément le sens de la quête. Car celle-ci s'est jusqu'alors déroulée passablement à la légère, au point d'avoir été oubliée par le principal intéressé. Mais le retour du récit aux démêlés de Gauvain nous replonge dans le pur chevaleresque et ne permet pas de vérifier l'importance que l'auteur entendait finalement donner à la dimension chrétienne de la symbolique du Graal. Celle-ci, comme l'histoire elle-même, reste en suspens.

La plupart des romans postérieurs poussent la christianisation beaucoup plus hardiment. Notamment deux séries de récits en prose du début du XIIIe siècle qui me serviront ici de référence : d'une part *le Haut Livre du Graal*, plus connu aujourd'hui sous le titre de *Perlesvaus*, rédigé par un auteur anonyme ; d'autre part une trilogie : *Joseph*, *Merlin* et *Perceval*, attribués à Robert de Boron, qui est lui-même l'auteur indiscutable d'un *Roman de l'estoire du Graal*, écrit en vers à la fin du XIIe siècle[116].

---

114. Tout incomplet qu'il soit, *le Conte du Graal* est de loin le plus long des romans arthuriens que CHRÉTIEN DE TROYES ait écrits : 9066 vers contre 7112 pour *le Chevalier de la Charrette* qui vient en deuxième position du point de vue de la longueur.

115. De fait, certains continuateurs confieront la quête du Graal à un autre chevalier, plus irréprochable encore : Galaad, fils de Lancelot.

116. *Perlesvaus* et une partie de la trilogie attribuée à ROBERT DE BORON, le *Merlin* et le *Perceval* (réunis par l'éditeur sous le titre *Merlin et Arthur : le Graal et le Royaume*) ont été partiellement publiés dans *la Légende arthurienne, op. cit.*, de la collection « Bouquins », indiquée ici dans les références par la lettre « B ».

Perlesvaus (ou *le Haut Livre du Graal*) reprend le récit de Chrétien là où il l'a laissé mais en lui donnant d'emblée une tonalité différente. Le roi Arthur y apparaît perdu au milieu d'un monde livré à la guerre, dans un état de mélancolie et de déchéance dû au mutisme qu'un certain chevalier a gardé dans la demeure du Riche Roi Pêcheur devant le Graal et la lance qui saigne. Tour à tour, Gauvain et Lancelot se rendent au château du Graal sans parvenir à réparer la faute de leur mystérieux prédécesseur. Le Roi Pêcheur meurt, et son mauvais frère, le Roi du Château Mortel, en profite pour s'approprier sa demeure, si bien que le Graal ne se montre plus à personne. Mais le mystérieux chevalier, qui n'est autre que Perlesvaus, finira par le reconquérir.

Le récit proprement dit est précédé d'un prologue de deux pages qui situe sans équivoque l'origine et le cadre général de l'histoire : le narrateur ne fait que traduire un texte (latin ?) écrit par un certain Joséphé « sous la dictée d'un ange, afin que par son témoignage soit connue la vérité sur les chevaliers et les saints hommes qui acceptèrent de souffrir peines et tourments pour glorifier la religion que Jésus-Christ a voulu instituer par Sa mort sur la Croix » (B, 123). Joséphé entend célébrer la mémoire d'un bon et chaste chevalier appartenant au lignage de Joseph d'Arimathie, oncle de sa mère, qui, pour n'avoir pas parlé au moment opportun, a plongé la Grande-Bretagne dans le malheur. *Voici donc d'emblée l'essence de la quête dévoilée* : le petit-neveu ne fait que recouvrer les reliques que son grand-oncle a conservées après avoir descendu le corps du Sauveur de la Croix ; la lance est celle qui a percé le flanc du Crucifié et le Graal, la coupe dans laquelle a été recueilli son sang. Le mystère cesse dès lors que le récit se présente ouvertement comme une apologie du christianisme et qu'il explique lui-même certains de ses épisodes les plus sanglants comme des allégories du triomphe de la Nouvelle Loi (ou religion) sur l'Ancienne. C'est d'ailleurs pour abattre cette dernière, explique à Gauvain un vieux religieux, « que Dieu accepta d'être frappé d'une lance au côté ; c'est par ce coup de lance, et par sa mise en croix, que fut anéantie l'Ancienne Religion » (B, 186). En frappant leurs adversaires de leur lance, les bons chevaliers ne font donc que poursuivre le combat. Ils retournent contre l'ennemi le fer que le Christ a reçu dans sa chair. Le merveilleux de la légende arthurienne rejoint ici l'esprit de *la Chanson de Roland*.

C'est dans la trilogie attribuée à Robert de Boron (probablement antérieure au roman de *Perlesvaus*) que le mythe du Graal prend toute sa dimension « historique ». Il se cristallise au carrefour de trois généalogies contradictoires et complémentaires. L'une, que nous connaissons déjà par *Perlesvaus*, remonte *via* Joseph d'Arimathie jusqu'à la maison de David, roi d'Israël. Une deuxième, tirée du *Brut* de Wace que nous avons déjà évoqué, rattache Arthur et son royaume à Rome à travers Brutus le Troyen, descendant d'Énée et ancêtre des Bretons. Cette ascendance romaine des rois bretons légitimera la revendication par Arthur de la couronne impériale lorsqu'il sera amené à se battre contre l'empereur de Rome. La troisième généalogie campe le personnage de Merlin à travers une narration minutieuse de ses origines qui apparaît comme une parodie de l'Immaculée Conception.

Irrités de ce qu'un « homme né d'une femme » ait échappé à son emprise et que, conformément à la parole des prophètes, il soit venu sur terre délivrer les pécheurs des peines de l'enfer, le diable et ses démons rêvent de produire un homme doué d'une mémoire et d'une intelligence telles qu'il puisse faire pièce à l'œuvre rédemptrice de Jésus-Christ. Un des démons, qui a le pouvoir de féconder les femmes, se fait fort de mener l'affaire à bon port. Au terme d'une intrigue compliquée, il parvient à mettre en colère une vierge irréprochable et profite de ce moment d'égarement, de cet éphémère état de péché, pour l'engrosser à son insu. Personne, évidemment, ne croit qu'elle puisse ignorer l'auteur et les circonstances de sa fécondation — manière d'insinuer que le dogme de l'Immaculée Conception ne tient pas debout. Saisie par la justice et condamnée pour luxure, la jeune femme doit son salut à l'intervention de son confesseur, qui suggère aux juges que l'enfant, lui, n'a pas péché et qu'il convient au moins d'attendre sa naissance, voire la fin de son sevrage. Sitôt sevré, l'enfant Merlin se montre d'une précocité prodigieuse. Il réussit à emberlificoter les juges et à sauver sa mère. Sachant que la mère ne saurait être tenue responsable de ce qui lui est arrivé, Dieu a en effet décidé de l'épargner et de déjouer les plans du malin. Mieux que ça, le diable ayant pourvu Merlin de la mémoire du passé, Dieu en rajoute et lui donne la prescience de l'avenir. « À lui maintenant de se décider : il peut, s'il le veut, choisir le parti du diable comme celui de Notre-Seigneur » (B, 331).

Merlin choisit évidemment le parti du Christ. Il garde des démons la connaissance de leurs ruses et de leur pratiques magiques mais ne les utilisera pas à leur profit. Ceux-ci ont commis une erreur fatale : « Le vase qui m'a reçu », dit-il au confesseur de sa mère, « était trop pur pour leur appartenir et la vertu de ma mère leur a fait grand tort » (B, 340). Le retournement est achevé, la déconfiture du diable complète. La parodie diabolique se transforme donc en une véritable immaculée conception, qui apparaît finalement, un cran en dessous, comme la répétition de la fécondation de Marie. Merlin est une sorte de Christ souterrain auquel il ne manque que d'être d'essence purement divine. Sachant le passé et l'avenir, Merlin est le seul à connaître toute l'histoire, avec ses tenants et aboutissants. Aussi se met-il à la raconter au confesseur de sa mère, dont il fait son historiographe, en prenant bien soin de lui faire remarquer que le livre qu'il écrit sous sa dictée — comme le Christ, Merlin n'écrit pas — « ne fera pas autorité car tu n'es pas, tu ne peux pas être un apôtre » (B, 341). Sous-entendu : lui, Merlin, n'est pas le Christ, il n'a pas souffert sur la Croix ni ressuscité ; il se borne à reconstituer dans sa vérité le fil des événements, des mystères, depuis leurs origines spatio-temporelles jusqu'au royaume breton d'Arthur. À la naissance et à l'avènement duquel Merlin donnera néanmoins un bon coup de pouce.

Comme lui, Arthur naît d'un subterfuge : non pas des œuvres d'un incube, cette fois, mais d'un grand seigneur amoureux de sa mère auquel Merlin fait prendre, tel Zeus chez Amphitryon, l'apparence de son époux. Lui aussi « fils sans père », Arthur est une réplique mondaine de celui qui a présidé à sa conception et qui désire demeurer dans l'ombre. « De même que je suis obscur et le resterai envers ceux auxquels je ne voudrai pas me dévoiler », dit encore Merlin à son historiographe, « de même ce livre demeurera caché, et rares sont ceux qui t'en seront reconnaissants » (B, 341). Arthur est un peu à Merlin ce que Merlin est au Christ. Ils en sont tous deux les représentants terrestres : l'un savant, secret et mystérieux (ce qui reste en lui de la part du diable), l'autre prud'homme couronné, rayonnant, défenseur avoué de la Nouvelle Religion. En tirant Excalibur de l'enclume d'où nul autre ne pouvait l'arracher, Arthur se révèle à tous comme le seul chevalier digne de porter l'épée du Christ et d'être sacré roi : « Lorsque Notre-Seigneur institua la justice en ce monde », proclame l'archevêque qui préside au sacre, « Il la manifesta en effet par l'épée dont Il investit la chevalerie, lorsque furent établis les trois ordres » (B, 345).

Artisan souterrain de cette apothéose, le sage Merlin réussit donc, en suscitant l'avènement d'Arthur, à nouer la généalogie terrestre à la généalogie divine et harmonise des temps difficilement compatibles : la longue filiation qui va d'Énée *via* Brutus aux rois bretons vient en quelque sorte se lover, par la magie de Merlin, dans la très courte période, trois ou quatre générations au plus, qui sépare Joseph d'Arimathie, et donc le Christ, de Perceval. Merlin assure la jonction entre temps mystique et temps « historique » qui permet au Graal de voyager d'Est en Ouest. Il pose les jalons qui de Jérusalem à la Bretagne (Grande et Petite) en passant par Rome transfèrent le sang du Christ d'Orient en Occident. Ce qui est par là transféré constitue l'essence même de la Nouvelle Religion, du moment que le Graal, instrument de la Cène originelle et de l'eucharistie, en transporte aussi la substance la plus sacrée : véritable transfusion de sang qui fait de la chrétienté germano-latine et de sa chevalerie les véritables héritières du Christ. La légende arthurienne ne se limite donc pas à réconcilier les deux ordres, armée et Église, elle procède à un profond *déplacement de vérité* au profit de l'Europe occidentale.

La jonction des mythologies romaine, celtique et christique prend dès lors son plein sens : elle symbolise à la fois la christianisation de l'Europe du Nord-Ouest (qui reste encore, au XIIᵉ siècle, plus superficiellement chrétienne qu'on ne le croit généralement) et l'occidentalisation du christianisme. Une sorte de continuation chrétienne de *l'Énéide*, en somme. Le combat que Merlin confie aux chevaliers de la Table ronde (qui ne tarderont pas à se réduire au chiffre apostolique de douze) a pour enjeu central, derrière la lutte allégorique contre l'Ancienne Religion, la question de la légitimité et de l'appartenance de la Nouvelle Religion. Il s'agit de savoir où sont les vrais défenseurs du christianisme, où se situe la patrie dernière du Christ. Le judaïsme ici n'est pas seul en cause, le transfert de légitimité vise également le christianisme byzantin suite au Grand Schisme de 1054. De tout temps, dit la légende, la vérité chrétienne (et la vérité tout court) était destinée à migrer vers l'Ouest — mouvement que confirme aujourd'hui l'idéal du justicier américain, authentique héritier de la chevalerie occidentale et porteur, dans sa version protestante, de l'esprit missionnaire chrétien.

Le *Merlin* de Robert de Boron opère ce transfert avec une simplicité surprenante : en *disant* l'histoire, Merlin la *fait*. On ne saurait mieux dire en effet combien l'histoire appartient à ceux qui, au propre comme au figuré, la font. Arthur fait l'histoire au premier degré, de manière parfois chaotique et relâchée, qui explique les déboires de sa cour et de son royaume. Mais il n'est finalement qu'un bras. Merlin, véritable cerveau du récit, fait l'histoire de manière beaucoup plus décisive en la disant, c'est-à-dire en lui donnant son sens. Il faut être benoîtement moderne, assuré de l'étanchéité qui sépare l'histoire du mythe, pour s'en étonner. *Mutatis mutandis*, Hegel ne procède pas autrement : sa philosophie de l'histoire répète ce que Robert de Boron accomplit avec le récit de

Merlin : dans les deux cas, il appartient au metteur en scène de faire apparaître la vérité, de donner sens aux événements passés et à venir et de rendre la chrétienté occidentale (puis l'Occident) maître de ce sens.

Parmi les différences qui distinguent Hegel de Merlin, la plus importante est que le magicien, de son propre aveu, ne dit pas toute la vérité et se prend moins au sérieux que le philosophe. Non seulement, on l'a vu, la narration de Merlin ne doit pas être prise pour parole d'Évangile, mais encore l'ingénieux metteur en scène se garde-t-il de livrer tous les secrets de l'histoire : il ne peut ni ne doit, dit-il à son historiographe, révéler « les paroles secrètes échangées entre Jésus-Christ et Joseph » (B, 341). Il en va de même, dans *Perlesvaus*, des explications que Gauvain reçoit du vieux religieux qu'il consulte avant d'entrer au château du Graal : après avoir dévoilé la signification de plusieurs scènes dont le chevalier vient d'être témoin, le vieil homme refuse d'expliquer une allégorie qui renvoie vraisemblablement à l'énigme de la Trinité (dont Augustin disait qu'il était plus facile de boire la mer que de la comprendre) : « Seigneur, dit le religieux, je ne vous en dirai pas davantage, et vous devez vous estimer fort satisfait, car on ne doit pas dévoiler les mystères du Sauveur : ceux à qui ils ont été confiés doivent les garder secrets » (B, 187).

À cette discrétion explicite s'ajoutent une retenue, un mystère qui s'inscrivent dans la narration elle-même. Ainsi nous ne saurons jamais vraiment pourquoi Gauvain, maintes fois averti de ce qu'il aura à faire lorsqu'il verra passer le Graal, reste néanmoins bouche bée devant lui. Scène d'une grande puissance mystérieuse que ce chevalier qui, parvenu au but de sa quête la plus essentielle, *regarde* le Graal sans vraiment le voir. Gauvain est attablé avec le Roi Pêcheur et ses chevaliers, lorsque deux demoiselles sortent d'une chapelle, l'une avec le Graal, l'autre avec la Lance, « dont la pointe laisse sourdre le sang dans le saint vase » :

> Messire Gauvain regarda le Graal, et il lui sembla voir une chandelle à l'intérieur, telle qu'il y en avait fort peu en ce temps-là ; il aperçut la pointe de la lance d'où tombait le sang vermeil, et il lui sembla qu'il voyait deux anges portant deux chandeliers d'or allumés. Les demoiselles passèrent devant lui et entrèrent dans une autre chapelle.
>
> Messire Gauvain est totalement absorbé dans ses pensées, et il est saisi d'une joie si intense qu'il oublie tout et ne pense qu'à Dieu. Les chevaliers le regardent, tristes et accablés. Mais voici que les deux jeunes femmes ressortent de la chapelle et repassent devant messire

Gauvain ; il croit voir trois anges là où auparavant il n'en avait vu que deux, et il lui semble voir dans le Graal la silhouette d'un enfant. Le plus noble des chevaliers interpelle messire Gauvain, mais celui-ci regarde devant lui et voit tomber trois gouttes de sang sur la table : tout absorbé dans sa contemplation, il ne dit mot. Les demoiselles s'éloignent, et les chevaliers, tout alarmés, se regardent l'un l'autre. Messire Gauvain ne pouvait détacher son regard des trois gouttes de sang, mais quand il voulut les toucher, elles lui échappèrent, ce qui l'emplit de tristesse, car il ne put réussir à les atteindre ni de la main ni autrement.

Et voici que les demoiselles passent une fois encore devant la table : messire Gauvain croit en voir trois cette fois-ci ; il lève les yeux, et il lui semble que le Graal est suspendu dans les airs. Et il lui semble voir au-dessus un homme cloué sur une croix, une lance fichée au côté : messire Gauvain le contemple et éprouve une profonde compassion pour lui ; il ne pense qu'à une seule chose, aux souffrances qu'endure le Roi. Le plus noble des chevaliers l'exhorte à nouveau à parler et lui dit que s'il tarde davantage, il n'en aura jamais plus l'occasion. Mais messire Gauvain se tait : il n'entend même pas le chevalier, et regarde vers le haut. Et les demoiselles retournent dans la chapelle, emportant le très saint Graal et la Lance ; les chevaliers font ôter les nappes et quittent la table, puis se retirent dans une autre pièce, laissant messire Gauvain tout seul.

Celui-ci regarde autour de lui et voit les portes fermées ; il regarde au pied du lit : deux chandeliers brûlaient devant l'échiquier, et les pièces du jeu d'échecs étaient disposées dessus, les unes étaient d'ivoire et les autres d'or. Messire Gauvain se mit à jouer en prenant celles d'ivoire, mais celles d'or jouèrent contre lui et le mirent échec et mat par deux fois. La troisième fois, voyant qu'il avait le dessous alors qu'il voulait prendre sa revanche, il renversa les pièces ; une demoiselle sortit d'une pièce et ordonna à un écuyer de prendre l'échiquier et les pièces et de les emporter. Messire Gauvain, qui ressentait la fatigue des longues journées du voyage qui l'avait conduit au château, s'assoupit et dormit sur le lit jusqu'au lendemain matin, au lever du jour, quand il entendit un cor qui sonnait bruyamment. Il s'équipa aussitôt et voulut aller prendre congé du Roi Pêcheur, mais il trouva les portes fermées, de sorte qu'il ne put pénétrer dans les autres pièces ; il entendait que l'on célébrait une messe solennelle dans une chapelle, et il était très malheureux de ne pouvoir y assister.

B, 192-193

Cette scène regorge de significations — indépendamment de la nécessité narrative qui impose à Gauvain de garder le silence pour approfondir le mystère et permettre à Perlesvaus d'accomplir sa tâche. Mais elle laisse perplexe. L'allégorie est d'une audace troublante : c'est la pensée même de Dieu, c'est le sang même du Christ, c'est la vue même du Crucifié qui privent Gauvain de la parole et le font manquer à son plus haut devoir — ce devoir auquel il se préparait depuis tant de jours. Contrairement à Lancelot, que son amour trop terrestre pour Guenièvre rendra indigne d'assister au passage des reliques, Gauvain non seulement a la pureté nécessaire pour les voir mais encore voit-il, au-delà des objets eux-mêmes, ce qu'ils représentent. C'est parce qu'il voit la signification profonde de ce qu'il regarde qu'il est incapable de parler : devant l'indicible on ne peut que se taire. Tel est du moins un des sens possibles de ce passage particulièrement dense, dont il appartient au lecteur de trouver la clé. Car son sens ultime n'est pas donné. Le récit le laisse délibérément ouvert...

Ouverture étonnante pour un roman par ailleurs chargé d'absolu qui ne prend pas sa matière à la légère. Dans *le Haut Livre du Graal* (ou *Perlesvaus*) plus encore que dans la trilogie de Robert de Boron, et au contraire de *la Chanson de Roland*, la religion ne peut être considérée comme le simple cadre conventionnel de l'action. D'abord cette religion est partout qualifiée de « Nouvelle », comme si elle avait encore du chemin à faire pour s'imposer contre l'Ancienne ; ensuite la nécessité de son triomphe et du transfert qu'il implique ordonne tout le récit. L'amour et le service du Christ réclament de son champion un dévouement exclusif. Gauvain aime un peu trop la vie, l'aventure et les femmes, même s'il se comporte avec elles de façon irréprochable. Lancelot, nous le savons, est encore plus lourdement obéré, de ce que son absolu n'a pas le Sauveur mais une femme pour objet. Amené par un ermite à confesser ses péchés avant d'entrer au château du Graal, Lancelot accepte de se repentir de tout, hormis de son amour pour la reine. Par ce repentir il renoncerait à lui-même et perdrait la force qui lui permet d'accomplir ses exploits. « Ce que j'ai de meilleur en moi me vient de cet amour », dit-il humblement à son confesseur (B, 212). C'est donc en parfaite connaissance de cause qu'il renonce au Graal. Entre Dieu et Guenièvre, Lancelot choisit Guenièvre. Geste d'une magnifique humanité, mais qui le place au-dessous de Perlesvaus.

Ce dernier, en effet, a quelque chose de parfaitement inhumain. Chaste jusqu'à la fin, il est le justicier à l'état pur. Après maints exploits et redressements, après avoir retrouvé et vengé sœur et mère (qui dans cette version n'est pas morte de son départ), il conquiert de haute lutte le château du Graal et se consacre désormais à rétablir la Nouvelle Religion là où elle a été abandonnée, ôtant « la vie à tous ceux qui refusaient de croire en Dieu » (B, 251). Ce travail d'évangélisation accompli, il revient à son très saint château vivre jusqu'à la mort de sa mère et de sa sœur une vie monacale entièrement consacrée au Seigneur. Obéissant à une voix céleste qui le prépare à un nouveau départ, Perlesvaus confie le Graal et la Lance aux ermites qui habitent la forêt et, quelque temps plus tard, s'embarque pour une destination inconnue, avec les corps de sa mère et du Roi Pêcheur, sur un navire à la voile blanche frappée d'une croix vermeille. Depuis lors, nul ne sait ce qu'il est devenu. Le château s'est délabré — seule la chapelle est restée intacte — et aucun de ceux qui s'y sont aventurés n'en est jamais revenu, à l'exception de deux jeunes chevaliers gallois qui en revinrent après un long séjour et se mirent à vivre en ermites. Et quand on leur demandait pourquoi ils vivaient si durement, « Allez où nous avons été, répondaient-ils à ceux qui les questionnaient, et vous en saurez la raison » (B, 309).

Le mystère qui plane et sur la destination du héros (ce peut être la mort, une nouvelle croisade ou une autre quête plus secrète) et sur le sort réservé à ceux qui se risquent dans les ruines du château émousse un peu le tranchant de la vérité pour laquelle se bat le bon chevalier. N'était cette ultime incertitude, qui nous rappelle aux énigmes que le conte laisse ici et là en suspens, *le Haut Livre du Graal* ne serait que la défense et l'illustration fanatiques d'une chevalerie entièrement vouée à Dieu. Il est cela. Et bien autre chose. Dieu et la Nouvelle Religion se présentent eux-mêmes comme les métaphores d'une visée intérieure que nul ne saurait dire, qui échappe sans cesse à quiconque croit s'en approcher. Rappelons-nous Gauvain pensif et silencieux devant l'apparition du Graal : la douleur du crucifié est sa douleur à lui, anticipation presque instantanée de la tristesse que le chevalier éprouve, aussitôt après, d'être passé à côté de la vérité au moment même où il croyait la tenir... Le Graal à lui tout seul maintient jusqu'au bout une équivoque fondamentale quant à sa nature, puisqu'il est à la fois récipient matériel, historiquement déterminé par la Cène et la Crucifixion, et objet évanescent, intouchable, foyer d'images et de projections mystiques, baromètre de la morale du temps, disparaissant et réapparaissant au gré des circonstances.

La densité du mystère atténue donc ce que le combat pour la vérité a d'absolu. Le combat est aussi radical que la vérité est insaisissable : paradoxe que l'intraitable piété de Perlesvaus, dans *le Haut Livre du Graal*, pousse à l'extrême. Le Perceval de la trilogie attribuée à Robert de Boron est, lui, beaucoup plus humain : comme celui de Chrétien de Troyes, il tombe amoureux, aime le combat pour le combat, se laisse facilement détourner de sa quête et oublie Dieu pendant sept ans. Sa passion des tournois est telle que le démiurge, Merlin, doit intervenir pour le morigéner et le remettre sur le chemin du Graal (B, 404-405). Celui-ci, contrairement à ce qui se passe dans *le Haut Livre*, est resté entre les mains du Roi Pêcheur, et Perceval n'a pas à le conquérir par les armes ; il s'en rend maître en posant simplement la question qu'il a retenue lors de son premier passage et dénoue ainsi tous les enchantements qui affectaient le royaume d'Arthur. Le Roi Pêcheur (ici son grand-père plutôt que son oncle) l'initie au secret des reliques avant de quitter ce monde. Perceval lui succède, quitte la chevalerie et se consacre entièrement au Créateur. Version plus humaine, moins fanatique, qui se clôt sans mystère. Qui y met fin.

Mais le plus humain des trois Perceval que nous venons de suivre est encore le premier, celui de Chrétien. Il est aussi le plus déroutant. Le narrateur le regarde aller dans sa candeur d'enfant buté avec un humour plein de tendresse. Ce jeune homme qui ne sait rien du monde, qui ignore jusqu'à son nom, se met en marche vers son destin, vers son identité sous le coup d'un éblouissement qui n'a rien de magique ni de divin. Les chevaliers, très réels, qu'il rencontre dans la forêt, fournissent l'occasion d'une savoureuse parodie d'apparition : Perceval croit avoir affaire à des anges et prend le plus beau d'entre eux pour Dieu. Il n'est pas Dieu ? Qu'à cela ne tienne, il est plus beau que Dieu. « Ah ! de quel cœur je voudrais vous ressembler, être tout brillant et fait comme vous ! » (v. 174-175, B, 9), s'exclame Perceval, trop emporté par son émerveillement et sa curiosité pour prêter la moindre attention aux indications toutes simples que le chevalier cherche vainement à tirer de lui. « Est-ce que vous êtes né comme cela ? — Mais non, valet, impossible, personne ne peut naître ainsi. — Qui donc vous a vêtu de la sorte ? — Tu veux le savoir ? — Certes. — Tu le sauras » (v. 276-283, B, 11). Il n'en faut pas plus au valet pour se mettre en tête d'« aller chez le roi qui fait les chevaliers ! » (v. 458, B, 13).

Cette première scène, décisive, donne le ton du personnage : son ingénuité ne le quitte pour ainsi dire jamais, et il continue à se comporter sans égard ni pour les usages ni pour les autres. Il interprète tout de travers le bref code de courtoisie que sa mère, entre deux sanglots, tente de lui donner avant son départ : il se jette sur la première demoiselle qu'il rencontre et l'embrasse contre son gré sur la bouche. Son comportement à la cour d'Arthur est d'une impolitesse sauvage. Mais elle s'exprime avec une candeur telle que personne ne peut lui en vouloir (il n'y a que Keu, l'acariâtre sénéchal, pour le brocarder, mais Keu passe son temps à railler tout et chacun). Le prud'homme qui l'initie à la chevalerie tente bien de lui apprendre les usages du monde, mais, pour une fois qu'il obéit à la règle, le respect des convenances, on l'a vu, se retourne contre lui : il retient la question que sa curiosité naturelle l'aurait justement poussé à poser. Ironique retournement : c'est du monde que vient la faute cruciale qu'il devra s'employer à réparer. Jusqu'au moment de cette « faute » fatidique par laquelle il apprend, peu après, et son nom et son malheur, Perceval est l'innocence même. Innocence à la fois balourde et attachante, qui, devant l'amour de Blanchefleur, s'enrichit d'une tendresse limpide. Amour pur, probablement chaste, on ne sait trop, mais sensuel, charnel, sur lequel Chrétien s'attarde avec une délicatesse teintée d'ironie.

Blanchefleur, dont le héros ne s'éloigne que provisoirement pour aller chercher et ramener sa mère, entre en scène avant la première visite au château du Graal, et nous ne saurons jamais le sort que le poète réservait à la douce passion qu'elle suscite et encourage de tous ses charmes. Le fait est que la révélation de sa faute et de la mort de sa mère ne suffit pas à détourner Perceval de ses pensées amoureuses. L'expérience de l'amour, aussitôt suivie de l'expérience de l'échec et du deuil qui accompagnent la prise de conscience de son identité, donne à son innocence une nouvelle gravité, que Chrétien évoque dans ce qui est sans doute le plus beau moment du récit. Ayant vu un faucon abattre une oie, Perceval se rend sur le lieu de sa chute. Blessée au col, l'oie est repartie en laissant trois gouttes de sang sur la neige :

> Quand Perceval vit la neige foulée
> Là où l'oie s'était couchée
> Et le sang qui apparaissait autour
> Il s'appuya dessus sa lance
> Pour regarder cette semblance.
> Et le sang et la neige ensemble
> À la couleur fraîche ressemble

Qui est au visage de son amie
Et pense tant qu'entièrement s'en oublie.
Pareil était à son visage
Le vermeil posé sur le blanc
Que ces trois gouttes de sang
Apparues sur la neige blanche.
Il n'était plus que regard
Tant il prenait plaisir
À voir la couleur nouvelle
De son amie si belle.
Sur les gouttes rêve Perceval
Tandis que passe l'aube.   v. 4128-4147, C.T., 1065[117]

Perceval est si profondément plongé dans sa contemplation qu'il n'entend pas les sommations des chevaliers d'Arthur venus à tour de rôle le quérir au nom du roi et ne s'éveille à la réalité que devant la lance qui fonce vers lui… pour reprendre sa posture méditative sitôt après avoir culbuté l'importun. Seule la courtoisie de Gauvain saura doucement venir à bout d'une rêverie dont l'objet déjà commence à s'estomper dans la neige. C'est la dernière scène forte que le narrateur consacre à son héros avant de revenir brièvement à lui, cinq ans plus tard, pour le laisser en pénitence chez l'ermite. Comme nous ne pouvons assister aux conséquences de cette conversion, le Perceval qui nous reste de Chrétien est, malgré sa pureté, un chevalier sans Dieu, tout occupé d'amour et d'exploits, qui s'est naïvement lancé à la recherche de lui-même. Seules cette naïveté, cette inconscience rendent son égocentrisme supportable. C'est parce qu'il s'ignore lui-même, parce qu'il ne sait pas vers quoi il galope lance baissée que ce chevalier aux bras de géant et à la cervelle d'enfant charme à son insu son entourage. Perceval est le prisme limpide à travers lequel, bien avant Cervantès, Chrétien tout à la fois magnifie et décompose la matière chevaleresque. Il est, avant la lettre, un don Quichotte jeune.

À travers la candeur de son personnage éponyme, c'est donc l'ensemble de la chevalerie que le narrateur peut mettre à distance. L'interruption du récit laisse évidemment planer un doute sur les intentions du poète. Mais sa douce ironie est également à l'œuvre dans

---

117. Ma traduction à partir d'une confrontation de l'original avec la traduction de Charles MÉLA, que j'ai prise pour base.

le Chevalier de la Charrette, du même Chrétien de Troyes, récit achevé où nous pouvons voir le protagoniste principal, Lancelot, se diriger vers une quête d'un type différent, vers une quête qui, quoique toujours riche de symboles multiples, n'a plus rien de religieux et cesse en tout cas d'être chrétienne dans sa finalité. Du christianisme elle ne garde que le cadre social.

2. Lancelot ou le transfert amoureux

Lancelot, celui que Chrétien appelle le Chevalier de la Charrette, est sans doute le plus connu des aventuriers de la Table ronde, malgré le peu de part qu'il prend à la quête du Graal. Le personnage doit sa popularité au *Lancelot du Lac*[118], roman en prose d'un auteur anonyme du début du XIIIᵉ siècle (postérieur à Chrétien), qui le montre dès la tendre enfance. Orphelin recueilli dans un paradis lacustre inaccessible au commun des mortels par une fée providentielle, l'enfant se prépare, entouré des soins de cette seconde mère, à entrer dans le monde et à conquérir son nom, porté par l'élan amoureux qu'il reçoit du regard de la reine. Symbole de la mutation, Lancelot naît plusieurs fois : de sa vraie mère, quittée en bas âge et qu'il ne connaîtra pas ; du domaine de la dame du Lac, deuxième giron maternel, d'où il accède au monde adulte ; du désir de la reine qui le fait naître à la beauté de l'amour. Le narrateur s'attarde longuement (plus du tiers du roman) à l'infortune des géniteurs et à l'enfance du héros jusqu'à son arrivée à la cour d'Arthur. Le reste est consacré à ses exploits, entremêlés à ceux de Gauvain, itinéraire qui l'amène d'abord à connaître son identité puis, tout en s'efforçant de la garder cachée, à se faire reconnaître de la reine. De spirituelle qu'elle était chez Perceval, la quête devient identitaire, amoureuse.

Quoique antérieur à celui du roman en prose, le Lancelot que Chrétien de Troyes raconte dans *le Chevalier de la Charrette* est déjà chevalier accompli, mais absent, lorsque le récit commence. Début bizarre, presque grinçant, voire tout simplement grotesque, où l'on voit un insolent chevalier venir défier Arthur de délivrer des prisonniers qu'il retient non loin dans un bois. Le roi, dit-il avant de tourner bride, n'a pas un seul chevalier dont il soit assez sûr pour oser lui confier la reine en gage

---

118. *Lancelot du Lac*, édition bilingue, texte traduit et annoté par François Mosès, Paris, Librairie générale française, le Livre de poche, « Lettres gothiques », 1991, ci-après désigné dans les références du texte par la lettre « L ».

d'un combat contre lui. Devant l'apathie d'Arthur et de sa cour, Keu, le sénéchal, jure de quitter le service du roi, à moins que ce dernier ne satisfasse aveuglément à sa demande. Arthur s'y engage : Keu exige alors d'aller avec la reine relever le défi de l'arrogant chevalier. La mort dans l'âme et au grand désespoir de sa femme, Arthur est contraint de respecter son engagement — lâcheté et étourderie qui le rendent doublement indigne d'elle. Du moins devrait-on, proteste Gauvain, aller s'enquérir de son sort ! Ravi de la courtoisie de son neveu, le roi le laisse partir.

En approchant de la forêt, Gauvain voit venir le destrier de Keu en piteux état et sans son cavalier. Suivi d'un chevalier inconnu, monté sur un cheval fourbu. Le chevalier, qui, lui, semble connaître Gauvain, s'adresse à ce dernier pour lui demander un de ses chevaux et disparaît sans autre explication sur sa nouvelle monture. Gauvain se lance à sa suite et ne tarde pas à tomber sur les traces d'un violent combat au milieu desquelles gît le cadavre du cheval qu'il vient de confier à l'inconnu. Un peu plus loin, le chevalier lui-même, seul, marche tout armé et s'approche d'une charrette conduite par un nain auquel il demande s'il a vu passer sa dame la reine. L'infâme nain le lui dira d'ici demain s'il accepte de monter dans la charrette — signe de la plus vile déchéance, la charrette étant faite pour les criminels et les réprouvés :

> Le chevalier tarde d'y monter.
> Ce fut là son malheur ! Pour son malheur
> il eut honte d'y bondir aussitôt !
> Car il ne s'en portera que plus mal !
> Mais la Raison qui s'oppose à Amour
> lui dit qu'il se garde de monter ;
> elle lui fait la leçon et lui enseigne
> à ne devoir rien entreprendre
> qui lui vaille honte ou blâme.
> Raison qui ose le lui dire
> est dans sa bouche, non dans son cœur.
> Mais Amour est en son cœur
> et le commande et le somme
> de monter sans retard.
> Amour le veut, il y bondit
> sans se soucier de la honte,
> puisqu'Amour le veut et l'ordonne.   v. 361-377, C.T., 511[119]

---

119. Traduction de Charles MÉLA, avec quelques modifications de mon cru.

Gauvain rattrape la charrette, stupéfié d'y voir assis le chevalier, et s'enquiert à son tour de la reine. « Si tu te hais autant que ce chevalier », lui répond le nain, « monte avec lui ». Gauvain se garde bien de cette pure folie et se contente de suivre la charrette.

Les deux chevaliers finissent par apprendre que le ravisseur de la reine, Méléagant, fils du roi Bademagu, l'emmène au royaume de son père, qui n'est accessible que par deux ponts plus dangereux l'un que l'autre, le Pont dans l'Eau et le Pont de l'Épée, tranchant comme une lame de rasoir. Gauvain choisit le premier et le chevalier de la Charrette prend la route du second, accompagné désormais du mépris général que lui vaut son séjour sur l'ignoble véhicule. Sans jamais révéler son identité à personne, ce dernier vainc tous les obstacles, accomplit quelques prouesses supplémentaires au passage, franchit le Pont de l'Épée en se blessant vilainement les pieds et les mains. Malgré fatigues et blessures, il affronte Méléagant en combat singulier et le force à admettre sa défaite. Cet aveu s'est fait aussi sous la pression du père du vaincu, le roi Bademagu, qui réprouve la conduite de son fils et traite le vainqueur comme un hôte de marque. Méléagant se vengera en ordonnant à ses gens de s'emparer de Lancelot par traîtrise. Libéré sous serment par son geôlier pour qu'il puisse participer incognito à un grand tournoi, Lancelot revient se constituer prisonnier pour se voir murer dans une tour isolée construite à cette fin. Il réussira néanmoins à s'en évader grâce à l'aide d'une jeune fille qu'il a naguère secourue et qui se révèle être la sœur de Méléagant. Dans un ultime combat à la cour d'Arthur, le champion de la reine affronte de nouveau son ravisseur et cette fois — acte rare dans les duels de Chrétien — lui tranche la tête après l'avoir terrassé, mettant fin du même coup à ses méfaits et au roman.

Dénouement sans grande surprise. L'injure initiale, comme il se doit, est réparée. Mais la réparation aura été payée d'une grave forfaiture : le chevalier « vengeur » obtient en récompense que la reine lui offre son corps. À l'affront public de Méléagant, qui ne doit rien à Arthur et lui enlève sa femme en respectant les codes en vigueur dans la chevalerie, succède une véritable félonie : Lancelot viole la foi qu'il doit à son suzerain. Que le roi ait démérité de la reine n'en rend pas Lancelot légitime possesseur et ne justifie en rien l'adultère, qui ne doit qu'à son secret de rester impuni. Le narrateur ne lui donne d'ailleurs aucune espèce de justification, autre que l'amour réciproque des deux amants. Chrétien pousse même l'ironie jusqu'à faire de Lancelot le champion de celui qui est, à sa place, faussement accusé d'avoir couché avec la reine. Keu, en effet, encore mal remis de ses blessures, a été assigné par le bon roi Bademagu à la garde de la reine et couche pour cette raison dans la même chambre qu'elle. Pour la rejoindre dans son lit, Lancelot s'est blessé aux barreaux de la fenêtre et a laissé à son insu des marques de sang sur les draps. Méléagant affirme alors que le sang accuse le sénéchal, et Lancelot s'offre à prouver l'innocence de ce dernier dans un duel judiciaire qu'il remporte contre l'accusateur. Cette deuxième victoire apparaît comme la réplique dérisoire de la première. Mais elle innocente la reine aux yeux du monde, et c'est tout ce qui compte.

Finalement, Lancelot ne cherche nullement à venger son roi d'un affront auquel le récit se garde bien de le faire assister. Lancelot n'a jamais voulu qu'une chose : faire reconnaître son amour et obtenir en retour celui de la reine. Cet amour est à l'opposé de celui qu'on nomme courtois et qui peut être défini, indépendamment de sa portée allégorique, comme un dévouement respectueusement amoureux, mis au service de la chevalerie et des rapports d'homme à suzerain : en bravant tous les dangers pour l'amour et la gloire de sa dame, le jeune chevalier rend généralement hommage à son mari et seigneur, raison pour laquelle cet amour doit rester chaste. L'amour courtois est censé renforcer le lien social. L'amour de Lancelot pour la reine est un ferment de dissolution, il inverse son rapport à la chevalerie en se la subordonnant. Tel est le sens de l'épisode crucial de la charrette : le même acte qui condamne le chevalier aux yeux de tous, s'asseoir au banc d'infamie, lui fait encourir le silence glacial de la reine. Mais pour la raison diamétralement opposée : *elle ne lui pardonne pas d'avoir hésité.* Un instant le code de l'honneur chevaleresque a failli l'emporter sur l'amour inconditionnel qu'il lui doit (« il ne s'en portera que plus mal », avait averti le narrateur). Ce même renversement de valeurs se manifeste de nouveau, sur le ton cette fois de la bouffonnerie, lors du tournoi auquel Lancelot, un instant sorti de sa prison, participe à l'insu de tous sous des armes vermeilles : la reine, qui une fois de plus est la seule à soupçonner son identité, vérifie la justesse de son intuition en lui faisant porter un message qui l'enjoint de se battre « au pis », c'est-à-dire le plus mal possible. À quoi le chevalier vermeil répond aussitôt par une accumulation de maladresses et de fuites qui font de lui la risée — toute provisoire, on s'en doute — du tournoi. Il n'y a que lui pour faire preuve d'une telle obéissance, il n'y a qu'elle qui puisse l'obtenir. Le meilleur chevalier du monde ne peut enfreindre la règle pour nulle autre que son amante.

Chrétien de Troyes joue adroitement des contradictions qui opposent la passion individuelle à la violence codée de l'ordre social. Avec son Lancelot nous sommes en effet très loin du Graal : l'individu, *la haute idée qu'il se fait de lui-même*, et à laquelle le dispose l'esprit chevaleresque, priment sur le serment d'allégeance, priment sur l'autorité sacrée du roi, priment sur Dieu. Ce que Perceval met au service du Seigneur, Lancelot le consacre à son amour terrestre, parce que c'est à lui, comme il dit, qu'il doit le meilleur de lui-même. Dans le miroir de l'aimée il se cherche, dans les yeux de l'amante il trouve la confirmation de son identité. Si le chevalier de la Charrette tait obstinément son nom, c'est qu'il appartient à sa dame de le dire car elle est la seule qui sache le reconnaître à ses actes. *Le Chevalier de la Charrette* ne pose aucune espèce d'énigme mystique, et les allégories qu'on ne peut manquer d'y trouver me paraissent moins riches que son contenu humain. Parce que son héros se réalise à travers la fusion de l'aventure et de la quête amoureuse, le cas échéant au mépris des conventions de son époque (comme le titre même du roman l'indique), il est devenu l'archétype du héros moderne, qui ne recule devant rien pour satisfaire ses ambitions.

Pourtant le mot « ambition » ici sonne faux. Sur le plan où Lancelot se situe, il ne veut rien dire. Lancelot se réalise dans un rêve éveillé qu'il peut poursuivre justement de ce que son objet reste inatteignable. Jamais il ne possédera la reine. L'unique nuit d'amour qu'il passe avec elle ne se répétera pas et n'aura jamais eu lieu que pour eux-mêmes. Si bien qu'Arthur n'est pas véritablement trahi — ou trahi à une profondeur qu'il n'imagine même pas, comme la légèreté de sa conduite le prouve. Ce que les deux amants ont l'un de l'autre est l'âme, et l'amour charnel qui les unit le temps d'une nuit est le sceau du secret qu'ils partagent. Il ne peut et ne doit avoir lieu qu'une fois. Nulle frontière pour Lancelot entre le réel et l'imaginaire, l'idée de la reine l'occupe, le comble entièrement. Sa pensée ou sa présence, comme les gouttes de sang pour Perceval, le mettent hors du monde. Hors du monde et au plus près de lui-même, car, à l'inverse, cette fois, de Perceval, Lancelot n'imagine aucune vérité, ne désire aucune quête au-delà. Lancelot est un rêve heureux, que Chrétien enveloppe d'une tendresse amusée. Il suffit au héros de savoir ce rêve partagé par la seule personne qui compte et qui en est l'unique objet. Son amour, même fou, même teinté de mélancolie, est possible, presque bienfaisant. Raison pour laquelle la passion de Lancelot laisse dans notre imaginaire une trace moins grave, et peutêtre de ce fait moins profonde, que l'amour désespéré de Tristan.

3. Tristan ou le transfert mortel

Tristan incarne l'amour impossible. L'amour tragique. L'amour maléfique. L'absolu de l'amour, qui ne s'accomplit que dans la mort. La vérité de Tristan, qu'Iseut partage jusqu'au bout avec lui, s'éloigne encore davantage de la vérité chrétienne que celle de Lancelot. Du moins dans la version que je privilégie. Car *Tristan* a beaucoup d'auteurs, des anonymes aux plus connus. Le *Tristan* auquel on pense le plus spontanément, depuis plus d'un siècle, est celui de Wagner : triomphe de la passion nocturne sur les vulgaires puissances du monde diurne dans l'anéantissement du corps, qui fait de la mort des amants, comme dans *Roméo et Juliette*, le lieu de leur suprême et véritable fusion. En quoi Wagner n'invente pas : dès les plus anciennes versions du mythe connues aujourd'hui, le lien entre mort et vérité se déplace de l'amour divin vers l'amour-passion. Ce déplacement instaure un nouveau rapport avec l'au-delà dont il faudra questionner l'ambiguïté.

L'histoire de Tristan a tant de versions qu'il faudrait la raconter comme on dessine un arbre avec ses nombreuses ramifications qui se séparent et s'entrecroisent en inscrivant à chaque embranchement la conjonction « ou » : Iseut aime ou déteste ou aime et déteste Tristan ; Brangien verse le vin herbé par inadvertance ou par dessein ; Iseut sait ou ignore ce qu'elle boit ; le roi Marc envoie Tristan en Irlande pour s'en débarrasser ou pour qu'il trouve la fille aux cheveux d'or. Les choix sont nécessairement arbitraires, puisque aucune version ne fait autorité et que la diversité des sources, des découpages, des adaptations, des recopiages et des fragments ne permet pas de remonter à une souche unique que nous puissions repérer avec certitude. Aucun texte « originel », donc, aucun non plus qui prévaudrait par son ancienneté. J'opte ici pour une traduction moderne de la célèbre reconstitution que Joseph Bédier a faite à partir d'une version tardive du xve siècle[120]. Ce découpage est évidemment discutable, et je ne m'arrêterai pas aux arguments qui le justifient. Simplement, des quelques versions traduites en

---

120. *Tristan et Iseut*, mis en français moderne par Pierre CHAMPION, Paris, Presses Pocket, 1979. Sauf indication contraire, les chiffres entre parenthèses dans le texte renvoient aux pages de cette édition. Ce texte est une version en français moderne établie à partir de la célèbre reconstitution de Joseph BÉDIER. Celle-ci est elle-même fondée sur un roman en prose du xve siècle (désigné par les spécialistes comme le manuscrit français 103) considéré à son tour comme un dérivé d'un texte du xiiie fidèle au *Tristan et Yseut* de THOMAS, dont nous n'avons toutefois que des

français moderne que j'ai lues, c'est celle qui me paraît la moins enjolivée et aussi la moins « wagnérienne ».

La version de Wagner est probablement la plus puissante, mais aussi la plus simple. Celle qui est le plus susceptible de nous parler aujourd'hui, quand bien même nous serions sourds à sa gravité. Autant de raisons qui me poussent vers la version qui me paraît s'en éloigner le plus, non par souci d'une authenticité qui ne pourrait être que sujette à caution, mais pour *marquer le décalage*. Wagner capte sans doute dans la légende ce qui résiste le mieux au temps (bien qu'il ne puisse évidemment, malgré tout son génie, s'extraire de sa propre époque). Mais ce qu'il y a d'« atemporel » dans la légende de *Tristan et Iseut* est justement ce qui, à nous modernes, nous paraît, du moins dans son absorption superficielle, le plus familier : l'archétype de l'amour-passion et ses dérivés, aliment principal de notre littérature, de notre cinéma, dont nous ne nous lassons pas de nous repaître, tant il est absent de notre quotidien.

Tristan et Iseut ne raconte pas seulement l'amour interdit, l'amour noir des deux protagonistes éponymes en butte à l'hostilité de leur entourage. Le roman a pour noyau une constellation de cinq personnages : Tristan, son oncle le roi Marc et trois Iseut. Portent en effet le même nom : Iseut la Blonde, amante de Tristan et épouse de Marc, Iseut mère d'Iseut la Blonde et Iseut aux Blanches Mains, épouse tardive de Tristan. Comme pour compenser la perte initiale de sa mère, qui meurt de lui donner naissance, Tristan sera pris dans un réseau de femmes, qui, outre les trois Iseut, comprend sa marâtre (la nouvelle femme de son père) et Brangien, servante et compagne d'Iseut la Blonde.

D'abord séduite par le petit Tristan, la marâtre ne tarde pas à en devenir jalouse et à lui vouer une haine mortelle. Pour lui échapper, l'enfant, à sept ans, quitte le château paternel en compagnie du maître auquel son père l'a confié avant de mourir : Gouvernal. Élevé par ce dernier auprès d'un seigneur français, le jeune garçon vit entouré des regards amoureux des demoiselles et des dames de la cour. Jusqu'au jour où, mûr pour l'aventure, il part, flanqué du fidèle Gouvernal, se

---

fragments (3 300 vers sur un original évalué à 13 000 vers). Le transcripteur du XIIIᵉ siècle a intégré des morceaux de la légende arthurienne à sa version, passages que Champion a judicieusement choisi d'élaguer de sa traduction moderne. Pour un aperçu critique des textes les plus anciens dont nous disposons dans diverses langues sur la légende de Tristan, voir le riche recueil de *Tristan et Yseut* publié dans la Bibliothèque de la Pléiade sous la direction de Christiane MARCHELLO-NIZIA, Paris, Gallimard, 1995 (ci-après : « PL »).

mettre au service de son oncle Marc, roi de Cornouailles. Tout en taisant le lien de parenté qui les unit, Tristan gagne l'affection du roi. Il devra bientôt révéler son identité après avoir obtenu de lui d'être fait chevalier et de combattre le terrible Morhoult, beau-frère du roi d'Irlande, qui vient réclamer le tribut de deux cents jeunes gens que la Cornouailles doit remettre chaque année à l'Irlande, aussi longtemps qu'il ne se trouvera personne pour vaincre son envoyé. Navré d'envoyer son neveu à la mort, le roi Marc ne peut se dédire, le combat aura lieu. Tristan parvient à asséner un coup mortel à son adversaire; le choc est si rude que son épée s'ébrèche et laisse un éclat dans la tête du Morhoult, qui, bien qu'à demi mort, parvient tout juste à regagner son navire avant d'expirer. Mais le vainqueur n'en ressort pas indemne : l'épée empoisonnée de son ennemi lui a fait une blessure puante que rien ne semble pouvoir guérir et dont l'aggravation incessante le vide peu à peu de ses forces. Tristan confie son sort à Dieu en se faisant mettre à la mer, seul avec sa harpe et son épée, dans un esquif chargé de vivres, qui parviendra quinze jours plus tard devant le château du roi d'Irlande. Attirés par son chant, le roi et la reine (qui n'est autre que la sœur du Morhoult) le recueillent à la cour et le confient aux soins de leur fille, Iseut, qui connaît les herbes et l'art de guérir.

Un premier cycle s'est accompli qui, de la fuite initiale déclenchée par la haine de la marâtre en passant par une libération empoisonnée (la victoire contre le Morhoult), conduit Tristan au lieu même d'où provient le venin qui le ronge. Poison et remède ont la même source[121]. La même source également le philtre fatal qui le soudera à Iseut. De ce moment, Tristan paraît ainsi prisonnier du *pharmakon* féminin, voué tour à tour à guérir et à souffrir des femmes — jusqu'à ce que mort s'ensuive.

Sitôt guéri, Tristan ne pense qu'à quitter l'Irlande avant d'être reconnu comme le meurtrier du Morhoult. Mais un épouvantable serpent ravage le pays que Tantris (par prudence le héros a inversé les syllabes de son nom) ne peut résister à l'envie de tuer. Ce qu'il accomplit au prix d'un nouvel empoisonnement dont il est une fois de plus sauvé

---

121. Dans d'autres versions, comme dans celle de René Louis (*Tristan et Iseult*, Paris, Librairie générale française, le Livre de poche, 1972, p. 21), c'est Iseut la reine qui est savante en herbes et qui, soignant Tristan, connaît le poison dont il souffre, car c'est le même que celui qu'elle a préparé pour les armes de son frère, le Morhoult.

par Iseut mère et fille. Mais la reine découvre peu après que l'épée du héros est ébréchée et que l'éclat qu'elle a naguère retiré de la tête de son frère correspond parfaitement à la brèche. Elle exige vengeance, que le roi semble d'abord prêt à lui accorder. Devant sa cour assemblée il se ravise : Tristan est un valeureux chevalier, et ce serait trahison de mettre à mort l'hôte qui a été sauvé sous son toit ; mais que le meurtrier quitte aussitôt le pays et n'y revienne jamais, sous peine, cette fois, d'être exécuté.

À son retour à Tintagel, en Cornouailles, Tristan est accueilli avec liesse. Mais le roi, jaloux de l'ascendant que son neveu gagne à la cour, le prend en haine et cherche un moyen de s'en débarrasser. L'insistance avec laquelle son entourage le presse de se marier lui en donne l'occasion. Pour l'encourager au mariage, Tristan s'engage sous serment à lui trouver l'épouse qu'il voudra. Le roi lui révèle alors qu'il désire la seule femme dont lui, Tristan, ait jamais loué la beauté : Iseut la Blonde, fille du roi d'Irlande. « Quand Tristan entend cette nouvelle, il pense que son oncle l'envoie en Irlande plutôt pour y mourir que pour avoir Iseut » (69). Mais il ne peut se parjurer, et il ira. Le poison, cette fois, est la haine de l'oncle, qui renvoie le neveu auprès des femmes et du danger qu'elles recèlent, tout en exigeant qu'il conquière pour un autre la seule beauté qui l'attire.

Maintes versions ignorent ou atténuent les mauvais sentiments du roi envers Tristan en les attribuant plutôt à ses barons : ce sont eux qui jalousent le favori du roi et qui tentent de s'en défaire. L'innocence de Marc nécessite alors l'épisode du cheveu d'or : recueillant ce cheveu d'une hirondelle, le roi déclare qu'il n'épousera que la femme à laquelle il appartient, bien certain que nul ne la trouvera ; mais Tristan, qui n'a pas oublié la blondeur d'Iseut, déclare la connaître et s'offre à l'aller quérir… La première version est plus rude, plus forte. Mais surtout elle prépare mieux à la « trahison » de Tristan, qui répond inconsciemment à celle du roi : puisque ce dernier ne l'envoie pas pour Iseut mais pour sa perte, il peut bien prendre la femme pour lui-même. Il y a là, en dépit du philtre (sur la signification duquel il faudra revenir), un puissant ressort de vengeance, qui propulse le héros bien au-delà de ce qu'il peut imaginer : vers la mort à laquelle le voue le roi, mais par de tout autres détours. Dès lors Iseut n'est plus nécessairement la cause ni même l'objet central du conflit qui oppose Marc à son neveu, elle devient le moyen grâce auquel les deux hommes se tourmentent mutuellement. La source de leur opposition surgit du coup comme une énigme — à moins d'y voir simplement la manifestation du classique affrontement père / fils.

Tristan part donc accomplir sa mission, mais une tempête providentielle détourne son navire vers les terres du roi Arthur, où, sans transition, le récit nous le montre se joignant à la suite du roi d'Irlande, qu'il sauve de grands périls. Les voici dès lors réconciliés et avec eux leurs deux pays. Tristan accompagne le roi en Irlande, où une fois de plus Iseut le soigne de ses blessures. Ébranlé par la beauté d'Iseut, Tristan « se dit qu'il la demandera pour lui et non pour un autre » mais décide finalement qu'il « préfère garder son honneur » et la demande pour le roi Marc. Comme s'il lisait dans son cœur le père d'Iseut lui répond : « Je vous la remets, pour vous ou pour votre oncle » (73). Alternative *explicite* qui désormais place le héros entre la trahison et l'amour.

Au cours de la traversée qui les mène en Cornouailles, Tristan et Iseut étanchent leur soif avec le boire amoureux que la mère d'Iseut avait préparé pour sa fille et son futur époux et dont Brangien avait la garde. Le texte (que le traducteur assure suivre fidèlement) dit exactement ceci :

> Tristan qui a soif demande du vin. Gouvernal et Brangien vont pour lui en chercher, et ils trouvent le « boire amoureux » entre les autres nombreuses tasses d'argent. S'ils se trompent, c'est bien par mégarde ! Mais Brangien a pris la coupe d'or et Gouvernal y verse le boire qui était comme du vin clair.
>
> (76)

Ils n'ont donc pas fait exprès de se tromper ! La maladresse de ce déni, qui semble refléter l'embarras des personnages eux-mêmes, parle mieux que tout aveu. Que la substitution se soit produite par hasard, le narrateur lui-même n'en croit pas un mot, quoi qu'il dise. Si l'on considère que les deux complices sont chacun le double de leur maître et maîtresse (hypothèse que leur mariage viendra confirmer à la toute fin), il est presque impossible d'ignorer qu'ils accomplissent, *conjointement*, le désir secret des deux amoureux. Dans certaines versions, la duplicité de Brangien est explicite, et Iseut n'a aucun moyen de l'ignorer[122] — ce qui explique que Brangien ne puisse refuser, autre substitution, de prendre la place d'Iseut lors de la nuit de noces pour tromper le roi sur la virginité de son épouse.

---

122. Ainsi dans la version de René LOUIS citée ci-dessus, p. 55.

Complicité ou geste manqué, le vin herbé agit comme justification et comme révélateur. D'une part Tristan n'est plus responsable de la passion qui l'enchaîne[123]. D'autre part, la fatalité répond trop parfaitement à son désir. Dès avant l'absorption du philtre, Tristan désire Iseut. Il se l'est même avoué mais réprime son élan au nom de l'honneur, du code chevaleresque. Tristan est déchiré entre son sens du devoir envers le roi Marc, qui tient la place du père, et sa pulsion répréhensible vers Iseut, qu'il ne peut posséder qu'en commettant, outre le parjure, un quasi inceste. Tabou formidable dont la drogue permet la levée. La libération est merveilleuse, sans limite, redoutable :

> Ah! Dieu, quelle boisson!
> Ainsi ils sont entrés dans la route qui jamais ne leur manquera, jour de leur vie, car ils ont bu leur destruction et leur mort. Que cette boisson leur a semblé bonne et douce! mais jamais douceur ne fut achetée à ce prix. Leurs cœurs changent et muent. Car sitôt qu'ils eurent bu, l'un regarda l'autre, tout ébahi. Ils pensent à autre chose qu'ils faisaient devant. Tristan pense à Iseut, Iseut pense à Tristan; et voilà bien oublié le roi Marc!
> Car Tristan ne songe plus qu'à avoir l'amour d'Iseut, et Iseut ne pense plus qu'à avoir l'amour de Tristan. Et tel est l'accord de leurs cœurs qu'ils s'aimeront toute la vie.
>
> (76)

Leurs cœurs *muent*, se défont de l'enveloppe qui les empêchait d'accéder à la vérité de leur désir. Du coup ce dernier n'a plus de barrière, les deux amants se donnent l'un à l'autre sans réserve, immédiatement. Et parce que cette passion n'est pas un simple moment d'extase, parce qu'elle n'est pas un bref instant d'égarement dont ils pourraient revenir, elle les entraînera dans un vertige destructeur. Abyssal, en effet, l'amour passionnel qui éprouve le besoin insatiable de la chair. Un tel amour ne survit pas au quotidien, et l'ivresse, même prolongée, ne suffirait pas à l'entretenir : l'interdit que le philtre dénoue au dedans doit être maintenu au dehors; la passion se nourrit de l'obstacle à braver et exige son continuel renouvellement. Jusqu'au moment où cet obstacle,

---

123. Dans le *Tristrant* d'EILHART D'OBERG (une des rares versions anciennes à donner le récit complet de l'histoire), l'effet du philtre est si puissant que la répression de l'amour qu'il déclenche entraînerait chacun des deux amants vers la mort (PL, p. 298-299).

devenu infranchissable par la distance physique que la société impose aux amants, les sépare trop durablement pour qu'ils n'en meurent pas.

Autant dire que le vin herbé n'est pas la drogue du mariage ! dont chacun sait qu'il est incompatible avec la passion[124]. La mère d'Iseut ne le prépare donc pas pour le roi Marc mais pour sa fille, dont elle devine sans peine l'inclination vers le beau, le jeune, le preux Tristan. À moins qu'elle ne concocte la vengeance d'un meurtre qu'*elle* n'a pas pardonné... Ce qui est certain, c'est que, comme ses deux homonymes, elle sait le pouvoir des herbes et peut l'employer tour à tour à guérir ou à faire périr Tristan. La signification du philtre s'éclaire. Il ne s'agit nullement d'un aphrodisiaque de longue durée mais de la fatale formule de l'amour fusionnel, dont la contrainte et la liberté sont les ingrédients complémentaires et contradictoires. La mixture que boivent les amants est faite du mélange explosif de leur mutuel désir et de son interdiction. « Ils ont bu leur destruction et leur mort ». Cet amour sorcier, ce terrible *pharmakon*, avec sa double charge, exaltante et maléfique, est à l'opposé de l'*éros* platonicien et, de façon générale, assez éloigné des conceptions antiques de l'amour. En termes grecs, l'originalité du concept « breton » de l'amour serait l'amalgame indissoluble d'*éros* et d'*atè*[125] — de l'amour et du malheur.

Cet amour noir, cet amour à mort, va se vivre, chaotique, au milieu des luttes, des complots, des tromperies. L'idéal courtois voudrait que les héros, victimes d'une fatalité qui les domine, soient irréprochables, que Tristan apparaisse constamment tiraillé entre sa passion et sa loyauté, qu'il y ait réconciliation entre l'oncle et le neveu, que le philtre perde son pouvoir et l'histoire, sa noirceur[126] ; que l'indomptable attirance charnelle des amants se transforme en amour spirituel, que cet amour devienne en quelque sorte paisible et licite. Cette sublimation est symbolisée par le fameux épisode de l'épée : Tristan et Iseut vivent depuis deux ans cachés dans la forêt, lorsque le roi Marc réussit à les surprendre endormis côte à côte, séparés par l'épée de Tristan posée entre eux. Touché par ce signe de chasteté, le roi met son épée à la place de celle de Tristan et s'en va en laissant derrière lui cette marque de

---

124. Cette incompatibilité était encore plus claire autrefois qu'aujourd'hui. L'idée d'un mariage fondé sur la passion amoureuse est typiquement moderne.

125. Sur ces deux notions, voir ci-dessus l'analyse de l'*Œdipe roi* de SOPHOCLE (chap. v) et celle du *Banquet* de PLATON (chap. vi).

126. Certaines versions limitent son effet à trois ans.

confiance et de pardon, à partir de laquelle la réconciliation et la restitution d'Iseut seront possibles.

L'épisode de l'épée ne figure pas dans la version que j'ai suivie. Marc surprend Iseut dans sa retraite forestière alors qu'elle y est seule et profite de l'absence de Tristan pour la faire enlever par ses sbires. Cette brutalité cadre mieux avec les épisodes précédents et, de façon générale, avec la dureté des rapports hommes-femmes, où celles-ci apparaissent non pas du tout comme les maîtresses d'un amour courtois tout à leur dévotion mais bien comme des objets de convoitise, d'échange et de combat que les mâles (pères, maris, seigneurs) se donnent et se volent les uns les autres. Dans sa fureur de cocu, le roi Marc va jusqu'à livrer Iseut aux lépreux; des mains desquels Tristan ira aussitôt l'arracher, gagnant ainsi le droit que son seigneur vient de perdre. Iseut appartient désormais en toute légitimité à celui qui l'a sauvée. En la récupérant deux ans plus tard par la force, le roi Marc commet rien de moins qu'un rapt. Et si Tristan ne court pas la délivrer c'est qu'il est lui-même blessé par une flèche empoisonnée et que, Iseut prisonnière, inaccessible, il doit se rendre au loin chez une autre guérisseuse.

Cette autre est un double : Iseut aux Blanches Mains, dont le nom et la beauté font espérer au blessé qu'il pourra se consoler auprès d'elle de la perte de son amante. Mais, quand vient le moment de consommer le mariage, rien n'y fait : malgré sa tendresse et sa perfection, la copie ne peut remplacer l'original, et le souvenir de la seule véritable Iseut empêche Tristan de passer à l'acte. Il a cru pouvoir fuir les tourments de la séparation dans un simulacre qui, tout au contraire, les ravive. Sans compter que, malgré la force de leur amour, la distance qui s'est installée entre les deux amants effrite leur mutuelle confiance : l'idée de l'infidélité (à laquelle Tristan donne une solide apparence par ses épousailles) les torture l'un et l'autre.

Il faudra que, reparti pour un court séjour en Cornouailles, Tristan, littéralement, fasse le fou, se mue en être abject et méconnaissable — à l'opposé de lui-même — pour approcher la reine et parvenir à se faire, à grand-peine, reconnaître d'elle. Cette reconnaissance, ces brèves et ultimes retrouvailles adoucissent un peu les derniers temps de leur éloignement. Celui-ci suffit néanmoins à empêcher Iseut d'arriver à temps pour soigner son ami d'une blessure qu'elle seule aurait pu guérir. En faisant croire à son mari que l'Iseut qu'il attend n'est pas sur le navire qui pourtant l'amène (le fameux mensonge de la voile noire), Iseut aux Blanches Mains — la doublure, la jalousie — fait écran à leur réunion.

Le récit aurait pu faire mourir les amants ensemble. Or sur ce point tous les textes concordent : ils meurent l'un après l'autre.

Une sorte de réunion, il est vrai, s'accomplit dans leur sépulture, que la plupart des versions représentent sous l'espèce de deux plantes ou deux arbustes qui s'entrecroisent en grandissant. Mais combien plus forte est l'image de notre texte : une belle ronce verte et feuillue monte de la tombe de Tristan et retombe pénétrer celle d'Iseut. Au grand dam du roi Marc, qui a beau la couper par trois fois : par trois fois elle repousse plus vigoureuse. Dernier pied de nez de l'amant au mari, qui assiste impuissant à cet acte d'amour qu'il mit toute son énergie à châtrer et qui ne cessera de le hanter. Ironie splendide, mais peu compatible avec le mythe de la fusion mortelle qui entend unir dans la mort ce que la vie a séparé.

Dans sa foisonnante transmission, le roman de Tristan et Iseut vibre de résonances contradictoires. Il ne cesse d'osciller (parfois à l'intérieur de la même version) entre le terrible, le trop humain, et le sublime, entre le terrestre et le céleste, entre la finitude et l'éternité. Le miracle païen de la ronce, dans l'âpre version que je préfère, pourrait même apparaître comme une parodie de l'idée chrétienne de rédemption. Mais je ne peux non plus m'empêcher de penser qu'il a pour fonction d'atténuer le sentiment de l'irrémédiable. Tant il est difficile d'accepter ce que le récit crûment raconte : que les hommes luttent sans merci pour la possession du poison qui les tue ; que l'amour-passion est invivable ; que la mort est séparation.

La dureté du mythe de Tristan, même dans ses versions les moins rudes, apparaît d'autant plus frappante que sa diffusion est plus ou moins contemporaine de celle des récits du Graal. Son caractère impitoyable, certains de ses épisodes, presque sordides, confirment brutalement une tendance également perceptible dans le cycle arthurien et qui constitue un paradoxe difficile à comprendre : *une tendance à la déchristianisation de la fiction romanesque*. Celle-ci, à vrai dire, semble se défaire du christianisme aussi rapidement (et presque en même temps !) qu'elle en a été saisie. Comme si la geste chevaleresque, et plus encore la geste amoureuse (Lancelot, Tristan), se hâtait d'ignorer le cadre religieux où elle fait mine de s'insérer. Comme si, en d'autres termes, le désir de raconter, de dire l'homme dans l'innocence de son bonheur ou dans la nudité de son malheur, recouvrait la liberté (sans doute jamais complètement perdue) que la vérité chrétienne cherchait à lui ravir, et dont la ronce surgie du tombeau de Tristan offre l'insolente métaphore.

Ce recouvrement n'efface tout de même pas l'empreinte du christianisme. La liberté du héros chevaleresque, son rapport à la mort ne sont pas ceux des héros grecs. Ce que le christianisme semble avoir transformé sans retour, par rapport à l'épopée païenne de l'Antiquité, est la question du destin : les héros christianisés, contrairement à Achille, contrairement à Ulysse, refusent tous la vérité de la mort dans ce qu'elle a d'irrémédiable. S'ils s'y exposent, s'ils vont même parfois jusqu'à l'appeler de leurs vœux, ce n'est pas seulement pour la gloire, pour l'immortalité de leur nom, c'est aussi et surtout que la mort est à leurs yeux une ultime espérance, un passage vers la délivrance, vers un autre monde nécessairement meilleur. « Ah ! Mort, viens voir Tristan et finis ses douleurs » (98), s'écrie le héros surpris par le roi dans son amour et sa trahison. Cri de désespoir que la jonction finale des amants dans l'au-delà transforme en une sorte d'accomplissement.

De cet accomplissement, Denis de Rougemont, grand amoureux de l'amour et de l'Occident[127], donne l'interprétation la plus haute. Évoquant la rencontre de l'âme avec son moi céleste dans le mazdéisme de l'ancien Iran, il confie :

> Je ne puis m'empêcher d'imaginer que cette « rencontre aurorale » avec le moi céleste en forme d'ange, et femme, figure la conclusion du mythe de Tristan : ce qui se passe trois jours après la mort d'amour. Iseut n'évoque-t-elle point cette forme de lumière qu'on ne rejoint que dans un au-delà, et qui aurait été, sur la Terre, le véritable objet du désir de Tristan, sa Princesse lointaine et son « amour de loin » comme parlait le troubadour Jaufré Rudel ? L'apparent narcissisme de Tristan trouverait ici son interprétation spirituelle. [...]
> La tradition chrétienne de l'amour du prochain ne s'en trouverait-elle pas éclairée, à son tour ?[128]

En essayant de ré-unir le mythe de Tristan à la vérité évangélique (comme la suite de son texte le confirme), de Rougemont semble vouloir réduire l'écart qui, je crois, sépare l'amour du Christ de l'amour

---

127. Le célèbre ouvrage de Denis DE ROUGEMONT, *l'Amour et l'Occident*, Paris, Plon, 1939, révisé en 1956 (ici Paris, UGE, 1963) consacre son livre premier à une analyse devenue classique du mythe de Tristan, analyse qui sert de socle à tout l'ouvrage. Le mythe est pour de Rougemont le modèle initial à partir duquel comprendre les fondements et l'évolution de l'amour-passion en Occident.

128. Denis DE ROUGEMONT, préface à *la Merveilleuse Histoire de Tristan et Iseut*, restituée par André MARY, Paris, Gallimard, « Folio classique », 1973, p. 18-19.

narcissique, de l'amour de soi dans le regard de l'autre. L'idée chrétienne de l'au-delà subsiste, sans aucun doute, mais c'est ici, chez Tristan, le moi qui ne doit pas périr. La persistance du moi dans la mort apparaît détachée, indépendante du contenu de la vérité chrétienne.

Mort et vérité s'articulent dès lors en un autre rêve où l'amour terrestre, l'amour-passion, donne au moi la force de nier la mort et de vivre éternellement — avec ou sans le Christ, qui devient secondaire. La négation de la mort, en tant que fin irrémédiable, cesse d'être seulement chrétienne, comme si on assistait à un désir païen de survivre indéfiniment, qui n'est pas sans rappeler l'aspiration de Gilgamesh à la vie sans fin. À la différence près, cruciale, que Gilgamesh finit par y renoncer, alors qu'ici l'amour-passion devient, en même temps qu'il révèle au héros sa véritable identité, le moyen de ne pas mourir. Loin d'être acceptée, la mort continue d'être refusée, mais ce refus n'est plus nécessairement lié à l'espérance chrétienne, il se paganise. L'amour humain, avec toute l'ambiguïté qui le relie au divin, se propose comme une nouvelle vérité qui magnifie le moi et le préserve de la mort. Ce qui explique que cette vérité puisse encore nous toucher si fort aujourd'hui dans un monde devenu si peu ou si mollement chrétien.

Homère, dans l'*Odyssée*, montre Achille dégrisé de son amour pour la gloire et Ulysse fatigué, impatient de revenir chez lui chargé de richesses. Vient un moment où la mesure est pleine, et l'aventure se termine. Le héros aspire au repos et entend jouir de ce qu'il a accumulé.

Rien de tel dans la geste de la chevalerie chrétienne. Ses héros ne sont jamais fatigués, jamais déçus et rarement rassasiés de leurs exploits. Ils n'en n'auront jamais assez fait pour obtenir la reconnaissance, qui de son seigneur, qui de Dieu, qui de sa dame et, finalement, pour mériter l'approbation dont ils cherchent à s'assurer à leurs propres yeux. Qu'il s'agisse de combattre du côté de la vérité, comme Roland, ou pour prendre possession de son secret, comme Perceval, qu'il suffise d'obtenir la récompense d'un regard, comme Lancelot, ou qu'il faille lutter et ruser sans merci pour posséder l'autre corps et âme, comme Tristan, le combat est proprement interminable. Il ne finit que dans une mort elle-même provisoire — exceptionnellement dans l'ascèse qui parfois la précède. Jamais dans la jouissance. Perpétuellement poussé en avant de ce que le nom (la renommée) ne sera jamais suffisamment établi, Dieu jamais assez servi, l'amour jamais assouvi, la reconnaissance toujours insuffisante, menacée d'effacement, le héros chevaleresque est habité par la perte, obsédé par l'insuffisance. Sa quête n'a pas de fin car ce qu'il cherche à accumuler, l'estime de soi, est toujours à la merci d'un retour de fortune, toujours susceptible de s'effondrer, à ses propres yeux comme dans le regard de l'autre. Amour, amitié, piété, honneur, rien de ce qu'il cherche ne peut être stocké à l'abri d'un quelconque refuge. Tristan s'y essaie en vain : débusqué dans les profondeurs de sa forêt, il ne peut garder le trésor de son amour. Aussi le chevalier, contrairement à Ulysse, n'a-t-il aucun foyer (seuls les rois en ont un, tout relatif, qui les rend plus vulnérables et moins chevaleresques). Il est condamné à repartir toujours plus loin, sans cesse un ailleurs l'appelle, mais ce qu'il espère y trouver, à supposer qu'il le sache, ne varie pas : une image acceptable mais insaisissable de lui-même. L'idée d'un surplus à conquérir (ou à reconquérir) ne cesse de le hanter.

Chose curieuse, cette interminable chevauchée vers ce qui se dérobe à toute accumulation laisse de côté ce qui, dans la réalité des rapports sociaux, lui permet de se poursuivre : l'argent. Georges Duby montre bien le rôle clé que joue le « nerf de la guerre » dans le système des tournois aux XIIe et XIIIe siècles. Ceux-ci ne se font que par et pour l'argent. Non pas que le gain pécuniaire en soit le seul mobile, mais parce que sans lui, sans cette circulation de richesses matérielles, les tournois ne pourraient tout simplement pas continuer. Ce qui nourrit le tournoi (et l'espoir du combattant), c'est la prise : prise de chevaux, prise d'armes et d'équipement, prise d'hommes, surtout, avec la rançon qui la sanctionne et la rétribue. La littérature chevaleresque que nous venons de parcourir ne l'ignore pas. À cette différence près, fondamentale, que la prise y est toujours gratuite, ne rapporte qu'une satisfaction d'amour-propre : le vainqueur offre le cheval conquis à sa belle, envoie le vaincu se constituer prisonnier auprès du roi. Non pas pour s'y libérer en payant, mais pour raconter l'exploit de celui qui l'a défait.

Cette absence d'argent est un signe : le roman chevaleresque se situe délibérément hors du monde. Du monde il ne retient que les codes qui sont censés régir les rapports d'homme à homme. Mais seul le héros imaginaire suit ces codes à la lettre. Le « meilleur chevalier du monde » n'a pas à se préoccuper d'argent. Aussi peut-il se consacrer entièrement à son honneur, à Dieu, à son amour et poursuivre inlassablement la quête de son identité, dans un monde où la frontière entre l'imaginaire et le réel n'a pas besoin d'être établie. Où l'absence de toute frontière laisse le champ libre au jeu inépuisable des symboles. En même temps, ce royaume imaginaire où s'accumule l'honneur est l'expression mentale d'un univers fermé où cette accumulation semble n'avoir ni fin ni frein.

XII

L'HÉROÏSME DU POÈTE

Il faut ici déposer toute morgue. Il faut qu'ici meure toute assurance. Nous sommes devant le poète comme le poète devant Dieu, « hors du temps et de l'espace ». En un lieu de l'esprit où la mesure humaine n'a rien à quoi l'on puisse la rapporter, où l'orgueil et l'humilité n'ont plus cours. Et c'est pourtant un homme qui raconte. Qui raconte ce que nul autre avant ni après lui n'osa : le long, le difficile chemin qu'il suivit, à travers les affres de l'Enfer et l'ascension du Purgatoire, jusque devant la Vérité suprême du Paradis.

Les poètes de la geste bretonne chantent les chevaliers. Dante se raconte lui-même. Dans *la Divine Comédie*, héros et poète ne font qu'un. Augustin, déjà, s'était pris comme objet de son épopée spirituelle. Mais là où Augustin expose sa jeunesse, telle qu'il se souvient l'avoir vécue, entre les exigences de l'esprit et les tentations de la chair, Dante s'aventure dans sa propre fiction. Bien qu'il parle au passé, Dante ne dit pas ce qui lui est arrivé : il lui arrive ce qu'il dit. *La Comédie* ne chante nulle épopée. *La Comédie*, dans son écriture même, *est* l'épopée. À la fois artisan et protagoniste de son récit, Dante y progresse et le déchiffre en même temps que nous, avec les mêmes difficultés que nous. Comme son lecteur, le poète est immense et minuscule, misérable et glorieux, essentiel et contingent. Il prend le risque le plus haut, le risque du grotesque le plus achevé : témoigner des abîmes et des sommets qu'il invente.

À vrai dire, Dante n'invente que le décor, le parcours, les lieux, les rapprochements, mais la vérité vers laquelle il s'achemine sous la houlette du grand Virgile est la vérité de l'Église — qu'il faut entendre ici non comme institution mais comme la communauté des croyants, avec l'ensemble des dogmes autour desquels elle se rassemble. Ce qui lui appartient en propre, à lui Dante, est l'état de misère spirituelle dans lequel il apparaît au début de son récit. « Sur le milieu du chemin de la vie, Je me trouvai dans une forêt sombre : Le droit chemin se perdait, égaré » (E, ɪ, ɪ, p. 11)[129]. Sur ce chemin il n'est évidemment pas seul ; bien d'autres et l'Italie entière partagent avec lui cet état de dégradation qui afflige l'époque. Mais, pour exemplaire qu'il soit, cet égarement initial est bien aussi le sien. La gloire éternelle vers laquelle il titube, soutenu par son guide, ne lui appartient nullement et lui reste extérieure — du moins jusqu'au moment où, à la toute fin, le narrateur vient s'y dissoudre dans une sorte d'anéantissement du moi et du monde terrestre.

De ce que le poète est témoin de sa propre fiction, la frontière entre le réel et l'imaginaire est ici plus floue, plus poreuse encore que dans la légende arthurienne. L'idée d'une telle frontière devient même inconcevable. Qu'il s'agisse de dire les malheurs de Florence ou le siège de Lucifer, la turpitude de la Curie romaine ou la rose céleste, le verbe dantesque se meut partout avec la même vigueur. Il n'existe pour lui qu'une réalité, avec ses mille composantes ; il y a continuité de la sphère terrestre à l'Enfer, de l'Enfer au Paradis. Le poète franchit d'un pas égal les divers moments d'un monde auquel son esprit voyageur ne connaît pas de cloison. Rien pourtant ne semble plus compartimenté que cet univers hérissé de murs, coupé de fossés, hiérarchisé en multiples degrés, de l'horreur la plus accablante à la béatitude la plus sublime ; cercles jalousement gardés, où les âmes, quoique immatérielles, sont, sauf exception, confinées. Cette loi carcérale ne s'exerce dans toute sa rigueur qu'en Enfer. Le Purgatoire, lieu de passages (plus ou moins durables), dresse des barrières qui tiennent de l'épreuve plus que de la prison : elles servent à purifier plus qu'à retenir, si longue la détention soit-elle. Quant au Paradis, aire de circulation plus fluide, il apparaît tout de même traversé par une hiérarchie spirituelle qui, bien qu'inorganique, n'en est pas moins sensible.

---

129. La lettre « E » renvoie à l'« Enfer », le chiffre romain au chant, le chiffre arabe au tercet. Les lettres « PU » et « PA » renverront respectivement au « Purgatoire » et au « Paradis ». Les majuscules dans le texte signalent le début d'un nouveau vers. J'utilise ici, en me permettant à l'occasion quelques libertés, la traduction rythmée de Henri LONGNON, publiée dans les « Classiques Garnier » : DANTE, *la Divine Comédie*, Paris, Garnier, 1966. Les numéros de pages qui suivent les références indiquées ci-dessus renvoient à cette édition.

En descendant au tréfonds de l'Enfer, qui est aussi le centre de l'univers, puis en remontant au plus haut du Ciel, qui en constitue l'enveloppe suprême, le poète transgresse donc la loi qui tient ces espaces séparés. Prétention démesurée d'accomplir, fût-ce sous l'aile de Virgile, le voyage qu'aucun mortel ne saurait faire ou se vanter d'avoir fait. Mais Dante ne se vante nullement, il ne déploie aucune prouesse. Silhouette trébuchante, mue par des forces qui le dépassent, il suit tant bien que mal ceux et celles qui le guident, le hissent, le poussent en avant. Son seul exploit est littéraire : outre la beauté de la langue (difficile à apprécier en traduction), il réussit le tour de force de n'exister, au centre de son propre poème, que comme hésitations, comme craintes, comme questions. Il chemine vacillant, parfois renâclant, vers des arcanes dont il ne cesse de s'étonner, au point de nous faire oublier qu'il est, après tout, l'auteur de tout ce qu'il raconte. Car son apparente modestie recouvre un privilège exorbitant : rendre compte de la réalité dernière.

Mais ce privilège ne doit rien à la qualité de sa personne, il tient à son art. C'est le privilège insigne du verbe. Seul le verbe peut mener l'homme, tel Dante dans sa *Comédie*, hors temps, hors espace. Seul le verbe peut transgresser la loi, traverser les cloisons dans le dédale desquelles circulent les minuscules intrigues de la vie humaine. Celles-ci ont le même poids que les choses divines et le poète, si haut grimpe-t-il, ne cesse de s'y intéresser. Grandeurs et petitesses se côtoient tout du long de *la Comédie*, où Dante les combine avec un art qu'on retrouve — avec peut-être plus de verdeur et de truculence — chez Shakespeare. Cet art, toutefois, ne peut que s'essouffler à l'approche des sommets, et le poète s'en excuse à mainte reprise. Ce qu'il voit là-haut « dépasse la parole » et ne peut se fixer dans sa mémoire :

> Tel qu'un homme qui vient d'avoir un songe clair,
> Mais, le rêve fini, ne garde que l'émoi
> Dont il était saisi, quand le reste s'efface,
>
> Je me retrouve, et presque tout entière
> S'éteint ma vision, tandis que la douceur
> Qui naquit d'elle en mon cœur se distille :
>
> Ainsi la neige au soleil se consume,
> Ainsi le vent sur des feuilles légères
> De la Sybille emportait les sentences.

Ô suprême Clarté, qui de si haut domines
L'esprit humain, reprête à ma mémoire
Quelques traits de l'image où tu m'es apparue ;

Donne à ma voix la force nécessaire
Pour qu'elle laisse à la race future
Une étincelle, au moins, de ta splendeur :

PA, XXXIII, 20-24, p. 523-524

Là où le narrateur *se retrouve*, là où il revient à lui, se perd ce qu'il contemplait sous l'effet d'une magie indicible. L'ubiquité du verbe humain n'est pas totale, sa mobilité ne va pas jusqu'à Dieu, qui seul possède le Verbe dans sa plénitude. De cette plénitude, néanmoins, le poète s'approche suffisamment pour en être submergé, imprégné, comme en témoignent ses derniers vers :

Ici ma fantaisie succomba sous l'extase.
Mais déjà commandait aux rouages dociles
De mon désir, de mon vouloir, l'Amour

Qui meut et le Soleil et les autres étoiles.

PA, XXXIII, 48, p. 526

Son vaste poème finit paradoxalement par le conduire à la félicité extatique qu'il est impuissant à dire. Bien qu'indescriptible, la plénitude, *dit-il*, est atteinte. Nulle épopée ne peut rêver plus haut que cette fusion du moi dans l'amour divin. En gravissant l'échelle du réel à la force du verbe, comme l'acrobate la corde à la force du poignet, le poète ne résiste pas à la tentation de chanter victoire. Il nous quitte du haut de l'absolu qu'il vient d'atteindre, repoussant du pied l'escalier de vers que nous avons pu croire un instant gravir avec lui. Nous ne saurons jamais s'il s'est réveillé de son rêve ou s'il s'est vu réellement sortir du mauvais rêve de la vie pour accéder à l'éternelle vérité de son récit. Car avec l'extase du narrateur c'est bien le récit lui-même qui, en dépit de toute son insuffisance à dire, se fond à la vérité suprême qu'il évoque. La vérité à laquelle, comme aucun autre, Dante ose nous *provoquer*.

Toute *la Comédie*, en effet, est provocation. Provocation pour les lecteurs modernes et provocation pour ses contemporains. Mais de façon, je crois, très différente pour les uns et les autres.

La ductilité du verbe, fort probablement, étonnait moins du temps de Dante, où l'on n'avait pas encore « appris », comme l'a bien montré

Foucault, à distinguer les mots des choses. Les gens du « Moyen Âge » n'avaient pas la simplicité de croire que les choses existent séparées des mots ou que ces derniers ont moins de poids que les premières. La métaphore et l'allégorie étaient pour eux des moyens de locomotion aussi ordinaires que le sont pour nous l'hélicoptère et l'avion. Ils s'émerveilleraient peut-être — et encore ! — de nous voir passer de New York à Rome en quelques heures et ne comprendraient pas notre moderne répugnance à se rendre de Florence au Purgatoire en bavardant au passage avec les morts. Dante est devenu littéralement illisible pour nous, aujourd'hui, comme si, sous l'effet de la rigueur scientifique qui permet de faire des fusées, nous avions perdu dans l'imaginaire la mobilité que nous avons gagnée dans l'étendue matérielle.

Il se peut que la science elle-même, comme elle en donne des signes de plus en plus abondants, nous contraigne à repenser le réel et nous fasse voir que la métaphore n'est pas simplement la serpe d'or avec laquelle les poètes moissonnent leurs lauriers. Mais notre rapport avec la littérature et la fiction en est encore peu changé : nous ne cessons de les compartimenter, de les sérier, en réservant un regard mitigé pour ce qu'on appelle avec une nuance péjorative le « mélange des genres ». Tout au plus le jargon littéraire fait-il une place ambiguë à l'« inclassable », lorsque, par exception, le mélange intrigue suffisamment pour mériter, momentanément, l'attention de la critique. C'est sans doute dans ce purgatoire qu'on classerait Dante aujourd'hui, s'il n'était depuis longtemps devenu un classique, c'est-à-dire une pièce définitivement cataloguée et rangée au paradis des œuvres impérissables que plus personne ne lit, hormis ses quelques bibliothécaires. Dante ne provoque plus (ou ne provoque plus que par son « archaïsme »), pour la simple raison que nous avons cessé de le lire sans renoncer à l'utiliser. On apprécie *la Comédie* en tant que réservoir — inépuisable — de citations, de passages dont la signification globale nous laisse assez froids : l'Enfer, le Purgatoire ne nous concernent plus et l'Empyrée est une gare désaffectée, dont la transcendance elle-même — ce qu'il en reste — ne veut plus.

Pour le dire autrement, les visées contemplatives du poète tendent à des hauteurs auxquelles notre temps ne met plus beaucoup d'espérance. Dieu, communément, n'est plus pour nous qu'un remède périmé contre la mort, qu'on garde à tout hasard dans les tiroirs de la conscience, mais plus du tout le nom d'une élévation à atteindre, le lieu métaphorique d'une aspiration fondamentale. Cette aspiration ne nourrit pas moins la légende arthurienne, dont on sait pourtant qu'elle fait d'étranges retours sur nos écrans. Mais si Lancelot et Perceval rêvent aussi haut que Dante, leurs lances ont conservé un pouvoir de fascination plus grand que la plume du poète, de ce qu'elles visent, en première apparence, une victoire qui suffit à notre satisfaction : l'élévation qu'on retire pour soi-même de faire chuter l'autre. Cette satisfaction, nous le savons, est bien courte, mais l'insistance de la geste chevaleresque sur l'exploit militaire la rend plausible.

Le poète, lui, ne dispose pas de ces armes flamboyantes. Nu, sans blason ni parure, sans autre adversaire que sa propre peur, il poursuit contre nul autre que lui-même une quête sans panache. En brillant par ses exploits, le chevalier arthurien se cherche lui-même dans le regard qu'il attend de Dieu ou de sa Dame. De sa Dame, Dante n'attend pas moins que Lancelot, mais à travers le parcours d'un modeste pénitent, qui n'a rien pour distraire le lecteur de sa lente progression vers la transcendance qu'elle reflète. Ce qui, dans la légende arthurienne, reste plus ou moins caché, plus ou moins couvert par le fracas des combats, constitue dans *la Comédie* un objectif dont la clarté et l'ingénuité font aujourd'hui sourire : se fondre dans la gloire de Dieu. Le paradoxe le plus troublant de *la Comédie* tient justement à ce que cette montagne de métaphores empilées les unes sur les autres accouche explicitement d'un indicible pour lequel elle n'a que d'assez pauvres images. Ce qui fait à la fois la faiblesse et la provocation du paradis dantesque, c'est d'être accessible.

Si Dante ne réussit guère aujourd'hui à nous convaincre du Paradis, si, malgré cet aboutissement décevant, quelque chose scintille encore à sa lecture, c'est que son invraisemblable voyage spirituel est néanmoins parcouru d'un frémissement auquel nous demeurons sensibles.

Il ne s'agit évidemment pas, malgré leur omniprésence, des vibrations « patriotiques » du Florentin. La veine politique traverse en effet, visible à l'œil nu, toutes les strates que franchit le poète. Ce discours se suit aisément : détournée de sa tâche première par la gestion de son domaine temporel et par le jeu de pouvoir dans lequel cette gestion l'entraîne, la papauté en est arrivée à se conduire comme une pute et une intrigante, qui se prostitue au plus offrant pour accomplir ses desseins, toujours nuisibles et à l'Église et à l'Italie. Seul un empereur réellement soucieux de restaurer la grandeur de Rome (comme le manifeste Henri VII de Luxembourg depuis son élection en 1309) peut refaire l'unité de l'Italie antique et remettre la chrétienté sur la bonne voie. En assumant pleinement le destin politique de l'empire restitué, l'empereur permettrait aux successeurs de saint Pierre de sortir de l'ornière fangeuse où ils sont tombés et d'assumer dignement leur mission spirituelle. Il n'est pas nécessaire de connaître les déboires politiques de Dante pour sentir que le poète, tout en prenant de la hauteur par rapport aux luttes partisanes dont il fut le protagoniste, règle des comptes. Il y a de cela, bien entendu, mais il y a beaucoup plus.

On pourrait penser que les querelles politiques se vident dans les lieux appropriés : en Enfer et, accessoirement, au Purgatoire — ce qui est largement le cas. Mais le narrateur ne résiste pas à la tentation d'en emmener des lambeaux hors du temps et de l'espace auxquels elles appartiennent, jusque dans l'Empyrée : en évoquant (par la voix de Béatrice) le siège vide d'ores et déjà réservé dans la cour céleste au « noble Henri, qui viendra redresser l'Italie », Dante lance une dernière pique à son ennemi juré, le seigneur d'Anagni, *alias* Boniface VIII (PA, xxx, 46-49, p. 511). Cet ultime jet de rancœur si près de la félicité suprême n'est pas simple vengeance, il manifeste aussi cette unité du monde céleste et terrestre que nous avons déjà évoquée.

À travers la dimension politique, Dante nous rappelle que rien de ce qui se passe chez les hommes n'est oublié du Ciel. Le pardon, avec l'oubli qui l'accompagne, n'est permis qu'aux âmes qui se seront repenties et qui auront rejoint le giron de l'Église ou, mieux encore, travaillé pour elle de leur vivant. Le Purgatoire lui-même n'est accessible qu'aux croyants repentis, actifs. Sans le cumul de ces deux qualités (foi et repentir), les âmes les plus justes, les plus droites, qui n'ont pu connaître ni la foi chrétienne ni la foi juive d'avant le christianisme, telles les âmes de Socrate, de Platon ou d'Aristote, sont confinées aux Limbes, que la topographie dantesque situe dans le premier cercle, relativement agréable, de l'Enfer. Ce n'est donc que par une faveur exceptionnelle et toute provisoire que Virgile est autorisé à accompagner le narrateur jusqu'à la dernière corniche du Purgatoire, avant de disparaître pour rejoindre, mission accomplie, les Limbes auxquels il appartient. Ce passe-droit, comme on va le voir, a une fonction capitale, dans un système idéologique passablement enchevêtré.

L'économie des rapports terrestres avec l'au-delà, chez Dante, n'est effectivement pas simple. À première vue, ils paraissent strictement conformes aux dogmes de l'Église, notamment à la théologie de Thomas d'Aquin. Le narrateur rencontre dans les cercles inférieurs de l'Enfer des âmes qu'il aurait manifestement préféré voir ailleurs, tels Farinata et Thegghiajo, « ces gens si justes » (E, vi, 28, p. 38). Tel Brunetto Latino, maître de Dante, qui paie d'une éternelle condamnation au septième cercle une faute imprécise que son classement parmi les « violents contre l'esprit » désigne comme un péché intellectuel, peut-être une excessive liberté envers l'enseignement de l'Église ; à moins que cette punition symbolise simplement la suprématie du savoir révélé sur la raison — on ne sait trop. Toujours est-il que le poète s'en attriste : « Est-ce bien vous, ici, messer Brunetto ? », s'exclame-t-il en reconnaissant celui qu'il remercie peu après d'avoir été pour lui un guide précieux, une « chère et bonne image paternelle » (E, xv, 10-30, p. 77-78). De façon générale, la répartition des peines paraît indépendante de l'affection ou du jugement personnels du narrateur.

Mais il n'en va pas toujours ainsi. Certaines rétributions trahissent l'option propre au narrateur, ainsi qu'on l'a vu des places respectivement attribuées à l'empereur Henri VII et au pape Boniface VIII. Loin d'être complètement arbitraire ou purement affectif, ce parti pris obéit à une logique politique très évidente. Dans la mesure où elle ne contredit pas trop ouvertement le dogme, la hiérarchie dantesque récompense les âmes qui ont travaillé à la grandeur des deux Rome et punit celles qui ont ourdi des complots contre elles. Les deux Rome, c'est-à-dire la Rome spirituelle, chrétienne, et la Rome ancienne dont Dante rêve de voir le pouvoir restauré. Seule cette nostalgie de la Rome impériale permet de comprendre que César jouisse du repos des Limbes et qu'Ulysse, en tant qu'adversaire des ancêtres légendaires des Romains, subisse les rigueurs de la huitième fosse du huitième cercle infernal pour avoir contribué à la destruction de Troie.

La présence paternelle de Virgile n'est donc pas simplement due à l'admiration littéraire que Dante porte à l'auteur de *l'Énéide*. Elle indique mieux que tout l'importance que le narrateur attache à la liaison qui unit le temporel au spirituel et l'histoire aux espérances politiques qui sont les siennes. Cheville ouvrière du récit, Virgile, chantre d'Énée, héraut des origines, est mieux placé que personne pour assurer le lien qui de la Rome augustéenne conduit à la Rome éternelle. Le dur sentier sur lequel il entraîne son émule n'est pas seulement l'itinéraire que le narrateur doit parcourir pour son salut personnel, c'est le chemin que — tel jadis Énée pour Rome — doivent emprunter l'Italie et la chrétienté entières pour accomplir leur mission historique et assurer à tous les niveaux la transmission de la Nouvelle Loi.

Tout au long de *la Comédie*, mythologie ancienne et théologie chrétienne s'entrelacent étroitement de façon à ne plus former qu'une seule torsade. Ainsi, Minos devient répartiteur des âmes condamnées à l'Enfer et Caton d'Utique, gardien du Purgatoire. Les damnés franchissent l'Achéron sur la barque de Charon tandis que les repentants se rassemblent sur les bords du Tibre, manière d'associer la géographie romaine à la voie du salut. L'interpénétration des deux corps mythologiques prend parfois un tour encore plus surprenant : parmi les « violents contre Dieu » qui brûlent dans le septième cercle, figure Capanée, qui, assiégeant Thèbes avec Polynice, mit Zeus au défi de défendre ses murs : l'offense à Jupiter est assimilée, sans autre forme de procès, au crime contre Dieu.

Ces amalgames, et ils abondent, illustrent bien la fusion que le verbe de Dante opère tout naturellement entre la cosmogonie gréco-romaine et l'évangélisme chrétien, et rappellent la généalogie du *Merlin* de Robert de Boron[130]. Cette fusion se fait pourtant au prix d'un véritable détournement de sens des Écritures : une filiation biaisée s'établit qui met l'Ancienne Loi entre parenthèses. Certes, le poète est malgré tout bien obligé de faire allusion à la continuité qu'il cherche à minimiser en réservant quelques places au Paradis à certaines figures de l'Ancien Testament (Adam et Ève, Moïse, Josué, Judas Maccabée) ; mais celles-ci n'y font précisément que de la figuration, elles n'interviennent pas, confirmant par là ce que leur apport a de révolu. Mutisme et effacement qui contrastent avec l'éloquence que le récit prête au chant XIX à l'Aigle romaine.

Le narrateur n'hésite pas à faire d'une enseigne païenne, militaire, le porte-parole et défenseur de l'inscrutable justice divine ! L'emblème du paganisme impérial chante les mystères du salut, fustige le comportement des princes chrétiens et plaide pour les impénétrables desseins du Dieu qu'il a tant combattu avant d'adopter sa loi. L'Empire romain devient ainsi l'objet d'une grâce qui éclaire et justifie toutes ses entreprises. Il est le miracle de la conversion paulinienne élevée à sa plus haute puissance historique : tel Paul sur le chemin de Damas, il témoigne des voies secrètes et grandioses qui font rétrospectivement de lui le reflet de la justice divine sur terre. Il s'agit de bien davantage, décidément, que de simples règlements de comptes. Le discours fervent, en plein « Paradis », du héraut de la puissance romaine vibre d'une réelle passion politique pour l'Italie, qu'on retrouve un siècle plus tard, animée d'une même haine de la papauté mais dénuée de tout enrobage chrétien, chez Machiavel.

---

130. Voir ci-dessus le chapitre XI.

Si importante qu'elle ait pu être pour Dante et ses contemporains, voire pour l'Italie des siècles à venir, en tant que ferment unitaire, la dimension politique de *la Comédie* n'est pas ce qui en a assuré la renommée et la pérennité. La glorification de l'Empire, avec le recul, souffre de la même insuffisance que l'illustration du Paradis. Les deux apothéoses, et plus encore l'intention qui les lie en une même gerbe d'espérance, nous laissent sceptiques. Dante y croyait-il vraiment ? Derrière cette question sans réponse, frémit à nouveau ce quelque chose que nous avons laissé plus haut en suspens et vers quoi il faut maintenant revenir.

Ce qui reste le moins périssable dans *la Comédie* — comme dans la geste bretonne — est aussi ce qu'elle contient de plus humain et de plus universel : l'amour. L'amour d'un homme pour une femme. L'amour du poète pour Béatrice. À dire ce nom, connu de tous ceux qui ont un tant soit peu entendu parler de Dante, on sent combien *la Comédie* reste vide, sans âme, aussi longtemps qu'il n'est pas évoqué. S'il est une clé capable d'aller au cœur de l'œuvre, c'est elle.

Cette clé ne doit être cherchée nulle part ailleurs que dans le récit lui-même. Il n'importe absolument pas de savoir ce que fut Bice Portinari dans la vie de Dante. Ce que fut réellement Béatrice, ce qu'elle fut plus sûrement que toute recherche biographique ne pourrait l'établir, est dit par le poète, dans le poème. Dans *la Comédie* plus encore que dans la *Vita Nova* qui en constitue en quelque sorte le prélude, et au terme duquel Dante déclare ne pas vouloir parler davantage de sa Béatrice avant de pouvoir y mettre toute la dignité qu'elle mérite. Il espère avoir encore assez de temps devant lui pour « dire d'Elle cela qui jamais ne fut dit d'aucune »[131].

Cette dignité à laquelle aucune ne fut jamais élevée réside bien sûr en ce que Béatrice littéralement *anime* tout le récit. Elle y incarne la force, la sagesse, la beauté qui, par le truchement de Virgile, vont permettre au poète d'accéder enfin à la vérité suprême loin de laquelle il a tant erré. Béatrice est à Dante ce que Diotime est à Socrate. Mais elle est aussi beaucoup plus : là où Diotime se contente de donner un enseignement (non sans exprimer quelques doutes sur la capacité du jeune Socrate à l'entendre pleinement), Béatrice agit : elle envoie Virgile

---

131. Cité dans la Préface à *la Divine Comédie*, *op. cit.*, p. IV.

relever le poète effondré, elle soutient par le souvenir de son visage et la promesse de sa rencontre la volonté défaillante de son amoureux, elle le morigène et le tire de ses égarements avant de le guider elle-même au Paradis et de le préparer à la vue de Dieu. À l'inverse des *Confessions* augustiniennes, le repentir dantesque passe par la femme. *La Comédie* tout entière peut être considérée comme une entreprise de réhabilitation amoureuse visant à reconquérir le visage perdu, à obtenir le pardon de Celle au souvenir de laquelle le poète a manqué de fidélité, alors même que la mort aurait dû La lui rendre plus précieuse :

> La nature ni l'art ne t'offrirent jamais
> Si grand plaisir que les beaux membres où
> Je fus enclose, et ne sont plus que cendre.
>
> Quand, par ma mort, ce souverain plaisir
> Te fit défaut, quel autre objet mortel
> Pouvait encore exciter ton désir ?
>
> Mais tu devais, à ce premier revers
> Des biens trompeurs, lever les yeux au ciel
> Derrière moi, qui n'étais plus trompeuse.
>
> Point ne fallait laisser prendre tes ailes
> Pour un nouvel échec, soit de quelque fillette,
> Soit d'autre vanité d'un aussi bref usage :
>
> PU, XXXI, 17-20, p. 330

Tels sont les reproches que Béatrice adresse à celui qui vient de traverser les cercles de l'Enfer et de gravir les corniches du Purgatoire pour parvenir jusqu'à elle. Que le poète ait pu succomber une fois à la tentation de se consoler de la perte de l'aimée dans les bras d'une autre, passe encore, mais qu'il ait persisté dans cette voie sans issue !… Non seulement nulle autre ne pouvait lui offrir un corps aussi parfait, une jouissance aussi haute mais surtout sa mort à elle aurait dû élever son amour à lui à la hauteur céleste où elle régnait désormais en l'épurant de ce que l'attrait de la chair peut avoir de trompeur.

Cette remontrance contient à elle seule toute l'ambiguïté de la démarche amoureuse du poète. Quel salut Dante cherche-t-il au juste dans les yeux de son amour ? En faisant de Béatrice le reflet et le véhicule de l'amour chrétien, le poète brouille les pistes. Nous ne saurons jamais vraiment si c'est Dieu qu'il cherche à travers elle ou si Dieu n'est pas finalement la consolation d'une dépossession dont seul son regard à elle peut le guérir. De prime abord, il n'y a pas plus courtois que l'amour de Dante. Dante se comporte avec Béatrice comme le jeune chevalier avec la femme de son seigneur : la flamme qu'il voue à la Dame de ses pensées honore l'époux qui la possède. Et, depuis qu'elle est morte, Béatrice appartient indiscutablement à Dieu. La construction générale du poème ne permet donc pas le moindre doute, c'est bien la vérité divine qui en constitue manifestement l'objectif ultime, l'objet le plus haut. Mais ce dernier n'est atteignable qu'avec le secours de l'amour humain. Nul Dieu pour Dante sans Béatrice. Pas seulement en raison de son rôle instrumental d'inspiratrice et de guide. Pas seulement, non plus, de ce que sur terre, par la magie de son attrait charnel, la jeune femme a déclenché dans l'âme du poète un inépuisable désir de beauté qui s'est élevé, comme chez Socrate, de degré en degré jusqu'à l'amour du Beau en soi, mais parce que c'est pour elle, pour se racheter dans son regard à elle qu'il consent à ce voyage infernal vers le lieu qu'elle occupe et qui ne saurait être que l'idéal paradisiaque de son propre regard.

Le Paradis n'existe, littéralement, qu'au regard de Béatrice. Elle-même le sent si bien qu'elle adresse à son admirateur une mise en garde empreinte d'une douce ironie : « Le Paradis n'est pas seulement dans mes yeux » (PA, xviii, 7, p. 445). C'est pourtant dans ses yeux et par eux que le narrateur trouve Dieu. Si Dieu n'y était pas, si la présence de Béatrice n'illuminait pas l'Empyrée, Dante ne serait pas allé chercher son Eurydice plus loin que l'Enfer. Mais Béatrice n'est pas Eurydice. Même si, ébloui et confus, le poète ne peut tout de suite soutenir le soleil de ses yeux, il n'a pas, contrairement à Orphée, à garder la tête détournée de son amour.

> « Ô Dame en qui fleurit mon espérance,
> Et qui souffris, afin de me sauver,
> De laisser en Enfer la trace de tes pas,
>
> Si j'ai pu voir tant et tant de prodiges,
> C'est de ta charité, de ton secours puissant
> Que j'en reçus la grâce et le courage.
>
> J'étais esclave et tu m'as rendu libre,
> Et par tous les moyens et par toutes les voies
> Qui, pour ce faire, étaient en ton pouvoir.

Conserve-moi ton aide magnifique,
Pour que mon âme, enfin par toi guérie,
Soit toujours en ta grâce, au sortir de son corps. »

Ainsi priai-je, et Elle, si lointaine
Qu'Elle parut, sourit, me regarda,
Puis se tourna vers la Source éternelle.

PA, XXXI, 27-31, p. 514

Ici, au trente et unième chant du « Paradis », dans cet adieu plein d'émotion retenue, l'itinéraire du poète trouve sa véritable fin. Les deux derniers chants sont de pure description. Une oraison à la Vierge ouvre néanmoins le trente-troisième chant. Prononcée par saint Bernard, qui a « remplacé » Béatrice auprès du pèlerin, elle vise manifestement à généraliser la prière que ce dernier n'a cessé d'adresser à son amour. Mais si la Vierge est au genre humain ce que Béatrice est au poète, elle perd en intensité ce qu'elle gagne en étendue. C'est bien son amour à lui, quelque universalité qu'il veuille lui donner, que Dante est venu retrouver, décanté des poussières terrestres.

Cette décantation donne tout son sens à la descente en Enfer. Par une substitution délicate, Dante laisse entendre qu'en l'accompagnant en pensée dans son périple infernal, Béatrice elle-même a souffert d'y laisser la trace de ses pas. Ce qui est par là racheté apparaît soudain beaucoup plus que la faute du poète : c'est tout ce qui a pu de part et d'autre faire obstacle à leur amour. L'obstacle n'a pas besoin d'être nommé ni cherché dans la biographie des protagonistes. L'obstacle est la vie même sur terre dont l'Enfer donne la représentation. Descendre en Enfer, c'est affronter les réalités hideuses loin desquelles l'humain croit pouvoir fuir en chevauchant de vains plaisirs. Et c'est pourquoi le poète suggère à la toute fin que cette descente s'est faite, à quelque distance, dans les pas l'un de l'autre. Béatrice ne peut exercer son pouvoir rédempteur que pour avoir connu avant lui les désagréables et tristes vérités du monde. Ce monde où ils ne pouvaient se rejoindre, dit Dante, il fallait que chacun le comprenne, accepte pour cela d'y marcher et d'y plonger le regard. Ce n'est que défaits des vanités mondaines que les amants peuvent véritablement se trouver. Et c'est pour avoir trop tardé à le comprendre que le poète subit les reproches *amoureux* de Béatrice. Ces reproches paraissent d'abord sévères, mais ils ne sont rien au regard de la vérité qui les suit, où s'accomplit la promesse que Virgile adressait naguère à son compagnon abattu en Enfer :

319

« Quand tu seras devant le doux rayon
De celle dont les yeux si beaux voient toutes choses,
Par elle tu sauras le chemin de ta vie »

E, x, 44, p. 55

La Comédie doit décidément au sentiment amoureux la luminosité qu'elle irradie jusqu'à nous. Une tendre lumière monte chaque fois qu'est évoquée celle qui occupe la pensée et le regard du poète. Ces quelques moments (un peu plus d'une vingtaine, souvent très brefs, parfois plus longs) résonnent presque tous d'une authenticité particulière, rarement atteinte ailleurs au même degré, dans un poème où pourtant les beautés ne manquent pas. Ces moments privilégiés sont aussi, pour la plupart, ceux dont le lyrisme est le plus sobre, le plus retenu, le plus poignant. Sobre, de façon générale, est la présence de Béatrice, qui n'apparaît en personne qu'à la fin du « Purgatoire ». Cet immense poème d'amour donne à son objet la rareté sans laquelle il serait moins précieux. Bien que la plupart du temps absente, *parce* qu'absente, Béatrice exerce l'attirance irrésistible qui, à la suite du narrateur, nous entraîne vers son sourire.

Si la trilogie de Dante est bien un poème d'amour, Dieu apparaît alors comme la métaphore de cet amour purifié par la mort, et le dogme chrétien comme l'armature idéologique de cette élévation spirituelle. Dès lors que la passion pour Béatrice est délestée de sa pesanteur charnelle (trompeuse, dit Dante) et qu'elle prend valeur de rédemption, le recours à la médiation chrétienne est le seul possible, pour la bonne raison qu'il n'y a pas d'autre manière de la légitimer dans l'absolu où le poète la situe. L'entreprise dantesque, ici, est à ce point audacieuse — elle frise la substitution, blasphématoire, de la Vierge par Béatrice — que l'orthodoxie doit être d'autant plus scrupuleusement respectée. En outre, sans nuire à l'expression idéalisée de ses sentiments, la rigueur doctrinale sert les intentions politiques du poète en lui permettant de confondre la hiérarchie ecclésiastique. Ce n'est paradoxalement que par une fidélité sans faille — et très certainement authentique — à l'enseignement de l'Église que Dante peut exercer son entière liberté de jugement et de parole. Le paradoxe n'existe que pour nous, qui confondons l'Église avec ses institutions et avec la répression qu'elles n'ont pas manqué d'exercer tout au long de leur histoire.

Ainsi, dans le cadre de la théologie catholique tempérée et revigorée par le « Docteur angélique » (Thomas d'Aquin), *la Comédie*, écrite en langue vulgaire (par opposition au latin des lettrés), est l'expression poétique de la liberté de conscience. Cette liberté n'est pas tragique, *la Comédie* se termine heureusement : le narrateur fraie son propre chemin vers la vérité. Il y parvient, certes, avec l'aide de Virgile et, plus encore, grâce à Béatrice, mais sans le concours des clercs et des institutions, qui ont trahi leur mission. En choisissant ses guides hors de l'Église, le poète montre son indépendance et, au prix d'un orgueil qui peut paraître démesuré, affirme l'individualité, l'unicité de son parcours. La Vérité est une, indivisible — quoique trine — mais l'homme est libre d'y tendre ou de s'en détourner, libre de choisir parmi les multiples voies qui conduisent vers elle, libre de se perdre dans la forêt du monde en persistant à ignorer les forces obscures infernales qui la gouvernent. Dante lui-même n'a pas d'emblée saisi dans toute sa portée la grâce descendue sur lui des yeux de Béatrice. Il aura fallu qu'elle meure et qu'il puisse croire compenser sa perte ailleurs, retrouver la beauté dans d'autres corps, pour comprendre, à travers la déconvenue que lui offraient ces pauvres substituts, que l'attrait physique de l'aimée était l'amorce d'une exigence supérieure, le miroir d'une beauté plus haute et plus difficile, à laquelle on n'accède qu'au prix d'un dur et long combat contre soi-même — la descente en Enfer. Descente que le poète refuse aux gens sans caractère, à « Ces êtres vils, qui jamais ne vécurent » (E, III, 22, p. 23), pour lesquels il n'a pas de mots assez durs et qu'il voue à la vermine dans le vestibule de l'Enfer.

Que la Vérité existe, qu'elle soit chrétienne, aucun doute. Comment elle se manifeste à chacun, mystère… Dante raconte son mystère à lui. Ce mystère a un nom, un visage qui, en mourant, l'invite à le suivre au-delà de la chair. Il se peut que tout être reçoive, sans nécessairement le capter, le déchiffrer, cet appel secret de la beauté, cet éphémère reflet d'éternité dans le mensonge du monde. C'est le mystère de la grâce, que le poète n'a pas plus que le théologien les moyens d'élucider. Mieux que le théologien, en revanche, le poète peut témoigner de cette illumination d'un instant, dont la captation ou l'oubli change l'orientation de son destinataire. Dante a mis tout son art à ce témoignage unique, irremplaçable, qu'il livre à la méditation des lecteurs. Dante dit que la beauté d'une femme disparue lui a donné d'apprendre le chemin de sa vie. Sans doute fallait-il que la chair s'efface pour que le souvenir de son visage embellisse ce que l'usage du monde aurait fatalement flétri. Plus que Béatrice, la mort l'a mis sur le sentier de la beauté. Belle, la vérité. Amoureux, le regard qui y conduit.

Ce regard, néanmoins, traîne avec lui la nostalgie de la chair. Même épurée, la beauté paradisiaque de Béatrice reste trop sensible pour ne pas faire rêver d'une étreinte. C'est un rêve que le poète se garde bien de formuler mais qu'il ne peut s'empêcher de laisser frémir entre les lignes. À l'instar de la fusion à laquelle il aspire en rejoignant l'âme de la femme aimée, Dante, magnifiquement, subtilement, tente de fusionner *éros* et *agapé*, amour platonicien et amour chrétien — dont nous savons combien, contrairement à l'opinion reçue, ils diffèrent. Et le poète dit, à son cœur défendant, voire à son insu, que ce mariage est impossible. Laissant son amant au seuil du trône divin, Béatrice s'en va rejoindre, inaccessible, la rose du Ciel. Ni la Vierge ni Dieu ne comblent l'abîme de cette ultime séparation. Ce n'est pas sans déchirement que, derrière son apparente sérénité, *agapé* accepte de se défaire d'*éros*; pas sans regret que le poète consent à quitter pour toujours la tendre ardeur des corps, à renoncer au sel de la vie pour l'illumination définitive de la mort.

Le dialogue entre l'immanence des choses périssables et la transcendance des biens éternels peut se poursuivre à l'infini. Malgré tout son sel, la vie n'a de sens que dans l'au-delà dont elle donne par instants le reflet — ce reflet que le poète capte dans la prunelle de son amour et qui le transporte dans l'outre-monde d'où les choses terrestres paraissent si viles et si mesquines. Mais, en retour, c'est de cette terre boueuse, quoi qu'il sache, quoi qu'il espère de son ciel lumineux, que le poète parle. D'avoir la tête au-dessus des nuages ne lui réchauffe pas les pieds. Si haut l'esprit puisse-t-il s'élever, il ne s'élance jamais qu'en s'appuyant à l'en deçà qui le nourrit et auquel il reste attaché, tel le cerf-volant à la main qui le tient, jusqu'à ce que la mort en tranche le fil. Aussi le transport paradisiaque ne permet-il pas au poète d'atteindre un détachement complet des affaires du monde. L'espérance que Dante met dans la restauration de l'empire ne s'efface pas complètement derrière l'espérance divine. La première est, ici encore, reflet de la seconde.

Rappelons-nous que ces deux mondes, chez Dante, ne sont pas coupés l'un de l'autre. Le voyage du narrateur confirme au contraire qu'ils sont un : terre, enfer, purgatoire, ciel sont unis dans une vision continue de l'univers. Simplement, la vérité n'a pas en toutes ses parts le même éclat et n'exerce sa pleine splendeur que près de Dieu. De la noirceur de l'Enfer à la blancheur du Paradis il n'y a pas de rupture. La volonté de Dieu règne en Enfer comme au Ciel : il plonge dans l'obscurité ceux qui n'ont pas voulu de sa lumière. Quant à la vie, ni paradis ni enfer, elle est cette zone indécise que la vérité n'éclaire qu'à demi et à la faible lueur de laquelle tout se joue pour chacun de nous. Dans ce demi-jour le poète apprend — et nous enseigne — à lire les signes. Mais la flamme vacillante qui nous permet de les lire est en quelque sorte soufflée par le flot aveuglant de la vérité ultime. La vérité cesse d'être une possibilité ouverte à chacun pour redevenir une certitude qui s'impose à tous. Tribut ou croyance profonde au dogme ? Je n'en sais rien. Quelque chose dans la grandiloquence de la scène finale sonne faux, comme s'il fallait que la vérité théologique ait pour elle toutes les apparences du triomphe. Mais le tableau vient peut-être aussi rappeler le profond paradoxe de la foi : dogme chrétien et libre arbitre se renvoient la balle dans un jeu de miroir sans fin.

La visée du récit de Dante n'est pas univoque. En un sens, le plus manifeste, comme dans les *Confessions* d'Augustin et la légende arthurienne du Graal, mais à une échelle plus grandiose, *la Comédie* accomplit l'ambition de la philosophie. Porté par les ailes de la foi, le poème va même bien au-delà de la vérité à laquelle la philosophie aspire. « L'argument des choses invisibles », cette magnifique définition de la foi que Dante forge à partir de Paul (PA, XXIV, 22, p. 479, Hébreux, XI, 1), lui permet de *dire* ce sur quoi les philosophes ne peuvent que *spéculer*. On voit par là avec quelle radicalité le triomphe du christianisme, en abolissant le doute, anéantit du même coup la pluralité du sens. L'identité omniprésente et invisible qui préside au récit chrétien, des Évangiles à *la Comédie*, justement dite *divine* par les contemporains du poète, est univoque, immuable. Mais en ce qu'elle ne se trouve, en Dieu, que dans un au-delà qui demeure inaccessible aux mortels, elle n'habite les humains que comme espérance. Ou comme menace pour ceux qui la refusent. Le libre arbitre n'est alors plus que la liberté de choisir entre deux pôles : négatif et positif. Accepter ou refuser la seule révélation possible. Et, suspendue à ce choix, comme l'épée de Damoclès, la mort. La mort définitive, horrible, promise à quiconque s'exclut de la vérité. Cette mort que notre civilisation, surtout depuis que le sentier du salut s'est perdu, se révèle moins que jamais capable d'accueillir sereinement.

La promesse de la vérité, devenue nécessité identitaire, repousse la peur de la mort. En mourant, le même, le croyant, transite vers son éternité, comme Dante vers le Paradis, tandis que l'autre, le non-croyant, l'hérétique, l'apostat, le païen meurt irrévocablement dans son enfer. L'altérité radicale de la male mort recueille ainsi tous les « autres » imaginables, tout ce que la certitude de soi rejette hors d'elle, y compris la part secrète que cette certitude y refuse. Dante commence pourtant par « laisser toute espérance » au seuil de la douloureuse descente qu'il entreprend vers cette part inavouée de lui-même : si, de son triptyque, l'« Enfer » reste aujourd'hui le tableau le plus troublant, c'est qu'il y a là une autre vérité, nullement paradisiaque, à explorer, à laquelle le poète accorde tout son poids. La « bonne » vérité n'est accessible qu'au prix de la « mauvaise », Dante ne cesse de le dire. Mais cet effort socratique à se connaître est précisément ce qu'une lecture exclusivement chrétienne de *la Comédie* est inapte à saisir : l'enfer — ou l'envers — de la vérité n'y peut être compris ni même exploré. En tant que lieu du péché et du châtiment éternels, la géhenne devient ce qu'on doit à tout prix éviter ou expulser hors de soi-même. Sous l'effet de cette expulsion, l'amour de la vérité conduit à la haine de l'autre, à l'abjection de la mort à laquelle cet autre est explicitement voué.

Dante dit, bien malgré lui, l'irréductibilité qui sépare l'érotique platonicienne de la conception chrétienne du salut, où l'amour du prochain ne tolère pas la différence. Cet amour n'a d'ailleurs guère de place dans *la Comédie*, centrée qu'elle est sur le cheminement personnel d'un narrateur partagé entre le rêve amoureux et le rêve impérial. L'attrait de ces deux extrêmes semble annuler l'espace communautaire où pourrait se nouer l'amour du prochain. L'aimez-vous-les-uns-les-autres n'est en effet possible que dans l'extension universelle de l'eucharistie qui rassemble la secte originelle. Et cet espace élargi, œuvre de l'Empire romain que papes et princes « chrétiens » s'acharnent à détruire, est en ruine. Devant l'effondrement moral et politique qui menace le vaste ensemble de la chrétienté, le croyant doit peut-être se résoudre à assurer seul son salut. En incarnant la nécessité de cette inspiration individuelle, Béatrice, parfait miroir, jonction de la passion amoureuse et de l'espérance divine, est en définitive plus vitale que l'Église.

Décidément, la figure de Béatrice nous conduit à un autre sens, moins immédiatement visible que celui du dogme chrétien mais probablement plus puissant et, surtout, plus susceptible de nous parler aujourd'hui. À l'instar, ici aussi, des romans de Tristan et de Lancelot, mais en troquant la plume pour l'épée, *la Comédie* effectue un déplacement du lieu de la vérité, sans toutefois toucher ouvertement au dogme chrétien. De collectif qu'il était, ce lieu devient individuel. De plus en plus nettement, la quête de la vérité est quête de soi. Cette quête individuelle était déjà en un sens celle d'Augustin. À la différence qu'Augustin échoue justement à se trouver, comme il avoue l'avoir longtemps tenté, en dehors de la communauté chrétienne. Il lui faut, intensément, le secours de Dieu. L'aide à laquelle Dante recourt, au contraire, est terrestre, charnelle, même si Béatrice est sublimée. Mais l'ultime recours est encore la littérature, la poésie elle-même, personnifiée par Virgile, et, finalement, le propre poème de Dante, l'écriture en acte.

Si le poète a le redoutable pouvoir de dire le monde, il n'y aurait alors rien d'étonnant à ce que, comme Virgile avec *l'Énéide*, il contribue, en racontant ses rêves, à faire l'histoire. Virgile, sciemment, justifie et magnifie Auguste en l'auréolant de la légende. Dante et les conteurs de la geste bretonne, à leur insu, préparent l'Europe à l'aventure, annoncent l'esprit de l'Occident moderne. Aventure archaïque qui va bouleverser le monde, quête à la fois utopique et concrète qui ouvre une ère nouvelle en accomplissant le vieux mythe, fait chrétien, de la terre promise : la conquête de l'Amérique. Je ne peux m'empêcher de penser que la vérité, le Graal, le paradis, l'objet inaccessible de la quête chevaleresque, amoureuse et poétique de la chrétienté trouvent leur réalisation historique dans cette découverte, pour l'Europe, d'un nouveau continent. Et que l'homme qui l'incarne, tel le preux chevalier, semble pour ainsi dire seul à l'accomplir. L'exploit individuel va devenir le seuil et le symbole d'une nouvelle civilisation.

Que Christophe Colomb ait su avoir trouvé un nouveau continent ou qu'il l'ait ignoré[132] est ici sans importance. Cette incertitude ne change rien à l'esprit qui le guide. Cheville ouvrière entre deux moments de la chrétienté, Cristobal Colon est à la fois le dernier croisé et le premier aventurier moderne. Le grand amiral de la mer Océane souligne dans son adresse à ses Très Chrétiens commanditaires qu'il met à la voile au moment où, en 1492, avec la prise de Grenade, s'achève victorieusement la guerre contre les Maures et débute l'expulsion des Juifs d'Espagne. C'est en « ennemis de la secte de Mahomet et de toutes les idolâtries et hérésies » que Leurs Altesses Isabelle et Ferdinand l'envoient « auxdites contrée de l'Inde » « par le chemin de l'Occident »[133].

La coïncidence entre l'éviction des Juifs, geste inaugural d'un long travail d'éradication de tout ce qui n'est pas authentiquement chrétien de la péninsule Ibérique, et l'aventure coloniale n'est pas fortuite. Elle

---

132. La thèse de l'ignorance semble aujourd'hui caduque et, en tout état de cause, Colon n'ignorait pas l'importance de sa découverte.

133. Christophe COLOMB, *la Découverte de l'Amérique*, tome I, Journal de bord, 1492-1493, Paris, La Découverte, 1991, p. 32.

est emblématique. Si l'Occident chasse les Juifs, c'est bien pour prendre définitivement cette place d'élection que la chrétienté revendique contre eux depuis des siècles. Ce n'est pas pour rien que Colon signe ses lettres « *Christo Ferens* », porteur du Christ. Tout comme le *Merlin* de Robert de Boron transfère le sang du Christ d'Est en Ouest, Colon porte la Croix plus loin vers l'Ouest, vers cette nouvelle terre promise de l'extrême Occident, dont les habitants se sentent plus que jamais aujourd'hui constituer le peuple élu de la planète. Cette continuité est bien sûr imaginaire, mais pas moins efficace pour cela. C'est précisément parce qu'il est travaillé par cet imaginaire à un degré plus élevé que la plupart de ses contemporains que Colon se risque là où d'autres, pourtant aussi habiles navigateurs que lui, n'osent pas encore se lancer. Comme le dit Michel Lequenne, la découverte du Nouveau Monde exigeait « un aventurier de l'esprit »[134], et c'est par son mysticisme et son prophétisme que l'Amiral se distingue de ses pairs. Ce qui me permet d'ajouter en souriant que Colon, *Christo Ferens*, est une sorte de Perceval entré dans l'histoire, la pointe conquérante d'une généalogie amorcée par Virgile, sanctifiée par l'Église et chantée par la geste bretonne.

L'homme qui s'est fait ravir sa découverte et qui a fini ses jours plutôt ignoré a, malgré sa déchéance, un nom plus illustre, plus connu aujourd'hui que tous ceux qui l'ont suivi (Amerigo Vespucci, y compris, dont la plupart des gens ignorent même qu'il a donné son nom au Nouveau Monde). Cette renommée ne tient pas uniquement à la grandeur de son exploit ni au seul fait qu'il fut le premier (le premier connu, du moins) sur cette route. Sa réputation de découvreur tient tout autant à ce qu'il représente pour nous la jonction vivante, en un individu réel, du mythe et de l'histoire qui façonnent l'imaginaire occidental. Il est en un sens la confirmation concrète que notre civilisation est depuis longtemps sur la bonne voie, sur le chemin de la vérité annoncée par l'Église, et qu'elle peut franchir victorieusement cet espace angoissant où tombe le soleil, c'est-à-dire conquérir le lieu même de la mort.

---

134. Introduction de Michel Lequenne à Christophe Colomb, *la Découverte de l'Amérique*, *op. cit.*, p. 18.

CINQUIÈME PARTIE

L'IRRUPTION DU DOUTE

Rabelais, Cervantès, Shakespeare, Descartes, quatre ruptures héroïques sur le chemin de la vérité. Pantagruel et ses compagnons parcourent la vie en buvant, vallée de larmes où nulle autorité ne résiste à leur rire joyeux. Don Quichotte, héros anachronique et mal armé, pourfend toute certitude : sous les coups de sa mauvaise lance, l'idée même de réalité chancelle. Hamlet, plus lugubre, médite l'absence de Dieu : nulle vérité à partir de laquelle agir et obéir à son devoir de vengeance ; l'héroïsme devient impensable.

Devant la montée des incertitudes, Descartes, héros de la pensée, s'empare du doute, le met en récit et en fait sa carte maîtresse : le doute méthodique est le levier grâce auquel tenter de faire resurgir la vérité du néant, à la fois plus forte et plus faible, autre. Une moderne vérité s'efforce de remplacer l'ancienne. Mais l'aube de cette nouvelle lumière annonce déjà son crépuscule.

XIII

LA LANTERNE MAGIQUE

Rabelais ne fait pas toujours rire. Mais il n'est jamais sérieux, même lorsqu'il ne plaisante pas. L'esprit de sérieux, chez lui, n'a pas de prise. Gigantisme, facéties, pirouettes, truculences, verdeurs, incongruités, beuveries, tout est bon à rendre sa salade indigeste aux doctes, pédants, sorbonnards et autres importants. De logorrhée en logomachies, de pèteries en contrepèteries, d'andouilleries en couillonnades, le narrateur de *Pantagruel*[135] déroute toute interprétation savante, défait d'avance toute « leçon ». Il s'en tient strictement aux faits et se borne à rapporter fidèlement ce qu'il a vu : « J'en parle comme saint Jehan de l'Apocalypse : *Quod vidimis testamur* »[136] (P, Prol., 169)[137]. D'emblée s'amorce un rapport ironique avec la vérité dont il entend témoigner — ironie que les foudres des Sorbonicoles le pousseront à modérer dans des éditions ultérieures. Le narrateur veut bien dire les choses comme elles sont, mais pas au point d'y laisser sa peau : il en témoignera « jusqu'au feu exclusivement » (P, Prol., 168, et TL, III, 339). Foin de la tragédie !

---

135. *Pantagruel* est chronologiquement le premier livre écrit par RABELAIS. Dans toutes les éditions de Rabelais, y compris de son vivant, *Gargantua* est logiquement placé en tête des cinq livres que comporte l'œuvre, même s'il a été écrit après *Pantagruel*. Quant aux *Tiers*, *Quart* et *Cinquiesme Livre*, quoique rédigés après *Gargantua*, ils font évidemment suite à *Pantagruel*. Ce dernier, en revanche, ne peut être considéré comme faisant suite à *Gargantua*, même si, du point de vue du récit, le fils vient généalogiquement après le père.

136. « Ce que nous avons vu nous l'attestons. »

137. P pour *Pantagruel*, et, par la suite, G pour *Gargantua*, TL pour *le Tiers Livre*, QL pour *le Quart Livre* et CL pour *le Cinquiesme Livre*. « Prol. » renvoie aux prologues des livres concernés, les chiffres romains aux chapitres, les chiffres arabes aux pages de l'édition de la Pléiade : RABELAIS, *Œuvres complètes*, Paris, Gallimard, 1955, réimpression de 1978.

Devant cette cascade de fariboles, on se demande par quel enchantement Rabelais, dont l'œuvre connut un succès immédiat et presque ininterrompu jusqu'à nous, est considéré, avec Montaigne, comme un des deux « grands » prosateurs français du XVIᵉ siècle, voire comme un géant de la littérature française tout entière ? Une littérature, qui plus est, dominée dès le siècle suivant et pour longtemps par un classicisme délibéré où elle a manqué d'étouffer ! Malgré toute sa majesté, ce classicisme n'a pas réussi à déprécier l'écriture débridée qui semble d'avance récuser son bel équilibre. *La Vie très horrificque du grand Gargantua* et *les Prouesses espoventables de Pantagruel, Roy des Dipsodes* offrent évidemment au lecteur français des tranches de gauloiseries où une part de l'imaginaire national trouve son compte. Mais cette satisfaction ne suffit pas à expliquer la pérennité ni l'étendue de leur succès. Si « gaulois » soit-il, Rabelais rayonne bien au-delà de son pays. Quelque chose en lui, derrière les bouffonneries et à travers le mélange des styles, force le respect, le rend admirable. Sans ce quelque chose, il serait simplement grossier, incohérent, inintéressant et probablement, comme tant d'autres amuseurs de moindre tonneau, tombé dans l'oubli. Rabelais est le plus humain, le plus vivant des humanistes, son humour féroce est plein de tendresse. Mais c'est peut-être aussi qu'il se sait, enfant de l'imprimerie et des grandes explorations, à un point tournant de l'histoire. Le fait est que son œuvre apparaît aujourd'hui située à une bifurcation dont le recul nous permet de mieux saisir l'importance. Rabelais semble indiquer à l'Europe de son temps une voie différente de celle où l'entraînent les appétits lointains et la soif de conquêtes : le chemin tortueux, imprévisible, bigarré, d'où jaillit, tout près de nous mais souvent négligé, l'émerveillement de la vie.

Puisant dans la farce encore vivace de son époque[138], Rabelais, fils de bonne famille tourangelle[139] doté d'une solide formation gréco-latine, nous fait prendre ses lanternes pour des vessies. Ce sont pourtant bien, sous cette guise dérisoire, des lanternes que le facétieux docteur brandit pour éclairer la nôtre.

---

138. Sur les sources populaires où puise Rabelais, voir l'ouvrage classique de Mikhaïl BAKHTINE, *l'Œuvre de François Rabelais et la culture populaire au Moyen Âge et sous la Renaissance*, traduit du russe par André ROBEL, Paris, Gallimard, 1970.

139. Son père, licencié ès lois, était un avocat respectable et fortuné de Chinon.

Maître Alcofribas[140], « abstracteur de quinte essence », fournit lui-même le mode d'emploi de sa médication. D'abord brièvement au seuil du *Pantagruel*, qui, bien que s'offrant plutôt comme une panacée contre le dépit, l'ennui et la douleur, avertit déjà que les petites joyeusetés qui soulagent de la goutte ou de la vérole contiennent « plus de fruict que par adventure en pensent un tas de gros talvassiers [vantards] tous crouselevéz » (P, Prol., 167). Puis plus longuement en tête du *Gargantua*, où Rabelais met toute sa verve, toute son impertinence à exposer son intention pédagogique. Pour en goûter tout le sel, il faut lire ce prologue du premier au dernier mot :

> Beuveurs très illustres, et vous véroléz très précieux (car à vous, non à aultres, sont dédiéz mes escriptz), Alcibiades, au dialogue de Platon intitulé *le Bancquet*, louant son précepteur Socrates, sans controverse prince des philosophes, entre aultres parolles le dict estre semblable ès Silènes. Silènes estoient jadis petites boîtes, telle que voyons de présent ès bouticques des apothecaires, pinctes au-dessus de figures joyeuses et frivoles, comme de harpies, satyres, oysons bridéz, lièvres cornuz, canes bastées, boucqs volans, cerfz limonniers et aultres telles pinctures contrefaites à plaisir pour exciter le monde à rire (quel fut Silène, maistre du bon Bacchus) ; mais au dedans l'on réservoit les fines drogues comme baulme, ambre gris, amomon, musc, zivette, pierreries et aultres choses précieuses. Tèl disoit estre Socrates, parce que, le voyans au dehors et l'estimans par l'extériore apparence, n'en eussiez donné un coupeau d'oignon, tant laid il estoit de corps et ridicule en son maintien, le nez pointu, le reguard d'un taureau, le visaige d'un fol, simple en meurs, rustiq en vestimens, pauvre de fortune, infortuné en femmes, inepte à tous offices de la république, tousjours riant, toujours beuvant d'autant à un chascun, tousours se guabelant, tousours dissimulant son divin sçavoir ; mais, ouvrans ceste boyte, eussiez au-dedans trouvé une céleste et impréciable drogue : entendement plus que humain, vertus merveilleuse, couraige invincible, sobresse non pareille, contentement certain, asseurance parfaicte, déprisement incroyable de tout ce pourquoy les humains tant veiglent, courent, travaillent, navigent et bataillent.

---

140. Alcofribas Nasier, anagramme de François Rabelais, est le nom de plume sous lequel Rabelais a publié *Pantagruel* en 1532 puis *Gargantu*a en 1534. Le nom de Rabelais n'apparaît qu'avec *le Tiers Livre*, publié en 1546.

A quel propos, en voustre advis, tend ce prélude et coup d'essay ? Par autant que vous, mes bons disciples, et quelques aultres foulz de séjour [*loisir*], lisant les joyeuls tiltres d'aulcuns livres de nostre invention, comme *Gargantua, Pantagruel, Fessepinte, la Dignité des Braguettes, Des poys au lard cum commento*, etc., jugez trop facillement ne estre au dedans traicté que mocqueries, folateries et menteries joyeuses, veu que l'enseigne extériore (c'est le tiltre) sans plus avant enquérir est communément receu à dérision et gaudisserie. Mais par telle legièreté ne convient estimer les œuvres des humains. Car vous-mesmes dictes que l'habit ne faict point le moyne, et tel est vestu d'habit monachal, qui au dedans n'est rien moins que moyne, et tel est vestu de cappe hespanole, qui en son couraige nullement affiert à Hespane. C'est pourquoy fault ouvrir le livre et soigneusement peser ce que y est déduict. Lors congnoistrez que la drogue dedans contenue est bien d'aultre valeur que ne promettoit la boite, c'est dire que les matières icy traictées ne sont tant folastres comme le titre au-dessus prétendoit.

Et, posé le cas qu'au sens litéral vous trouvez matières assez joyeuses et bien correspondentes au nom, toutesfois pas demourer là ne fault, comme au chant de Sirènes, ains [*mais*] à plus hault sens interpréter ce que par adventure cuidiez dict en gayeté de cueur.

Crochetastes-vous oncques bouteille ? Caisgne [*chienne*] ! Réduisez à mémoire la contenence qu'aviez. Mais veistes-vous oncques chien rencontrant quelque os médulare [*à moelle*] ? C'est, comme dict Platon lib. ij de *Rep.*, la beste du monde plus philosophe. Si veu l'avez, vous avez peu noter de quelle dévotion il le guette, de quel soing il le guarde, de quel ferveur il le tient, de quelle prudence il l'entomne [*entame*], de quelle affection il le brise et de quelle diligence il le sugce. Qui le induict à ce faire ? Quel est l'espoir de son estude ? Quel bien prétend-il ? Rien plus qu'un peu de mouelle. Vray est que ce peu plus est délicieux que le beaucoup de toutes aultres, pour ce que la mouelle est aliment élabouré à perfection de nature comme dict Galen, iij *Facu. natural.* et xj *De usu parti.*

A l'exemple d'icelluy vous convient estre saiges pour fleurer, sentir et estimer ces beaulx livres de haute gresse, légiers au prochaz [*à l'approche*] et hardis à la rencontre ; puis par curieuse leçon [*lecture*] et méditation fréquente, rompre l'os et sugcer la substantificque mouelle — c'est à dire ce que j'entends par ces symboles Pythagoricques avecques espoir certain d'estre faictz escors [*avisés*] et preux à ladicte lecture : car en icelle bien aultre goust trouverez et doctrine plus absconce, laquelle vous révélera de très haultz sacremens et mystères horrificques, tant en ce qui concerne nostre religion que aussi l'estat politicq et vie oeconomique.

Croiez-vous en vostre foy qu'oncques Homère, escrivent l'*Illiade* et *Odyssée*, pensast ès allégories lesquelles de luy ont calfreté [*calfaté*] Plutarche, Heraclides Ponticq, Eustatie, Phornute, et ce que d'iceulx Politian a desrobé? Si le croiez, vous n'approchez ne de pieds ne de mains à mon opinion, qui décrète icelles aussi peu avoir été songées d'Homère que d'Ovide en ses *Métamorphoses* les sacremens de l'Évangile[141], lesquels un Frère Lubin, vray croque-lardon, s'est efforcé démonstrer, si d'adventure il rencontroit gens aussi folz que luy, et (comme dit le proverbe) couvercle digne du chaudron.

Si ne le croiez, quelle cause est pourquoy autant n'en ferez de ces joyeuses et nouvelles chronicques, combien que, les dictans, n'y pensasse en plus que vous, qui par adventure beviez comme moy? Car à la composition de ce livre seigneurial, je ne perdiz ne emploiay oncques plus, ny aultre temps que celluy qui estoit estably à prendre ma réfection corporelle, sçavoir est beuvant et mangeant. Aussi est-ce la juste heure d'escrire ces haultes matières et sciences profondes, comme bien faire sçavoit Homère, paragon de tous philologes, et Ennie, père des poètes latins, ainsi que témoigne Horace, quoy qu'un malautru ait dit que ses carmes [*chants?*] sentoyent plus le vin que l'huille.

Autant en dict un tirelupin de mes livres; mais bren [*merde*] pour luy! L'odeur du vin, o combien plus est friant, riant, priant, plus céleste et délicieux que d'huille! Et prendray autant à gloire qu'on die de moy que plus en vin aye despendu que en huyle, que fist Demosthenes, quand de luy on disoit que plus en huyle que en vin despendoit. A moy n'est que honneur et gloire d'estre dict et réputé bon gaultier [*garçon*] et bon compaignon, et en ce nom suis bien venu en toutes bonnes compaignies de Pantagruelistes. A Demosthenes fut reproché par un [*esprit*] chagrin que ses *Oraisons* sentoient comme la serpillière [*tablie*r] d'un ord [*ordurier*] et sale huilier. Pourtant, interprétez tous mes faicts et mes dictz en la perfectissime partie; ayez en révérence le cerveau caséiforme[142] qui vous paist de ces belles billes vezées, et, à vostre povoir, tenez-moy tousjours joyeux.

---

141. « Au XIVe siècle, un dominicain avait découvert dans la mythologie d'Ovide des symboles et une prophétie des vérités chrétiennes, et son livre était resté fameux » (RABELAIS, *Œuvres complètes*, *op. cit.*, p. 5, note 10).

142. Du latin *caseus*, fromage.

Or esbaudissez-vous, mes amours, et guayement lisez le reste, tout à l'aise du corps et au profit des reins ! Mais escoutez, vietz d'azes [*vits d'ânes*] (que le maulubec vous trousque ![143]), vous soubvienne de boyre à my pour la pareille, et je vous plégeray tout ares metys[144].

G, Prol., 3-6

Dans le Prologue de *Pantagruel*, maître Alcofribas dédiait ses gaietés aux « Très illustres et très chevaleureux champions, gentilz hommes et aultres, qui voluntiers [s']adonne[nt] à toutes gentillesses et honnestetéz » (P, Prol., 167). Ici, en prélude à *Gargantua*, le maître s'adresse, très philosophiquement, aux ivrognes et aux syphilitiques. Amochés comme ils le sont dans leur condition physique, ces malheureux ne peuvent que se réjouir à l'idée que l'illustre Socrate n'était guère mieux loti qu'eux et lamper le discours d'Alcibiade comme du bon vin, ravis de ce que le contenant le plus repoussant puisse renfermer le contenu le plus précieux. Il en va de même du livre qui leur est destiné. Ce *Gargantua* écrit tout exprès pour eux est à leur image : difforme au dehors, divin au dedans.

Suit aussitôt un deuxième clin d'œil platonicien. À l'instar des chiens, les crocheteus de bouteilles sont naturellement philosophes. C'est ici l'autorité même de Socrate qui est invoquée. Mais au prix d'un glissement malicieux. Le jeune chien de race que Socrate propose comme modèle de ce que pourraient être les gardiens de la cité idéale est philosophe en ce qu'il sait reconnaître les familiers des étrangers et que cette aptitude implique l'amour du savoir — la *philo-sophie* au sens propre (*République*, 375 e-376 b). L'analogie socratique prend chez Rabelais un tour farceur et combien plus vrai : ce qui fait du chien le parangon des philosophes, c'est qu'il tient à son os comme le buveur à sa bouteille. Tous deux savent la valeur de ce que renferme l'objet de leurs soins jaloux. Ce petit peu de moelle que Rabelais espère offrir au lecteur est donc assimilé au vin, dont on peut dire qu'il représente — avec le contenu de la braguette — la valeur constante de la pentalogie pantagruélique. La bouffonnerie reprend toujours très vite ses droits.

À peine évoquée, en effet, la substantifique moelle est tournée en dérision : comparée aux « symboles Pythagoricques » et, dans un

---

143. « Patois gascon : Que l'ulcère vous rende boiteux » (RABELAIS, *op. cit.*, p. 6, note 10).

144. « Je vous ferai raison tout à l'heure » (*ibid.*, p. 6, notes 11 et 12).

amalgame d'une ironie blasphématoire, assimilée aux « très haultz sacremens et mystères horrificques » de la religion, de la politique et de l'économie. Nous voilà donc avertis : pas la peine, à l'instar des commentateurs d'Homère et d'Ovide, de gloser à l'infini ; le savoir qu'on rongera dans l'os gargantuesque est infime, dérisoire — bref, inversement proportionnel à la taille de ses héros. Et pour ceux qui auraient la tête dure, le narrateur ajoute qu'il a composé son livre en buvant et en ripaillant.

À maints égards, le Prologue de *Gargantua* est un condensé. Il annonce très exactement le propos et l'esprit de toute l'œuvre pantagruélique. Pour le dire d'un mot, il établit la *distance*. En soi, le prologue — comme déjà, mais de façon moins légère, chez Chrétien de Troyes — est un clin d'œil du narrateur au lecteur : manière de souligner la présence de l'écrivain en affichant son recul. Que le rire accentue. L'écriture, en tant que rigolade, est prise de distance du monde en un siècle marqué par l'aventure. L'impertinence, marque du récit rabelaisien, a une portée historique : elle éclate dans une conjoncture exceptionnelle, à laquelle on ne peut manquer d'être attentif.

Voir ce qui sépare le monde de Dante du monde de Rabelais permet d'établir quelques contrastes entre deux époques — bas Moyen Âge et Renaissance — qui se chevauchent autant qu'elles se distinguent. Un changement radical et assez brusque intervient en Europe, comme chacun sait, entre 1450 et 1550, dont Rabelais est largement témoin. Né vers 1494, deux ans après la première traversée de Christophe Colomb, mort en 1553, il est à quelques années près le contemporain de Jacques Cartier (1491-1557), qui, parti à la recherche du fameux « passage du Nord-Ouest », explore le fleuve Saint-Laurent en 1534, année de parution de *Gargantua*. L'exploration du Nouveau Monde suit d'assez près la redécouverte — intellectuelle et artistique — de l'Ancien. Coïncidence qui marque durablement la conception européenne du temps et de l'espace : l'Europe occidentale commence à se percevoir, historiquement et géographiquement, comme une cheville ouvrière entre l'Antiquité et l'avenir, entre le bassin oriental de la Méditerranée et les étendues ultra-atlantiques.

Cette conscience met du temps à s'établir, et nous risquons toujours l'anachronisme en projetant sur les « Indes occidentales » ce que nous savons aujourd'hui de l'Amérique. Très vite pourtant, dès 1507, le nouveau nom et avec lui l'idée d'un nouveau monde s'imposent. En 1520 Magellan franchit le détroit qui portera son nom : la rotondité de la

Terre devient réalité historique, un gouffre se ferme. D'un même mouvement l'horizon se boucle et s'élargit, la clôture plutôt rassurante de l'espace terrestre invite à l'aventure. L'aventure n'a plus besoin d'être imaginée, elle est désormais possible, non pas dans l'au-delà fictif de Dante ni dans le merveilleux de l'univers arthurien mais dans le présent de ce monde-ci, avec ses nouvelles promesses matérielles : terres, or, esclaves.

Il n'est pas nécessaire de se prononcer ici sur la question, très discutée, de l'incroyance au siècle de Rabelais[145] — on serait d'ailleurs mal avisé de qualifier globalement d'irréligieuse l'époque qui a vu s'étendre la Réforme. Il suffit de constater que, dans les couches les plus dynamiques de la société, le spirituel se déplace et n'occupe plus le même espace mental. Ce déplacement ne va pas sans heurts et provoque même des cassures qui inquiètent l'Église. Mais celle-ci participe aussi au mouvement en se lançant dans l'évangélisation des Indiens et des Sauvages, entreprise qui donne lieu à des controverses risquées sur la pluralité et la relativité des croyances[146]. La valorisation de l'aventure terrestre par rapport à l'aventure spirituelle aiguise plus qu'elle n'émousse l'intolérance de la hiérarchie religieuse, tant chez les protestants que chez les catholiques. Ce n'est pas sans raison ni sans risque que Rabelais ironise sur le feu inquisitorial.

Mais on aurait tort d'invoquer cette ironie ou son flagrant irrespect des institutions ecclésiastiques pour conclure à son incroyance[147]. C'est peut-être bien parce qu'il est profondément croyant, au contraire, que le bon médecin manie avec tant de jovialité une dérision qui, hormis le roi de France, n'épargne rien ni personne. À l'instar des explorateurs, des capitaines, des marchands et des missionnaires de son siècle, son héros appartient indiscutablement au monde en ébullition où baigne le narrateur. Mais sa joie de vivre n'épouse pas aveuglément les ambitions de ses contemporains. Pantagruel aime la vie et déteste tout ce qui, dans la stupidité des hommes, l'entrave ou l'alourdit inutilement. Sensible

---

145. Voir là-dessus l'ouvrage classique et passionnant de Lucien Febvre, *le Problème de l'incroyance au xvie siècle, la Religion de Rabelais*, Paris, Albin Michel, « L'évolution de l'humanité », 1942 et 1968.

146. Tzvetan Todorov, *la Conquête de l'Amérique, la Question de l'autre*, Paris, Seuil, 1982, dans la quatrième partie, « Connaître », expose bien le problème.

147. De toute façon, ici comme ailleurs dans ce livre, ce n'est pas l'homme Rabelais, nécessairement insondable, que nous interrogeons mais l'œuvre, le récit et sa « charge » potentielle. Et ce n'est jamais que notre lecture.

aux nouvelles possibilités qui s'ouvrent, témoin des grandes explorations qui vont tant contribuer à changer l'Europe et à bâtir cet « Occident » dont nous tentons de traquer l'imaginaire, Rabelais propose une autre façon de partir à l'aventure.

Les aventures gargantuesques et pantagruéliques se déploient en une sorte de spirale qui va de la guerre pichrocholine, à laquelle la région de Chinon, pays natal du narrateur, offre un théâtre exigu et familier, en disproportion risible avec ses protagonistes, pour s'élargir vers la quête ultramarine de la dive bouteille dans quelque île lointaine d'un Atlantique fantaisiste, en passant par la contrée intermédiaire et floue des Amaurotes (allusion à l'*Utopie* de Thomas More) que cherchent à conquérir les Dipsodes, les assoiffés, dont Pantagruel, vainqueur, deviendra roi. Spirale qui, après consultation de l'oracle éthylique, retourne tout droit à son point de départ. Cet itinéraire s'est sans doute tracé au gré d'une composition qui, au début, n'avait probablement pas d'objectif précis[148]. L'objectif, la dive bouteille et sa pontife Bacbuc, n'apparaît qu'avec *le Tiers Livre*, après que Panurge a vainement épuisé tous les conseils et toutes les autorités disponibles alentours pour décider s'il doit ou non se marier. La disproportion manifeste de l'expédition par rapport à ce qu'elle vise, une réponse à un problème qu'on ne peut résoudre que par soi-même, ne fait qu'élever à la puissance pantagruélique la question centrale qui traverse tout le récit et à laquelle le mariage sert d'allégorie : la question de la connaissance ; plus particulièrement la question de savoir comment conduire sa vie — une substantifique moelle décidément socratique.

L'irruption du personnage de Panurge et de sa lancinante question matrimoniale est donc capitale. Avant son apparition, le savoir est abordé sous un angle plutôt classique — bien que le concept d'expérience scientifique fasse déjà l'objet d'une percée audacieuse, à l'occasion d'un illustre épisode où « Grandgousier cogneut l'esperit merveilleux de Gargantua à l'invention d'un torchecul ». Suite à une série d'essais plus poussés les uns que les autres, en effet, le jeune Gargantua expose à son père l'indiscutable conclusion à laquelle il est parvenu :

> « Mais, concluent, je dys et maintiens qu'il n'y a tel torchecul que d'un oyzon bien dumeté, pourveu qu'on luy tienne la teste entre les

---

148. Le narrateur du *Tiers Livre* n'est plus tout à fait le même que celui du *Pantagruel*. Le ton et l'objet de la narration se modifient avec le temps, au gré de l'aventure.

jambes. Et m'en croyez sus mon honneur. Car vous sentez au trou du cul une volupté mirificque tant par la doulceur d'icelluy dumet que par la chaleur tempérée de l'oizon, laquelle facilement est communicquée au boyau culier et aultres intestines, jusques à venir à la région du cueur et du cerveau. »

G, XIII, 46

Et d'invoquer Maistre Jehan d'Escosse (le célèbre philosophe Duns Scot) à l'appui de sa théorie. Grandgousier compare le bon sens de son fils à celui dont fit preuve Alexandre en s'avisant que la fureur de son cheval venait de la frayeur qu'il éprouvait à la vue de son ombre. Il lui trouve tant d'acuité et de profondeur qu'il ne doute pas que Gargantua « parviendra à degré souverain de sapience, s'il est bien institué » (G, XIV, 47). Mais voilà justement qui n'est pas facile, et les diverses expériences pédagogiques (et autres) que Gargantua fait à Paris fournissent évidemment matière à raillerie.

Même chose avec Pantagruel : après avoir brisé son berceau, et s'être ainsi défait des chaînes dont les adultes entravent l'enfance, celui-ci fait le tour des universités de France. À part celles de Poitiers et de Bourges, dont il profite bien, elles brillent par les jeux qu'on y pratique, par les bûchers qu'on y allume, par les festins et les orgies qu'on y multiplie — quand les professeurs ne gâchent pas les plaisirs de la bouche et de la chair par leur puanteur. Pantagruel lui-même prend garde de ne pas « se rompre fort la teste à estudier, [...] de peur que la veue luy diminuast » (P, v, 190), d'autant moins qu'il n'est pas nécessaire de travailler beaucoup pour obtenir sa licence.

Arrivé à son tour dans la capitale, Pantagruel découvre la richesse de la bibliothèque Saint-Victor, dont l'interminable catalogue (*Braguetta juris, Pantofla Decretorum, le Couillebarine des Preux, la Croquignolle des curés, le Maschefain des advocatz, le Ratepenade des cardinaulx, Barbouilamenta Scoti, Antipericatametanaparbeugedamphicribrationes merdicantium, la Patenostre du Cinge*, soixante et neuf bréviaires de haute gresse[149], *le Tirepet des apothecaires* — pour n'en donner qu'un mince échantillon) montre éloquemment ce que le narrateur pense de cette prestigieuse accumulation de savoirs. Rabelais ne se moque pas seulement de la scolastique, son ironie décape aussi le pédantisme à la mode et son méchant vernis de culture ancienne : en Orléans, Pantagruel rencontre à la porte

---

149. De haute graisse, c'est-à-dire bien graisseux.

de Paris un Limousin qui, voulant passer pour parisien, baragouine un français incompréhensible truffé de latinismes, jusqu'à ce que le géant le prenne à la gorge pour lui faire rendre son latin de cuisine et le ramener à son patois naturel.

Comme pour montrer qu'il n'en apprécie pas moins l'instruction et l'art du beau langage, le narrateur fait suivre son catalogue d'une lettre que Gargantua adresse à son fils en guise de testament spirituel et intellectuel. Cette lettre, réellement magnifique, constitue une authentique profession de foi humaniste et n'a rien de parodique. C'est un des rares passages de l'œuvre qui ne visent pas à l'amusement du lecteur et qu'on puisse lire au premier degré. Un fils pourrait difficilement espérer recevoir plus belle lettre de son père. Après avoir remercié Dieu, écrit-il à Pantagruel, « de ce qu'il m'a donné povoir veoir mon antiquité chanue refleurir en ta jeunesse », Gargantua expose la conception qu'il se fait d'une formation accomplie au moment où, avec la fin du temps « ténébreux » au cours duquel les Goths « avoient mis à destruction toute bonne littérature », s'ouvrent de nouveaux horizons de connaissances :

« Maintenant toutes disciplines sont restituées, les langues instaurées : grecque sans laquelle c'est honte que une personne se die sçavant, hébraïque, caldaïque, latine ; les impressions tant élégantes et correctes en usance, qui ont été inventées de mon eage par inspiration divine, comme à contrefil l'artillerie par suggestion diabolicque. Tout le monde est plein de gens savans, de précepteurs très doctes, de librairies très amples, et m'est advis que, ny au temps de Platon, ny de Cicéron, ny de Papinian, n'estoit telle commodité d'estude qu'on y veoit maintenant, et ne se fauldra plus doresnavant trouver en place ny en compaignie, qui ne sera bien expoly en l'officine de Minerve. Je voy les brigans, les bourreaulx, les avanturiers, les palefreniers de maintenant, plus doctes que les docteurs et les prescheurs de mon temps. Que diray-je ? Les femmes et les filles ont aspiré à ceste louange et manne céleste de bonne doctrine. […]

[*Et d'exhorter son fils à apprendre les langues, la géographie, l'histoire, l'arithmétique, la musique, l'astronomie (et non l'astrologie divinatrice), le droit civil, la philosophie, ainsi que toutes les branches de l'histoire naturelle.*]

« Puis songneusement revisite les livres des médicins grecz, arabes et latins, sans contemner [*mépriser*] les thalmudistes et cabalistes, et par fréquentes anatomies acquiers-toy parfaicte congnoissance de l'aultre monde, qui est l'homme. Et par lesquelles heures du jour commence à visiter les sainctes lettres, premièrement en grec le Nouveau Testament et Épistres des Apostres et puis en hébrieu le Vieulx Testament.

« Somme, que je voy un abysme de science : car doresnavant que tu deviens homme et te fais grand, il te faudra yssir [*sortir*] de cette tranquillité et repos d'estude, et apprendre la chevalerie et les armes pour défendre ma maison et nos amys secourir en tous leurs affaires contre les assaulx des malfaisans.

« Mais, parce que selon le saige Salomon sapience n'entre poinct en âme malivole et science sans conscience n'est que ruine de l'âme, il te convient servir, aymer et craindre Dieu, et en luy mettre toutes tes pensées et tout ton espoir, et, par foy formée de charité, estre à luy adjoinct en sorte que jamais n'en soys désamparé par péché. Aye suspectz les abus du monde. Ne metz ton cueur à vanité, car ceste vie est transitoire, mais la parole de Dieu demeure éternellement. Soys serviable à tous tes prochains et les ayme comme toy-mesme. Révère tes précepteurs. Fuis les compaignies des gens èsquelz tu ne veulx point resembler, et les grâces que Dieu te a données, icelles ne reçoipz en vain. Et quand tu congnoistras que auras tout le sçavoir de par delà acquis, retourne vers moy, affin que je te voye et donne ma bénédiction devant que mourir. »

P, VIII, 202-206

Le programme est évidemment gigantesque, irréalisable pour un homme ordinaire. Il reflète aussi le souhait, très humaniste, d'une formation complète, équilibrée, où la connaissance de la nature ne doit pas être sacrifiée au savoir livresque. L'énormité, ici, ne joue à mon sens qu'un rôle secondaire : le ton de la lettre fait oublier le gigantisme dont le narrateur ne manque pas de jouer ailleurs. L'optimisme gargantuesque n'est peut-être excessif que par la confiance qu'il place dans les nouvelles commodités d'étude. Mais Gargantua lui-même s'en moque doucement dans la seule pointe d'humour que contient cette lettre : même les soudards et les palefreniers sont plus instruits que les savants de naguère. D'une pierre deux coups, l'un aux vieilles barbes, l'autre aux prétentions excessives qu'entraîne la diffusion du livre imprimé.

Cette parenthèse ironique, dans une lettre où dominent tendresse et gravité, n'enlève rien aux espoirs que son rédacteur exprime. Gargantua a conscience de l'importance des changements qui se sont amorcés autour de lui depuis quelques décennies. Non seulement les œuvres antiques sont-elles devenues plus accessibles, mais encore dispose-t-on de moyens que les Anciens n'avaient pas. Cette conscience de la nouveauté, lumière surgie des ténèbres dans un monde en pleine explosion, ivre de découvertes et de conquêtes, contient en germe une grande part de cet esprit qu'on appelle aujourd'hui « moderne ». Mais elle n'en a pas l'arrogance. L'optimisme modéré de Gargantua est assorti d'une inquiétude : « à contrefil » des inventions bénéfiques s'en tissent des maléfiques, telle l'artillerie. Sa lettre respire néanmoins une confiance en l'homme qui ne semblait pas permise une ou deux générations avant lui. Malgré l'ampleur du programme d'étude esquissé, le souci d'équilibre tempère un appétit de savoir qu'on pourrait juger boulimique.

Tout connaître, tout recenser, le quadrillage du monde et la maîtrise de la nature sont des ambitions fondatrices de la modernité, dont on attribue communément l'origine à l'humanisme. Ce dernier, pour le meilleur ou pour le pire, en plaçant l'homme et ses réalisations terrestres au centre de ses préoccupations, aurait mis cet homme aux commandes du monde et pavé la voie au développement techno-scientifique que nous connaissons. Cette vue linéaire, simpliste, de l'évolution qui fait du passé la « préparation » d'un devenir « prévisible » que l'histoire ne cesse de « vérifier » est elle-même tributaire de la révolution spatiale, temporelle et mentale qu'est censée nous avoir léguée la Renaissance. En se saisissant du globe et en se réappropriant un héritage que la dislocation de l'Empire romain et les invasions barbares avaient fait tomber en désuétude, l'homme de la Renaissance façonne à nos yeux la vision du monde et la conception de l'histoire qui sont les nôtres aujourd'hui et qui nous permettent cette « juste » lecture de la Renaissance elle-même. Or celle-ci apparaît aussi comme le mouvement qui conduit au libre exercice de la raison et à l'autodétermination humaine — la célèbre « majorité » de l'*Aufklärung* kantienne. Ainsi s'installe insidieusement l'idée d'un enchaînement historique inéluctable qui travaille à l'avènement de la liberté. Tel est le cercle vicieux dans lequel la vision moderne de l'histoire s'enferme à son insu et dont elle éprouve encore aujourd'hui tant de peine à sortir.

À lire *Gargantua*, donc, le désir de connaître, dont Aristote disait déjà qu'il était naturel à l'homme, peut prendre un nouvel essor. Mais chez lui cet appétit semble se suffire à lui-même, il n'a pas de fin hors de la satisfaction qu'il procure. À telle enseigne que le père avertit son fils qu'il devra quitter la tranquillité de l'étude et apprendre — matière plus directement utile — à manier les armes pour défendre amis et maison.

Loin de viser à une quelconque maîtrise des choses, la sapience gargantuesque se méfie au contraire des abus et des vanités du monde. Cette
vie transitoire mérite d'être consacrée à l'amitié, dans le respect de
Dieu, qui « demeure éternellement ». La phrase que Gargantua attribue à Salomon — si souvent invoquée à tort et à travers — prend ici
toute sa force : « *Sapience n'entre poinct en âme malivole et science sans
conscience n'est que ruine de l'âme.* » La science peut faire des ravages, elle
n'a rien à voir avec la sagesse et aucun savoir n'assagira un esprit mal
tourné. Rabelais est ici beaucoup plus proche de Platon que de nous.

D'ailleurs, l'exhortation de Gargantua à l'accumulation des connaissances reste apparemment sans suite. Bien que Pantagruel lui-même, à
l'image de son père et de son grand-père, fasse souvent preuve de
sagesse et de mesure, tout se passe comme si la barque de l'humanisme,
du moins son lourd chargement, se perdait dans l'océan des bouffonneries humaines. L'arrivée du personnage de Panurge entraîne irrésisti-
blement le propos du côté de la parodie, de l'absurde, voire de la filou-
terie. Contrairement au Silène socratique, Panurge, quoique fort mal
arrangé au moment où Pantagruel le trouve sur son chemin, est « beau
de stature et élégant en tous linéamens du corps » (P, IX, 207) et passablement faiblard au dedans. Facétieux, noceur, ce joyeux luron se révèle
assez vite chenapan, pleutre et menteur. Le moins qu'on puisse dire est
que l'ingénieux énergumène manque singulièrement de perspicacité et
d'esprit de décision dès qu'il s'agit de ses propres affaires. Rusé comme
Ulysse, il est très loin d'en avoir la trempe et se montre parfois d'une
crédulité désarmante. Incapable de se faire sa propre idée sur les bienfaits et les méfaits du mariage, partagé entre la nécessité de « se vider
les couilles » et la terreur d'être cocu, il court sans fin d'un conseil à
l'autre et va jusqu'au bout du monde pour se faire dire ce que Pantagruel
lui répète dès le début.

Ce dernier est pourtant pris d'emblée pour le nouveau venu d'une
affection qui ne se démentira pas un instant. Son amitié pour Panurge
est inconditionnelle, elle ne se laisse entamer par aucune de ses veule-
ries et témoigne d'une patience à toute épreuve. À croire que Pantagruel
a trouvé en cet ami tombé du ciel une sorte de double « modèle
réduit ». Incarnation de la fidélité, le bon géant semble reconnaître une
part de lui-même dans ce malicieux viveur plein d'humaines imperfec-
tions et, parce que trop humain, attachant. Reconnaissance immédiate,
instinctive : Pantagruel s'attache au premier coup d'œil, avant même
que le vagabond, qui tente d'abord de se cacher derrière toutes sortes

de langages étranges et étrangers, finisse par s'avouer natif de Touraine. Originaire de la même région que le héros et son narrateur, Panurge apparaît décidément comme un *alter ego* de l'un comme de l'autre. N'est-il pas finalement pour chacun de nous cet « autre monde, qui est l'homme », que Gargantua évoque dans sa lettre ?

Toujours est-il qu'Alcofribas se dédouble en ces deux personnages complémentaires, dont l'un, Pantagruel, incarne l'aspiration à la sagesse et l'autre, Panurge, trahit la déraison et le désarroi. La sapience (ou son désir) habite un corps caricatural, démesuré, utopique; la faiblesse loge dans un corps de taille ordinaire et plein d'élégance. La première conduit la seconde au bout de ses tergiversations dans un itinéraire qui singe les grandes découvertes et permet au narrateur, en naviguant d'une île à l'autre, de procéder à une recension bouffonne des institutions humaines et de jouer avec les mondes. L'autre monde n'est décidément pas celui qu'on pense.

Un indice dans ce sens apparaît dès avant la traversée océane, à la fin du *Pantagruel*, alors que, dans sa campagne contre les Dipsodes, le géant protège son armée d'une averse en la couvrant de sa langue. Le narrateur en profite pour cheminer dessus et entrer dans sa bouche, où il découvre montagnes, prés, forêts et grandes cités, non moindres que Lyon ou Poitiers. Sa première rencontre est celle d'un homme qui plante des choux, auquel il demande tout ébahi :

« Mon amy, que fais-tu ici ?

— Je plante (dist-il) des choulx.

— Et à quoy ny comment ? dis-je.

— Ha, monsieur (dist-il), chacun ne peut avoir les couillons aussi pesant qu'un mortier, et ne pouvons estre tous riches. Je gaigne ainsi ma vie, et les porte vendre au marché en la cité qui est icy derrière.

— Jésus! (dis-je) il y a icy un nouveau monde ?

— Certes (dist-il) il n'est mie nouveau; mais l'on dist bien que hors d'icy y a une terre neufve où ilz ont et soleil et lune, et tout plein de belles besoignes; mais cestuy-cy est plus ancien.

— Voire, mais (dis-je), mon amy, comment a nom ceste ville où tu portes vendre tes choulx ?

— Elle a (dist-il) nom Aspharage[150], et sont christians, gens de bien, et vous feront grande chère. »

Bref, je délibéray d'y aller.

---

150. Du grec *aspharagos*, gosier.

Or, en mon chemin, je trouvay un compaignon qui tendoit aux pigeons, auquel je demanday :

« Mon amy, d'ont vous viennent ces pigeons icy ?

— Cyre (dist-il), ils viennent de l'aultre monde. »

Lors je pensay que, quand Pantagruel basloit, les pigeons à pleines volées entroyent dedans sa gorge, pensant que feust un colombier.

P, xxxii, 306-307

Non seulement les deux mondes correspondent mais encore sont-ils parfaitement interchangeables. Le nouveau monde de l'un est l'ancien de l'autre, et chaque monde a son « autre monde ». À ceci près que le monde intérieur, ce monde si proche dont nous ne savons rien[151], est le seul des deux à connaître l'existence de l'autre. La grande surprise du narrateur est qu'il n'y a aucun changement de part et d'autre de la frontière, qui, à l'image de l'anatomie pantagruélique tout entière, est indéfiniment mobile et extensible, parce qu'imaginaire. Au-delà comme en-deçà, chacun plante ses choux. La nouveauté est le produit de notre ignorance, de nos craintes ou de nos espoirs.

Ce célèbre séjour dans le « nouveau monde » situé derrière les dents de Pantagruel (merveilleusement analysé par Auerbach[152]) préfigure le long voyage transatlantique que les joyeux compagnons entreprendront vers la vérité. La vérité, comme chacun sait, est toujours ailleurs, toujours lointaine. Éloignement d'autant plus cocasse, en l'occurrence, que son objet, l'opportunité de prendre femme, est particulièrement futile. Non que le thème du mariage ne prête pas à réflexion, mais parce que cette réflexion se fait aussi bien, sinon mieux, chez soi qu'aux antipodes. Vaste parodie que ce voyage, donc, qui tient à la fois de *l'Odyssée*, de *l'Énéide*, de la découverte colombienne et de la quête arthurienne, au cours duquel, sous les dehors les plus extravagants, les voyageurs retrouvent partout notre monde avec ses mêmes tares, ses mêmes abus, ses mêmes absurdités. Après avoir essuyé l'inévitable tempête, vaincu le monstre marin, massacré les Andouilles (qu'un flot de moutarde suffit à remettre sur pied), après avoir croisé le fanatisme des Papimanes, étudié

---

151. Cette expression désignait communément à l'époque l'anatomie interne de l'homme.

152. Erich Auerbach, *Mimesis, la Représentation de la réalité dans la littérature occidentale*, traduit de l'allemand par Cornélius Heim, Paris, Gallimard, 1968, chap. xi, « Le monde que renferme la bouche de Pantagruel ».

les mœurs des Gastrolâtres et subi les extorsions des Chats fourréz (respectivement : les papistes, les économistes et les juges), l'équipée pantagruélique finit, après bien d'autres épisodes, par arriver en Lanternois.

Comme de juste, le Lanternois est pays de Lanternes et nos compères reçoivent de la reine la permission d'en choisir une pour se faire conduire au domaine souterrain de la dive bouteille. Une inscription, moins terrible que celle qui orne la porte de l'enfer dantesque, couvre en effet son arche d'entrée de ces mots :

PASSANT ICY CESTE POTERNE
GARNIZ TOY DE BONNE LANTERNE

Panurge n'en conchie pas moins de peur et, croyant déjà entendre gronder Cerbère, supplie la Lanterne en des termes qui, ici aussi, rappellent un peu le poète florentin : « Dame mirificque, je vous prye de cueur contrict, retournons en arrière » (CL, XXXVI, 859). Mais frère Jehan a tôt fait de le tenir au collet et se dit prêt, si nécessaire, à le défendre contre dix-huit diables réunis. Et comme « Les destinées maynent celluy qui consent, tirent celluy qui refuse » (DUCUNT VOLENTEM FATA, NOLENTEM TRAHUNT) et que « Toutes choses se meuvent à leur fin » (ΠΡΟΣ ΤΕΛΟΣ ΑΥΤΟΝ ΠΑΝΤΑ ΚΙΝΕΤΑΙ), ainsi qu'on peut lire sur les portes du temple, les héros parviennent devant la pontife Bacbuc et finissent par ouïr l'oracle de la bouteille. Celui-ci tient en un mot : TRINCH. « Beuvez », interprète savamment la prêtresse, au grand ravissement des consultants qui, emportés par l'enthousiasme bachique, se mettent à rivaliser de fureur poétique. À commencer par Panurge, qui, du coup, ne doute plus et jure force rimes qu'il sera bientôt marié et labourant sa femme à gogo. Tout cet itinéraire vers le Graal bacbucquien pour se faire initier à leur activité favorite, boire, qu'ils n'ont jamais cessé de pratiquer avant et pendant le voyage !

Même si ce voyage initiatique ne fait qu'apprendre à Panurge ce qu'il aurait déjà dû savoir bien auparavant et que Pantagruel lui ressassait dès le début, l'expérience n'aura pas été inutile. Sourd à la sagesse d'autrui, l'homme doit souvent accomplir des détours absurdes et néanmoins nécessaires pour revenir à lui-même et comprendre le sens de ce qu'il a toujours fait sans y prêter attention. Si ridicule soit-elle, l'illumination qui saisit Panurge est réelle : en trinquant joyeusement avec ses amis, il buvait jusqu'alors sans le savoir à la fontaine de vérité (*en oïno alèthéia*, *in vino veritas*, en vin vérité, lit-on aussi sur un des portails du temple). Il y a *boire* et *boire en connaissance de cause*, ce n'est pas la même chose. La célèbre règle de l'abbaye de Thélème, FAY CE QUE VOULDRAS

(G, LVII, 159), se complique de ce que notre vouloir est rarement aussi limpide que nous l'imaginons. Ce n'est qu'après maintes tribulations que Panurge accède à l'ivresse poétique qui le délie de son angoisse. L'oracle ne lui dit nullement « marie-toi ». La réponse qu'il reçoit de la dive bouteille apparaît finalement comme la plus brève, la plus dérisoire et la plus hermétique de toutes celles qu'il a requises des nombreuses instances, savantes et moins savantes, auxquelles il s'est adressé avant d'entreprendre son voyage. Si l'aventure ne lui a rien appris de bien nouveau sur le monde et l'a plutôt confirmé dans la folie des humains, en revanche elle l'a mûri ; ne serait-ce qu'en l'obligeant à franchir à plusieurs reprises la barrière de sa peur. Aussi peut-il désormais saisir tout le sens du conseil que lui donne la dive bouteille en l'enjoignant de boire, c'est-à-dire de faire ce qu'il a toujours fait : « soyés vous-mesmes interprêtes de vostre entreprinse » (CL, XLV, 883).

« Possible n'est (dist Pantagruel) myeulx dire que faict ceste vénérable ponthife » *(ibid.)*. Le bon géant avait compris depuis longtemps et accompagnait son ami comme on suit un patient dont la guérison ne peut venir que de lui-même (la psychanalyse dirait, *cum grano salis*, que Pantagruel est, par rapport à Panurge, dans la position de l'analyste). L'homme ne peut s'en remettre à nulle autorité pour aller à soi-même, c'est un trajet que chacun doit accomplir par lui-même, indépendamment de tout ce que les autres peuvent lui enseigner — c'est la condition du programme humaniste de Gargantua. Et si, pour le dire, le narrateur utilise jusqu'au bout les ressources de la bouffonnerie, c'est que cette expérience, cette prise de conscience identitaire ne doivent pas, à leur tour, être prises trop au sérieux. Panurge ne se « trouve » pas au sens dramatique qu'on pourrait donner à ce terme, il ne fait qu'avoir un aperçu bachique sur le sens de sa propre légèreté. « Laisse fleurir en toi cet amour joyeux que tu as de la vie », dit le mot de la bouteille. Du coup Panurge éprouve le désir de procréer et devant ce désir la crainte d'être cocu, cette crainte qui l'a mené jusqu'ici, s'évanouit. Panurge n'acquiert de ce fait aucune maîtrise sur lui-même, il ne fait que saisir cette vérité cachée mais toute simple selon laquelle il peut se faire l'interprète de ce qui lui arrive. Et cette modeste vérité est ici le don de l'amitié.

Au moment de prendre congé des voyageurs et avant de les mettre sur le chemin qui les ramènera directement aux Sables-d'Olonnes, la sage Bacbuc leur souhaite d'avoir plus de bonheur à élargir et à donner qu'à prendre et recevoir, puis elle ajoute :

« Allez, amys, en protection de ceste sphère intellectuale, de laquelle en tous lieulx est le centre et n'a en lieu aulcun circonférance, que nous appellons Dieu, et, venuz en vostre monde, portez clair tesmoignaiges que soubz terre sont les grandz trésors et choses admirables. [...]

« [...] Voz philosophes, qui se complaig[n]ent toutes choses estre par les antiens descriptes, rien ne leur estre laissé de nouveau à inventer, ont tort trop évident. Ce que du ciel vous apparoist et appelez phénomènes, ce que la terre vous a exhibé, ce que la mer et tous aultres fleuves contiennent [n'est comparable] à ce qui est en terre caché. Partant est équitablement le souverain Dominateur presque en toutes langues nommé par épithètes de richesses. Il (quant leur estude adonneront à labeur à bien y rechercher, par imploracion de Dieu souverain, lequel jadis les Égiptiens nommoient [*un mot en blanc*], c'est-à-dire en leur langue, *le abscond, le mussé, le caché*, et par ce nom le invocans, le supplioient à eulx soy manifester, et descouvrir) leur eslargira congnoissance et de soy et de ses créatures, par ainsi conduicte de bonne Lanterne. Car tous philosophes et saiges anticques, (pour) bien sûrement et plaisamment parfaire le chemin de congnoissance divine et chasse de sapience, ont estimé deux choses nécessaires : guyde de Dieu et compaignye d'homme. »

CL, XLVII, 888

Le récit se termine ainsi sur une profession de foi mystique et panthéiste sereine qui remet toutes choses humaines, y compris la quête de soi, à sa juste place. La magnifique définition que Bacbuc donne de Dieu sera reprise presque mot pour mot par Pascal pour définir l'univers. Mais chez Pascal le second reste distinct du premier, alors que la prêtresse rabelaisienne les unit audacieusement dans ce qui peut apparaître après coup comme une préfiguration de l'équation spinoziste entre Dieu et le Tout du monde.

En un siècle qui (re)valorise l'aventure humaine et qui reprend à ses fins les grandes épopées antiques, en un siècle où Christophe Colomb et ses émules peuvent apparaître comme des héros passés de la fiction à la réalité, qui réunissent les exploits d'Ulysse, de Roland et de Perceval, en ce temps, donc, qui au nom de la vérité se lance à la découverte du monde et à la conquête de l'autre, Rabelais suggère en riant que, pour peu qu'on y réfléchisse, on ne va jamais qu'à la rencontre de soi-même — cet « autre monde, qui est l'homme » — et que cette rencontre elle-même n'a de sens qu'au regard de cette sphère intellectuelle insituable qu'on nomme Dieu. Comme Ulysse, Panurge ne fait que rentrer chez lui, mais son trésor est dérisoire et personne ne conteste sa place (la femme qu'il épousera n'a encore ni nom ni visage). Comme Perceval, il parvient au seuil de la vérité, mais cette vérité est un miroir où il ne trouve qu'à lire ce qu'il devient. Rabelais n'est dupe ni des grands espaces ni du « voyage intérieur ». À tous points de vue sa pentalogie prend le contre-pied des « grands récits » qu'on a lus jusqu'ici et, plus nettement encore, du récit de vérité, tel qu'il se dessine, comme mythe historique, dans *l'Énéide*, puis tel qu'il s'affirme, comme absolu, dans les Évangiles et dans la littérature chrétienne qui s'en inspire.

Rabelais se garde bien de transposer dans l'en-deçà des affaires du monde la soif de vérité que le christianisme promet pour l'au-delà. Tout se passe au contraire comme s'il redoutait l'éventualité d'un tel glissement de la vérité du divin vers l'humain. Se libérer du dogme ne peut qu'accentuer le mystère de la création et de notre présence au monde. Loin de révoquer ce mystère, Rabelais l'accepte entièrement et s'y soumet sans réserve — quitte à ce qu'il prenne la forme chrétienne. Loin d'être une punition, une entrave, cette soumission à la sphère divine est la condition de la joie de vivre : la conscience de l'immensité indescriptible qui nous englobe rapetisse en même temps que le « moi » les misères et les injustices qui l'affligent. « Je hay un esprit hargneux et triste qui glisse par dessus les plaisirs de sa vie et s'empoigne et paist aux malheurs » (822 [153]), dira Montaigne dans la même veine. Du « moi » rabelaisien à celui de Montaigne, pourtant, se produit une certaine enflure : « je veus estre maistre de moy, à tout sens », dit l'auteur des *Essais* (818), qui déclare être « affamé de [se] faire connaître » (824) et vouloir se chercher « jusqu'aux entrailles » (824).

Rien, chez Alcofribas, de cette importance « moïque » qui (d'Augustin à Rousseau en passant par Montaigne) s'acharne, fût-ce en noircissant le portrait, à se révéler soi-même aux autres dans sa « vérité » la plus intime. Le jeu de la vie n'a que faire de la hantise du moi. Le sujet rabelaisien se fait, se défait et se refait constamment au gré des circonstances ; il flotte sur l'océan du monde (*Fluctuat nec mergitur* pourrait être sa devise), et, de cette situation fluctuante, il s'amuse. Certes, il passe le plus clair de son temps à boire et à manger, mais les ripailles ne l'alourdissent pas. L'énormité des festins est joyeuse, jamais boulimique. Le narrateur ne manque pas de brocarder les gastrolâtres et leur

---

153. Pagination de MONTAIGNE, *Œuvres complètes*, La Pléiade, Paris, Gallimard, 1962.

dieu ventripotent, « messere Gaster, premier maistre ès ars du monde », qui subordonne toutes les activités humaines à son insatiable appétit :

> Il ne parle que par signes. Mais à ses signes tout le monde obéist plus soubdain qu'aux édictz des praeteurs et mandements des roys. En ses sommations délay aulcun et demeure aulcune il ne admet. [...]
> [...]
> Pour le servir tout le monde est empesché [*occupé*], tout le monde labeure. Aussi pour récompense il faict ce bien au monde qu'il luy invente toutes ars, toutes machines, tous mestiers, tous engins et subtilitéz. [...] Et tout pour la trippe !
>
> QL, LVII, 696

La bombance n'a donc rien à voir avec la tyrannie de l'accumulation. Bon vin, bonne chère, chez Rabelais, sont les carburants de l'amitié, de la fête et du jeu. Car la vie mérite avant tout d'être fêtée, jouée, et ce jeu n'est possible que de la position « médiocre », mesurée, loin des tourments de l'ambition et des embarras du pouvoir, qui donne à chacun toute liberté d'inventer et d'imaginer (« Soubhaitez donc médiocrité », dit le Prologue du *Quart Livre*, 537).

Avant de les mener devant la dive bouteille, Bacbuc invite ses visiteurs à s'abreuver à sa fontaine et leur demande ce qu'ils pensent de son eau. Comme ceux-ci s'extasient sur sa fraîcheur argentine, l'hôtesse se moque de l'insensibilité de leurs papilles et fait apporter « beaulx et joyeux jambons, belles, grosses et joyeuses langues de beuf fumées » en guise de « descrotouères » pour leur racler le gosier. Le « nettoyage » accompli, la prêtresse leur suggère de boire de nouveau en s'imaginant goûter à leurs vins favoris. Et le miracle de s'accomplir : tous s'extasient, l'un de son Beaulne, l'autre de son Grave, l'autre de son Mirebeaulx, etc. « Beuvez (dist Bacbuc) une, deux et troys foys. De rechef, changeans de ymagination, tel le trouverez au goust, saveur et licqueur comme l'aurez imaginé » (CL, XLII *bis*, 877-879). Ainsi de la fontaine de la vie : son goût varie selon l'imagination des buveurs. Le récit pantagruélique, avec son foisonnement, ses folies, sa verdeur, avec son intarissable créativité verbale, est la plus belle illustration littéraire de cette disponibilité imaginaire à laquelle Rabelais nous invite, et sans laquelle, à l'instar de ces « machemerdes » de moines et autres mangeurs de péchés (G, XL, 118), nous n'aurions plus qu'à ruminer les malheurs du monde. Tant il est vrai que le verbe a le pouvoir aussi bien d'égayer que de gâter l'esprit et que les empoisonneurs d'âmes sont pires que la peste, qui, elle, « ne tue que le corps » (G, xlv, 131). La joie de vivre est ici, de ce monde, tout près de nous, plus réelle que toutes les promesses d'un autre monde.

Si Rabelais connaît un succès persistant dans la littérature occidentale, c'est probablement qu'il nous donne, plus ou moins consciemment, la nostalgie de cette liberté d'esprit, le regret de cette folle magie de la vie dont nous éloigne la rationalité croissante des siècles subséquents. Non que le malicieux docteur n'ait pas lui-même désir de raison, mais que cette raison, chez lui, sait se méfier d'elle-même et chercher hors des limites qu'elle reconnaît et s'assigne d'autres raisons de se réjouir, d'autres raisons d'être, fragiles et alertes, sous la voûte infinie qui dépasse notre entendement. Alcofribas laisse dans notre imaginaire la trace d'une comète passée dans un ciel révolu, différent du nôtre, dont le retour paraît aléatoire.

Quatre siècles et demi après sa création, l'épopée rabelaisienne, inspirée à la fois de la pensée antique et de la farce populaire encore vivante en son temps, apparaît comme un lieu de condensation intense, exceptionnel, où la vérité chrétienne prend une nouvelle vie en même temps qu'un visage plus terrestre, plus aimable, d'où est bannie toute peur[154]. Si Rabelais n'adhère pas à la Réforme, c'est qu'il en propose une autre, plus gaie, qu'incarne l'abbaye de Thélème, du grec *thélémos* : qui coule de source, qui jaillit de soi-même. Fermée aux pharisiens, aux usuriers, aux jaloux et aux radoteurs, elle s'ouvre à « tous gentilz compaignons » (G, liv, 153). En s'y promenant avec son fondateur, le lecteur se prend à rêver d'une foi sereine en la vie et en l'amitié, dans une société libérée de son dogme pesant, en quête paisible de mille vérités chatoyantes ; une société à l'opposé de celle, unique et tyrannique, au nom de laquelle l'Église renvoie la vraie vie dans l'au-delà, tandis qu'ici-bas, et toujours pour la plus grande gloire du Christ, les conquérants ensanglantent le monde nouveau qu'ils croient découvrir.

Avec le rire rabelaisien, la vérité que Chrétien de Troyes saupoudre déjà d'un peu d'ironie et que Dante incarne dans un visage aimé se dissout dans un tintement joyeux. À l'entendre aujourd'hui, si faible, si lointain, cet air heureux de notre littérature résonne à un carrefour douloureux de l'histoire où notre civilisation semble s'être trompée de chemin.

---

154. Bakhtine, *op. cit.*, p. 48, observe que les images grotesques de la culture populaire chassent la peur. « Sous ce rapport, le roman de Rabelais marque un point culminant : la peur est écrasée dans l'œuf et tout se mue en gaieté. C'est, de tous les romans du monde, celui dont la peur est la plus absente. » On peut difficilement rendre un plus bel hommage au narrateur de *Pantagruel*.

XIV

LA FOLIE SINGULIÈRE

« Mais vous, mon seigneur, quelle raison avez-
vous de devenir fou ? »

(I, xxv, 234)[155]

Figure inaugurale du roman moderne, il est le personnage le plus célèbre de la littérature occidentale. Mais très peu de gens connaissent son histoire. D'elle ne restent que des épisodes, des images, des silhouettes. Don Quichotte est ce fou, ridicule ou tragique, c'est selon, qui combat les moulins à vent. Cette charge insensée le résume, nul besoin de le lire. La célébrité de la figure efface le récit. Pourtant, ce récit, d'une drôlerie magnifique, joue avec la vérité comme aucun autre avant lui. Pour entrer dans le jeu du roman, il faut d'abord en dessiner aussi fidèlement et brièvement que possible les nervures.

Le narrateur se présente à la fois comme un chercheur et comme le traducteur d'un récit originellement écrit par un historien arabe dont il garantit le sérieux. Il rapporte de source sûre l'histoire d'un hidalgo frisant la cinquantaine qui, s'étant desséché le cerveau à force de lire des romans de chevalerie, décide de se faire chevalier errant et de gagner par ses hauts faits une éternelle renommée, tant pour lui-même que pour la dame de ses pensées, Dulcinée du Toboso, à laquelle, sans l'avoir jamais vue, il se voue corps et âme.

---

155. Le premier chiffre romain renvoie aux tomes (I et II), le second au chapitre, les chiffres arabes aux pages de : CERVANTÈS, *l'Ingénieux Hidalgo don Quichotte de la Manche*, traduction de Louis VIARDOT, Paris, Garnier-Flammarion, 1969.

Dans un monde où la chevalerie n'a plus sa place, don Quichotte ne peut que courir d'espoir en ridicule, de chimère en défaite et d'extravagance en disgrâce. Sa première sortie, très vite, tourne court : après avoir pris soin de se faire armer chevalier par un aubergiste que son délire élève à la dignité de châtelain, le héros tombe de cheval en attaquant d'inoffensifs marchands et revient tout disloqué à son point de départ, ramassé par un paysan de son village qui le trouve sur sa route en rentrant du moulin avec son âne. Cette première tentative n'est qu'un prélude à l'histoire de sa deuxième sortie, qui, riche en multiples rebondissements, occupe tout le reste du premier tome de *l'Ingénieux Hidalgo don Quichotte de la Manche* (1605). Déjouant la surveillance de ses proches ligués pour le guérir de sa folie (sa gouvernante, sa nièce, le barbier et le curé), la fine fleur de la chevalerie reprend donc la route, flanquée cette fois de l'inénarrable Sancho Panza, son voisin paysan, séduit à l'idée que les éclatants succès de son seigneur lui vaudront, à lui son fidèle écuyer, une île à gouverner. Cette deuxième expédition ne se termine pas plus glorieusement que la première : encagé, berné par les machinations du curé et du barbier partis à sa recherche, don Quichotte regagne son village « maigre, jaune, exténué, étendu sur un tas de foin, dans une charrette à bœufs » (I, LII, 498). En fin de volume, il est brièvement question d'une troisième sortie, dont la tradition locale rapporte qu'elle a mené le chevalier à Saragosse participer à un célèbre tournoi où il n'a pas manqué de s'illustrer. Au reste, son historien ne sait rien de la manière dont s'est terminée sa vie. Il n'a trouvé que quelques bribes de parchemins parmi lesquelles deux versions de son épitaphe.

Le second tome, dû au succès du premier, paraît en 1615, un an après la publication d'une « seconde partie » apocryphe de moindre facture (le *Quichotte d'Avellaneda*), que Cervantès ne manque pas de railler et de faire mentir au passage. Cette suite, entièrement consacrée à la troisième sortie du chevalier de la Triste Figure, joue avec la célébrité que le personnage a gagnée du récit de ses premiers exploits et le met aux prises avec l'espièglerie de certains de ses lecteurs. Parmi eux, un duc et une duchesse, que leur richesse, leur rang et leur oisiveté engagent à organiser de divertissantes mises en scène dans lesquelles leur chevaleresque invité n'est que trop disposé à jouer — aveuglément — son rôle. Après maintes aventures, au cours desquelles Sancho exercera trois jours durant le dur métier de gouverneur, le périple s'achève sur une déconfiture, cette fois sans appel. Un de ses ironiques admirateurs, un jeune bachelier agissant de mèche avec le curé, se déguise en chevalier de la Blanche-Lune et défie le héros en combat singulier. Culbuté et terrassé au premier choc, don Quichotte doit se rendre aux conditions qu'il a acceptées avant le combat : rentrer chez lui et renoncer pour un an à toute errance chevaleresque. Mortifié, le héros caresse l'idée de se convertir en berger, mais la tristesse ne tarde pas à le mettre au lit et à l'emporter dans la tombe. Avant de mourir, toutefois, l'homme retrouve toute sa lucidité et, avec elle, sa véritable identité, Alonzo Quijano. Du coup, avec la même vigueur qu'il a mise à les aimer, il répudie la chevalerie errante et tous ses exploits : « je reconnais ma sottise, et le péril où m'a jeté leur lecture ; enfin, par la miséricorde de Dieu, achetant l'expérience à mes dépens, je les déteste et les abhorre » (II, LXXIV, 500). Ultime précaution, le curé, bras séculier de la vérité, fait dresser par notaire, sitôt après la mort du repenti, une attestation de sa conversion. Que les faussaires et autres imitateurs se le tiennent pour dit : personne ne pourra plus désormais le ressusciter ni lui attribuer de nouvelles prouesses.

D'un excès à l'autre, le cycle est accompli qui livre « à l'exécration des hommes les fausses et extravagantes histoires de chevalerie, lesquelles, frappées à mort par celles de mon véritable don Quichotte, ne vont plus qu'en trébuchant, et tomberont tout à fait sans aucun doute » (II, LXXIV, 504). Telles sont les paroles que le prudent historien des aventures quichottesques, Cid Hamet Ben-Engeli, adresse à sa plume et que son fidèle interprète (ou « second narrateur ») place en conclusion de l'ouvrage, comme pour en clore le sens. Ainsi, foi d'historien, don Quichotte, du fou qu'il était, devient *in extremis* héros du bon sens. L'inepte redresseur de torts apparaît finalement — avec l'aide involontaire de son double apocryphe — comme un prodigieux culbuteur d'inepties.

À première vue, *Don Quichotte* s'offre donc à la fois comme un prodigieux divertissement et comme un joyeux combat contre l'extravagance littéraire. Il est même concevable que Cervantès n'ait d'abord pas eu d'autres intentions que se moquer et divertir. Mais il est peu d'œuvres où la visée de l'écrivain importe moins que celle-là. L'immensité et la longévité de son succès l'ont de son vivant pris au piège d'un personnage qui le dépasse, comme en témoigne la nécessité du second tome. Le génie de Cervantès est d'avoir créé un roman d'une telle verve, d'une telle vérité, que ses protagonistes, quoi qu'il en ait, finissent par lui échapper. Il a beau faire enregistrer son repentir et le murer dans sa tombe, Quichotte et son monde vivent de leur vie propre. Si Cervantès marque un tournant crucial dans la fiction occidentale, c'est d'avoir montré, peut-être malgré lui, que l'imaginaire est aussi et parfois plus puissant que le réel, mieux, que le premier fait partie du second et que la frontière entre les deux registres reste souvent indécise.

La « modernité » de *Don Quichotte* ne réside donc pas dans je ne sais quel « réalisme ». Elle tient plutôt au choc que le récit organise, d'un bout à l'autre, entre ce qu'on appelle communément la réalité et cette autre réalité qu'est l'imaginaire. La « folie » de Quichotte est le décalage mental, la dichotomie identitaire, indispensables à cette rencontre incongrue des deux mondes. La fiction met à profit la liberté dont elle dispose pour composer un contrepoint — on serait tenté de dire : une fugue — entre le rêve et la réalité, entre le héros qui *s'imagine* et le monde auquel se heurte cette image de lui-même qu'il s'efforce de construire. Mais dans ce heurt, dans le joyeux feu d'artifice qui en jaillit, ce n'est pas seulement l'imaginaire qui est en cause, c'est le statut de la réalité elle-même.

La réalité, c'est-à-dire la part même de notre univers que nous jugeons d'ordinaire la moins discutable, parce que la moins dépendante de notre volonté — le réalisme n'étant alors que la reconnaissance de cette irréductibilité du réel à nos désirs. Quoi de plus dur, en effet, quoi de plus « vrai », de prime abord, que cette réalité contre laquelle l'idéal quichottesque ne cesse de buter ? À chaque instant le monde extérieur, l'entourage rappellent le malheureux chevalier à l'inconsistance de ses chimères. Les moulins ne sont pas des géants, les outres de vin ne sont pas des corps, les troupeaux de moutons pas des armées. Mais contre toutes ces déconvenues Quichotte a une explication imparable : l'enchantement dont il est régulièrement victime de la part de ceux qui lui veulent du mal. S'ils changent les géants en moulins et les guerriers en moutons, c'est pour le priver du fruit de ses exploits, pour lui enlever le glorieux bénéfice de ses efforts. Or ces mauvais esprits ne trompent que le monde ordinaire. Lui, Quichotte, sait décoder les apparences, comme il en fait la démonstration dans le fameux épisode de l'armet de Mambrin. À Sancho, qui cherche à le mettre en garde contre une nouvelle illusion, il rétorque :

> « [...] — Comment puis-je me tromper en ce que je dis, traître méticuleux ? reprit don Quichotte. Dis-moi, ne vois-tu pas ce chevalier qui vient à nous, monté sur un cheval gris pommelé, et qui porte sur la tête un armet d'or ? — Ce que j'avise et ce que je vois, répondit Sancho, ce n'est rien d'autre qu'un homme monté sur un âne gris

comme le mien, et portant sur la tête quelque chose qui reluit. — Eh bien ! ce quelque chose, c'est l'armet de Mambrin, reprit don Quichotte. Range-toi de côté, et laisse-moi seul avec lui. Tu vas voir comment, sans dire un mot, pour ménager le temps, j'achève cette aventure et m'empare de cet armet que j'ai tant souhaité. [...] »

Or voici ce qu'étaient cet armet, ce cheval et ce chevalier que voyait don Quichotte. Il y avait dans les environs deux villages voisins ; l'un si petit qu'il n'avait ni pharmacie ni barbier ; et l'autre plus grand, ayant l'une et l'autre. Le barbier du grand village desservait le petit, dans lequel un malade avait besoin d'une saignée, et un autre habitant de se faire la barbe. Le barbier s'y rendait pour ces deux offices, portant un plat à barbe en cuivre rouge ; le sort ayant voulu que la pluie le prît en chemin, pour ne pas tacher son chapeau, qui était neuf sans doute, il mit par-dessus son plat à barbe, lequel, étant bien écuré, reluisait d'une demi-lieue. Il montait un âne gris, comme avait dit Sancho ; et voilà pourquoi don Quichotte crut voir un cheval pommelé, un chevalier et un armet d'or ; car toutes les choses qui frappaient sa vue, il les arrangeait aisément à son délire chevaleresque et à ses errantes pensées.

[*Don Quichotte charge et à sa grande satisfaction le barbier fuit en abandonnant animal et ustensile.*]

Il ordonna ensuite à Sancho de ramasser l'armet, et celui-ci, le pesant dans la main : « Pardieu ! dit-il, ce plat à barbe est bon, et vaut une piastre comme un maravédi. » Puis il le donna à son maître, qui le mit aussitôt sur sa tête, le tournant et le retournant de tous côtés pour en trouver l'enchâssure ; et comme il ne pouvait en venir à bout : « Il faut, s'écria-t-il, que ce païen, à la mesure duquel on a forgé pour la première fois cette fameuse salade, ait eu la tête bien grosse ; et le pis, c'est qu'il en manque la moitié. » Quand Sancho entendit appeler salade un plat à barbe, il ne put retenir un grand éclat de rire ; mais la colère de son maître lui revenant en mémoire, il fit halte à mi-chemin. « De quoi ris-tu, Sancho ? » lui demanda don Quichotte. « Je ris, répondit-il, en considérant quelle grosse tête devait avoir le païen, premier maître de cet armet, qui ressemble à un bassin de barbier comme une mouche à l'autre. — Sais-tu ce que j'imagine, Sancho ? » reprit don Quichotte. « Que cette pièce fameuse, cet armet enchanté, a dû, par quelque étrange accident, tomber aux mains de quelqu'un qui ne sut ni connaître ni estimer sa valeur, et que ce nouveau maître, sans savoir ce qu'il faisait, et le voyant de l'or le plus pur, s'imagina d'en fondre la moitié pour en faire argent; de sorte que l'autre moitié est restée sous cette forme, qui ne ressemble pas mal, comme tu dis, à un plat de barbier. Mais qu'il en soit ce qu'il en est; pour moi, qui le connais, sa métamorphose m'importe peu; je le remettrai en état au premier village où je rencontrerai un forgeron, et de telle façon qu'il n'ait rien à envier au casque même que fourbit le dieu des fournaises pour le dieu des batailles. En attendant, je le porterai comme je pourrai, car mieux vaut quelque chose que rien du tout, et d'ailleurs il sera bien suffisant pour me défendre d'un coup de pierre. — Oui, répondit Sancho, pourvu qu'on ne les lance pas avec une fronde, comme dans la bataille des deux armées, quand on vous rabota si bien les mâchoires [...]. »

I, XXI, 194-195

À l'imagination fertile du chevalier s'oppose, comme il se doit, le bon sens de l'écuyer. Sancho n'est pourtant pas toujours fiable. Il fabule à sa façon lorsque ça l'arrange. Mais son pouvoir de fabulation nourrit surtout ses espérances (devenir gouverneur) et affecte rarement les scènes dont il est témoin. Dans celle qui nous occupe, en tout cas, il voit juste. Le narrateur prend néanmoins la peine d'en donner confirmation dans une explication un peu laborieuse de cette apparition improbable : un barbier cheminant avec son bassin sur la tête. Rien ne nous est épargné des circonstances qui rendent la chose plausible : la géographie locale, la pluie, le chapeau neuf, la brillance du plat à barbe (sous un ciel pourtant pluvieux), comme si l'auteur craignait de donner raison aux lubies de son héros. Comme s'il fallait charger la réalité d'un maximum de vraisemblance, de sorte qu'aucun homme sensé puisse prendre ce plat pour une salade ! De fait, l'enchantement devient ici difficile. Quichotte lui-même s'en aperçoit et cherche une explication « raisonnable », factuelle, à la transformation par laquelle l'armet a pris l'apparence d'un vulgaire bassin.

L'imagination de l'Ingénieux Hidalgo répond en quelque sorte à celle que le narrateur a déployée plus haut pour justifier sa mise en scène. À ceci près que la tâche de Quichotte est plus difficile : il doit rendre compte d'une mutation physique là où l'auteur peut se contenter d'invoquer les circonstances. Dans le dialogue indirect où il est engagé avec ce dernier, le héros soupçonne en effet que son explication ne passera pas la rampe et la clôt par un argument d'autorité : quoi qu'il en soit de cette métamorphose, lui, Quichotte, sait de quoi il retourne et ne se sent pas tenu de convaincre. Manière d'avouer à demi-mot que son histoire tient aussi mal que le plat à barbe sur sa tête. Sancho ne manque pas de souligner cette précarité en lui rappelant malicieusement que sa trouvaille ne l'empêchera pas d'en reprendre plein la gueule.

Dans ce livre qui ne laisse pour ainsi dire rien dans l'ombre, le narrateur ne cesse de montrer et de répéter noir sur blanc que, hors de son rêve chevaleresque, don Quichotte n'est pas fou et manifeste au contraire beaucoup de sagacité. Le passage qu'on vient de lire va encore plus loin : il arrive que, du cœur même de sa folie, le héros sache secrètement à quoi s'en tenir, sache ce qu'il en est au juste de la réalité — une réalité dont par ailleurs il ne veut précisément rien savoir. Plus encore, une réalité qu'il refuse et qu'il va parfois jusqu'à combattre.

Croisant des forçats qu'on mène aux galères, le valeureux chevalier n'ignore pas qu'il s'agit là de malfaiteurs enchaînés sur ordre du roi. Il ne les prend ni pour des anges ni pour des confrères victimes d'enchantement. Attentif au récit de leurs méfaits, il n'est tout simplement pas d'accord avec la peine qu'on leur inflige. Et de les délivrer, à ses propres dépens, puisqu'il se fera partiellement détrousser par certains d'entre eux. Nouvelle folie, donc, que cette libération. Mais « folie » d'une tout autre nature, qui consiste cette fois à s'opposer sinon à l'ordre établi du moins à l'une de ses dispositions. La fuite dans l'utopie chevaleresque était déjà, en soi, refus du monde. Avec l'épisode des forçats ce refus prend momentanément une forme active et lucide. À un vieil homme de la chaîne qui lui raconte être condamné aux galères pour avoir agi comme entremetteur et pratiqué la sorcellerie, Quichotte répond que, quant au premier chef d'accusation, l'entremise amoureuse est une institution nécessaire que l'État ferait bien de prendre en charge plutôt que de la réprimer. Quant au second chef, le chevalier sait bien, dit-il, « qu'il n'y a dans le monde ni charmes ni sortilèges qui puissent contraindre ou détourner la volonté, comme le pensent quelques simples. Nous avons parfaitement notre libre arbitre ; ni plantes ni enchantements ne peuvent lui faire violence » (I, xxii, 206).

Retournement ironique, la victime des enchantements nie leur puissance. La contradiction n'est qu'apparente : don Quichotte proclame justement à qui veut l'entendre qu'aux sortilèges il ne se laisse pas prendre. Il se targue au contraire de leur résister et de persister malgré eux sur le chemin de cette gloire dont les mauvais esprits voudraient le priver. Le héros se montre ici parfaitement cohérent avec lui-même : en combattant les moulins, il manifeste précisément son libre arbitre, il affirme sa volonté. Ce n'est pas parce que la réalité se travestit qu'il se résigne à tomber sous le charme de son déguisement. Il ne se laisse pas plus impressionner par les faux-semblants que par la justice royale. De même qu'aucune autorité ne forcera sa conscience à tenir pour juste ce qui, à ses yeux, est injuste, de même personne ne l'obligera à tenir pour réel ce qui ne l'est pas, ni à démentir ce qu'il tient pour la réalité. Si l'on admet que les sens sont trompeurs (comme le font les philosophes et les hommes de science), s'il peut donc y avoir dissociation entre ce qu'on *voit* et ce qui *est*, Quichotte se montre rigoureusement logique. Et néanmoins déraisonnable. Non seulement le raisonnement logique n'est pas synonyme de raison (au sens de la capacité de pensée que donne l'expérience réfléchie de la vie), mais la rigueur même de cette logique est un puissant outil d'enfermement pour tout esprit qui refuse de tirer des enseignements de l'expérience vécue et qui se cantonne dans le circuit fermé d'une pensée unique.

Fructueux ou tout au moins bénin dans ses effets cognitifs, le libre arbitre peut avoir de fâcheuses conséquences sociales dès lors qu'il s'exerce sur le plan moral, comme en témoigne la méchante tournure que prend le déchaînement des galériens. Le libre arbitre oblige l'homme à réfléchir, mais ce devoir ne lui permet pas d'agir seulement selon sa conscience, quand bien même il la placerait, comme le fait Quichotte, sous la garde de Dieu. Ni Dieu ni la conscience ne remplacent la loi. Et c'est d'ignorer cette limite indispensable à la vie collective que le héros se fourvoie. Loi et réalité se rejoignent ici dans un même principe, dans une même nécessité, une même « réalité ». Parce que cette réalité le blesse d'une manière qui reste ici partiellement mystérieuse, Quichotte est incapable de s'arranger avec elle. En ce sens, il la refuse. Mais ce refus n'est pas global. Si radical soit-il dans ses manifestations occasionnelles, il en veut seulement à ce qui dans cette réalité entrave l'accomplissement du rêve : le justicier, le redresseur de torts ne peut souffrir que l'iniquité, fût-ce par ordre du roi, lui résiste ; le combattant ne peut accepter que l'occasion d'une victoire se dérobe ; ni l'amoureux admettre qu'il y ait plus belle, plus admirable que Dulcinée.

L'amour est le chapitre sur lequel notre hidalgo se montre le plus intraitable, le respect qu'il exige de tout un chacun à la dame de ses pensées ne tolère pas le moindre écart. En quoi Quichotte n'est finalement pas différent de tout amoureux, chez qui la passion supprime l'esprit critique dès que l'objet de son amour est en cause. Or voilà que, sur ce terrain miné de l'amour, là même où son honneur se montre le plus chatouilleux, le héros témoigne par moments d'une lucidité désarmante.

En Dulcinée, avoue-t-il en soupirant à un compagnon de fortune qui s'amuse à le faire discourir sur l'amour chevaleresque, « viennent se réaliser et se réunir tous les chimériques attributs de la beauté que les poètes donnent à leurs maîtresses » (I, XIII, 127). Quichotte connaît donc sa chimère. Et ne cesse pas moins de l'entretenir, car « ôter à un chevalier errant sa dame », confiera-t-il beaucoup plus tard à la duchesse, « c'est lui ôter les yeux avec lesquels il voit, le soleil qui l'éclaire et l'aliment qui le nourrit. Je l'ai déjà dit bien des fois, mais je le répète encore, le chevalier errant sans dame est comme l'arbre sans feuilles, l'édifice sans fondement, l'ombre sans le corps qui la produit ». Et comme son interlocutrice, se fiant à la lecture de ses premières aventures, lui fait remarquer que sa Dulcinée n'est pas de ce monde, que c'est une dame fantastique engendrée par son imagination, le héros rétorque évasivement : « Dieu sait s'il y a ou non une Dulcinée en ce monde, si elle est fantastique ou réelle, et ce sont de ces choses dont la vérification ne doit pas être portée jusqu'à ses extrêmes limites » (II, XXXII, 229).

À vrai dire, l'Ingénieux Hidalgo n'est pas réellement amoureux. Simplement, l'amour est un sentiment nécessaire à son entreprise. D'autant plus que c'est dans ce registre qu'il excelle, comme il le confie à Sancho lors de la pénitence qu'il accomplit en l'honneur de Dulcinée dans la Sierra-Morena. Suite à la malencontreuse délivrance des forçats, Quichotte consent en effet à suivre le conseil de son écuyer et à se réfugier dans les montagnes pour se faire oublier de la Sainte-Hermandad, à condition qu'il ne soit jamais dit qu'il ait agi par couardise. L'âpre solitude des hauteurs a tôt fait de balayer cette appréhension et lui insuffle le désir, annonce-t-il, « d'y faire une prouesse capable d'éterniser mon nom et de répandre ma renommée sur toute la face de la terre ». Devant l'inquiétude que manifeste Sancho à la perspective d'un nouveau péril, le maître explique à son intrépide écuyer qu'il entend s'inspirer ici de l'ascèse que s'infligea Amadis de Gaule, étoile polaire et soleil de la chevalerie, pour prouver sa fermeté et son désespoir face au dédain de sa belle Oriane. Car, précise-t-il, « il m'est plus facile de l'imiter en cela qu'à pourfendre des géants, à décapiter des andriaques, à défaire des armées, à disperser des flottes et à détruire des enchantements ». Bien qu'enclin à approuver cette facilité, l'écuyer reste sceptique sur les motifs :

« [...] — Quant à moi, dit Sancho, il me semble que les chevaliers qui agirent de la sorte y furent provoqués, et qu'ils avaient des raisons pour faire ces sottises et ces pénitences. Mais vous, mon seigneur, quelle raison avez-vous de devenir fou ? Quelle dame vous a rebuté ? ou quels indices avez-vous trouvés qui fissent entendre que Mme Dulcinée du Toboso ait fait quelque enfantillage avec More ou chrétien ? — Eh ! par Dieu, voilà le point, répondit don Quichotte ; et c'est là justement qu'est le fin de mon affaire. Qu'un chevalier errant devienne fou quand il en a le motif, il n'y a là ni gré ni grâce ; le mérite est de perdre le jugement sans sujet et de faire dire à ma dame : « S'il fait de telles choses à froid, que ne ferait-il donc à chaud ? [...] Ainsi donc, ami Sancho, ne perds pas en vain le temps à me conseiller que j'abandonne une imitation si rare, si heureuse, si inouïe. Fou je suis et fou je dois être jusqu'à ce que tu reviennes avec la réponse d'une lettre que je pense te faire porter à ma dame Dulcinée. [...] »

I, xxv, 234-235

Don Quichotte témoigne ici d'une conscience aiguë de ses limites. Limites, d'abord, de sa force physique : il n'égalera jamais les plus grands au combat. Limites de son amour : c'est parce qu'il n'a aucun motif à jalousie, aucune raison de désespérer d'une dame qu'il n'a jamais vue, que ses folles mortifications sont susceptibles d'atteindre des sommets inouïs. Bien plus, l'absence même de toute passion véritable est ce qui permet à ces excès de surpasser, sur ce point précis, les prouesses par ailleurs insurpassables de son modèle Amadis de Gaule. Limites, enfin, du cadre dans lequel peuvent se déployer ses extravagances chevaleresques ; limites, en d'autres termes, du jeu auquel il se livre et dont son acolyte a tant de mal à saisir l'esprit.

Peu après le discours qu'on vient de lire, en effet, Quichotte se préoccupe soudain de savoir où Sancho a rangé le fameux armet de Mambrin dont il a été question plus haut. Le retour de cette obsession provoque la colère de l'écuyer qui, fatigué d'entendre délirer son maître sur ce vulgaire plat à barbe, commence à douter sérieusement de sa santé mentale et craint pour les promesses qu'il a reçues de lui. Loin de se fâcher de l'insolence de son serviteur, Quichotte retourne l'exaspération de ce dernier à son avantage en s'étonnant de l'étroitesse d'esprit dont elle témoigne :

« [...] Est-il possible que, depuis le temps que tu marches à ma suite, tu ne te sois pas encore aperçu que toutes les choses des chevaliers errants semblent autant de chimères, de billevesées et d'extravagances, et qu'elles vont sans cesse au rebours des autres ? Ce n'est point parce qu'il en est ainsi, mais parce qu'au milieu de nous s'agite incessamment une tourbe d'enchanteurs qui changent nos affaires, les tronquent, les dénaturent et les bouleversent à leur gré, selon qu'ils ont envie de nous nuire ou de nous prêter faveur. Voilà pourquoi cet objet, qui te paraît à toi un plat à barbe de barbier, me paraît à moi l'armet de Mambrin, et à un autre paraîtra tout autre chose. Et ce fut vraiment une rare précaution du sage qui est de mon parti, de faire que tout le monde prît pour un plat à barbe ce qui est bien réellement l'armet de Mambrin, car cet objet étant de si grande valeur, tout le monde me poursuivrait pour me l'enlever. Mais, comme on voit que ce n'est rien autre chose qu'un bassin de barbier, personne ne s'en met en souci. »

I, xxv, 235-236

Parce qu'il existe, strictement réservé à la chevalerie errante, un champ clos sensible aux enchantements, la vérité des événements et des objets qui le peuplent, échappe à la perception des gens ordinaires. Quichotte sait qu'il vit à deux niveaux de réalité différents, dualité que le simple Sancho, qui n'a jamais connu qu'un seul plancher, le plancher des ânes, ne peut comprendre. Et c'est parce qu'il ignore la cohabitation de ces mondes parallèles que le brave homme passe parfois de l'un à l'autre sans s'en rendre compte : si son maître déraisonne, alors ses assurances ne sont que du vent (I, xxv, 235) ; comme quoi Sancho a cru et espère encore pouvoir obtenir son île à gouverner *dans le quotidien* — chose qui ne sera possible que par un subterfuge organisé bien plus tard par le duc et la duchesse, qui s'amuseront à donner une éphémère apparence de réalité à la fiction qu'ils ont pris tant de plaisir à lire. Sancho se comporte un peu comme un adulte qui prendrait au pied de la lettre le rêve éveillé d'un enfant en train de jouer à Robin des bois. Tout en sachant qu'il fabule, l'enfant, à l'instar de notre chevalier errant, est entièrement présent à l'histoire qu'il se fabrique, mais il aurait une piètre idée de l'adulte qui traiterait son aventure comme une réalité du même ordre, par exemple, que celle qui l'oblige d'aller à l'école le lundi matin. Quichotte n'agit pas autrement que l'enfant, subtilité d'argumentation en plus. Tout en jouant sur la pluralité des mondes et sur la relativité des choses qui se rapportent à chacun d'eux, il laisse entendre qu'une réalité, la sienne, a plus de poids ou du moins plus de valeur que l'autre, exactement comme l'armet de Mambrin vaut mille fois plus qu'un plat à barbe. Non seulement de ce qu'il est d'or mais surtout de ce qu'*il n'a pas son pareil*.

À l'instar de son armet, Quichotte se veut singulier. « Je sais qui je suis », dit-il au paysan qui, l'ayant ramassé au terme de sa première sortie, tente de le ramener à la réalité de son identité, « et je sais que je puis être, non seulement ceux que j'ai dits, mais encore les douze pairs de France, et les neuf chevaliers de la Renommée, puisque les exploits qu'ils ont faits, tous ensemble et chacun en particulier, n'approcheront jamais des miens » (I, v, 76). La confiance qu'il a dans la force de son bras, comme on vient de le voir, ne sera pas toujours aussi inébranlable, mais l'idée que, d'une façon ou d'une autre, il surpassera ses modèles ne le lâche pas. S'il les imite, c'est pour aller plus haut, pour acquérir une renommée sans égale. Car la singularité ne lui suffit pas, il faut qu'elle paraisse, qu'elle éclate aux yeux de tous, qu'elle fasse parler, qu'elle reste à jamais gravée dans les mémoires. Le renom et l'écriture qui seule peut le répandre deviennent même plus importants que leur objet, comme en témoigne l'intérêt qu'il manifeste pour le surnom pourtant peu flatteur que lui donne publiquement son écuyer. Le maître vient en effet de culbuter quelques malheureux pénitents auxquels Sancho fait savoir qu'ils ont été mis en déroute par « le fameux don Quichotte de la Manche, autrement appelé *le chevalier de la Triste Figure* ». Comme l'intéressé s'informe du motif de cette soudaine appellation :

> « Je vais vous le dire, répondit Sancho ; c'est que je vous ai un moment considéré à la lueur de cette torche que porte ce pauvre boiteux [*que le héros vient tout juste d'estropier*] ; et véritablement Votre Grâce a bien la plus mauvaise mine que j'aie vue depuis longues années ; ce qui doit venir sans doute, ou des fatigues de ce combat, ou de la perte de vos dents. — Ce n'est pas cela, répondit don Quichotte ; mais le sage auquel est confié le soin d'écrire un jour l'histoire de mes prouesses aura trouvé bon que je prenne quelque surnom significatif, comme en prenaient tous les chevaliers du temps passé. [...] Ainsi donc, dis-je, le sage dont je viens de parler t'aura mis dans la pensée et sur la langue ce nom de *chevalier de la Triste Figure*, que je pense bien porter désormais ; et pour que ce nom m'aille mieux encore, je veux faire peindre sur mon écu, dès que j'en trouverai l'occasion, une triste et horrible figure. — Par ma foi, seigneur, reprit Sancho, il est bien inutile de dépenser du temps et de l'argent à faire peindre cette figure-là. Votre Grâce n'a qu'à montrer la sienne [...]. »
>
> I, XIX, 177-178

Quichotte aspire tellement à cette autre réalité qu'il a trouvée dans les récits de chevalerie, qu'il vit d'ores et déjà comme un personnage de roman. Sa mauvaise mine ne saurait avoir de cause matérielle et les explications triviales de Sancho ne le concernent pas, du moment que la trouvaille de ce dernier lui est dictée en vertu d'une finalité qui lui échappe. Tout ce qui arrive d'important à Quichotte (dès le premier tome) n'a de signification qu'en fonction du futur récit qui assurera sa gloire. Et comme les romans de chevalerie ne s'intéressent guère aux écuyers, il n'est pas étonnant que Sancho interprète les événements tout de travers. Tout de travers du point de vue romanesque du héros quichottesque, qui, bien qu'assoiffé d'un surplus de réalité, n'ignore pas complètement ce que sa quête a de fictif; mais très justement du point de vue terre à terre de son serviteur, auquel il incombe d'ailleurs d'assurer l'intendance. Ainsi chacun des deux compères vit les mêmes événements dans deux sphères séparées : Quichotte haut perché dans les nues, Sancho tassé sur son bourricot.

L'étanchéité n'est évidemment pas complète. À l'image des protagonistes eux-mêmes, les deux sphères communiquent. Maître et valet sont dans un dialogue presque incessant. C'est que chacun, tout en restant là où il est, partage une partie de la réalité de l'autre. Quichotte n'ignore pas les contingences et porte sur elles un regard perspicace, tant qu'elles ne menacent pas son rêve. Sancho, de son côté, croit dur comme fer, malgré ses instants de découragement, au gouvernorat que lui vaudront les hauts faits de son seigneur. Aussi appuie-t-il chez ce dernier toute initiative susceptible de rapprocher cette échéance. Il réussit même, à cette fin, à épouser adroitement l'obsession littéraire de son maître. Se rappelant sans doute l'explication que celui-ci lui a donnée concernant le surnom de la Triste Figure, Sancho fait justement remarquer à son noble compagnon qu'il perd son temps à accumuler les exploits sur les grands chemins, car « il n'y a personne pour les voir et les savoir » si bien qu'ils resteront « enfouis dans un oubli perpétuel ». Il vaudrait donc mieux aller servir un empereur où quelque autre grand prince, auprès duquel il verra sa bravoure récompensée. « Et là se trouveront aussi des clercs pour coucher par écrit les prouesses de Votre Grâce, et pour en garder la mémoire », conclut l'astucieux écuyer (I, xxi, 197). Quichotte est forcé d'admettre que son serviteur a bien parlé, mais il dispose d'une repartie qui, à son tour, ne manque pas de finesse : la gloire doit précéder l'arrivée du chevalier auprès de son prince, de sorte que, loin d'avoir à demander la permission de le servir, le champion puisse lui faire l'insigne faveur de lui offrir son bras.

Ainsi les préoccupations des deux compères se croisent et se répondent partiellement, subtilement, sans jamais quitter complètement leurs registres respectifs. Les deux voix se mêlent sans perdre leur tonalité particulière dans une sorte d'intelligence ambiguë de ce qui les rend ponctuellement compatibles. L'incessante conversation de Sancho et de Quichotte, où chacun fait mine d'ignorer ce qu'il emprunte chez l'autre et d'admettre ce qu'il y refuse, constitue probablement un des plus riches et savoureux dialogues de sourds de la littérature occidentale. À vrai dire, leur surdité n'est pas complète, elle laisse toujours la place à des fragments de vérité. La vérité passe d'un camp à l'autre comme une balle : elle n'est ni chez l'un ni chez l'autre mais dans le mouvement qui la renvoie sans cesse de l'un à l'autre. Ce jeu se joue dans des limites généralement assez strictes, rarement transgressées. Sauf exception, chacun reste sur son terrain, les rôles ne sont pas interchangeables mais presque toujours complémentaires : Sancho est sage où Quichotte est fou et fou où son maître est sage. Cet incessant échange de sagesse et de folie, qui sert de passerelle entre les deux niveaux de réalité où réside normalement l'esprit de chacun, finit par tisser entre les deux compagnons de puissants liens de complicité et d'amitié. Les deux compères se trompent et s'aiment en même temps. C'est ce qui les rend si vrais, si attachants.

Un des épisodes les plus significatifs de cette complémentarité ambiguë est celui qui, au début de la troisième sortie (dans le second livre), voit le chevalier et son valet en route pour le Toboso à la recherche de Dulcinée. Une peur inavouable les saisit chacun séparément à la perspective d'être face à la vérité : le chevalier redoute d'assister à l'effondrement de son rêve et l'écuyer de voir sa supercherie découverte (contrairement au rapport détaillé qu'il a fait à son maître, Sancho n'a jamais mis les pieds au Toboso ni rencontré celle pour laquelle il était porteur d'un message d'amour). Quichotte se réfugie donc dans un bois et charge son valet d'aller s'enquérir de sa dame. Perplexe, ce dernier fait mine de se rendre au village et sitôt qu'il n'est plus en vue de son maître descend de son âne et s'assied au pied d'un arbre pour dialoguer avec lui-même sur les beaux draps dans lesquels il s'est mis. Une solution finit par émerger de ses pensées :

« […] Mon maître, à ce que j'ai vu dans mille occasions, est un fou à lier, et franchement, je ne suis guère en reste avec lui ; au contraire, je suis encore plus imbécile, puisque je l'accompagne et le sers, s'il faut croire au proverbe qui dit : Dis-moi qui tu hantes et je te dirai qui tu es ; ou cet autre : Non avec qui tu nais, mais avec qui tu pais. Eh bien, puisqu'il est fou, et d'une folie qui lui fait la plupart du temps prendre une chose pour l'autre [...], il ne me sera pas difficile de lui faire accroire qu'une paysanne, la première que je trouverai par ici sous ma main, est Mme Dulcinée. S'il ne le croit pas, j'en jurerai ; s'il en jure aussi, j'en jurerai plus fort, et s'il s'opiniâtre, je n'en démordrai pas : de cette manière j'aurai toujours ma main par-dessus la sienne, advienne que pourra. Peut-être le dégoûterai-je ainsi de m'envoyer une autre fois à de semblables messages, en voyant les mauvais compliments que je lui en rapporte. Peut-être aussi pensera-t-il, à ce que j'imagine, que quelque méchant enchanteur, de ceux qui lui en veulent, à ce qu'il dit, aura changé, pour lui jouer pièce, la figure de sa dame. »

Sur cette pensée, Sancho Panza se remit l'esprit en repos et tint son affaire pour heureusement conclue. Il resta couché sous son arbre jusqu'au tantôt, pour laisser croire à don Quichotte qu'il avait eu le temps d'aller et de revenir. Tout se passa si bien que, lorsqu'il se leva pour remonter sur le grison, il aperçut venir du Toboso trois paysannes, montées sur trois ânes [...]. [*Et Sancho de trotter vers son maître pour le préparer à cette apparition.*] « Sainte Vierge ! s'écria don Quichotte ; qu'est-ce que tu dis, ami Sancho ? Ah ! je t'en conjure, ne me trompe pas, et ne cherche point par de fausses joies à réjouir mes véritables tristesses. — Qu'est-ce que je gagnerais à vous tromper, répliqua Sancho, surtout quand vous seriez si près de découvrir mon mensonge ? Donnez de l'éperon, seigneur, et venez avec moi, et vous verrez venir votre maîtresse la princesse, vêtue et parée comme il convient. » [*Suit une description superlative de leur beauté et leurs atours.*]

En disant cela, ils sortirent du bois et découvrirent tout près d'eux les trois villageoises. Don Quichotte étendit les regards sur toute la longueur du chemin du Toboso ; mais ne voyant que ces trois paysannes, il se troubla et demanda à Sancho s'il avait laissé ces dames hors de la ville. « Comment, hors de la ville ? s'écria Sancho ; est-ce que par hasard Votre Grâce a les yeux dans le chignon ? Ne voyez-vous pas celles qui viennent à nous, resplendissantes comme le soleil en plein midi ? — Je ne vois, Sancho, répondit don Quichotte, que trois paysannes sur trois bourriques. — À présent, que Dieu me délivre du diable ! reprit Sancho ; est-il possible que trois hacanées [*pour « haquenées »*], ou comme on les appelle, aussi blanches que la neige, vous semblent des bourriques ? Vive le Seigneur ! je m'arracherais la barbe si c'était vrai. — Eh bien, je t'assure, ami Sancho, répliqua don Quichotte, qu'il est aussi vrai que ce sont des bourriques ou des ânes que je suis don Quichotte et toi Sancho Panza. Du moins ils me semblent tels. — Taisez-vous, seigneur, s'écria Sancho Panza, ne dites pas une chose pareille, mais frottez-vous les yeux et venez faire la révérence à la dame de vos pensées, que voilà près de nous. »

À ces mots, il s'avança pour recevoir les trois villageoises, et, sautant à bas du grison, il prit au licou l'âne de la première ; puis, se mettant à deux genoux par terre, il s'écria : « Reine, princesse et duchesse de la beauté, que votre hautaine Grandeur ait la bonté d'admettre en grâce et d'accueillir en faveur ce chevalier, votre captif, qui est là comme une statue de pierre, tout troublé, pâle et sans haleine de se voir en votre magnifique présence. Je suis Sancho Panza, son écuyer ; et lui, c'est le fugitif et vagabond chevalier don Quichotte de la Manche, appelé de son autre nom *chevalier de la Triste Figure*. »

En cet instant, don Quichotte s'était déjà jeté à genoux aux côtés de Sancho, et regardait avec des yeux hagards et troublés celle que Sancho appelait reine et madame. Et, comme il ne découvrait en elle qu'une fille de village, encore d'assez pauvre mine, car elle avait la face bouffie et le nez camard, il demeurait stupéfait sans oser découdre la bouche.

II, x, 69-71

Les paysannes envoient rudement promener leurs admirateurs, et don Quichotte en conclut, inconsolable, que le mauvais génie qui le poursuit de sa haine a voulu le priver du bonheur qu'il aurait eu à contempler sa dame « dans son être véritable »[156].

La duperie de Sancho atteint donc pleinement son but, mais à rebours de ce que son auteur a d'abord escompté. Pour une fois, bien qu'étant, c'est le cas de le dire, au cœur même de sa divagation, don Quichotte ne se laisse pas leurrer et voit juste. Mais comme il ne doute pas, en une affaire de si haute importance, de la bonne foi de son serviteur, comme il ne lui vient pas une seconde à l'esprit que son brave compagnon puisse faire preuve à la fois de tant de finesse et de fourberie,

---

156. Ce fameux passage mériterait une analyse plus fouillée, mais on la trouve, admirable, chez AUERBACH, *op. cit.*, chap. XIV, « La Dame enchantée de Don Quichotte ».

il en arrive *logiquement* à la conclusion que nous savons. La tromperie commence par échouer parce que l'Ingénieux Hidalgo — à moins d'une mise en scène effective dont l'écuyer n'a pas les moyens — ne peut être trompé que par sa propre imagination. Ultime ressource sur laquelle le simulateur a d'ailleurs prévu pouvoir compter : si l'amoureux n'entre pas dans son jeu, il ne manquera pas de trouver en lui-même le motif de sa déconvenue. C'est dire à quelle profondeur le serviteur a, plus ou moins consciemment, pénétré la logique du maître, bien qu'il persiste à n'en pas comprendre le sens. Cette rare pénétration doit toutefois rester cachée, sans quoi la relation de l'inénarrable duo en serait irrémédiablement compromise. Jusqu'à la fin, Quichotte ne saura pas.

Le couple Sancho-Quichotte tient donc grâce à l'équivoque qui, dans le discours de chacun, entoure prudemment la question de la vérité et qui leur permet, en dépit de leurs incessantes chicanes, de s'aimer. Le portrait qu'ils tracent l'un de l'autre en témoigne de manière émouvante :

> « [...] je veux que vos Seigneuries [*déclare Quichotte au duc et à la duchesse*] soient bien convaincues que Sancho Panza est un des plus gracieux écuyers qui aient jamais servi chevalier errant. Il a quelquefois des simplicités si piquantes qu'on trouve un vrai plaisir à se demander s'il est simple ou subtil ; il a des malices qui le feraient passer pour un rusé drôle, puis des laisser-aller qui le font tenir décidément pour un nigaud ; il doute de tout, et croit à tout cependant ; et, quand je pense qu'il va s'abîmer dans la sottise, il lâche des saillies qui le remontent au ciel. Finalement, je ne le changerais pas contre un autre, me donnât-on de retour une ville tout entière. Aussi suis-je en doute si je ferai bien de l'envoyer au gouvernement dont votre Grandeur lui a fait merci ; cependant, je vois en lui une certaine aptitude pour ce qui est de gouverner [...]. »

> II, XXXII, 231

De fait, Sancho fera preuve d'une sagacité remarquable dans l'exercice de son bref mandat de gouverneur, qu'il quittera de son propre chef devant les absurdes exigences du métier. Perspicacité qu'on retrouve peu après dans le portrait qu'il trace de Quichotte au cours d'un entretien particulier avec la duchesse :

> « [...] La première chose que j'aie à vous dire, c'est que je tiens mon seigneur don Quichotte pour fou achevé, accompli, pour fou sans

ressource, bien que parfois il dise des choses qui sont, à mon avis, et à celui de tous ceux qui l'écoutent, si discrètes, si raisonnables, si bien enfilées dans le droit chemin que Satan lui-même n'en pourrait pas dire de meilleures. » [*Et de raconter la mystification dont il a été l'artisan au Toboso. Sur quoi la duchesse fait observer à son interlocuteur qu'il doit être encore plus fou que son maître, puisque, le connaissant si bien, il persiste à le suivre et à croire en ses promesses. Sancho en convient sans difficulté :*] « [...] si j'avais deux onces de bon sens, il y a longtemps que j'aurais planté là mon maître. Mais ainsi le veulent mon sort et mon malheur. Je dois le suivre, il n'y a pas à dire ; nous sommes du même pays, j'ai mangé son pain, je l'aime beaucoup, il est reconnaissant, il m'a donné ses ânons, et par-dessus tout je suis fidèle. Il est donc impossible qu'aucun événement nous sépare, si ce n'est quand la pioche et la pelle nous feront un lit. »

II, xxxiii, 235-236

La fidélité au maître implique la fidélité au rêve, même incompréhensible, qui l'anime. On ne peut suivre don Quichotte ni s'attacher à lui sans partager un peu de sa folie. Et il est difficile, dans son sillage, de n'être fou qu'à moitié. Au Toboso, Sancho ne fait pas que se tirer d'un mauvais pas, sa duplicité n'est pas simple trahison, elle est profondément, secrètement fidèle. Il trompe par amour, par une juste intuition de ce qui tient son maître vivant. Le jeu paraît cruel, mais le chevalier de la Triste Figure saura puiser des forces dans l'affliction d'avoir manqué de voir sa dame dans sa « vraie » splendeur, là où cette vérité aurait pu le faire mourir. Avec toute sa rouerie, Sancho agit donc plus justement qu'il ne pense en évitant à Quichotte toute rencontre, même truquée, avec l'objet d'un amour qui, selon ses propres termes, doit rester chimérique.

Par la même espèce de fatalité qui lie le serviteur à son maître, le maître lui-même n'est pas libre de choisir son destin ; le maître est moins maître de lui-même que son valet (qui, lui, a su quitter sa chimère, son gouvernorat, de son propre mouvement). Comme le héros l'explique à sa nièce à la veille de sa troisième sortie : « c'est en vain que vous vous fatigueriez à me persuader de ne pas vouloir ce que veulent les cieux, ce qu'a réglé la fortune, ce qu'exige la raison, et surtout ce que désire ma volonté ; car, sachant, comme je le sais, quels innombrables travaux sont attachés à la chevalerie errante, je sais également quels biens infinis on obtient par elle » (II, vi, 48-49).

Ces biens sont évidemment aussi chimériques que Dulcinée. Reste à savoir si cela suffit à les rendre dérisoires. Ce qui nous conduit à réfléchir au sens de ce destin que don Quichotte n'a selon lui pas d'autre choix que de faire sien, auquel il exprime en quelque sorte le désir d'être irréductiblement assigné, et à travers le récit duquel le narrateur met la nécessité et le libre arbitre, la réalité et l'imaginaire dans un dialogue d'une complexité presque inépuisable.

Sans prétendre en épuiser le sens, tentons de serrer de plus près la nature de l'héroïsme quichottesque tant dans son rapport à la fiction qu'à la réalité. Pour ce qui est de la fiction, nul doute que le destin du héros, comme son surnom l'indique, est bien de faire Triste Figure. Figure dérisoire d'un héros plus pathétique que tragique, difficile à prendre au sérieux de ce que le personnage apparaît comme l'unique auteur de ses déboires. À s'en tenir à la fiction, donc, tout serait parodie, ironie et moquerie. Cette position n'est évidemment pas tenable : Quichotte, et il le sait, ne vagabonde pas dans la forêt de Brocéliande au temps du roi Arthur, mais dans l'Espagne de la fin du XVIe siècle, c'est-à-dire dans un monde qui nous est présenté comme parfaitement réel, où il est parfois fait allusion à des faits historiques vérifiables[157]. Le roman vit en partie de ce contraste.

La réalité à laquelle se heurte la fiction, c'est cette Espagne des rois très catholiques qui depuis la prise de Grenade (1492) n'a cessé d'expulser, d'épurer et de soumettre à l'inquisition tout ce qui de près ou de loin a pu être contaminé par l'islam ou le judaïsme. Telle est l'une des priorités politiques de l'élite raisonnable qui veille à la marche du monde. Je ne cherche pas à insinuer que Cervantès condamne son gouvernement, il ne le fait pas. J'indique seulement que cette dimension est présente dans l'œuvre, elle-même placée, ne l'oublions pas (et nous y reviendrons), sous l'autorité d'un historien arabe. La politique d'épuration fait objectivement partie de cette réalité dans laquelle le héros juge raisonnable de devenir fou. Ce contraste entre la raison du plus fou et celle des plus sensés, comme on le verra plus loin dans un autre contexte, n'a rien d'anodin.

Au reste, la résolution d'être fou, chez Quichotte, n'a évidemment rien à voir avec l'actualité. C'est simplement *ce qu'exige la raison*, comme il le dit à sa nièce. On pourrait sans difficulté mettre ce recours

---

157. Ainsi l'édit par lequel, le 22 septembre 1609, Philippe III interdit sous peine de mort aux morisques de résider sur le territoire espagnol (II, LIV, 373-374).

à la raison au compte des extravagances quichottesques. On n'aurait même guère d'autre choix si Quichotte était essentiellement fou. Mais, comme chacun sait, il ne l'est pas. Il n'est « fou » que dans l'étroit couloir de sa lubie. Et cette lubie, dit-il, a une raison. Mais laquelle ? Pourquoi, en d'autres termes, la fiction réussit-elle à l'éloigner de son quotidien au point de l'amener à vouloir pénétrer en elle ? Cette image érotique ne surgit pas ici par hasard : Dulcinée, avec toute l'ambiguïté que contient l'amour courtois, apparaît comme la figure emblématique de cette fiction où Quichotte voudrait *réellement* pouvoir entrer et jouir, non pas vraiment de sa Dame mais de sa gloire. Or on ne vit pas plus dans la fiction qu'on ne rencontre Dulcinée. L'amour de l'hidalgo pour l'une et l'autre est forcément malheureux, et sa réputation tout sauf glorieuse. Aussi abjure-t-il son rêve en revenant à la réalité. En échouant à se faire une place dans la fiction chevaleresque, toutefois, Quichotte réussit malgré lui à s'en faire une dans la fiction burlesque qui tourne la première en bourrique : son histoire s'imprime et se répand, au grand amusement de ceux aux mains de qui elle tombe.

Cette circularité comique n'épuise pas le rapport au réel, car elle ne dit toujours pas pourquoi Quichotte cède jusqu'à la folie, c'est le cas de le dire, aux charmes de la fiction romanesque (qu'elle soit chevaleresque n'a ici qu'une importance secondaire). On ne le comprend qu'à partir de la réalité qui est la sienne au tout début :

> Dans une bourgade de la Manche, dont je ne veux pas me rappeler le nom, vivait, il n'y a pas longtemps, un hidalgo, de ceux qui ont lance au râtelier, rondache antique, bidet maigre et lévrier de chasse. Un pot-au-feu, plus souvent de mouton que de bœuf, une vinaigrette presque tous les soirs, des abattis de bétail le samedi, le vendredi des lentilles, et le dimanche quelque pigeonneau outre l'ordinaire, consumaient les trois quarts de son revenu. Le reste se dépensait en un pourpoint de drap fin, des chausses de panne avec leurs pantoufles de même étoffe, pour les jours de fêtes, et un habit de la meilleure serge du pays, dont il se faisait honneur les jours de la semaine. Il avait chez lui une gouvernante qui passait les quarante ans, une nièce qui n'atteignait pas les vingt, et de plus un garçon de ville et de campagne, qui sellait le bidet aussi bien qu'il maniait la serpette. L'âge de notre hidalgo frisait la cinquantaine ; il était de complexion robuste, maigre de corps, sec de visage, fort matineux et grand ami de la chasse. On a dit qu'il avait le surnom de Quixada ou Quesada, car il y a sur ce point

quelque divergence entre les auteurs qui en ont écrit, bien que les conjectures les plus vraisemblables fassent entendre qu'il s'appelait Quijana[158]. Mais cela importe peu à notre histoire ; il suffit que, dans le récit des faits, on ne s'écarte pas d'un atome de la vérité.

Or il faut savoir que cet hidalgo, dans les moments où il restait oisif, c'est-à-dire à peu près toute l'année, s'adonnait à lire des livres de chevalerie, avec tant de goût et de plaisir qu'il en oublia presque entièrement l'exercice de la chasse et l'administration de son bien.

I, 1, 51

Voilà tout ce que nous savons du personnage avant que ses lectures ne lui tournent la tête. Habitant obscur (on ne sait pas bien son nom) d'un village lui-même innommable, défini par sa nourriture répétitive, ses deux accoutrements et son entourage médiocre : gouvernante, nièce, garçon à tout faire, bidet, lévrier. Pour seul exercice, la chasse, qui de toute évidence ne suffit pas à combler une oisiveté quasi permanente. Calme plat sur une mare d'ennui. La cinquantaine, et rien en vue. Rien d'autre que la monotone répétition du même. En un siècle où les possibilités d'aventure ne manquent pas, notre hidalgo pourrait se mettre au service du roi, courir les mers, coloniser le Nouveau Monde. Peut-être est-il, malgré sa robustesse, trop tard, sa vie est faite, la pesanteur de l'inertie triomphe depuis trop longtemps... L'imaginaire supplée au vide de cette vie déjà largement passée, vient gonfler des espérances endormies et le pousse à sortir, sans aller trop loin, du cercle restreint de son quotidien. Le récit de l'errance chevaleresque le propulse dans le monde réel à l'écart duquel sa tranquillité rurale l'a si longtemps retenu. Paradoxalement, c'est bien *par la fiction*, grâce à elle ou à cause d'elle, comme on voudra, que le brave Quijano *entre en contact avec une réalité plus vaste*.

On ne peut donc se contenter de dire que Quichotte fuit le réel. Il s'évade plutôt de son minuscule quotidien pour s'engouffrer dans le vaste monde — immensité toute relative de la plaine manchoise, qui ne lui ouvre pas moins de nouveaux horizons. Simplement, la voie qu'il emprunte appartient à un temps révolu, si tant est que ce temps ait jamais existé. Don Quichotte se trompe de monde. Il le fait plus ou moins sciemment, et plutôt plus que moins, soupçonnant sans doute qu'il n'y a plus pour lui d'autre aventure possible dans un siècle qu'il n'a

---

158. À la toute fin du second tome, on apprend qu'il s'appelle Alonzo Quijano.

pas su rejoindre assez jeune. Non content de vivre l'aventure dans son fauteuil, il la cherche à la frange du monde. Un monde dans lequel il lui faut pourtant bien entrer un tant soit peu et auquel il se cogne d'autant plus durement qu'il y marche les yeux fermés. Ce n'est décidément pas par idéalisme que Quichotte refuse le réel mais parce qu'il ne peut tout simplement pas faire autrement, sauf à mourir d'ennui dans son trou.

Quichotte constitue bel et bien, si l'on veut, un personnage tragique, mais sa tragédie n'est pas d'être incompris du monde qu'il traverse, incompréhension qu'il assume plutôt dignement, dont il tire même sa principale fierté. Sa tragédie est double : d'abord d'être passé à côté de lui-même, ensuite de devoir renoncer à son rêve. Quijano découvre trop tard en lui le désir de se distinguer. La seule manière qui lui reste de se singulariser est de se lancer à corps perdu dans l'extravagance, et sa seule folie, de ne pas voir que cette singulière façon d'atteindre à la renommée ne peut le rendre célèbre que par le ridicule de son entre-prise. La tragédie de Quichotte est le refus du ridicule, le refus de la seule voie susceptible de lui donner l'immortalité qu'il cherche. Mais du même coup ce refus est l'unique moyen qu'il ait de préserver sa dignité. Héros non pas tant ridicule que *du* ridicule, l'Ingénieux Hidalgo personnifie ainsi la précarité de la position héroïque. Juché sur sa frêle Rossinante, il longe le gouffre où *tout* héros risque constam-ment de chuter. Pris entre la médiocrité de son quotidien et la déme-sure de son ambition (se signaler à tout prix), le héros doit bon an mal an continuer de fermer les yeux sur sa véritable situation.

Celle-ci n'a finalement rien que de très ordinaire. C'est la situation à laquelle nous avons tous, peu ou prou, à faire face : le ridicule nous guette aux moments les plus dramatiques de notre vie, alors même que nous sommes le moins aptes à l'apercevoir. Quichotte s'y trouve exposé avec une fréquence et une intensité particulières dues au décalage per-manent dans lequel il vit, mais c'est notre lot à tous. Personne ne tra-verse le monde indemne, personne ne vit sans se masquer une part plus ou moins large de sa réalité, sans interpréter le réel à son avantage. Cette réalité dont la dureté brise nos rêves devient à peu près vivable pour nous seulement de ce qu'elle passe au filtre enjôleur de notre interprétation. Le *Don Quichotte* est la caricature tragique de cette nécessité. Parce que cette nécessité, chez lui, a pris des proportions héroïques, Quichotte ne peut se remettre de l'effondrement de son imaginaire. La lucidité, en le ramenant à sa médiocre identité, le tue. Vivre ne vaut plus la peine. En quoi il n'est pas du tout le premier antihéros de notre littérature. Il en serait au contraire le dernier héros authentique : il vise l'impossible et il en meurt. Il vit son rêve jusqu'à en mourir. L'abjuration de son « erreur » ne le sauve nullement, et la mort l'accueille comme le seul lieu où son errance reste possible.

Le personnage de Quichotte est archaïque, l'absurdité de sa situation n'en apparaît que plus moderne. Dans un monde où, comme nous l'avons vu à propos de Rabelais, l'aventure terrestre prend ou reprend tous ses droits, dans un monde où l'individu se sent en quelque sorte tenu de donner sens à sa vie dans la solitude croissante de son moi, le support imaginaire du sens glisse insensiblement du collectif au singulier. Le moi doit plus que jamais vivre dans l'illusion de sa réussite — ou périr, sinon réellement, du moins symboliquement. Ce qui s'appelle être un « moins que rien » — ce néant dont nous sommes tous menacés. Ce n'est pas par hasard que Quichotte cherche à se valoriser dans l'univers romanesque de la chevalerie. Nous savons combien cet univers magnifie déjà l'exploit personnel, qui, contrairement à la prouesse du héros antique, est signe de vérité : le chevalier arthurien se trouve et trouve la vérité, en même temps, dans le combat contre l'autre ; vérité et identité sont mortellement liées. Mais la quête du Graal se poursuit dans un cadre social et symbolique qui rend cette fusion possible. Telle est la structure périmée que Quichotte fait mine de vouloir restaurer, et dont l'obsolescence le condamne à l'isolement, au risible, à l'échec.

Dans ce qui, à en croire le narrateur, « n'est tout au long qu'une invective contre les livres de chevalerie » (I, prologue, 47), le roman de Cervantès ne fait pas seulement le procès d'un héroïsme suranné, il préfigure, à grands traits sarcastiques, la condition du moi moderne. Un moi chargé d'une tâche qui menace de se révéler écrasante, s'il est vrai qu'il lui appartient désormais d'être seul à donner sens au réel. Quichotte, en se conformant au code de la chevalerie errante, en se réfugiant dans une grandeur désuète, refuse d'assumer ce poids : son chez-soi, son univers quotidien est trop manifestement dépourvu de sens ; la lecture du merveilleux l'éveille à cette médiocrité interne, l'invite à prendre la route pour cet impossible ailleurs où le sens est donné d'avance. Mais ceux dont il devient la risée publique (publiée, ne l'oublions pas) sont cent fois plus médiocres que lui. Ils ne savent pas vraiment de quoi ils se moquent : les pieds campés dans la réalité où Quichotte ne cesse de tomber, ils prennent automatiquement le monde pour acquis. Parce que leur vie a encore moins de sens que celle de leur risible héros, le duc et la duchesse ne trouvent rien de mieux à faire que d'organiser de pauvres distractions autour de lui — l'historien Cid Hamet dit à leur propos « qu'à ses yeux les mystificateurs étaient aussi fous que les mystifiés » (II, LXX, 479). Le spectacle de la « folie » quichottesque les conforte pitoyablement dans le bien-fondé de leur propre raison. Mais cette raison est vide. Le non-sens qu'ils se plaisent à mettre en évidence chez l'autre les dispense de se mettre en mal de leur propre vérité. En somme, la lecture de *Don Quichotte* joue pour eux un rôle semblable à celui qu'exerce celle des romans de chevalerie pour Quijano : elle les *distrait* de leur réalité. L'interprétation de la réalité de l'autre (en l'occurrence sa folie) leur évite d'interpréter la leur. Ils n'ont pas lu Rabelais.

Nous voilà peut-être en mesure de comprendre un peu mieux en quoi la réalité du *Quichotte* est problématique : ce fond sur lequel s'appuie l'esprit de ceux qui rient des mésaventures de l'Ingénieux Hidalgo pourrait ne pas être aussi solide qu'ils l'imaginent. Ce n'est pas pour rien que Cervantès fait entrer le récit dans le récit : la réalité dans laquelle la plupart de ses personnages secondaires se croient si fermement installés fait partie de la fiction. Quichotte et Sancho ne sont pas seuls à fournir matière à la narration ; les lecteurs eux-mêmes, à l'instar du duc et de la duchesse, à l'instar de Samson Carrasco, contribuent activement à l'augmenter. Ce dernier, à vrai dire, y met fin, en terrassant le héros sous les armes du chevalier de la Blanche-Lune. Mais ce champion du bon sens ne sait pas trop à quoi il joue, et l'hôte de Quichotte à Barcelone, le gentilhomme Antonio Moréno, ne se prive pas de le lui dire : « Dieu vous pardonne le tort que vous avez fait au monde entier, en voulant rendre à la raison le fou le plus divertissant qu'il possède ! » (II, LXV, 450). Dieu n'est peut-être pas ici invoqué aussi vainement qu'on pourrait le croire, et Samson ignore certainement la portée de son acte : s'il n'y a plus de folie visible à l'horizon, à quoi donc se reconnaîtra la raison ? Samson participe au « désenchantement du monde », prive les hommes de leur rêve. Mais là où le champion est convaincu d'avoir bien agi, le gentilhomme doute : un monde sans rêve, sans folie, sans autre folie que celle qui consiste à prendre la réalité pour la réalité, risque de devenir terriblement ennuyeux.

Je me garderai bien d'en conclure que la « modernité » de Cervantès réside dans son pressentiment de l'ennui ; qu'il y aurait là, déjà, derrière la « fin des mythes », une critique du monde nouveau qui se construit de part et d'autre de l'Atlantique. De même pour la réalité : son statut, dans le récit, reste incertain. La lumière qui l'éclaire crûment, tel le soleil la Manche un blanc midi d'été, laisse si peu d'ombre qu'elle en devient elle-même irréelle — comme si la clarté de la raison pouvait régner tout uniment... Le regard impitoyable que le récit jette sur ses principaux personnages ne suffit pas, ni ne vise, à évacuer toute ambiguïté. À commencer par celle du narrateur, qui, on l'a vu, se désigne lui-même comme « second auteur » et se réfugie derrière une source arabe dont il nous présente, dit-il, une simple traduction assortie ici ou là de quelques commentaires, portant principalement sur sa fiabilité. Celle-ci, à quelques menus détails près, serait grande : le premier auteur, Cid Hamet Ben-Engeli, a manifestement fait un scrupuleux travail d'historien. S'il y avait une objection à formuler contre la sincérité de cette histoire, ajoute-t-il,

> ce serait uniquement que son auteur fut de race arabe, et qu'il est fort commun aux gens de cette nation d'être menteurs. Mais, d'une autre part, ils sont tellement nos ennemis qu'on pourrait plutôt l'accuser d'être resté en deçà du vrai que d'avoir été au-delà. C'est mon opinion : car, lorsqu'il pourrait et devrait s'étendre en louange sur le compte d'un si bon chevalier, on dirait qu'il les passe exprès sous silence, chose mal faite et plus mal pensée, puisque les historiens doivent être véridiques, ponctuels, jamais passionnés, sans que l'intérêt ni la crainte, la rancune ni l'affection les fassent écarter du chemin de la vérité, dont la mère est l'histoire, émule du temps, dépôt des actions humaines, témoin du passé, exemple du présent, enseignement de l'avenir.
>
> I, IX, 101

À prendre ces remarques au pied de la lettre, le premier auteur, parce qu'arabe, tendrait à diminuer les mérites de Quichotte — ce qui suppose que le second auteur connaît par ailleurs la « vraie » nature de ce « si bon chevalier ». Auquel cas l'Ingénieux Hidalgo ne peut être que moins fou qu'il ne paraît. Mais la circonstance providentielle qui fait tomber le manuscrit arabe entre les mains du narrateur espagnol, alors que les sources dont il disposait jusque-là laissaient le récit en suspens au milieu d'un formidable combat — le seul vrai combat singulier que Quichotte aura pu livrer de toutes ses aventures —, cette mise en scène rocambolesque, dans le récit, de l'histoire même du récit, jointe à la louange excessive des vertus de la discipline historique, tout cela indique assez que cette « critique des sources » fait plutôt partie de l'appareil comique destiné à rehausser le ridicule de toute l'entreprise : tant celle du héros que de ses historiens. Le souci de l'exactitude historique devient ainsi le moyen grâce auquel le seul véritable auteur, Cervantès, cherche à brouiller les pistes et à se rendre, à l'instar de la vérité elle-même, inatteignable. Pas moyen de savoir avec certitude à quel niveau de réalité il se situe ni en fin de compte quelle est sa visée la plus chère.

S'il est clair que Cervantès se sert abondamment du registre comique et qu'il y réussit admirablement, il devient beaucoup plus compliqué de savoir ce qu'il cherche au juste à tourner en dérision : la folie ou la raison, l'altérité ou l'identité, le rêve ou la réalité, la fable ou la vérité ? Plus on lit, plus il devient difficile de trancher. Cette difficulté quasi insoluble me conduit à penser que Cervantès refuse justement de ramener la vie à ces alternatives. On ne peut pas complètement ignorer, bien sûr, le souci d'échapper à la censure, mais cette préoccupation me paraît secondaire dans une œuvre plutôt respectueuse de l'ordre établi et peu susceptible de tomber sous le coup du délit d'opinion. Si Cervantès s'en prend à un « ordre » quelconque, cet ordre n'est pas spécifiquement politique ou religieux, ce serait plutôt l'ordre général des choses qu'on croit certaines ; ce serait la certitude des divers protagonistes d'être dans le « bon ordre » : pour Quichotte d'être dans l'ordre de la justice ; pour ses lecteurs d'être dans l'ordre de la raison. Plutôt que la censure du roi ou de l'Église, le roman de Cervantès avait probablement à redouter bien davantage l'opération réductrice qui, jusqu'aujourd'hui, risque de faire de son livre un éloge de la fuite onirique ou, tout au contraire, une apologie du réalisme.

L'ambiguïté délibérée du *Don Quichotte* est, je crois, pédagogique. Elle porte à réfléchir à ce que Hegel appellera plus tard « la fausse familiarité des choses ». Cervantès va très loin dans ce sens. Pour maintenir l'ambiguïté jusqu'au bout, il lui sacrifie son héros. Malgré toute l'affection qu'il ne peut s'empêcher d'avoir pour sa créature, il la laisse aller à sa perte. Don Quichotte ne revient pas plus sage qu'il n'est parti, et sa conversion de dernière heure est une pure défaite : elle ne garde rien du rêve qu'il a si malheureusement tenté de vivre. Il se renie avec autant de force qu'il s'est rêvé. Il ne réfléchit pas plus à son retour qu'il n'a réfléchi naguère à sa vie ou à son départ. Sa sagesse, qui est réelle, ne lui aura été d'aucun secours, en raison, peut-être, de cette fêlure de l'âme par où l'honnête hidalgo aura vainement tenté d'échapper à lui-même et que le narrateur se garde bien d'expliquer.

En enterrant don Quichotte, et avec lui sa fêlure, Cervantès ne permet à personne de le manipuler à sa guise. Il laisse entière l'incertitude.

Entier le paradoxe de son œuvre maîtresse : dans ce qu'on pourrait considérer comme un livre précurseur de l'héroïsme moderne — si tant est qu'on puisse encore parler d'héroïsme — le *Quichotte*, en croisant le fictif et le réel au carrefour de l'ancien et du nouveau, met en scène l'impératif qui consiste pour l'individu à se singulariser. Mais du même souffle il balaie le rêve chargé de mener à bien cette singulière folie. Est-il encore possible, en ce monde désenchanté, d'être, ne serait-ce qu'à ses propres yeux, un héros ? Peut-on faire sens tout seul ?

XV

LE SPECTRE DE LA VÉRITÉ

S'il en est un qui rumine la solitude du sens, c'est bien le plus célèbre, le plus commenté des héros de Shakespeare.

C'est la nuit. Il fait froid. Une forme muette revêtue de la majesté du roi récemment défunt, une forme suspecte usurpant son port altier et son noble visage rôde sur les remparts d'Elseneur. Des officiers de la garde tentent vainement de la retenir : *Stay, illusion!* Hamlet, fils homonyme du défunt, en est averti : à lui le spectre parlera. Il lui révèle, en effet, qu'il n'est pas mort d'une morsure de serpent mais du poison de la vipère fratricide, adultère et incestueuse qui porte sa couronne et couche avec sa femme. Telle est l'atmosphère trouble dans laquelle Hamlet apprend que son oncle, le roi Claudius, nouvel époux de sa mère, est l'assassin de son père. La mécanique de la vengeance est remontée.

Mais elle se déroule tout de travers. Le vengeur hésite, temporise. Et, à force de tarder, la vengeance n'aura pas lieu. N'aura lieu que la mort. La mort en chaîne, qui laisse le trône danois vacant, à la disposition de l'adversaire norvégien contre les menées duquel on se préparait au début du drame. La victoire naguère remportée par Hamlet père contre Fortinbras, roi de Norvège, n'aura finalement servi à rien : la tuerie familiale fait tomber la couronne de Danemark dans les mains de Fortinbras fils.

Reprenons. Le roi légitime est mort. Du dévoilement secret de ce meurtre initial surgit une volonté de vengeance qui tarde à s'affirmer. Cette indécision entraîne en cascade, dans l'ordre : la mort de Polonius, conseiller de l'usurpateur, dissimulé derrière un rideau dans l'appartement de la reine, que Hamlet embroche à l'aveugle en espérant peut-être atteindre son oncle ; la noyade plus ou moins suicidaire d'Ophélie, fille de Polonius, devenue folle d'être amoureuse du meurtrier de son père; l'empoisonnement de la reine, qui boit par mégarde à la coupe que son époux réservait pour Hamlet au cas où celui-ci réchapperait du duel truqué que le roi organise à l'aide de la fureur vengeresse de Laërte, fils de Polonius et frère d'Ophélie; la blessure fatale que Laërte reçoit de la lame empoisonnée avec laquelle il vient de toucher Hamlet et que les combattants ont échangée par inadvertance dans le feu de l'action; la mort du roi de la main de son neveu, à qui Laërte révèle avant d'expirer le complot ourdi pour le perdre; celle, enfin, de Hamlet lui-même, du coup reçu de son adversaire avant que les lames aient changé de mains. Retard, hésitations, méprises, dérives, malencontres conduisent, au rebours des attentes et des calculs, le bal rocambolesque de la mort. C'est l'inaction plus que l'action, l'erreur plutôt que l'astuce qui agissent.

Privé de sa chair, réduit à son dénouement, le drame s'effondre, squelettique, insensé. L'effondrement, on s'en doute, ne résulte pas d'une maladresse de composition; il est le tragique même, le tragique à l'état brut de cette histoire sans queue ni tête, à l'image du royaume décapité et pourri où elle se déroule. Drame de l'indécision, donc. Indécision difficile à comprendre, tout de même, de la part d'un héros qui ne manque ni de lucidité ni de courage et auquel le lecteur est enclin à beaucoup pardonner. Peut-être, justement, parce que la lucidité en lui paralyse l'action et que l'art consommé du sarcasme fait plus de ravages que l'épée. Pourtant la parole ne triomphe de rien et meurt avec lui. Langue ou fleuret, Hamlet *paraît* jusqu'au bout impuissant.

Son attentisme s'excuse d'abord du doute : rien n'exclut que le spectre soit l'émanation du diable, qu'il ait pu prendre la figure aimée du père pour le tromper. Mais cette hypothèse sera vite infirmée : le héros profite de l'arrivée d'une troupe de comédiens pour mettre en scène une représentation à peine transposée du meurtre de son père, devant laquelle le roi Claudius se trahit aussitôt. Le doute n'est plus permis, et Hamlet n'agit toujours pas; laisse même passer une occasion en or, sous prétexte que l'usurpateur fratricide est en prière et qu'il ne veut pas le frapper en odeur de sainteté mais en état de péché (comme son père l'a été). Convoqué chez sa mère, qu'il couvre de honte, Hamlet trompe sa rage sur une tenture suspecte dans le vague espoir d'occire le roi par erreur : d'une même botte aveugle le devoir filial serait accompli, le scandale étouffé, la honte lavée. Mais le gisant n'est que le pantin Polonius, pitoyable « intelligence » du pouvoir — oreille du roi dissimulée avec la connivence de la reine.

Faiblesse de caractère? L'explication est manifestement insuffisante. L'impuissance du héros a d'autres sources, extérieures à lui-même, qu'il appréhende vivement et ne cerne qu'incomplètement. Sensible à ce qui l'entoure, il n'a pas — pas plus que nous, lecteurs ou spectateurs — les moyens de comprendre tout ce qui arrive. Et, pour commencer, les circonstances du meurtre initial. Quel fut le rôle exact de la reine Gertrude? Jusqu'où s'étend sa complicité? Sait-elle même qu'il y eut meurtre? Sa connivence est plus que probable, mais nous n'en avons pas l'absolue certitude. En tout état de cause, la facilité avec laquelle elle passe d'un frère à l'autre, d'une majesté authentique à une royauté frelatée, l'aisance avec laquelle elle fait le deuil d'un si bel amour laissent songeur. Son fils en exprime le dégoût avant même sa rencontre avec le spectre, alors qu'il ne sait rien du meurtre. Les viandes du repas funèbre, dit-il à son ami Horatio, étaient à peine froides qu'on les servait au banquet nuptial. « Fragilité, ton nom est femme » (I, ii, 146).

Au reste, l'incertitude ne plane pas seulement sur le rôle de la reine. Elle touche à la nature des rapports qui existaient entre les deux frères, à la stature du meurtrier, voire à l'innocence du roi tué — autant de perplexités qui aggravent l'indécision du héros. Non pas qu'il puisse réellement douter de la vilenie de son oncle, mais parce que les événements incriminés appartiennent à une antériorité que le récit laisse délibérément baigner dans un clair-obscur stellaire.

Ambition, jalousie, convoitise, tels sont les ressorts évidents que le spectateur attribue spontanément au crime de Claudius, sans que le texte ait à le préciser. Mais dès lors que cette évidence ne s'étend pas aux mobiles de la reine, nous ne saurons jamais comment elle a pu succomber aux charmes d'un être aussi minable. Le spectre en est lui-même réduit à prêter un pouvoir de séduction occulte à son frère (I, v, 42-47). L'inexplicable s'exprime ici de façon manifeste : la conduite de la reine reste bel et bien incompréhensible. Cette énigme psychologique offre un contraste saisissant avec l'esprit de vengeance qui anime Clytemnestre dans l'*Agamemnon* d'Eschyle : l'épouse délaissée de l'Atride n'a fait que combler l'absence de son mari en prenant Égisthe pour amant; quant au meurtre, il est appelé par le sacrifice d'Iphigénie, auquel Agamemnon a lâchement consenti pour obtenir des dieux le vent favorable nécessaire à son expédition, plaçant l'honneur de son frère Ménélas au-dessus de son devoir de père et d'époux.

Pas de chaîne causale de cet ordre dans *Hamlet*. Le fratricide se situe en dehors de la tragédie qu'il déclenche, il fait en quelque sorte partie des données préalables du drame et, à ce titre, ne nécessite aucune explication. Un peu comme la folie du roi dans *King Lear* : la première scène ne fait qu'exposer une décision irréversible dont on ignore la cause et qu'on peut tout au plus attribuer à la sénilité du monarque. Dans les deux cas une sorte de fatalité initiale pèse d'entrée de jeu sur tout le drame. Là où Lear ne fait probablement que porter son âge, et avec lui le poids d'un règne dont nous ne savons rien, Hamlet reçoit brusquement sur ses épaules le fardeau de la génération qui le précède. Amplification dramatique de la condition humaine : chacun doit d'une façon ou d'une autre s'arranger avec l'héritage visible et invisible, avouable et inavouable, qu'il tient de ses parents et dont toute l'ampleur ne se révèle peut-être qu'avec leur disparition.

C'est du moins ce qui arrive à Hamlet. La mort du père le laisse d'autant plus orphelin qu'elle le prive du même coup de sa mère. Le drame œdipien semble ici se jouer à l'envers puisque, loin de donner accès à la mère, la suppression du père éloigne à tout jamais celle-ci de l'amour du fils. Si *Hamlet* n'était que le rêve de Hamlet — ce qu'il est peut-être après tout —, on pourrait évidemment attribuer au désir inconscient du rêveur le parricide et l'inceste dont il charge son oncle : double négatif du père, dont l'indignité ouvrirait le chemin interdit en libérant le fils du sentiment de culpabilité que suscite sa pulsion incestueuse. En admettant même que la rencontre avec le spectre soit pure hallucination (que le héros partagerait alors avec son ami Horatio et deux autres officiers), l'interprétation œdipienne ne saurait recouvrir l'ensemble du drame. Elle livre tout au plus une signification seconde en éclairant ce que le dramaturge dit peut-être malgré lui. Ce serait lire, derrière le texte même, l'inconscient de Shakespeare : lecture qui prétendrait pouvoir établir avec assez de sûreté ce qui, dans le travail du dramaturge, serait « voulu » de ce qui ne le serait pas. Outre qu'elle me paraît impossible, cette distinction entrave plus qu'elle n'enrichit l'analyse. Tout texte digne d'attention mérite d'être lu et réfléchi au maximum de la puissance significative que son lecteur est capable d'en dégager, indépendamment des intentions de l'auteur. Donc, sans perdre de vue que Hamlet puisse être un Œdipe qui s'ignore jusqu'au bout, un Œdipe incapable de faire face à sa vérité, il est bel et bien d'abord, ce me semble, un orphelin, seul devant la pourriture du monde.

Le héros, et avec lui le drame tout entier, est dominé par l'absence du père. Ce dernier n'est présent que comme cadavre et, fugitivement, comme fantôme. Un fantôme qui, de la prison immatérielle qui est la sienne, *ne peut pas tout dire*. S'il le pouvait, confie-t-il à Hamlet, il lui raconterait une histoire *(a tale)* dont le moindre mot lui glacerait le sang (I, v, 13-16). On ne sait pas si cet interdit porte sur les circonstances de son assassinat ou sur sa condition d'âme errante. Mais on comprend qu'il y a là quelque chose d'essentiel et d'abominable que les vivants ne doivent pas savoir, un « blason d'éternité » *(eternal blazon)* que les oreilles de chair et de sang ne peuvent entendre — et dont il ne sera en effet jamais plus question de toute la pièce. Le père détient donc un secret terrible et impénétrable dont on peut penser que c'est le secret de la mort.

Le père, ou plutôt l'esprit du père (*I am thy father's spirit*, dit-il à son fils), condamné à errer la nuit et, le jour, à purger ses crimes dans les flammes (I, v, 9-12). Âme mi-païenne, nocturne, qui n'aurait pas de quoi payer son entrée chez Hadès, et mi-chrétienne, diurne, soumise au feu purificateur du purgatoire. Rien n'est dit des crimes qu'elle doit purger, sinon qu'ils sont infects, répugnants *(foul crimes)*. Figure de style pour qualifier l'ordinaire : tout homme passe dans l'au-delà avec son sac d'immondices. Le défunt roi Hamlet, en cela, ne diffère pas de ses semblables, et l'insistance accordée à ses péchés n'a peut-être d'autre fin que d'ajouter à l'horreur du meurtre, commis dans son sommeil, c'est-à-dire dans des circonstances qui l'ont empêché de se repentir de ses fautes et de se recommander à Dieu. Au reste, ce pécheur fut un excellent roi, un mari fidèle et attentionné, un père digne d'amour, que sa disparition contribue à idéaliser. L'esprit du père, le père idéal constitue ce qu'on pourrait aussi appeler la « bonne part » du père. Face à laquelle l'oncle, désormais détenteur de la puissance paternelle effective, en incarne la mauvaise part. Le fils se prévaut en quelque sorte du père idéal, du père spirituel pour se débarrasser du père réel, tout en se montrant incapable de passer à l'acte, malgré le succès de la mise en scène qu'il organise pour le démasquer. Comme si l'autorité supérieure dont il se réclamait ne suffisait pas à renverser l'ordre du pouvoir usurpé.

Le tabou qui empêche plus ou moins consciemment Hamlet d'agir a quelque chose de religieux, de métaphysique. Comparant les deux frères, le neveu dit de son oncle qu'il diffère de son père autant que lui-même, Hamlet, d'Hercule (I, II, 152-153). Aveu capital : le fils place le père idéal dans un monde mythique, héroïque et quasi divin, auquel lui-même n'appartient pas. Hamlet ne renonce pas seulement par là à endosser le rôle du héros, il admet aussi qu'il est du même monde faisandé que son oncle. Il patauge avec le mauvais père dans la fange des choses terrestres. Au nom de quoi tuerait-il donc celui auquel il ressemble ? Au nom de l'ordre supérieur qu'il lui est donné d'entendre ? Mais cet ordre est énigmatique, il vient sous une forme discutable (*in such a questionable shape* — I, IV, 43) et ce qu'il exige, encore une fois, demeure incertain :

> Ne laisse pas le lit royal de Danemark servir
> De couche à la luxure et à la malédiction de l'inceste
> Mais de quelque manière que tu décides d'agir
> Ne te salis pas l'esprit et garde ton âme pure
> De toute entreprise contre ta mère.   I, v, 82-86[159]

Le spectre n'en dit pas plus, satisfait de ce que Hamlet s'est d'emblée engagé à faire prompte vengeance. Promesse donnée sous le coup de l'émotion, en cet instant d'exaltation douloureuse qui met l'amour filial à l'épreuve : « Écoute, écoute, oh écoute ! Si tu aimas jamais ton tendre père » (I, v, 22-23). À peine revenu de cette hallucinante rencontre, Hamlet confie à son ami Horatio (sans rien révéler du secret qu'il vient d'entendre) qu'il aura sans doute à faire le bouffon, comme s'il savait déjà la tâche trop lourde pour lui et qu'il se sentait guetté par une folie qu'il pourrait bien ne pas avoir à simuler : « Le temps est sorti de ses gonds. Ô calamité qui m'a fait naître pour le redresser ! » — *The time is out of joint. O cursed spite, / That ever I was born to set it right!* (I, v, 188-189)

Le recours à la bouffonnerie, la simulation de la folie entrent évidemment dans la nécessité tactique qui oblige Hamlet à préparer la vengeance à couvert. Mince couverture, toutefois, que le regard du roi ne tarde pas à percer, malgré les efforts de Polonius qui, sentant venir la crise, tente gauchement de la désamorcer en attribuant le comportement erratique de Hamlet à l'amour malheureux que ce dernier éprouve pour sa fille : conseiller modèle, Polonius s'attribue la responsabilité d'une situation qu'il prétend pouvoir dénouer avec l'accord du couple royal, puisqu'il peut obliger Ophélie à éconduire celui qu'elle aime. Comme tout courtisan avide de servir, Polonius se ferme les yeux pour mieux boucher ceux de son maître. Mais les écarts de Hamlet

---

159. Pour ce passage et tous les passages subséquents, notre traduction, avec l'aide de l'édition bilingue de François MAGUIN, SHAKESPEARE, *Hamlet*, Paris, GF-Flammarion, 1995. Les chiffres romains renvoient respectivement aux actes et aux scènes, les chiffres arabes aux vers ou aux lignes lorsque le texte est en prose.

déjoueraient les meilleurs calculs : très vite son excentricité le trahit plus qu'elle ne l'abrite. La dissimulation, à vrai dire, n'est pas le véritable ressort de son comportement.

La « folie » de Hamlet vient de ce qu'il se voit assigner une tâche impossible. Cette impossibilité est profonde, elle tient à l'ordre du monde, à la distance insupportable qui le sépare de ce qu'on pourrait appeler l'ordre du père idéal. La folie est l'expression de cette distance dans la conscience de Hamlet.

Cette folie se manifeste d'abord dans sa manière d'approcher Ophélie, le pourpoint défait, les bas boueux tombés sur les chevilles. C'est elle qui raconte :

> Il me saisit le poignet et me tint durement.
> Puis recule de toute la longueur de son bras
> Et, l'autre main à son front, comme ça,
> Se met à scruter mon visage
> Comme pour le dessiner. Il resta longtemps ainsi.
> Enfin, d'une brève secousse à mon bras,
> Hochant la tête à trois reprises
> Il poussa un soupir si pitoyable, si profond
> Qu'il semblait lui fracasser tout le corps
> Et mettre fin à son existence.   II, 1, 87-96

La naïve Ophélie s'est laissé prendre au jeu de son soupirant. La simulation fonctionne ici d'autant mieux qu'elle n'est pas totale. Ce mauvais théâtre (que le dramaturge se garde bien de représenter sur la scène) répond en effet à une nécessité que le personnage éprouve réellement : prendre congé de celle qu'il aime — qu'il aurait voulu pouvoir aimer. Lorsque, peu après, nous les voyons tous deux en présence l'un de l'autre, le ton change. À la vue d'Ophélie, Hamlet retient l'émotion que suscite en lui sa beauté, et se tient froidement à distance. Il nie lui avoir jamais donné ce qu'elle dit, tendrement, vouloir lui rendre et l'entortille dans une argumentation déplaisante sur l'incompatibilité de l'honnêteté et de la beauté. Puis, brusquement :

> Trouve-toi un couvent. Quoi ! tu voudrais enfanter des pécheurs ? Je suis moi-même moyennement honnête, pourtant je pourrais m'accuser de choses telles qu'il aurait mieux valu que ma mère ne me mette pas au monde. Je suis plein d'orgueil, vindicatif, ambitieux, avec plus de crimes à ma disposition que de pensées où les loger, que d'imagination

pour les ourdir ou de temps pour les commettre. Qu'est-ce que des gars comme moi ont à traîner entre terre et ciel ? Nous sommes tous de fieffés coquins, ne crois aucun d'entre nous. Va ton chemin, celui du couvent. [...]

[...] Ou si tu tiens à te marier, épouse un idiot ; car les hommes avisés savent fort bien quels monstres vous faites d'eux. Au couvent, allez ! et vite. Adieu.

III, 1, 122-131 et 139-141

Ici, plus de feinte. Hamlet darde sur Ophélie le venin qu'il a accumulé contre celle qui l'a mis au monde : le forfait de sa mère le dégoûte à tout jamais d'aimer et lui dévoile sa propre monstruosité. Le roi, qui assiste en secret à la scène, ne s'y trompe pas : il n'y a là ni amour ni folie mais une mélancolie grosse de danger. Et surtout un homme à surveiller.

Hamlet ignore que ses paroles sont tombées dans l'oreille du roi, et ce dernier n'a pas attendu de les surprendre pour mettre son neveu sous surveillance. Avant même sa rencontre avec le spectre, le prince a ostensiblement pris ses distances avec le couple royal et refuse d'être associé au nouveau règne. À Claudius qui s'adresse à lui comme à son fils *(my son)* et qui s'étonne que les nuages du deuil rôdent encore autour de lui, Hamlet rétorque : *Not so, my lord, I am too much in the sun* (I, 11, 67). Insolence d'une subtilité intraduisible. Littéralement : « Du tout, monseigneur, je ne suis que trop au soleil ». Trop sous le regard de Sa Majesté et, par assonance entre *son* (fils) et *sun* (soleil), plus fils que je ne voudrais. En clair : vous pouvez remballer votre royale et paternelle sollicitude.

Loin de tempérer son audace, la révélation du crime tend plutôt à l'accroître. Non seulement Polonius, œil et oreille du roi, encaisse sarcasmes sur rebuffades, mais Claudius lui-même n'est pas épargné. Alors que le spectacle qui doit le trahir a commencé, le roi s'inquiète (une pantomime initiale en a dévoilé le thème) :

CLAUDIUS. — Connaissez-vous l'argument ? Ne contient-il pas des inconvenances ?

HAMLET. — Non, non, ils ne font que plaisanter, du poison pour rire. Rien de grave.

CLAUDIUS. — Comment appelez-vous cette pièce ?

HAMLET. — La Souricière. Et pourquoi donc ? Parbleu ! une métaphore : la pièce est l'image d'un meurtre commis à Vienne [...]. Vous allez voir, à l'instant. Du travail de coquin, une pièce minable [*a knavish piece of work*], mais quelle importance ? Votre majesté et nous, qui avons l'âme libre, sommes hors de cause. [...]

III, II, 224-233

Hamlet parle ici comme un metteur en scène sûr de son affaire et ne prend presque plus la peine de cacher ses intentions : le gibier n'a pas à s'en faire, le piège dans lequel il s'apprête à tomber... n'est pas pour lui.

L'insolence du prince atteint son point culminant après la mort de Polonius. Le roi veut savoir où Hamlet a mis le cadavre :

CLAUDIUS. — Eh bien, Hamlet, où est Polonius ?

HAMLET. — À souper.

CLAUDIUS. — À souper ? Où ?

HAMLET. — Pas là où il mange, mais là où on le mange. Une assemblée de vers politiques sont tout juste en train de s'en occuper. Le ver est notre seul empereur en matière de repas. Nous engraissons toutes les autres créatures pour nous engraisser, et nous nous engraissons pour les asticots. Roi gras et maigre mendiant font un service varié — deux plats pour une même table. Et c'est fini.

CLAUDIUS. — Hélas, hélas !

HAMLET. — Un homme peut pêcher avec le ver qui a mangé d'un roi et manger d'un poisson qui s'est nourri de ce ver.

CLAUDIUS. — Où veux-tu en venir ?

HAMLET. — À rien. Je veux juste vous montrer comment un roi peut aller progressant par les tripes d'un mendiant.

IV, III, 16-31

C'est le troisième et dernier dialogue des deux protagonistes (dont les rencontres sont aussi brèves que rares). En servant à son oncle le venin de la parole — comme celui naguère versé dans l'oreille de son père — Hamlet expédie d'ores et déjà chez les vers celui qu'il renonce ici à tuer de son bras. Il le tuera pourtant, à la toute fin, mais dans le feu d'une action qu'il n'a pas prévue. Le poignard de la parole n'est pas simplement le substitut de l'épée grâce auquel Hamlet voudrait pouvoir laisser à la seule vermine une tâche qu'il lui répugne d'accomplir. Au-delà du mépris sans fond qu'il a pour la royauté de ce roi-là, s'exprime aussi son immense lassitude des choses de ce monde. Non seulement Hamlet prendra, cela va de soi, le même chemin que Claudius, mais il a déjà songé à le précéder sur cette voie.

Ce regard cynique sur la mort renvoie au fameux monologue du troisième acte : *to be or not to be...* Y a-t-il plus de noblesse à souffrir les outrages de l'infortune, se demande Hamlet, ou à sombrer les armes à la main dans l'océan de l'adversité ? Mourir, dormir... en finir avec les blessures du cœur et les mille maux de la chair, qui hésiterait ? « N'était des rêves qu'on risque de trouver dans le sommeil de la mort » — *For in that sleep of death what dreams may come*. Personne ne supporterait les injures du temps, le fouet de la tyrannie, l'insolence des puissants, les fardeaux de la vie, quand on peut soi-même s'en délivrer d'une simple pointe d'acier, s'il n'y avait « cette terreur de quelque chose après la mort » — *But that dread of something after death* (III, 1, 57-89). Peur non pas de la mort même — délivrance ! — mais d'un éventuel quelque chose après elle dont on ne sait rien. Cette lâcheté de la conscience, qui, chez Hamlet, réduit toute entreprise à néant, est la seule faiblesse qui le retienne de quitter le « stérile promontoire » du monde (II, 11, 294).

Voyant venir ses camarades d'enfance Guildenstern et Rosencrantz, qui ont reçu du roi mission de le surveiller et de lui tirer les vers du nez, Hamlet les accueille avec un empressement teinté d'ironie :

> HAMLET. — [...] Quoi de neuf ?
>
> ROSENCRANTZ. — Rien, monseigneur, à part que le monde est plus honnête que jamais [*the world's grown honest*].
>
> HAMLET. — Bigre, le jour du jugement approche. Mais vos nouvelles sont fausses. J'ai une question plus précise : qu'avez-vous fait à dame Fortune, braves amis, pour être envoyés en prison ici ?
>
> GUILDENSTERN. — En prison, monseigneur ?
>
> HAMLET. — Le Danemark est une prison.
>
> ROSENCRANTZ. — Alors le monde en est une.
>
> HAMLET. — Une fort belle, toute pleine d'oubliettes, de cellules et de cachots. Et le Danemark l'une des pires.
>
> ROSENCRANTZ. — Ce n'est pas notre avis, monseigneur.
>
> HAMLET. — Eh bien, il ne l'est pas pour vous ; car il n'y a rien qui soit bon ou mauvais, seule la pensée en décide. Pour moi, c'est une prison.
>
> ROSENCRANTZ. — Alors, votre ambition en est la cause : votre esprit y est trop à l'étroit.
>
> HAMLET. — Grands dieux, je pourrais être confiné à une coquille de noix et me sentir roi d'un espace sans limites — si ce n'était de mes mauvais rêves.
>
> II, 11, 233-252

Si le monde n'était qu'une prison, le prince y rêverait tout à son aise. Mais le monde s'introduit comme une écharde dans la pensée, et l'espace infini dont l'esprit dispose ne lui permet pas de se libérer de la division qui le traverse. Tuer le roi n'expulserait pas le monde du domaine de la pensée. À monter sur le trône en marchant sur le cadavre de son oncle, Hamlet ne ferait au contraire que gravir l'échelle du cauchemar. De tous ses sujets, le roi est le moins libre de rêver, comme le montre bien l'agitation inquiète de Claudius, qui demeure trop collé au monde pour réaliser que le dégoût de son neveu, par sa profondeur même, le met à l'abri de la vengeance : ravagé par le regard de Hamlet, obnubilé par la nécessité de s'en débarrasser, le roi finit par ourdir lui-même sa propre perte. À force d'imposer sa logique, le souci du pouvoir, expression monarchique de la raison d'État, se retourne contre son détenteur. Pourtant, tout truand qu'il est, Claudius aime la vie. Il l'aime tant, si misérablement, qu'il a tué pour en jouir, croit-il, plus souverainement. Hamlet n'aime rien, il n'a pas de position à tenir ni de trône à consolider. Son cynisme, à l'image du royaume de l'esprit, est sans bornes. C'est ce même détachement des choses de ce monde qui, vers la fin du drame, lui permet de se rendre au duel auquel l'invite le roi avec la conscience de marcher, peut-être, à sa mort. Il en va de celle-ci comme de la chute d'un moineau :

> si c'est pour maintenant, ce n'est pas pour plus tard ; si ce n'est pas pour plus tard, c'est pour maintenant ; si ce n'est pas pour maintenant, cela viendra tout de même. C'est l'état d'esprit qui compte [*The readiness is all*]. Puisque nul ne sait ce qu'il quitte, qu'est-ce donc que quitter de bonne heure ? Allons.
>
> V, II, 209-213

N'étaient la maturité de ses répliques et la distance philosophique qu'elles manifestent, Hamlet personnifierait la crise de l'adolescence. Et peut-être bien, en effet, qu'une crise de cet ordre, en lui, demeure, non surmontée, insurmontable, qui l'empêche, comme le lui reproche le couple royal, de faire le deuil du père. « Comme vous devriez le savoir », lui dit Claudius, « votre père perdit un père, et ce père perdu perdit le sien » (I, II, 89-90). Si l'on oublie un instant le rôle actif que le locuteur a joué dans cette perte (et que le héros ignore encore totalement à ce moment-là), sa remarque est pleine de sagesse. Il y a un temps pour le deuil. Mais ce temps, justement, pour Hamlet, n'a pas été pris. La hâte avec laquelle on est passé des funérailles aux noces a quelque chose de sacrilège, à quoi le prince refuse de donner sa caution. L'incapacité qu'il éprouve à faire son deuil vient précisément de ce que le deuil, autour de lui, à commencer par sa mère, *n'a jamais eu lieu.* Au-delà du respect particulier qu'on doit à la dignité du disparu, Hamlet s'afflige du mépris que le monde — le monde du plaisir et du pouvoir réunis dans le nouveau couple royal — témoigne envers le sacré.

Un sacré auquel le héros lui-même, paradoxalement, a de la peine à croire. Le deuil prend chez lui une intensité particulière de ce que son objet s'avère chancelant. En dépit de toutes ses belles qualités, en effet, le roi assassiné n'a réussi ni à gagner le respect de son frère ni à garder l'amour de sa femme. Derrière cette impuissance mondaine, politique se profile une faiblesse, une défaillance plus fondamentale. Avec la figure du père idéal, c'est l'idéal du père et au-delà le principe de vérité, Dieu lui-même, qui est atteint. De la vérité, Hamlet ne rencontre que le fantôme. La vérité se présente sous la forme d'une ombre plaintive qui, pour l'emporter, a besoin du secours des vivants. Telle est la tâche qui incombe au fils : servir cette pâle vérité, ce douteux idéal en révélant la vérité sordide qui a expédié la figure de cet idéal dans l'autre monde. (Un peu comme dans le mythe chrétien, le fils est appelé à témoigner du père, mais, ici, en sacrifiant l'autre plutôt que lui-même, encore qu'il y risque aussi sa vie.) Or le spectre n'a rien de rassurant, sa voix ne résonne après tout que pour le héros[160] et, s'il parle de l'autre monde, il offre un piètre reflet de la transcendance.

S'il veut obéir au canon de l'héroïsme, Hamlet est pris dans une contradiction inextricable : agir au nom d'une vérité en laquelle il ne croit plus, au point de n'espérer de la mort rien d'autre que le néant. Si cet espoir est fondé, si la vie n'est décidément qu'un mauvais rêve (dont l'apparition du spectre fait partie au même titre que tout autre événement), qu'y a-t-il donc à venger et pourquoi débarrasser le meurtrier du fardeau de son crime ? L'attentisme narquois, la présence cynique deviennent alors le seul tourment que le tyran mérite, la seule vengeance digne de son forfait. Et c'est bien parce que ce tourment, nous l'avons vu, devient insupportable que le roi organise inconsciemment sa propre mort — et, avec elle, celle de tous, dans une hécatombe finale digne du grand-guignol. Le poison que Claudius a versé dans l'oreille

---

160. Lors de la grande explication de Hamlet avec sa mère, le Spectre fait une brève apparition et s'adresse au héros. Mais la reine ne le voit ni ne l'entend et croit son fils fou en le voyant « discourir avec l'air impalpable » (III, IV, 102-139).

de son frère et que Hamlet relaie par son verbe finit par se répandre partout et tuer tout le monde.

Comme tous les autres, Hamlet meurt stupidement, piqué par le venin du pouvoir — un pouvoir dont il n'a pas voulu. Sa mort n'est ni glorieuse, ni spectaculaire, ni même tragique. Absence d'héroïsme délibérée : tout au long du drame, Hamlet refuse d'endosser le rôle du héros, renâcle devant la vengeance ou, plutôt, la distille à son tour comme un lent poison. Il n'agit pas, mais laisse agir. Se bornant, le cas échéant, à dévier les coups (notamment en détournant sur Guildenstern et Rosencrantz l'ordre scellé dont ils sont porteurs et par lequel Claudius enjoint au roi d'Angleterre d'exécuter Hamlet). Son seul acte, coup d'épée aveugle, démonstration impulsive de virilité et d'impuissance destinée à sa mère, est un acte manqué : le médiocre Polonius n'en méritait pas tant. Pour faire le héros, il faudrait que Hamlet soit convaincu d'avoir la justice et la vérité de son côté. Non pas seulement la justice des hommes, qui, réduite à elle-même, n'est que règlements de comptes ou manifestation des rapports de force, mais cette justice supérieure, transcendante, au nom de laquelle agir en toute légitimité et à laquelle, précisément, il a cessé de croire. Tous les hommes se valent, et l'homme ne le réjouit guère (*Man delights not me* — II, II, 304).

Quant à la vie, elle n'est qu'un jeu, et le jeu est plutôt sinistre. À preuve : le comédien la joue parfois si bien, en incarnant des personnages qui le concernent pourtant si peu, que sa performance en devient presque révoltante :

> N'est-il pas monstrueux que cet acteur-ci,
> Dans une simple fiction, dans une passion rêvée,
> Puisse si bien modeler son âme à son propos [*to his own conceit*],
> Qu'elle lui rende le visage tout blême,
> Qu'elle lui mette les larmes aux yeux, le jette dans l'égarement,
> Qu'elle brise sa voix et le dispose entièrement
> À la matière de son propos ? Et tout cela pour rien !
> Pour Hécube !
> Qu'est-ce qu'Hécube pour lui, ou lui pour Hécube,
> Qu'il puisse pleurer pour elle ? Que ferait-il
> S'il avait le motif et le sens de la passion
> Que j'ai ? Il noierait le théâtre de larmes,
> Nous briserait les oreilles de ses abominations,
> Rendrait fou le coupable, consternerait l'innocent

Confondrait l'ignorant, figerait d'étonnement
La vue et l'ouïe de tous,
Tandis que moi,
Triste vaurien de mauvaise trempe, je traîne
Comme Jean-de-la-Lune, sans désir de combattre,
Incapable de rien dire; [...]

II, II, 540-559

L'acteur simule si bien qu'il émeut là où Hamlet reste muet. Prouesse qui décide le prince à passer par la scène pour faire éclater la vérité et démasquer le roi. Vie et théâtre communiquent, réalité et fiction partagent la même sphère, fable et vérité ne font qu'un — comme dira Nietzsche. Mais s'il n'y a plus de différence entre le monde et sa représentation, il se confirme que Dieu lui-même n'est alors rien d'autre que la fabrication de notre pensée, et cette pensée peut suffire à l'anéantir. Si son existence dépend des hommes, autant dire qu'il est absent.

À l'instar du père idéal, Dieu est donc bien ici le fantôme de notre imagination. La vérité n'a pas de substance et l'héroïsme, dans ces conditions, aucun sens. Depuis le triomphe du christianisme, il ne peut y avoir de héros que de la vérité — une et indivisible. Si les vérités fluctuent au gré de chacun, chacun n'est plus que le héros dérisoire de son propre fantasme. Telle est la dérision que Hamlet refuse de porter à son degré suprême, dont il refuse d'être dupe. En quoi il fait preuve d'une sorte d'héroïsme au second degré, qu'on pourrait appeler l'héroïsme du refus. L'héroïsme de Hamlet consiste justement en ce qu'il se désiste du rôle héroïque auquel sa situation l'appelle. Il rompt avec toute idée d'héroïsme.

Ce refus, cette rupture sont ce qui fait de lui le plus « moderne » de tous les héros que nous avons vus jusqu'ici, voire le plus « moderne » des héros à venir. En un sens, Hamlet est déjà au-delà de la modernité. On pourrait même le considérer, dans un anachronisme délibéré, comme l'archétype du héros « post moderne ». Le héros moderne, en effet, a encore la vérité de son côté, même s'il ne la désigne plus (plus nécessairement, du moins) du nom de Dieu, dont il n'hésite pas, le cas échéant, à prendre la place, atteignant ainsi à grand peine ce qui pourrait bien être le sommet du ridicule. Sommet dont Hamlet prend justement bien soin de se tenir éloigné, comme s'il savait déjà que rien ni personne, soi-même moins que tout, ne saurait suppléer à l'absence suprême. C'est ce savoir qui le rend dangereux et fait de lui un homme à surveiller et à abattre : tout se désintègre sous son regard caustique et, en première ligne, la hiérarchie politique et sociale qui tient l'État.

Hamlet frappe aujourd'hui de ce que le personnage central n'a pour ainsi dire pas pris une ride. Si Hamlet est à ce point notre contemporain[161], si nous pouvons sans effort le faire nôtre, en ce début de vingt et unième siècle, c'est qu'à l'aube même des temps modernes, bien avant la décollation des rois au nom du peuple, bien avant l'« État de droit » et la « mort de Dieu », près de quarante ans avant la publication du *Discours de la méthode* — cette moderne quête de vérité —, il exprime déjà l'absence de sens qui, depuis quelques décennies aujourd'hui, résulte pour nous des désillusions de la modernité et de son projet politico-social. Hamlet serait à la fois « préclassique » et « post moderne ». Il « devancerait » la modernité alors en gestation et « annoncerait » d'assez loin son échec politique.

Mais cette anticipation ne fait sens que pour nous. Hamlet n'est ni prophète ni devin. Il porte la part la plus sombre de la sensibilité de son époque, une sorte de scepticisme à la Montaigne, mais poussé au noir, à l'égal de son humour, radicalement opposé en cela à l'impertinence rabelaisienne. Ces trois sortes de scepticisme (rigolard chez Rabelais, mesuré chez Montaigne, radical chez Shakespeare) sont précisément ce par rapport à quoi la pensée classique cherchera à opérer un « redressement » (du point de vue de la vérité) qui conduira, non sans rechutes, à la philosophie des Lumières et au projet politique de la modernité — au regard desquels les noires pensées de Hamlet paraîtront momentanément « archaïques ». Si ces pensées *nous* semblent actuelles, néanmoins, c'est qu'elles traduisent, hors du temps qui est le leur, l'inquiétude que suscitent toujours chez les hommes, depuis qu'ils se racontent des histoires, la démesure et la finitude, l'absence de normes supérieures et la fuite de la vérité.

À Ophélie, qui regarde avec lui le spectacle qu'il a imaginé, Hamlet confie que les comédiens ne savent pas tenir leur langue, ils vont *tout* dire (III, II, 135). Il n'y a rien à chercher ailleurs. Le théâtre est dans le théâtre, comme chez Cervantès le roman dans le roman. Même circularité. À la différence que dans *Don Quichotte*, on l'a vu, le statut de la réalité demeure ambigu, la question de la vérité reste en suspens. Rien de tel dans *Hamlet* : il n'y a aucune vérité à chercher en dehors du spectacle

---

161. Qualificatif que je reprends du livre classique de Jan KOTT, *Shakespeare notre contemporain*, traduit du polonais par Anna POSNER, Paris, Marabout Université, 1965.

que l'homme s'offre à lui-même. C'est pourquoi il vaut mieux se payer la tête du roi que de le tuer. En lui présentant le miroir de son insignifiance mortelle, Hamlet accomplit la seule vengeance possible dans un monde fermé sur lui-même, dont la mort constitue l'unique échappatoire. Si Dieu existe, il est ce mystère opaque que nous réserve l'au-delà, et dont Hamlet espère qu'il n'est rien. Si Dieu existe, il ne se soucie nullement des hommes.

À supposer que Hamlet (qui monte sur scène aux alentours de 1600) reflète ou devance l'état d'esprit de toute une époque, il annoncerait, dans l'ordre d'un récit devenu désordre, l'agonie de la vérité comme transcendance. Il porterait un coup fatal à l'idée qu'une vérité en attente pour nous dans un au-delà prometteur donne sens à notre vie. Désormais la vérité ne serait plus que terrestre, triviale, bouffonne, belle ou laide, triste ou joyeuse, selon l'humeur du moment, mais toujours plurielle, fugace, changeante, imprévisible, diminuée ou magnifiée d'avance par la mort, et en tout état de cause annulée par elle, brève et fragile comme l'amour de Roméo et Juliette. En admettant donc que Shakespeare (après Rabelais, Montaigne et en même temps que Cervantès) marque une époque à partir de laquelle l'idée d'une vérité métaphysique perd de plus en plus d'altitude, ce déclin, pas même encore complètement achevé de nos jours, va faire l'objet de multiples tentatives de redressements. La tentative la plus significative, dans la génération qui suit immédiatement Shakespeare, celle dont vont dépendre peu ou prou toutes les tentatives subséquentes, est celle de Descartes.

XVI

L'HÉROÏSME DE LA RAISON

> Le *cogito* cartésien ne doit pas être analysé en lui-
> même. Ce n'est pas un raisonnement qui se suf-
> fise — et pris en soi, il ne signifie rien.
>
> Paul VALÉRY, *Cahiers*, I, p. 518

Que notre lecture s'arrête à Descartes, qu'elle s'y intéresse et qu'elle y trouve matière ou prétexte à conclure — même provisoirement — peut surprendre. Cet aboutissement rejoint pourtant une des questions qui inspirent notre démarche dès le début, le conflit entre récit et philosophie et son principal enjeu : le statut de la vérité et son rapport avec la mort. Si le récit dit mieux que la spéculation philosophique ce qu'il en est du sens et de la finitude de la vie, si la philosophie est elle-même plus souvent qu'elle ne veut l'admettre un récit qui s'ignore, alors n'est-ce peut-être pas tout à fait par hasard que l'effort de re-fondation philosophique entrepris par Descartes fait l'objet d'un récit. Au moment où chancelle la métaphysique de la vérité, et alors même que la science expérimentale commence à faire ses preuves, le *Discours de la méthode pour bien conduire sa raison et chercher la vérité dans les sciences* (1637) se présente à la fois comme une tentative de restauration de cette vérité menacée et comme la narration d'une aventure, neuve, inédite, de l'esprit.

Si les découvertes de la science se détachent de plus en plus manifestement des révélations bibliques et si l'adhésion au dogme de l'Église faiblit, alors la vérité est effectivement en grave danger et la théologie cesse d'en être la meilleure garante. Il faut donc lui trouver de nouvelles bases, plus solides que de lointains témoignages historiques dont la véracité peut toujours être remise en doute et auxquels les non-chrétiens n'ont aucune raison d'adhérer. C'est le projet de Descartes : dissocier la vérité de la théologie tout en se gardant de contredire la seconde[162], et permettre ainsi à la science d'être métaphysiquement fondée sans avoir à quêter pour chacune de ses découvertes l'approbation de la Sorbonne ou du Vatican. Qu'on réussisse à arracher cette approbation une fois, une fois pour toutes, et les hommes de science pourront travailler et publier en paix. Ce n'est donc pas par ironie que Descartes dédicace ses *Méditations* « À Messieurs les Doyens et Docteurs de la Sacrée Faculté de Théologie de Paris », mais bien pour les convaincre du bien-fondé de sa démarche et les gagner à sa cause :

> J'ai toujours estimé que ces deux questions, de Dieu et de l'âme, étaient les principales de celles qui doivent plutôt être démontrées par les raisons de la philosophie que de la théologie : car bien qu'il nous suffise, à nous autres qui sommes fidèles, de croire par la foi qu'il y a un Dieu, et que l'âme humaine ne meurt point avec le corps ; certainement il ne me semble pas possible de pouvoir jamais persuader aux infidèles aucune religion, ni quasi même aucune vertu morale, si premièrement on ne leur prouve pas ces deux choses par raison naturelle.
>
> M, 257[163]

Au-delà des rapports difficiles que la science entretient avec la théologie, se posent les problèmes plus fondamentaux du rôle de la connaissance dans l'ordre du monde et de la pérennité de l'ordre social. Ces messieurs de la Faculté de Paris n'ignorent pas « les désordres que [le]

---

162. Dans une lettre au Père Mersenne de la fin novembre 1633, l'ancien élève du collège jésuite de La Flèche écrit à son ex-maître et ami : « comme je ne voudrais pour rien au monde qu'il sortît de moi un discours, où il se trouvât le moindre mot qui fût désapprouvé de l'Église, aussi aimé-je mieux le supprimer [le *Traité du monde*], que de le faire paraître estropié ». Descartes ajoute qu'il y a déjà tant d'opinions discutables en philosophie que si les siennes ne sont pas plus certaines et « ne peuvent être approuvées sans controverses », il préfère s'abstenir de jamais les publier (L, 948). Le désir qu'il a de vivre et de réfléchir en repos est plus fort que toute ambition, dit-il encore au même dans une lettre subséquente (L, 951). La lettre L renvoie ici aux lettres rassemblées dans l'édition de la Pléiade et les chiffres arabes à la pagination de cette édition, dont la référence complète est donnée ci-dessous dans la note 163.

163. M pour *Méditations*, DM pour *Discours de la méthode*. Et plus loin : EB pour *Entretien avec Burman* ; L pour *Lettres* ; OR pour *Objections et Réponses* (aux *Méditations*) ; PP pour *les Principes de la philosophie* ; RDE pour *Règles pour la direction de l'esprit*. Les chiffres romains désignent les parties. La pagination, en chiffres arabes, renvoie à : Descartes, *Œuvres et Lettres*, Paris, Gallimard, Bibliothèque de la Pléiade, 1978.

doute [de Dieu] produit ». Sans vouloir « recommander davantage la cause de Dieu et de la Religion, à ceux qui en ont toujours été les plus fermes colonnes » (M, 261), Descartes n'en juge pas moins nécessaire de prescrire à la vérité métaphysique le remède de la philosophie.

Mais c'est un remède de cheval, un *pharmakon* à double tranchant, et Descartes est trop avisé pour ignorer les risques qu'il comporte. La théologie et l'Église ne peuvent en sortir qu'affaiblies. Or la philosophie a maintes fois prouvé sa faiblesse et, loin d'offrir à la métaphysique un bastion inexpugnable, elle ouvre elle-même la voie au doute — c'est du moins ce qu'elle faisait avant d'être devenue la servante de la théologie. Le renversement de cette subordination ne va donc pas sans danger. Descartes, le tout premier, mécontent de la formation scolastique qu'il a reçue, est conscient de l'insuffisance de la spéculation philosophique. La re-fondation qu'il entreprend doit faire l'objet d'une démarche à toute épreuve, dont chacun puisse vérifier la solidité. Car l'enjeu de cette tentative dépasse évidemment de loin le sort de la théologie : cet enjeu n'est rien de moins que la possibilité même de la vérité et l'avenir de la science.

Tel est l'esprit dans lequel Descartes rend public le récit d'une aventure intellectuelle que tout être humain capable de raisonner puisse partager. La forme narrative s'y prête particulièrement bien, elle donne à la démonstration la force captivante d'une exploration semée d'embûches dont le narrateur sort victorieux. Témoin de son propre cheminement, Descartes témoigne du même coup de la vérité à laquelle son chemin l'a conduit. Trois conditions sont nécessaires à la puissance de conviction de ce témoignage : l'universalité du bon sens, la clarté de la démarche, l'acceptation du doute.

La première de ces trois conditions fait l'objet, au tout début du *Discours*, d'une ironie dont on ne s'étonne pas assez :

> Le bon sens est la chose du monde la mieux partagée : car chacun pense en être si bien pourvu, que ceux même qui sont les plus difficiles à contenter en toute autre chose n'ont point coutume d'en désirer plus qu'ils n'en ont.
>
> DM, I, 126

En s'en rapportant à la fatuité universelle, Descartes n'hésite pas à miner la solidité de sa prémisse. Comme s'il comptait paradoxalement sur cette fatuité, bien plus que sur le bon sens, pour faire accepter son discours par tout le monde. Le fait est que l'ironie met ici d'emblée le doigt sur une difficulté dont le caractère cocasse masque le tranchant : le philosophe n'est pas du tout certain que la chose soit si bien partagée qu'il le suppose, au point qu'un lecteur chatouilleux pourrait s'en vexer si sa vanité, justement, ne le mettait pas à l'abri d'une ironie qui ne peut viser qu'autrui. Mais si le *Discours* ne s'adresse qu'à une élite (on devrait même dire ici à l'élite d'une élite, à la crème des lettrés), il manque d'emblée ce commun des mortels qui a le bon sens en partage. Aussi Descartes ajoute-t-il que, dans sa fatuité, la prétention de chacun au bon sens dit une vérité dont chacun ne saisit pas nécessairement toute la portée :

> En quoi il n'est pas vraisemblable que tous se trompent; mais plutôt cela témoigne que la puissance de bien juger et distinguer le vrai d'avec le faux, qui est proprement ce qu'on nomme le bon sens ou la raison, est naturellement égale en tous les hommes; et ainsi, que la diversité de nos opinions ne vient pas de ce que les uns sont plus raisonnables que les autres, mais seulement de ce que nous conduisons nos pensées par diverses voies, et ne considérons pas les mêmes choses. Car ce n'est pas assez d'avoir l'esprit bon, mais le principal est de l'appliquer bien.
>
> DM, I, 126

L'explication n'est pas si simple qu'elle paraît. Il faut l'entendre en gardant à l'oreille l'ironie du début. Descartes postule une égalité que les infatués du savoir ont beaucoup de peine à admettre : l'égalité potentielle, chez la plupart des humains, de la *faculté* de comprendre. *La puissance de bien juger* n'a rien à voir avec l'accumulation des connaissances. Je ne m'adresse pas à ceux qui savent, dit le narrateur, et il importe peu que tout le monde comprenne, encore moins, comme on le verra, que tout le monde se précipite sur la voie solitaire que j'ai suivie, car il y a quelque risque à s'y lancer sans préparation. L'essentiel est que cette voie *puisse* être suivie par quiconque veut bien abandonner ses préjugés et faire l'effort de comprendre.

> Ainsi mon dessein n'est pas d'enseigner ici la méthode que chacun doit suivre pour bien conduire sa raison, mais seulement de faire voir en quelle sorte j'ai tâché de conduire la mienne. Ceux qui se mêlent de donner des préceptes se doivent estimer plus habiles que ceux auxquels ils les donnent, et s'ils manquent à la moindre chose, ils en sont blâmables. Mais ne proposant cet écrit que comme une histoire, ou, si

vous l'aimez mieux, que comme une fable, en laquelle, parmi quelques exemples qu'on peut imiter, on en trouvera peut-être aussi plusieurs autres qu'on aura raison de ne pas suivre, j'espère qu'il sera utile à quelques-uns, sans être nuisible à personne, et que tous me sauront gré de ma franchise.

DM, I, 127

Le mot « fable » (clin d'œil à Platon ?) indique ici que la relation autobiographique ne saurait être absolument fidèle (et nous savons qu'elle ne l'est pas). Elle est partiellement fictive, parce que reconstruction, remodelage, auxquels l'acte même d'écrire contribue. Ainsi le *Discours* fait lui-même partie du cheminement qu'il relate, si bien que le récit en vient à se confondre plus ou moins avec son objet. C'est ce qui le rend si vivant : Descartes nous raconte une histoire, la sienne, qui, telle qu'il la reconstitue, se construit en partie sous nos yeux.

Le narrateur commence donc par retracer l'itinéraire qui, de ses années de collège en passant par la vie active, les voyages et le commerce d'autrui, le conduit à ne compter que sur ses propres forces. À l'opposé de ses attentes, la fin de ses études le trouve « embarrassé de tant de doutes et d'erreurs » qu'il n'en tire d'autre profit que d'avoir découvert l'étendue grandissante de son ignorance (DM, I, 128). Cette découverte quasi socratique ne l'empêche pas de poser un jugement pondéré sur son expérience scolaire. Contrairement au cliché qui le montre faisant « table rase » du peu qu'il a appris (l'expression ne figure ni dans le *Discours* ni dans les *Méditations*), Descartes ne manque pas « d'estimer les exercices auxquels on s'occupe dans les écoles » et se félicite en particulier d'y avoir cultivé les langues nécessaires à l'intelligence des livres anciens, car « la lecture de tous les bons livres est comme une conversation avec les plus honnêtes gens des siècles passés » (DM, I, 128). Suit une évaluation critique, d'abord ironique puis plus sérieuse, des diverses disciplines enseignées en son temps.

Amoureux de la poésie et sensible à l'éloquence, le narrateur constate que l'inspiration ne s'enseigne guère et que la rhétorique n'apprend pas à bien raisonner (c'est ce que répétait déjà inlassablement Platon). Respectueux de la théologie, désireux, « autant qu'aucun autre, à gagner le ciel », il constate « que le chemin n'en est pas moins ouvert aux plus ignorants qu'aux plus doctes, et que les vérités qui y conduisent sont au-dessus de notre intelligence ». La jurisprudence, la médecine et les autres sciences « apportent des honneurs et des richesses à ceux qui les cultivent ». Quant à la philosophie (ainsi qu'à toutes les sciences qui lui empruntent leurs principes), outre qu'elle « donne moyen de parler vraisemblablement de toutes choses et se faire admirer des moins savants », il ne s'y trouve rien, malgré tous les excellents esprits qui s'y sont employés au fil des siècles, qui ne soit douteux — et le jeune bachelier n'avait « point assez de présomption pour espérer d'y rencontrer mieux que les autres » (DM, I, 129-130). Une seule discipline, à vrai dire, trouve grâce à ses yeux :

> Je me plaisais surtout aux mathématiques, à cause de la certitude et de l'évidence de leurs raisons ; mais je ne remarquais point encore leur vrai usage, et pensant qu'elles ne servaient qu'aux arts mécaniques, je m'étonnais de ce que, leurs fondements étant si fermes et si solides, on n'avait rien bâti dessus de plus relevé.
>
> DM, I, 130

Déçu et néanmoins riche de ses études, déterminé à cultiver son « extrême désir d'apprendre à distinguer le vrai d'avec le faux », le narrateur décide donc d'employer le reste de sa jeunesse à voyager, à fréquenter des gens de diverses conditions, bref, de continuer à chercher la science en lui-même ou « dans le grand livre du monde » (DM, I, 131). Il s'engage comme soldat. Mais la fréquentation des autres — autres gens et autres peuples — lui fait voir qu'il y a autant de diversité et d'incertitudes dans le monde que chez les philosophes, et que les idées communément reçues dans son pays passent ailleurs pour des extravagances, et vice versa. Il ne lui reste plus, dès lors, qu'à mettre en pratique la résolution d'étudier en soi-même. Il en trouve le loisir, à son quartier d'hiver, dans la solitude sereine d'une chambre bien chauffée.

Parmi les premières pensées qui lui viennent à l'esprit, le narrateur s'avise « de considérer que souvent il n'y a pas tant de perfection dans les ouvrages composés de plusieurs pièces, et faits de la main de divers maîtres, qu'en ceux auxquels un seul a travaillé » (DM, II, 132). L'architecture, la disposition des villes, la législation en donnent des preuves éloquentes. Ces preuves ne sont pourtant pas entièrement concluantes, car il est rare qu'au niveau public ou collectif on puisse impunément partir de zéro, et Descartes prend soin de s'inscrire en faux contre les entreprises visant à réformer les États :

> Ces grands corps sont trop malaisés à relever étant abattus, ou même à retenir étant ébranlés, et leurs chutes ne peuvent être que très rudes. [...]

C'est pourquoi je ne saurais aucunement approuver ces humeurs brouillonnes et inquiètes, qui, n'étant appelées ni par leur naissance ni par leur fortune au maniement des affaires publiques, ne laissent pas d'y faire toujours, en idée, quelque nouvelle réformation. Et si je pensais qu'il y eût la moindre chose en cet écrit par laquelle on me pût soupçonner de cette folie, je serais très marri de souffrir qu'il fût publié. Jamais mon dessein ne s'est étendu plus avant que de tâcher à réformer mes propres pensées, et de bâtir dans un fonds qui est tout à moi. Que si, mon ouvrage m'ayant assez plu, je vous en fais voir le modèle, ce n'est pas pour cela que je veuille conseiller à personne de l'imiter. Ceux que Dieu a mieux partagés de ses grâces auront peut-être des desseins plus relevés ; mais je crains bien que celui-ci ne soit déjà que trop hardi pour plusieurs. La seule résolution de se défaire de toutes les opinions qu'on a reçues auparavant en sa créance n'est pas un exemple que chacun doive suivre ; et le monde n'est quasi composé que de deux sortes d'esprits auxquels il ne convient aucunement. À savoir, de ceux qui, se croyant plus habiles qu'ils ne sont, ne se peuvent empêcher de précipiter leurs jugements, ni avoir assez de patience pour conduire par ordre toutes leurs pensées : d'où vient que, s'ils avaient une fois pris la liberté de douter des principes qu'ils ont reçus et de s'écarter du chemin commun, jamais ils ne pourraient tenir le sentier qu'il faut prendre pour aller plus droit, et demeureraient égarés toute leur vie ; puis de ceux qui, ayant assez de raison, ou de modestie, pour juger qu'ils sont moins capables de distinguer le vrai d'avec le faux que quelques autres par lesquels ils peuvent être instruits, doivent bien plutôt se contenter de suivre les opinions de ces autres qu'en chercher eux-mêmes de meilleures.

Et pour moi, j'aurais été sans doute du nombre de ces derniers, si je n'avais eu qu'un seul maître ou que je n'eusse point su les différences qui ont été de tout temps entre les opinions des plus doctes.

DM, II, 134-136

À prendre ces réserves au pied de la lettre, le narrateur en personne ne devrait la nécessité de trouver sa propre voie qu'à la fortune d'avoir eu plusieurs maîtres et d'avoir pu comparer les opinions des plus doctes. Au reste, les restrictions sont telles qu'elles semblent annuler son affirmation liminaire sur la généralité du bon sens.

Si on ne le savait pas soucieux de ne rien proposer qui puisse paraître subversif, on pourrait croire que Descartes veuille réellement *décourager* quiconque d'imiter son exemple. Hypothèse que contredit la visée d'un discours écrit, ne l'oublions pas, en langue vulgaire, c'est-à-dire en français, pour un large public (« largeur » évidemment toute relative à l'époque). S'il ne fait aucun doute que le narrateur veut être suivi, compris, rien n'exclut qu'il juge sa démarche inimitable ou, du moins, qu'il en estime la répétition superflue, voire indésirable. Il suffit en effet que cette démarche soit rigoureuse et sa conclusion irréfutable pour épargner à autrui la nécessité d'en répéter l'itinéraire : chacun peut désormais s'engager à sa suite dans le sûr chemin que les circonstances lui ont permis d'ouvrir et, dans son sillage, développer la science sans plus avoir à se soucier de son fondement métaphysique. Celui-ci serait une fois pour toutes fermement établi. Manière de réintroduire implicitement l'argument d'autorité là où chacun devrait pouvoir se convaincre par sa propre expérience personnelle. Sans avoir à résoudre les contradictions du narrateur, on voit par là tout ce que l'innovation cartésienne a de profondément conservateur et en quoi son auteur, sous ses airs modestes, la juge décisive. D'où le soin extrême qu'il met, dans ses *Méditations* plus encore que dans son *Discours*, à établir sa preuve.

Cette preuve, néanmoins, n'est pas seulement faite pour les autres, elle correspond aussi, et peut-être surtout, à une nécessité intérieure. On ne prend toute la mesure de l'aventure cartésienne qu'à la lire comme elle se donne : nécessaire et authentique. Et il n'y a pas meilleure manière de mordre à sa lecture que de faire face au paradoxe qu'elle pose : peu de penseurs ont moins douté de la réalité du monde que l'explorateur du doute radical. À vrai dire, le paradoxe n'est pas si grand qu'il paraît : c'est parce que Descartes est intérieurement solide, quelles qu'en puissent être les raisons, qu'il peut pousser sa pensée jusqu'au vertige.

Le narrateur explique d'ailleurs lui-même comment il a pris ses précautions : la troisième partie du *Discours* est presque entièrement consacrée à des considérations morales qui ne se justifient, en cet endroit, que du risque inhérent à l'expédition qu'il entreprend. En effet, Descartes *s'assure*, comme l'alpiniste qui s'apprête à descendre une paroi vertigineuse accroche une corde de réserve à son mousqueton ; il met en place un dispositif pratique, un ensemble de maximes morales, afin, dit-il, « que je ne demeurasse point irrésolu en mes actions, pendant que ma raison m'obligerait de l'être en mes jugements » (DM, III, 140). En bref : obéir aux lois et coutumes de son pays et s'en tenir, parmi les idées reçues, aux plus modérées ; rester ferme et résolu dans ses actions, garder le cap choisi ; se vaincre soi-même plutôt que la fortune, changer ses désirs plutôt que l'ordre du monde et s'accoutumer à « croire qu'il n'y a rien qui soit entièrement en notre pouvoir que nos pensées » (DM, III, 141-143). Et de conclure :

> Après m'être ainsi assuré de ces maximes, et les avoir mises à part avec les vérités de la foi, qui ont toujours été les premières en ma créance, je jugeai que, pour tout le reste de mes opinions, je pouvais librement entreprendre de m'en défaire. [...] Et en toutes les neuf années suivantes, je ne fis autre chose que rouler çà et là dans le monde, tâchant d'y être spectateur plutôt qu'acteur en toutes les comédies qui s'y jouent ; [...]. Non que j'imitasse pour cela les sceptiques, qui ne doutent que pour douter et affectent d'être toujours irrésolu, car, au contraire, tout mon dessein ne tendait qu'à m'assurer et à rejeter la terre mouvante et le sable pour trouver le roc ou l'argile.
>
> DM, III, 144-145

Aux maximes pratiques s'ajoute *in extremis* l'élément capital de la foi. Ce n'est pas là, je crois, une simple clause de style à l'usage des censeurs ecclésiastiques ; il faut y voir une condition préalable de la démarche cartésienne. Mais quoi ! Voilà son audace aussitôt réduite à rien : si la foi est la condition de l'aventure, la vérité est assurée et il n'y a plus d'aventure. Plus de doute véritable, plus de risque... Disons plutôt qu'il n'y a pas *a priori* de risque existentiel, au sens où le narrateur ne laisse nulle part entendre qu'il ait *spontanément, tragiquement* douté de son existence (comme Hamlet doute de Dieu). Le risque qu'il prend est intellectuel, c'est le risque que la vérité métaphysique ne puisse faire l'objet d'une démonstration rigoureuse. L'échec demeure donc possible et sa conséquence imprévisible pour un homme qui a placé là ses plus hautes ambitions.

Le doute cartésien, bien que purement cérébral, n'est pas une simple coquetterie intellectuelle, il est radicalement nécessaire à la crédibilité de l'entreprise. C'est parce que le doute rôde et ronge les esprits des contemporains qu'il doit être le point zéro de la démarche cartésienne. L'hypothèse du néant ne doit rien épargner pour emporter l'adhésion initiale des vrais sceptiques, sans compter que le refus de se laisser tromper par les apparences est la seule liberté de l'esprit. L'esprit ne peut manifester son indépendance qu'en disant non au monde. Un Dieu trompeur, quelle que soit sa puissance, ne peut imposer son mensonge à celui qui le refuse. Contre lui, contre la tromperie et l'illusion, le doute est la seule force indiscutable de la pensée, et c'est pourquoi Descartes commence, doit commencer, par révoquer toute évidence. Toute sauf une, impossible à détruire : l'activité même par laquelle ce refus se manifeste. Ce refus, pourvu qu'il soit radical, devient la seule et première certitude de l'être pensant. Du doute absolu, Descartes fait ainsi le point d'appui grâce auquel actionner le levier de sa pensée :

> [...] je pensai qu'il fallait [...] que je rejetasse comme absolument faux tout ce en quoi je pourrais imaginer le moindre doute, afin de voir s'il ne resterait point, après cela, quelque chose en ma créance qui fût entièrement indubitable. Ainsi, à cause que nos sens nous trompent quelquefois, je voulus supposer qu'il n'y avait aucune chose qui fût telle qu'ils nous la font imaginer. Et, parce qu'il y a des hommes qui se méprennent en raisonnant, même touchant les plus simples matières de géométrie, et y font des paralogismes, jugeant que j'étais sujet à faillir autant qu'aucun autre, je rejetai comme fausses toutes les raisons que j'avais prises auparavant pour démonstrations. Et enfin, considérant que toutes les mêmes pensées que nous avons étant éveillés, nous peuvent aussi venir quand nous dormons, sans qu'il y en ait aucune pour lors qui soit vraie, je me résolus de feindre que toutes les choses qui m'étaient jamais entrées dans l'esprit n'étaient non plus vraies que les illusions de mes songes. Mais, aussitôt après, je pris garde que, pendant que je voulais ainsi penser que tout était faux, il fallait nécessairement que moi, qui le pensais, fusse quelque chose. Et remarquant que cette vérité : *Je pense, donc je suis*, était si ferme et si assurée que toutes les plus extravagantes suppositions des sceptiques n'étaient pas capables de l'ébranler, je jugeai que je pouvais la recevoir sans scrupule pour le premier principe de la philosophie que je cherchais.
>
> DM, IV, 147-148

La chaîne logique qui du *je doute* mène au *je suis* par le *je pense* se comprend d'elle-même. Si radical soit-il, le doute ne peut effacer le sujet pensant sans s'annuler lui-même. À noter que l'association entre le sujet (le *je*) et la pensée n'est pas discutée, elle semble aller de soi. (On pourrait imaginer une position plus radicale qui éliminerait le je et constaterait simplement : *ça doute, ça pense* ou *il y a du doute, il y a de la pensée* — et en conclure : *il y a de l'être*.) Descartes ne met pas un instant en cause le *je* pensant. Il *insiste* au contraire sur sa présence dès avant le début du raisonnement : « *je pensai qu'il fallait [...] que je rejetasse* ». Et plus bas : « *je me résolus de feindre* ». Et encore : « pendant que *je voulais* ainsi penser ». On ne saurait mieux indiquer que la résolution du sujet pensant *précède* l'acte même du doute qu'il imagine. La chaîne, dans son entier, est donc : *je suis résolu à douter, je doute, je pense, donc je suis* ou : *étant résolu à douter, je puis douter de tout sauf du je qui a pris cette résolution*. Le *je* est au départ comme à l'arrivée. Si Descartes s'arrêtait là, son raisonnement se ramènerait à une pure tautologie. Mais Descartes va justement plus loin, ajoutant aussitôt après :

> Puis, examinant avec attention ce que j'étais, et voyant que je pouvais feindre que je n'avais aucun corps, et qu'il n'y avait aucun monde ni aucun lieu où je fusse ; mais que je ne pouvais pas feindre pour cela que je n'étais point ; et qu'au contraire, de cela même que je pensais à douter de la vérité des autres choses, il suivait très certainement que j'étais ; au lieu que, si j'eusse seulement cessé de penser, encore que tout le reste de ce que j'avais imaginé eût été vrai, je n'avais aucune raison de croire que j'eusse été ; je connus de là que j'étais une sub-stance dont toute l'essence ou la nature n'est que de penser, et qui, pour être, n'a besoin d'aucun lieu, ni ne dépend d'aucune chose matérielle. En sorte que ce moi, c'est-à-dire l'âme, par laquelle je suis ce que je suis, est entièrement distincte du corps, et même qu'elle est plus aisée à connaître que lui, et qu'encore qu'il ne fût point, elle ne laisserait pas d'être tout ce qu'elle est.
>
> DM, IV, 148

De ce que le narrateur peut *feindre* (ou imaginer) ne pas avoir de corps mais non pas *feindre* ne pas penser (du moment que *feindre* est en soi un acte de la pensée), il conclut : premièrement que sa pensée (ou sa substance pensante) a une réalité plus certaine que son corps ; deuxiè-mement qu'elle est distincte de ce dernier. Si cette seconde déduction ne repose sur rien de démontrable, en revanche la première, l'établisse-ment de la pensée comme certitude première, irréfragable du *je*, consti-tue le premier tour de force et le point tournant du discours cartésien.

Ce que, dans sa recherche de la vérité, Descartes parvient à établir avec le plus de force, ce n'est nullement son existence à lui, dont il n'a jamais réellement douté, c'est le primat de la pensée : *l'être pensant en moi est ce qui a le plus de réalité* ; s'il n'est pas vrai que je pense, alors rien n'est vrai. Le *cogito*, le *Je pense, donc je suis*, de la simple tautologie qu'il était, s'entend dès lors différemment, il prend un sens plus précis et plus troublant : pour la pensée, la pensée est première. En d'autres termes, le « *je pensant* » vient avant tout autre *je*, avant toute chose, avant le monde et même, quoi qu'en pense le narrateur, avant Dieu.

Que Descartes en déduise sans argument convaincant que l'âme est une substance distincte du corps n'enlève rien à la force du primat qui précède. Si l'on ne peut en conclure que nous puissions penser sans le corps (pas plus d'ailleurs qu'on ne peut prouver que le corps est indispensable à la pensée), rien n'empêche, comme l'a bien vu Husserl, qu'on puisse « penser une conscience sans corps »[164]. En montrant que la conscience est la seule chose que la conscience ne puisse anéantir, Descartes renverse implicitement la priorité de la philosophie : son premier objet n'est plus le monde mais la pensée. Même s'il pouvait être prouvé que celui-là, ontologiquement, précède celle-ci (à supposer que cette proposition fasse sens), la pensée (ou la conscience) est méthodologiquement première. La subjectivité se saisit elle-même immédiatement comme vécu, elle s'impose à nous absolument, tandis que le monde, la « réalité objective » deviennent relatifs, n'existent que dans le faisceau de la pensée. Descartes lui-même, il est vrai, ne va pas si loin, mais c'est ce que son *cogito* implique.

Le primat de la pensée, à ce premier stade, ne permet pas d'assurer que le monde existe en dehors de notre pensée. À moins que cette pensée en arrive elle-même à la certitude d'une force extérieure sans laquelle elle ne pourrait penser. C'est la fameuse tentative de la preuve de l'existence de Dieu. Assuré par sa première conclusion (le *cogito*), que son entendement est capable de formuler une proposition vraie à condition de pouvoir concevoir les choses « fort clairement et fort distinctement », le narrateur revient sur l'imperfection de sa nature :

> En suite de quoi, faisant réflexion sur ce que je doutais, et que, par conséquent, mon être n'était pas tout parfait, car je voyais clairement que c'était une plus grande perfection de connaître que de douter, je m'avisai de chercher d'où j'avais appris à penser à quelque chose de plus parfait que je n'étais ; et je connus évidemment que ce devait être de quelque nature qui fût en effet plus parfaite.
>
> DM, IV, 148

---

164. Edmund HUSSERL, *Idées directrices pour une phénoménologie*, traduit de l'allemand par Paul RICŒUR, Paris, Gallimard, 1950, collection « Tel », 1985, p. 182.

> Car comment serait-il possible que je pusse connaître que je doute et que je désire, c'est-à-dire qu'il me manque quelque chose et que je ne suis pas tout parfait, si je n'avais en moi aucune idée d'un être plus parfait que le mien, par la comparaison duquel je connaîtrais les défauts de ma nature?
>
> M, III, 294

L'argument a de quoi faire réfléchir : l'idée de la perfection ne peut manifestement pas venir du néant. Mais nous savons désormais que le néant est une supposition caduque, du moment qu'il vient d'être établi hors de tout doute qu'il y a quelque chose, à savoir la pensée. Quant à sa défectuosité, la pensée n'a pas forcément besoin de la perfection pour en prendre conscience. La vie nous donne suffisamment d'occasions de nous mesurer à plus parfait (plus beau, plus fort, plus adroit, etc.) que nous pour que nous ayons conscience de nos insuffisances. L'idée de la perfection n'est jamais, depuis la prime enfance, que l'idée de plus parfait que nous. Quant à la perfection elle-même, absolument parlant, si elle existe, il est impossible que nous en ayons une idée adéquate : Dieu reste par définition inconnaissable. Descartes mélange ici deux niveaux : il extrapole une réalité métaphysique à partir d'un sentiment existentiel, le manque, qui n'a pas besoin d'elle pour être éprouvé.

Cette seconde démonstration n'a donc pas la force de la première. Ici, comme l'a bien vu Pascal, Descartes est effectivement « incertain et inutile ». L'existence de Dieu n'est pas affaire de preuve, mais de croyance. Il faut parier pour ou contre. Et Descartes en un sens parie sans l'admettre. Son échec a tout de même le mérite de laisser ouverte une question qui, dans l'histoire de la pensée occidentale, reste à la fois cruciale et sans réponse : *d'où nous vient donc l'idée de vérité ?* Dans une pensée qui, des origines grecques dont elle se réclame jusqu'à nous, n'a cessé de faire de la vérité le centre de ses préoccupations, l'intuition cartésienne demeure troublante. Si Descartes échoue à asseoir la vérité sur le roc de la métaphysique, du moins montre-t-il que cette vérité ne peut être acceptée à moitié. La force de l'argument cartésien réside en ceci : s'il n'y a pas Dieu alors nous ne pouvons être sûrs de rien, et il n'y a de vérité possible, significative dans aucune science. En d'autres termes, pour Descartes, la science n'est possible et digne d'être poursuivie que dans l'unité du vrai. Mais cette position est virtuellement nihiliste car, si la démonstration de Descartes ne convainc pas, elle contribue à saper le principe même qu'elle cherche à établir.

Kant verra clairement le danger, et c'est sans doute la raison pour laquelle son combat contre le scepticisme prendra une autre voie. À l'inverse de Descartes, il s'applique à séparer l'activité scientifique de l'idée de Dieu. Mais en séparant ce que Descartes entendait unir étroitement, vérité scientifique et vérité métaphysique, Kant, qu'il l'ait voulu ou non, justifie les sciences de courir leurs vérités particulières. Kant a beau se garder d'étendre cette liberté aux considérations morales, à la validité desquelles Dieu reste absolument nécessaire, la pratique de la science, devenue techno-science, suit son propre mouvement sans égard particulier pour le Souverain bien dont Dieu est censé garantir l'existence. Ce que pouvait craindre Descartes s'est bel et bien produit : la vérité s'est diluée, fragmentée, et le pragmatisme a aujourd'hui gagné toutes les sphères de la connaissance et de la morale. Mais, chose curieuse, cette parcellisation pragmatique n'a pas modifié dans son principe le besoin de vérité qui soutient l'universalisme intellectuel de notre civilisation. Bien qu'il ait lui-même détruit le socle de la vérité, l'Occident continue d'en porter le flambeau (la géante qui lève sa flamme sur le port de New York ne s'appelle Liberté que par ruse ou par une erreur sémantique qui a échappé à ses concepteurs, puisque nulle liberté ne saurait prétendre éclairer le monde), sans voir que cette torche qu'on voudrait toujours allumée n'est plus qu'un brandon fumant sous le crachin du nihilisme et de l'affairisme.

Le souci de la vérité et la conviction dans l'universalité de la raison avaient au moins le mérite chez Descartes d'être limités à la sphère assez précise de ce qui est « géométriquement » démontrable. Descartes se garde expressément, dans son *Discours*, d'étendre l'empire de la raison universelle aux vastes domaines des valeurs, des mœurs, de la politique et de la morale. S'il se conforme aux lois de son pays, c'est parce qu'elles sont acceptées de ceux avec qui il est amené à vivre et non parce qu'il les juge meilleures qu'en Perse ou qu'en Chine (D, III, 141). Cette sage limite est exactement celle que la raison des Lumières et, tout particulièrement, la raison pratique kantienne refuseront au nom d'un homme nouveau appelé à se doter d'une raison anhistorique. Avec la conséquence que notre civilisation, tout en se croyant à tort débarrassée de son héritage métaphysique, entend encore imposer aujourd'hui sa morale aux autres sur la base d'une universalité qui, chez elle, a perdu son fondement. De cette vérité à laquelle nous avons cessé de croire ne restent plus que la négation et son effet destructeur. Quant à ce qui reste de Descartes dans l'imaginaire collectif, ce n'est que la triste caricature d'une rationalité utilitaire dont, faute d'aller aux textes, on ne voit plus ni la source ni la mesure.

Car l'unité du vrai, chez Descartes, a des conséquences sur sa manière d'envisager la science et de conduire sa vie. En énonçant la première de ses *Règles pour la direction de l'esprit (le but des études doit être de diriger l'esprit pour qu'il porte des jugements solides et vrais sur tout ce qui se présente à lui)*, il s'élève contre la tendance à cultiver les sciences « chacune à part », étant donné que « toutes les sciences ne sont rien d'autre que la sagesse humaine, qui demeure toujours une et toujours la même, si différents que soient les objets auxquels elle s'applique », ajoutant un peu plus loin que « rien ne nous éloigne plus du droit chemin pour la recherche de la vérité, que d'orienter nos études, non vers cette fin générale, mais vers des buts particuliers » (RDE, I, 37-38). Cette unité, dont la contemplation en cette vie « est presque le seul bonheur qui soit pur », englobe aussi la sphère pratique, morale : la connaissance n'a pas pour unique utilité de faciliter l'existence matérielle mais d'accroître chez chacun « la lumière naturelle de sa raison [...] pour qu'en chaque circonstance de la vie son entendement montre à sa volonté le parti à prendre » (RDE, I, 38-39).

L'utilitarisme avoué de Descartes, l'ambition qu'on lui prête de vouloir maîtriser et posséder la nature (sur la foi d'une seule et même phrase presque toujours amputée du « comme » qui en nuance la portée[165]), sa manière systématique de raisonner degré par degré d'une évidence à

---

165. Évoquant les progrès accomplis en son temps dans le domaine de la physique, Descartes loue ces nouvelles notions en ces termes : « Car elles m'ont fait voir qu'il est possible de parvenir à des connaissances qui soient fort utiles à la vie, et qu'au lieu de cette philosophie spéculative qu'on enseigne dans les écoles, on en peut trouver une pratique, par laquelle, connaissant la force et les actions du feu, de l'eau, de l'air, des astres, des cieux et de tous les autres corps qui nous environnent, aussi distinctement que nous connaissons les divers métiers de nos artisans, nous les pourrions employer en même façon à tous les usages auxquels ils sont propres, et ainsi nous rendre *comme* [je souligne] maîtres et possesseurs de la nature. Ce qui n'est pas seulement à désirer pour l'invention d'une infinité d'artifices qui feraient qu'on jouirait sans aucune peine des fruits de la terre et de toutes les commodités qui s'y trouvent, mais principalement aussi pour la conservation de la santé, laquelle est sans doute le premier bien et le fondement de tous les autres biens de cette vie ; car même l'esprit dépend si fort du tempérament et de la disposition des organes du corps, que, s'il est possible de trouver quelque moyen qui rende communément les hommes plus sages et plus habiles qu'ils n'ont été jusqu'ici, je crois que c'est dans la médecine qu'on doit le chercher » (DM, VI, 168-169).

l'autre, l'importance qu'il attache à la vérification expérimentale, toute cette machine à penser rationnellement et utilement s'accorde mal, pour nous aujourd'hui, avec l'idée que *le vrai* — de la physique à la métaphysique en passant par la pratique — est indivisible et suspendu à l'existence de Dieu. Il faut pourtant le redire ici : ce qui fait l'originalité et la force de Descartes, malgré l'échec de sa démonstration, c'est justement cette tension qui unit le compréhensible à l'incompréhensible, l'humain au divin dans l'arc immense de la vérité. Si l'esprit de l'homme peut tendre sa corde et prétendre atteindre le réel de sa flèche, c'est qu'il y a *la* vérité : « la certitude de toutes les autres choses en dépend si absolument, que sans cette connaissance il est impossible de pouvoir jamais rien savoir parfaitement » (M, v, 315). Dieu, en tant que vérité suprême, est à la fois la condition et la fin de la science. Quelles que puissent être les utilités pratiques de cette dernière, l'homme n'en est pas la fin. « Car, bien que nous puissions dire que toutes les choses créées sont faites pour nous, en tant que nous pouvons en tirer quelque usage, je ne sache point que nous soyons obligés de croire que l'homme soit la fin de la création » (L, à Chanut, 6 juin 1647, 1275). On ne peut décidément pas parler d'utilitarisme cartésien au sens moderne et purement pragmatique du terme. Chez Descartes, la sagesse reste encore la plus grande « utilité » de la science.

Dans sa quête de vérité en tant que bonheur suprême, Descartes ne s'écarte pas fondamentalement des deux grands philosophes de la Grèce classique. À première vue, son rationalisme, son optimisme scientifique l'apparentent à Aristote. Mais il en diverge et le critique sur deux questions cruciales : Descartes refuse d'argumenter par la fin (EB, 1371) et ne croit pas que l'intelligence puisse se contenter de ce que nous dictent nos sens pour déchiffrer le monde. Le « grand livre du monde » ne se laisse pas si facilement consulter ; le langage de la nature, quoique intelligible, n'est pas directement lisible. Il y faut une clé. En quoi Descartes se rapproche davantage de Platon : sans être atteignable, Dieu, l'idée que nous en avons, nous poussent à tendre vers la vérité. Vers cette vérité, dont, tel Éros, nous manquons et dont nous avons en nous la notion et le désir. Mais il s'en éloigne par la confiance excessive qu'il témoigne en la capacité de notre entendement de combler ce manque. Descartes, plus que Platon, a le désir rationnel de Dieu.

Désir de toujours, méthode inédite. Orthodoxe dans sa visée métaphysique, novateur dans sa démarche, Descartes s'ingénie à rendre la science compatible avec la vérité chrétienne, qu'il entend même renforcer en l'installant sur de nouveaux fondements, sur de plus fermes raisons. Glissement d'une vérité révélée à une vérité raisonnée, d'une vérité particulière (malgré toutes les prétentions de l'Église *catholique*) à une vérité universelle. Déplacement infime et de grande conséquence. L'hypothèse du doute radical qui sert de tremplin à la pensée cartésienne nourrit une volonté de certitude sans précédent : la vérité qui pense s'établir à partir de cette obscurité initiale en tire un surcroît de force et d'universalité, susceptible de donner à la raison un pouvoir plus despotique que n'en eut jamais la vérité des Écritures. Car ces dernières laissent dans une relative incertitude l'étendue de l'intervention divine dans les affaires du monde, alors que la raison tend à vouloir les régir entièrement. Non pas qu'on puisse en attribuer l'intention à Descartes lui-même. C'est, on vient de le voir, tout le contraire. Mais cette tendance pourrait bien être contenue malgré lui dans le radicalisme de sa méthode. À aucun moment la Bible ne perd sa qualité de récit, tandis que le récit de la *méthode* s'oublie dans son résultat, au point que personne ne considère le *Discours* cartésien comme une narration. Avec la perte que cela implique : l'aventurier de l'esprit devient le géomètre de la raison ; l'amoureux de la vérité, le prêtre de la rationalité absolue. Mais un prêtre qui, quoi qu'il en dise, peut officier sans Dieu.

Quelle que soit en effet la puissance de conviction — et elle n'est pas négligeable — avec laquelle Descartes montre la nécessité scientifique de Dieu, le chemin qui mène à cette nécessité passe, un bref instant, par la conscience intime, isolée, du *je* raisonnant. Il est un moment du cheminement cartésien où la conscience (la pensée) est parfaitement seule avec elle-même, jusqu'à pouvoir faire l'hypothèse de la négation de Dieu. Sans doute n'évoque-t-elle cette hypothèse que pour s'empresser de constater que cette négation est impossible, qu'elle se nierait elle-même, que son autonomie est impensable. C'est *elle*, néanmoins, qui le pense ! Si Dieu « revient », c'est qu'*elle* en décide. Dans cette auto-réflexion, le *je* s'est fait, ne serait-ce que provisoirement, le témoin souverain de *sa* vérité avant de redevenir celui de Dieu. Cette « enflure du moi », nous l'avons vu, apparaît déjà chez Augustin, mais le *je* augustinien, aux prises avec le scandale de la volonté, est un *je* faible, divisé, dont la souffrance ne peut cesser qu'en Dieu. Le *je* pensant de Descartes utilise Dieu ; il le recrée plus qu'il ne s'y réfugie, et, fort de cet appui, dont il est tentant d'affirmer qu'il ne le doit qu'à sa pensée, il s'avance sereinement au bord du gouffre que sa vérité referme en marchant.

Là où Augustin résorbe dans la foi l'altérité intérieure qui le déchire, Descartes semble dépasser l'incertitude dans la science. En réalité, la science, chez lui, prolonge une conviction de toujours. Le néant cartésien n'en est que l'instrument provisoire. L'équation qu'il établit entre Dieu et la raison est aussi bien l'équation de la raison avec le sentiment intime de la vérité. Moi, la raison, je dis vrai. Le *je* a raison, il en a les moyens — nous disons constamment, sans y penser : « j'ai raison ». Équation, finalement, de la raison avec le même. Là où la présence, fût-elle diffuse, de Dieu, de l'Incompréhensible, laisse, si peu que ce soit, la narration inachevée, le chemin ouvert à un brin d'altérité, la raison, laissée à elle-même, tend à occuper tout le terrain, jusqu'à s'installer en nous comme autorité inconsciente. Celui qu'on regarde comme un des principaux penseurs de la modernité, loin d'établir ce qu'on a coutume d'appeler sans trop y penser « l'objectivité » de la science, en fonde malgré lui la subjectivité.

Descartes se saisit du doute latent qui traverse une partie de la littérature de son temps, il s'en empare dans l'état indécis où il se trouve (comme sentiment d'incertitude quant à l'existence d'une vérité autre que la simple vérité de notre vie) pour en faire un outil de spéculation philosophique. Là où pour Hamlet (comme pour Montaigne) le doute affecte la croyance, les valeurs, l'après de la vie, il devient avec Descartes ce qui affecte la réalité du monde. *Don Quichotte* ne fait pas douter de la réalité mais du bien-fondé de ce qu'on appelle par étourderie le réalisme ; il met en question notre capacité à la saisir et brouille la distinction que nous croyons pouvoir établir entre fiction et réel. Descartes commence par mettre fiction et réel dans le même sac de manière à douter du monde entier et de sa propre existence à lui. Mais si ce doute était vécu au niveau où le philosophe prétend le poser, c'est-à-dire absolument, il ne pourrait qu'anéantir celui qui le pense, il ne pourrait tout simplement pas même être pensé. Le *to be or not to be* de Hamlet resterait imprononçable. S'il n'en est rien, si le héros de la pensée survit à son doute radical c'est qu'il y a, au préalable, déplacement implicite du lieu et de la fonction de ce doute, qui chez Descartes est méthode.

Pas un instant, encore une fois, Descartes ne doute vraiment ni de lui-même ni du monde, simplement, il examine ce qui se passe lorsque l'intellect, en lui, joue à faire *comme* si tout n'était qu'illusion et tromperie. Cette simulation n'en est pas moins vertigineuse, elle montre le puits sans fond au-dessus duquel se penche l'intellect dès qu'il se réfléchit lui-même. Mais du coup, en se risquant à subir ce vertige — car cet exercice mental ne va pas tout à fait sans risque de folie —, Descartes montre que la pensée est à elle-même ce qu'elle a de plus indestructible. Et c'est ainsi, assurée de sa résilience, de sa capacité de résistance, qu'elle peut revenir au monde et s'interroger sur sa faiblesse, sur son insuffisance. Car l'incapacité de la pensée à s'autodétruire n'établit pas sa toute-puissance. Loin de là. La sûreté qu'elle a d'elle-même, sa persistance ne lui garantissent nullement sa fiabilité, du moment que, comme le montrent le rêve et la folie, rien *a priori* ne la met à l'abri du délire et que les sens ne lui fournissent pas une base suffisante pour établir ses certitudes. Aussi Descartes, comme un bon judoka, se sert-il de cette indéniable faiblesse, et plus généralement du manque propre à la condition humaine, pour rétablir *a contrario* l'idée de vérité. Mais la manœuvre, malgré son ingéniosité, est parfaitement circulaire. L'idée de perfection, si troublante soit-elle, ne prouve pas l'existence hors de nous de la perfection elle-même, elle n'est qu'une expression différente, sublimée, du manque sur lequel elle entend se fonder. Le rétablissement auquel procède Descartes ne fait que confirmer l'incomplétude initiale, ne fait en réalité que traduire l'état de manque à un niveau supérieur. Il introduit malgré lui et plus radicalement que jamais l'impossibilité de la certitude absolue.

En cherchant à faire du doute méthodique le levier infaillible d'une vérité nouvelle, Descartes, héros de la subjectivité pensante, ouvre malgré lui une faille mortelle dans la vérité qu'il entend sauver. Raison pour laquelle il mécontente et satisfait tout le monde, tour à tour invocable ou révocable tant par les adeptes d'une conception religieuse, révélée de la vérité, que par les libres-penseurs désireux d'abattre cette vérité transcendante pour toujours. Ces polémiques sont assez vaines. Surtout, elles semblent oublier que le récit cartésien n'a de sens, finalement, que sur le terrain étroit de la géométrie et que sa portée est historique plutôt que scientifique.

Pour avoir ignoré cette limite, les Lumières chargent la raison d'une tâche impossible et donnent à la science occidentale des ambitions démesurées et des espoirs destructeurs. Aujourd'hui que la croyance dans le progrès s'étiole, on discerne mieux ce qu'il en coûte d'avoir cru pouvoir rapatrier en ce monde la promesse de salut et la vérité que le christianisme réservait pour l'au-delà de la mort.

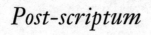

Post-scriptum

LA VÉRITÉ GRINÇANTE que l'Occident trouve en pièces détachées derrière la toile défaite de la métaphysique n'est pas celle qui prévalait avant l'irruption du récit évangélique. Quelque chose de la promesse chrétienne survit, ne serait-ce que négativement, dans la manière occidentale, moderne de comprendre la vie. La vie ne se suffit plus, comme chez les Grecs, elle doit accomplir ici-bas le salut que l'Évangile annonçait pour après la mort. Cet accomplissement est évidemment impossible, la finitude ne peut promettre l'éternité. Et cette infirmité semble inguérissable : la vie même est devenue insuffisante. L'insuffisance de cette vie terrestre dans les limites où elle nous est impartie est ce que l'espérance chrétienne laisse de plus vif au cœur d'une civilisation qui a cessé de croire en l'au-delà.

Il faut donc que cette civilisation réussisse dans l'histoire, ici-bas, ce que l'échéance de la mort refuse à chacun de nous : durer éternellement. Et il n'y a pas meilleure garante de cette durée que la croissance envisagée comme processus infini. Le héros moderne, en Occident, est celui qui par son action contribue d'une manière ou d'une autre à cette expansion sans limites. Mais la dépréciation qu'a subie le monde devant la promesse de l'au-delà fait de ce monde à la fois ce qui nous reste de plus précieux et de plus négligé. Agir sur le monde, quel qu'en soit le prix, surpasse toute jouissance, toute contemplation, toute existence. Le monde n'est plus le lieu de la vie mais la vaste carrière d'où nous devons à toute force arracher, comme le plus recherché des minerais, le sentiment de notre importance. La nécessité d'agir et d'accroître l'emporte sur la joie de vivre.

Qu'il s'agisse d'étendue territoriale, d'accumulation économique, d'hégémonie culturelle, de progrès scientifique et technique, le signe de notre immortalité, comme civilisation, réside dans l'augmentation incessante de son emprise et de son influence sur le reste du monde, « nature » comprise. Nous ne laissons survivre ce que nous appelons nature que comme parc, nous n'acceptons les autres cultures que comme enclos folkloriques et destinations touristiques. L'altérité a sa place à la même enseigne que la beauté : dans les musées et les sites protégés. Les musées, les réserves (botaniques, fauniques, ethniques) ne pouvaient être que des inventions occidentales. Seule une civilisation angoissée par sa puissance destructrice et hantée par la crainte de sa propre disparition pouvait penser mettre à l'abri dans des lieux spécifiquement aménagés à cette fin les épaves rescapées de l'usure du temps passé et à venir. Cette précaution a d'abord visé les vestiges des civilisations antiques dont nous nous jugions les héritiers plus ou moins directs. Le musée confirmait notre maîtrise du monde par la possession des restes de son histoire. Mais la muséomanie aujourd'hui n'épargne plus rien. Jusqu'à l'écologie elle-même, qui, en étendant le concept de musée au monde entier, ne fait que répondre pieusement à la démesure de nos ambitions. Du moment que tout risque de disparaître sous l'effet de notre propre désir de durer, tout mérite d'être préservé, mis à l'abri des forces que nous avons lancées dans l'exploitation illimitée du monde. Le souci écologique est l'expression ultime de la contradiction entre le désir de durer et la préservation du terrain où ce désir exerce ses effets ravageurs, la terre. Ce n'est pas pour rien que la science-fiction envisage la nécessité d'assurer la survie de l'homme dans l'espace sidéral, hors de l'habitat terrestre qu'il achève de saccager.

Le récit est lui-même la forme classique que prend dans presque toutes les cultures le désir de se continuer. Se raconter, c'est ne pas mourir. Ce désir s'exprime dans la parole, dans l'écriture de narrateurs qui, eux, se savent mortels, et c'est même pour cela qu'ils racontent, pour nourrir la mémoire de ceux qui prendront le relais. Raconter et mourir. Mourir apaisé d'avoir vécu et transmis. Nous sommes peut-être arrivés aujourd'hui à un point où, si nous n'y prenons pas garde, le récit ne pourra bientôt plus rien relayer de tel. Il se bornerait alors à divertir, à faire oublier, faute de pouvoir inscrire. Depuis plusieurs décennies déjà, certains écrivains cherchent à pallier cette insuffisance en multipliant les subtiles nuances de l'insignifiant. En dire le plus possible sur à peu près rien. Écrire pour ne rien dire, parce qu'il n'y aurait rien à dire, rien de durable qui vaille d'être transmis, parce que le récit aurait cessé d'être ce lieu privilégié de la transmission d'une génération à l'autre. La volonté de durer s'est durcie dans l'agir perpétuel ; la transmission se fait de plus en plus par la production des choses, ou, plus exactement, par l'activité accélérée qui les produit à une échelle toujours plus vaste. Les grands récits ne sont peut-être plus possibles de ce qu'il n'y a plus rien d'autre à transmettre que cette incessante amplification économique, scientifique et technique chargée d'assurer notre salut, et que notre imaginaire, dominé par la peur du manque, la hantise de la maladie et le refus de la mort, contribue si puissamment à alimenter.

Il se peut que la réification du monde ne soit qu'un difficile passage vers quelque chose que nous ne voyons pas encore. Nous en aurions déjà un indice important dans la croissance phénoménale de la production des biens symboliques que permet le développement rapide de l'informatique et de la télématique. Le monde virtuel qui étend ses ramifications sur la toile mondiale offre à l'imaginaire un espace sans limites où tout paraît devenir possible, où chacun peut raconter à tous et apprendre de tous. En un sens, nous entrerions peut-être plus que jamais dans l'ère du récit, à un moment où la différence entre réalité et fiction s'estompe de plus en plus. Mais raconter quoi, apprendre quoi d'une telle surabondance d'informations dispersées ? De quels nouveaux récits la toile aujourd'hui se tisse-t-elle dont la destination ne soit pas, très vite, la poubelle ? Tout texte lancé sur la toile n'est-il pas un seau d'eau jeté à la mer ? Que restera-t-il de ces milliards de signes quotidiens ? Quelle mémoire aurons-nous de ce qui n'a plus le temps de s'inscrire ? Nul doute, malgré ce risque de dilution, que la toile puisse à son tour porter le récit comme le fit jadis l'imprimerie. Mais à condition que le désir de faire sens en racontant ne se noie pas dans la trépidante succession du jetable.

Car ce désir n'est pas mort. En un sens il a resurgi, plus inquiet mais plus vivace, du déclin de la vérité métaphysique. Et il faudrait maintenant tenter de montrer comment, à partir de l'âge classique, le roman moderne lutte, au moins jusqu'à Proust, pour maintenir du sens à notre vie à travers l'exercice même d'une narration libre de se fixer ses propres règles. La halte que nous faisons ici est, j'espère, temporaire. Je me sens au seuil de ce nouveau parcours comme devant une prairie vaste et riche, où je compte bien me perdre dans un autre livre, si celui qui s'achève ici parvient à susciter l'intérêt. Il n'y a là ni modestie ni clause de style mais peut-être excès de confiance à penser que ce livre pourrait avoir valeur de test, que l'accueil qu'il recevra pourrait être significatif de la place que nous accordons à notre tradition narrative, tant je voudrais qu'il contribue, si peu que ce soit, à nous révéler à nous-mêmes un désir renouvelé d'y puiser une richesse de sens que je crois intarissable.

Une réelle crainte, plus grande que celle d'avoir simplement échoué, me hante en effet au terme de cette première aventure : que le grand récit n'ait bientôt pour nous plus rien de grand et que les efforts que j'ai déployés pour tenter d'en montrer la richesse, la fertilité paraissent à leur tour obsolètes. Bref, que les grands récits tombent eux-mêmes dans le divertissement, qu'on ne les voie plus que sur écran et qu'il soit de plus en plus difficile de transmettre l'enthousiasme que soulève leur *lecture*. Si j'ai néanmoins entrepris ce travail, si je l'ai poursuivi pendant plusieurs années avec une passion qui n'a pas faibli, c'est dans la conviction que notre patrimoine narratif, riche d'une richesse ignorée, mérite d'être lu et relu. Je l'ai dit dès le début, je le répète ici en terminant : ce livre aura atteint son but s'il provoque le désir d'aller aux textes, s'il incite à lire et à relire.

INDEX

Achevé d'imprimer en septembre 2002
sur les presses de la Nouvelle Imprimerie Laballery
58500 Clamecy
Dépôt légal: septembre 2002
Numéro d'impression: 207212
801 00 07/01

Imprimé en France